재팬 워처 2

누가 일본을 보고 있는가

JAPAN WATCHER

심규선

도서출판 월인

재팬 워처 2

JAPAN WATCHER

누가 일본을 보고 있는가

심규선

도서출판 월인

2권 차례

재팬 워처
누가 일본을 보고 있는가

8장. 학술지

9장. 분야별 전문가 인터뷰

1권 차례

재팬 워처
누가 일본을 보고 있는가

3장. 포럼

4장. 학생 및 청년 모임

5장. 학회

관심도 애정도 기록하지 않으면 공허하다

지난해 초에 갑작스럽게 찾아온 코로나19가 내 생활에도 직접적인 영향을 주기 시작했다. 가장 큰 변화는 외부 약속이 줄어든 것이다. 그때부터 수염을 기르기 시작했다. 동시에 시간이 없다며 미뤄왔던 '어떤 숙제'를 하기로 했다. 바로 이 책을 쓰는 일이다.

이 책을 쓰겠다고 마음먹은 것은 꽤 오래전이다. 20여 년 이상 한일문제를 옆에서 지켜보다 보니 그 관련으로 만나는 사람이 점점 늘어났다. 자연스럽게 한국에서는 누가 한일문제에 관심이 크고, 누가 영향력이 있을까 하는 호기심이 생겼다. 그래서 이 책은 각종 일본 관련 연맹, 위원회, 협회, 기금, 재단, 포럼, 연구센터, 연구원, 연구소, 학회, 학과, 학술지, 학생 모임 등을 망라하고 있으나 조직이 하는 '일'보다 그 조직을 움직이는 '사람'에 초점을 맞추고 있다. 이 책에 연 8,000명 이상의 이름이 등장하는 이유다. 그중에서도 살아 움직인다는 정치, 외교, 안보 분야에 집중해서 기술했다.

사람에 초점을 맞춰 한일관계를 보려는 시도는 흔하지 않다. 품도 많이 들어간다. 그런데 나는 왜 이 책에 꽂혔을까.

이런 책을 쓰려는 학자나 연구자가 없기 때문이다. 써봤자 밥도 안 나오고, 논문도 안 나온다.

'취재'를 해야 한다. '취재'는 연구와는 다른 차원의 능력이다. 그 능력은 '기자(記者)'가 구사해야 더 효과적이다.

네트워크도 필요하다. 일본 전문가와 관련 단체는 정계, 재계, 관계, 학계, 언론계 등 여러 분야에서 두루 퍼져 있다. 깊지는 않아도 모든 직역을 포괄하는 경험이 있어야 한다.

이 세 가지 조건을 충족하는 직역이 있다면 그것은 저널리즘이다. 이런 연유로 나는 이 책은 기자가 쓸 수밖에 없다고 생각했고, 그 기자가 우연히 내가 된 것이다.

이 책을 쓰는 도중에 어느 일본 전문가가 물었다. "도대체 왜 그런 책을 쓰느냐." '왜'라는 것은 책의 효용과 가치를 묻는 것이다. 잠시 대답이 궁했다. 얼떨결에 "즐거워서"라고 답했다. 그러나 동문서답이다.

그런데 영화 '자산어보'를 보고 어렴풋이 답을 찾은 느낌이다. 사서삼경이 세상을 지배하던 시절에 흑산도의 물고기를 기록한 책이 도대체 무슨 효용과 가치가 있단 말인가. 그러나 정약전은 효용은 관심의 산물이고, 가치는 애정에서 나온다는 것을 증명했다. 그런데 관심과 애정도 기록이 없으면 공허하다.

나는 이 책을 한일 관계에 대한 내 나름의 관심과 애정의 표현이라고 말하고 싶다. 이 책을 통해 한국과 일본이 얼마나 많은 문제를 놓고 머리를 맞대고 있는지, 그 일에 얼마나 많은 사람이 매달리고 있는지, 그래서 서로를 버리는 것이 얼마나 어리석은 선택인지를 조금이나마 깨닫게 된다면, 그것이 이 책의 효용이자 가치일 것이다.

나의 이 조그만 시도가 민들레 홀씨처럼 일본으로 날아가《코리안 워처 - 누가 한국을 보고 있는가》라는 화답집이 나오길 기대해 본다.

2021년 10월 고향 안성의 공부방에서

심규선 서울대 일본연구소 객원연구원

맑은 뒤 점차 흐려져 때때로 비

이 책을 쓰면서 한국과 일본은 정말로 밀접하고, 한국은 일본을 정말로 알고 싶어 하는 것 같다고 느꼈다. 미중간, 미북간, 북중간, 남북간 등의 변화는 물론이고, 아시아나 글로벌 차원의 도전이 다가오면 한국 학계는 즉각 그 사건이 한일간에 미칠 영향을 주제로 학술대회나 심포지엄, 세미나 등을 개최한다. 정치, 외교, 안보 분야를 중심으로 한 한일 관계는 매크로의 세계인 것이다. 그런데 어학과 문학, 역사와 문화를 매개로 한 한일 관계는 반대로 마이크로의 세계이다. 이런 것까지 연구하나 싶을 정도로 어미 하나, 소설 하나, 사건 하나, 영화 하나를 놓고 진지하게 토론한다. 우리는 이 정도인데 일본은 한국의 무엇을 어떤 수준까지 연구하고 있는지 매우 궁금하다.

그렇지만 아무리 한일 관계가 밀접하고, 아무리 상대방의 모든 것에 관심을 기울인다고 해도 요즘 한일 관계는 예전보다 훨씬 나쁘다. 이런 역설은 어디서 오는 것일까. 한국의 자신감과 일본의 자존심에 기반한 아이덴티티의 충돌, 중국의 대두와 냉전 해체 이후 달라진 국익의 차이, 수직적 상하 관계에서 수평적 대등 관계로의 전환, 인구 구성상 전쟁을 모르거나 전쟁 책임이 없는 전후 세대의 주류화 등 여러 이유를 거론하고 있다. 모두 맞을 것이다.

그런데 또 하나의 변화가 있다. 그것은 한국 내에서 일본에 대한 연구가 예전 같지 않다는 것이다. 국익의 조정과 일본의 위상 저하에 따른 자연스러운 현상으로 볼 수도 있다. 그러나 일본에 대한 연구 분위기의 저하와 관심의 퇴조가 현실을 제대로 반영하고 있는지에 대해서는 논의가 필요할 듯하다. 이 책의 이해를 돕기 위해 국내에서의 일본연구 동향을 개략적으로 소개하고자 한다.

마침 현대일본학회의 기관지인 〈일본연구논총〉 제51호(2020)가 '기획연구: 한국에서의 일본연구'라는 주제로 6편의 논문을 싣고 있다. 진창수(세종연구소)가 총론을 집필했고, 최은미(아산정책연구원)가 일본정치 연구 동향을, 박성빈(아주대)이 일본 경제 · 경영 연구 동향을, 하종문(한신대)이 일본사연구 현황을, 이강민(한양대)이 일본어 연구 동향을, 최재철(한국외국어대)이 일본문학 연구 동향을 소개하고 있다. 여기에서는 이 책의 성격상 진창수와 최은미의 논문만을 요약 소개한다. 엄격한 논문이 아니므로 일일이 인용부호를 사용하지 않았음을 밝혀둔다.

진창수의 논문은 「정체기에서 쇠퇴기로 접어든 일본연구」이다. 이 논문은 세종연구소 일본연구센터가 일본국제교류기금 서울문화센터의 위탁을 받아 2019년에 실시한 일본 연구자 조사 결과를 분석 자료로 사용하고 있다. 여기서 '일본 연구자'는 '한국연구자정보'(KRI, Korea Researcher Information)에 등록한 연구자를 중심으로 일본 관련 논문으로 박사학위를 취득한 연구자를 말한다. 이에 해당하는 연구자는 1654명이며, 연구 분야는 어학, 문학, 정치외교, 경제, 역사로 분류한다. 이 논문의 요지를 소개하면 다음과 같다.

한국의 일본연구
세종연구소 일본연구센터는 일본국제교류기금(재팬 파운데이션 · JF) 서울문화센터의 지원으로 2002, 2005, 2007, 2012, 2018, 2019년에 경제, 역사, 어학, 문학 분야로 나눠 연구기관, 연구자, 연구논문 등을 분석하는 방법으로 '한국의 일본연구 동향'을 조사했다. 2005년 조사결과는 《한국 일본학의 현황과 과제》(2007년)라는 단행본으로 냈고, 2012년과 2019년 조사결과는 일본국제교류기금 서울문화센터 홈페이지 자료실에서 확인할 수 있다.

연구자 분석

1,654명의 연구자 중 문학과 어학 분야 연구자가 949명으로 약 57%를 차지한다. 연령은 50대가 634명(38%)으로 가장 많다. 30, 40대는 줄고 있고 50대와 60대는 늘고 있다. 어학과 문학 분야는 그래도 50세 이하가 타분야에 비해 많으나, 경제 · 경영 분야는 65세 이상이 가장 많다. 정치와 역사 분야는 50대 중후반 연구자가 대세이고, 차세대는 2012년 조사에 비해 절반으로 줄었다.

성비는 전체적으로 남자 52, 여자 48%로 고른 분포를 보이고 있다. 54세 미만에서는 여성 61.5%, 남성 38.5%로 여성의 비율이 압도적으로 높다. 54세 이하를 분야별로 보면 어학과 문학 분야는 여성 비율이 높고, 역사와 정치 분야는 아직 남성 비율이 높으나 점점 여성 비율이 높아지고 있다. 반면 경제 · 경영 분야에서는 여성의 비율이 매우 낮다.

한국의 일본연구 제1단계는 1945년부터 1980년대까지로 연구 기반 형성기이고, 제2단계는 1990년대 이후 양적 팽창과 질적 변화 모색기이고, 3단계는 2011년 이후 정체기와 쇠퇴기이다. 박사학위 취득자는 1990년대부터 2000년대 중반 사이가 가장 많고 그 이후부터는 모든 분야의 박사학위 취득자가 줄고 있다. 대학의 일본 관련 학과는 1980년대에 가장 많이 생겼고, 일본 관련 학회는 1990년대에 가장 많이 발족했다.

박사학위 취득 국가는 전체적으로 일본에서가 54%, 한국에서가 38%이며, 2010년 이후에는 한국에서 박사학위를 받은 비율이 일본보다 높다.

4년제 대학의 전임교수는 182명, 2 · 3년제는 21명, 통번역대학원은 7명이고, 일본인 교수도 140여명이 활동 중이다. 2012년 조사 때와 비교해 2019년에는 한국인 교수가 4년제대학에서 12%, 2 · 3년제에서 45% 이상이 줄었다.

연구 경향

2010년대 이후 일본 연구의 가장 큰 특징은 연구자의 고령화가 진행하면서 연구능력이 저하되고 있는 현상이다. 대학 학과의 통폐합도 원인 중 하나이다. 2012년에는 4년제 대학 99개에 일본 관련 학과가 있었으나 2019년에는 88개로 줄어들었다.

2012년에는 14개 주요 학술지에 1,099편의 일본 관련 논문이 실렸으나 2019년에는 762편으로 대폭 줄었다.

연구자의 고령화, 의욕감퇴와 더불어 최근의 일본연구에 영향을 미친 것은 한일간의 역사분쟁과 다양한 갈등이다. 일본연구도 사회적인 요구를 반영하기 시작한 것이다.

정치 분야는 사회적으로 주목받는 사안에 대한 연구가 상대적으로 증가하고 있다. 경제 · 경영 분야에서는 대학연구소와 대학밖 연구소의 관심이 달라지고 있다. 대학연구소는 여전히 이론적인 연구를 계속하지만, 대학밖 경제연구소는 '일본모델'의 쇠퇴로 인해 경제 · 산업 현안과 경제정책 분석으로 관심을 돌렸다. 어학 분야는 문법 연구가 줄어드는 대신 일본어교육 비중이 늘고 있고, 문학 분야에서는 문화 관련 연구가 늘고 있으며, 역사 분야에서는 일본과의 역사 인식 충돌에 따라 '관계사'가 각광을 받기 시작했다.

대학 일본학과 83개

4년제 대학의 일본 관련 학과는 진창수의 논문에서 2012년 99개, 2019년 88개라고 했으나 필자가 조사한 2021년 2월 시점에서는 더 줄어 83개(전공 포함)였다. (이 책 6장 참조)

14개 학술지

진창수의 논문에서 분석대상으로 선정한 14개 주요학술지와 발행기관은 다음과 같다.

일본학보(한국일본학회) 일어일문학연구(한국일어일문학회) 일본연구논총(현대일본학회) 일본어교육(한국일본어교육학회) 일어일문학(대한일어일문학회) 일본역사연구(일본사학회) 일본어문학(일본어문학회) 일본어문학(한국일본어문학회) 일본문화학보(한국일본문화학회) 일본사상(한국일본사상사학회) 일본어학연구(한국일본어학회) 일본근대학연구(한국일본근대학회) 일본문화연구(동아시아일본학회) 일본언어문화(한국일본언어문화학회)

앞으로의 과제

어문학 편중 교육에서 탈피해 연계 전공을 확대할 필요가 있으며, 차세대 연구자들을 지원하거나 배출할 수 있는 효율적인 프로그램을 개발해야 한다.

일본 연구도 양에서 질로 전환하되, 특별한 지역연구 차원에 매몰될 것이 아니라 일반적인 학문 이론이나 논리에 근거를 두고 학문 내에서, 학문 간에 공동연구를 하도록 유도해야 한다.

일본 연구자 간의 네트워크를 강화해 일본연구를 '분절된 학문'에서 '융복합 학문'으로 거듭나도록 다양한 연구자가 참여하는 논의의 장을 만들어야 한다.

대중적인 관심에만 영합하지 말고, 일본에 대한 새로운 담론의 형성, 한국문제 해결을 위한 정책 발굴, 일본연구의 새로운 아젠더 설정에 노력해야 한다.

최은미의 논문은 「한국의 일본정치연구 – 동향과 과제: 2010년대 일본정치연구의 위기와 새로운 도전」이다. 이 논문도 세종연구소 일본연구센터가 2019년에 조사한 자료를 바탕으로 2011년부터 2019년까지 〈국제정치논총〉, 〈한국정치학회보〉, 〈일본학보〉, 〈일본연구논총〉, 〈국가전략〉, 〈국가안보와 전략〉, 〈통일정책연구〉, 〈국방정책연구〉 등 8개 학술지에 수록된 일본관련 논문을 조사 분석했다. 진창수의 논문은 일본관련 전 분야를 분석했지만, 최은미의 논문은 정치분야에, 그것도 2010년대에 초점을 맞추고 있다. 진창수의 논문에서 언급한 내용은 피하면서 이 논문의 요지를 소개하면 다음과 같다.

연구자 분석

2019년 4월 시점에서 정치외교 분야의 연구자는 모두 249명이고, 이 중 현직에 있는 연구자는 199명이다. 국내에서 일본정치를 연구하는 그룹의 주류는 50대(53.8%), 남성(59.5%), 일본에서 학위를 취득한(54.2%) 연구자들이다. 이들은 '제3세대' 연구자로 불리는 그룹으로, 1950~60년대 출생해, 1990년대에 박사학위를 받고 한국에 돌아와, 1990년대 중후반부터 2000년대 중반까지 왕성하게 연구 활동을 했다.

50대 연구자의 뒤를 잇는 30, 40대 연구자는 27.6%(30대 5%, 40대 22.6%)로 50대 이상 연구자 72.4%(50대 53.8%, 60대 18.6%)의 절반에도 미치지 못한다. 40대는 '제4세대' 연구자로 불리는데, 이들은 일본, 일본인, 일본문화에 비교적 친숙하고, 이전 세대에 비해 일본에 대한 반감이 덜하다. 또 세계화 흐름 속에서 학계에 진입하기 전에 이미 다양한 매체와 연수, 교환학생, 인턴십 등을 통해 일본을 직간접적으로 경험한 경우가 많다.

이 시기에는 양자적 시각으로 한일 관계를 보지 않고, 동아시아와 국제정치적 측면에서 한일 관계를 보려는 경향도 나타난다.

4명의 학자

최은미는 2019년에 쓴 이 논문에서 50대인 '제3세대 연구자'의 대표격으로 박철희 서울대 국제대학원 교수, 박영준 국방대 교수, 남창희 인하대 교수 등 3명을, 40대인 '제4세대 연구자'의 대표격으로 최희식 국민대 교수를 선정해 그들의 연구 활동 이력을 소개하고 있다.

국내 대학에 소속한 연구자들이 압도적으로 많지만(85.4%) 세대가 낮아질수록 대학 소속이 줄고 학교밖 연구소 취업이 늘어난다. 대학에서는 일본 관련 학과가 줄지만, 대학밖 정치 · 외교분야에서는 정책적 수요가 늘기 때문으로 보인다.

2010년대 연구의 특징

주요 학술지의 일본 관련 논문 수는 전반적으로 감소하고 있다. 연구 분야를 세분해 일본 국내정치, 동아시아 국제정치, 일본 외교안보, 일본 정치경제, 일본 역사, 한일연구 분야별로 논문 수를 분석해보면 2010년대는 정치경제 연구는 감소하고 외교안보 연구는 증가했다. 연구 테마는 전통적인 정당, 선거 연구 등에서 2010년대에는 시민사회, 복지, 노동, 지방행정 등으로 주제가 확대된다.

시대를 반영하고 현안과 연계된 논문이 늘어나는데, 2012년 센카쿠열도 분쟁에 따른 중일관계 연구, 2015년 한일 위안부합의를 둘러싼 논쟁 연구, 2011년 3 · 11 동일본 대지진과 민주당의 실패에 대한 연구 등이 대표적이다. 시의성이 있거나 사회적 요구에 부응하는 연구는 많으나 새로운 연구방법론을 시도하거나 연구를 심화발전시키는 선구적 연구는 부족하다.

앞으로의 과제

2000년대에 들어서면서 신진연구자의 감소와 연구자의 고령화 속에서 연구의 양적 감소와 질적 수준의 정체, 새로운 연구분야에 대한 도전 감소 등이 문제점으로 드러났다. 이를 극복하기 위해서는 차세대 연구자를 양성하고, 일본학연구의 질적 심화와 연구역량 강화를 위해 노력해야 한다. 한국의 대표적 학술지에 외국인 연구자와 외국어 논문을 게재하는 비율이 극히 저조하다. 이는 한국의 일본연구가 국내 수준을 탈피하지 못했다는 뜻으로 한국의 일본연구를 세계로 발신하도록 힘써야 한다.

두 논문의 현실 인식과 개선방안은 비슷하다. 그러나 현실은 언제나 예상보다 냉혹하다. 특히 일과성 현상이 아니라 사회 전반의 트렌드에서 비롯된 문제라면 처방이 더욱 힘들다. 인위적 처방을 통해 일본연구를 진작시켜야 하는지에 대한 반론도 있다. 한국에서의 일본연구의 기반이 흔들리고 있다는 사실은 여러 차원에서 재조정해야 하는 한일 관계의 한 측면일지 모른다.

이 책을 쓰는 데 도움을 주신 분들

* 직책은 취재 당시

강찬구	동아시아재단 선임간사
고바야시 나오히토	전 김&장 고문
권욱민	한진그룹 상무
김명성	샌드연구소 이사
김미정	국립외교원 일본연구센터 연구원
김봉섭	재외동포재단 전문위원
김석기	한일의원연맹 간사장(국민의힘)
김선영	삼성언론재단 부장
김수연	한국국제교류재단 대리
김수웅	한일문화교류기금 사무국장
김아정	동서대 일본연구센터
김정희	동서대 국제교류센터장
김진아	대한민국시도지사협의회 국제협력부장
김현기	중앙일보 도쿄총국장 겸 순회특파원
남정호	중앙일보 논설위원
문윤정	한일문화교류회의 간사
박남수	한국국가전략연구원 국방전략센터장
박세원	LG상남언론재단 부장
박정호	한일의원연맹 사무총장
박진원	LG경제연구원 전무
박철희	서울대 국제대학원 교수
박희제	동아일보 인천본부장
변종국	동아일보 산업1부 기자
서석숭	한일경제협회 상근부회장
서영아	동아일보 논설위원
서유리	한국언론진흥재단 언론인연수팀 과장
서인원	일제강제동원피해자지원재단 기획홍보국 팀장
송부영	한일협회 이사장
신각수	전 주일대사

신경식	조선시대통신사현창회 사무국장
신나연	세종연구소 일본연구센터
신윤철	한국스미토모상사(주) 강재 · 개발팀 대리
심재현	한림대 일본학연구소 연구원
안정호	한반도평화만들기재단 팀장
양기호	성공회대 일본학과 교수
양희민	세토포럼 사무국장
연순옥	한일여성친선협회 사무총장
염동우	전북대학교 일문학과 조교
염동임	한일협력위원회 과장
오승희	동아시아연구원 수석연구원
오영환	중앙일보 지역전문기자 겸 대구지사장
옥경근	한일친선협회 사무총장
우병국	한국국제교류재단 글로벌네트워크사업부장
유재진	고려대 일어일문학과 교수
유주열	한일협력위원회 사무총장
육철수	관훈클럽 사무총장
윤덕민	한국외국어대 석좌교수
윤병세	전 외교부 장관
윤석정	국립외교원 일본연구센터 연구교수
이강민	한양대 일본학과 교수
이기태	통일연구원 연구위원
이면우	현대일본학회장
이선화	중앙대 일본연구소 연구원
이원덕	국민대 일본학과 교수
이진명	한일미래포럼 간사
이한주	한일미래포럼 간사
이현주	전 오사카 총영사
이호정	한국국제교류재단 디지털콘텐츠부 과장
장제국	동서대 총장
정구종	한일문화교류회의 위원장
정승호	동아일보 광주호남제주본부장

정재정	광주과학기술원 초빙석학교수
정해인	성곡언론문화재단 과장
조덕묘	한일경제협회 사무국장
조아라	국립외교원 일본연구센터 연구원
조양현	국립외교원 일본연구센터 책임교수
조용래	한일의원연맹 사무총장
조용휘	동아일보 부산울산경남본부장
조윤수	동북아역사재단 연구위원
조희용	전 국립외교원 일본연구센터 소장
지명훈	동아일보 대전충청강원본부장
진창수	세종연구소 일본연구센터장
차병석	한국경제신문 수석논설위원
최경희	샌드연구소 대표
최은미	아산정책연구원 연구위원
최희식	국민대 일본학연구소장
한의석	성신여대 동아시아연구소장

일러두기

이 책에는 한일 관련 단체와 인물이 많이 등장한다. 무슨 기준으로 선정했는지, 어떻게 취재했는지, 소개하는 글이 왜 길고 짧은지 등에 대한 궁금증이 있을 수 있다. 몇 가지 집필 기준에 대해 설명을 드린다.

1. 단체나 일보다는 사람을 소개하려는 책이다

이 책은 단체나 그 단체가 하는 일을 소개하려는 것이 아니라, 한일 문제에 관여하고 있는 전문가들을 소개하려는 데 집필 목적이 있다.

2. 전문가 중에서도 정치, 외교, 안보 분야에 집중

한일, 또는 일본 관련 분야는 상당히 넓다. 크게 나눠도 어학, 문학, 정치, 경제·경영, 역사, 문화 등이 있다. 이 책은 여러 분야 중에서도 정치, 외교, 안보 분야의 전문가에 집중한다. 단, 외교부와 청와대 등에서 근무하는 공직자는 제외했다. 다른 분야에서 활동하는 훌륭한 학자와 전문가도 많지만, 이 책의 성격상 언급하지 않은 점을 양해 바란다.

3. 취재 마감은 대체로 2021년 초

단체의 임원이나 학술지의 편집위원 등은 2, 3년 단위로 바뀌게 마련이다. 또 프로그램이 없어지거나 새로 시작하기도 한다. 그렇다고 변동사항을 모두 반영할 수는 없었다. 제작 기간 등을 고려해 이 책은 대체로 2021년 초를 데드라인(마감시한)으로 삼았다. 다만, 필자가 관여하고 있는 단체의 변동이나 자연스럽게 알게 된 정보, 학술지 등은 최근의 것도 반영했다.

4. 홈페이지 활용과 직접 취재 병행

이 책의 내용은 주로 각 단체나 기관의 홈페이지를 활용했다. 그러나 중요한 단체나 기관인데도—예를 들면 한일의원연맹, 한일협력위원회, 한일친선협회, 한일여성친선협회 등—홈페이지가 없는 경우, 홈페이지가 있어도 필요한 팩트가 불분명한 경우에는 관계자에게 전화를 걸거나 이메일을 보내 직접 취재했다.

5. 홈페이지가 충실하고 취재에 적극적이면 기사가 길다

어떤 기관이나 단체의 설명은 길거나 충실하고, 어떤 기관이나 단체의 그것은 짧거나 부실하다. 홈페이지가 잘 돼 있고, 직접 취재에 적극 응해줬을 땐 기사를 길게 썼다. 역으로 보충하고 싶어도 홈페이지가 부실하거나 취재에 응하지 않아 그러지 못한 경우도 있다.

6. 게재는 비슷한 단체 – 공공기관 – 사립기관 – 대학 순

분류와 순서에 정확한 기준은 없다. 다만 필자의 판단에 따라 비슷한 성격의 단체는 같은 장(章)에 배치하고, 같은 장 안에서는 공공기관을 앞쪽에, 사립기관이나 대학을 뒤에 실었다. 역사와 규모 등도 고려했다. 같은 카테고리 안에서는 가나다순을 적용했다. 단, 2장의 연구센터, 연구원, 재단은 한경비지니스가 매년 발표하는 〈한국 100대 싱크탱크 순위〉를 참고했다. 7장의 대학연구소는 대학 이름을 기준으로 가나다 순에 따랐다. 8장의 학술지는 대학 밖 학회의 학술지를 앞에, 대학 내 연구소의 학술지를 뒤에 실었다.

7. 9장 전문가 인터뷰에 대하여

2020년 말에 질문지를 보내 답변을 받은 뒤 올해 초에 수정하거나 보충했다.

8. 10장의 전문가 명단에 대하여

10장의 전문가 명단에는 200여 명의 이름이 올라 있다. 이 책의 성격에 맞춰 정치, 외교, 안보 분야에서 활동하고 있는 학자, 관료, 언론인 위주로 실었다. 소수이긴 하지만 정치인과 경제인, 문화와 어학 관련 단체의 장(長)도 들어있다. 이 책을 쓰면서 자주 등장하는 사람과 누구나 인정할 만한 전문가 중에서 선별했다. 85%는 본인에게 약력을 받았으나, 나머지는 공개된 자료를 조사해서 필자가 작성했다. 당연히 명단에 올라야 할 사람이 빠진 경우도 있다. 연락이 안 되거나 공개된 자료가 없는 경우이다.

9. 증보판에 대하여

사전적 성격도 있는 이 책의 특성상, 달라진 내용을 수정하거나 새로 만든 단체 등을 보충해서 정기적으로 증보판이나 재판을 내는 것이 필요하다고 본다. 그러나 아직 그런 계획은 없다. 다만, 이 책의 독자 중 새로운 내용을 추가하거나 틀린 부분을 수정하고 싶은 분이 있다면 필자의 이메일—ksshim560@gmail.com—로 그 내용을 보내주시길 바란다. 접수한 내용을 모아두었다가 필요하면 재판을 고려하고자 한다.

6장. 대학의 일본 관련 학과

Osaka

전국 200개 4년제 대학 일본 관련 학과

조사 시점은 2021년 2월이며, 조사대상은 한국대학교육협의회 홈페이지에 올라있는 200개 회원 대학이다.

모든 대학의 홈페이지를 일일이 확인했으나 교수진의 숫자나 연구소의 유무에 착오가 있을 수도 있다. 대학에 따라서는 명예교수, 객원교수, 겸임교수, 특임교수 등도 교수진에 올려놓고 있는데 그런 교수진도 명기했다. 홈페이지에 그런 직함의 교수들이 없는 경우는 원래 없는 것인지, 있지만 명기하지 않은 것인지는 확인하지 못했다.

대학 학부의 일본 관련 학과의 교육과정은 정치 외교 안보 등에 관한 것보다 어학, 문학, 문화 등에 치우쳐 있다. 따라서 이 책의 특성상 각 대학의 정치외교학과나 국제대학원 등에서 일본정치나 외교정책 등을 가르치는 교수진도 조사할 필요가 있으나 거기까지는 조사하지 못했다. 이들은 학회, 학술지, 연구소 등에 대부분 언급돼 있다.

전국 200개 4년제 대학 일본 관련 학과

대학	국립/사립	위치	일본 학과 및 일본 관련 연구소, 학술지		
			학부	대학원	연구소와 학술지
가야대	사립	경남 김해, 경북 고령			
가천대	사립	경기 성남, 인천 연수구	**동양어문학과 일본어문학전공** 교수진 박진수, 세키네 히데유키, 이수향 교수, 탁성숙 명예교수 등 4명	**동양어문학과 한일비교문화콘텐츠전공(석사)**	아시아문화연구소 〈아시아문화연구〉
가톨릭관동대	사립	강원 강릉			
가톨릭대	사립	경기 부천, 서울 서초구·종로구	**인문대 일어일본문화학과** 교수진 강석우, 이범석, 최창완 교수, 오경순 겸임교수, 장양광 교육전담초빙교수 등 5명	**일반대학원 일어일본문화학과 일본어학 전공(석사)**	
감리교신학대	사립	서울 서대문구			

대 학	국립/사립	위 치	일본 학과 및 일본 관련 연구소, 학술지		
			학 부	대학원	연구소와 학술지
강남대	사립	경기 용인			
강릉원주대	국립	강원 강릉 · 원주	**인문대 일본학과** 교수진 박경수, 김태영, 박소현, 박종승, 이이범, 한기련 교수 등 6명		다문화연구소
강원대	국립	강원 춘천 · 삼척시 중앙로 · 삼척시 도계읍	**인문대학 인문학부 일본학전공** 교수진 백동선, 황소연, 박이순, 이회복, 현진덕, 이구치 게이나 초빙 교수 등 6명	**일반대학원 일본학과(석사, 박사)**	
건국대	사립	서울 광진구, 충북 충주	**사범대 일어교육과** 교수진 민광준, 신인섭, 오현정, 이현영, 박삼헌, 나가시마 노리코, 박종명 교수 등 7명	일반대학원 일본문화 · 언어학과(석사, 박사, 석박사통합), 교육대학원 일본어교육 전공(석사)	아시아문화정치연구소, 아시아디아스포라연구소, 다언어다문화연구소, 아시아콘텐츠연구소
건양대	사립	대전, 충남 논산			
경기대	사립	경기 수원, 서울 서대문구	**인문대 글로벌어문학부 일어일문전공** 교수진 박재환, 윤영수, 홍진희, 김정희, 곽은심, 구라사키 미토 교수와 박선술 명예교수 등 7명	서울캠퍼스 동양문화학과(박사) 수원캠퍼스 교육대학원 다문화전공(석사).	동아시아예술연구소 〈동아시아예술연구〉
경남과학기술대	국립	경남 진주 (동진로, 내동로)			
경남대	사립	경남 창원	**사범대 일어교육과** 교수진 장용걸, 모리야 미사코, 오쿠무라 유지, 마쓰키 료코 교수, 손명곤 명예교수 등 5명	일반대학원 동북아학과(박사)	극동문제연구소 〈Asian Perspective〉, 〈한국과 국제정치〉, 〈IFES 현안진단〉 등 다수

디아스포라(Diaspora)
처음에는 팔레스타인을 떠나 세계 각지에 흩어져 살면서 유대교의 규범과 생활 관습을 유지하는 유대인을 지칭하는 말이었다. 그러나 최근에는 그 의미가 넓어져 본토를 떠나 타지에서 자신들의 규범과 관습을 유지하며 살아가는 민족 집단 또는 그 거주지를 가리키는 용어로 폭넓게 사용하고 있다.

대 학	국립/사립	위 치	일본 학과 및 일본 관련 연구소, 학술지		
			학 부	대학원	연구소와 학술지
경동대	사립	경기 양주, 강원 원주 · 고성			
경북대	국립	대구	**인문대 일어일문학과** 교수진 이준섭, 채수도, 이자호, 조헌구, 장유리 교수 등 5명	**일반대학원 일어일문학과(석사, 박사), 교육대학원 일어교육전공(석사), 국제대학원 국제지역학과 일본학전공(석사)**	아시아연구소
경상대	국립	경남 진주	**사범대 일어교육과** 교수진 윤강구, 권해주, 김명주, 전자연, 스즈키 아즈사 교수 등 5명	**교육대학원 일어교육전공(석사)**	국제지역연구원 일본문화연구센터
경성대	사립	부산 남구	**문과대 일어일문학전공** 교수진 남미영, 신승모, 김보은, 고노 나쓰코 교수 등 4명, 이권기, 이은택, 윤영기, 이충렬 명예교수 등 4명		
경운대	사립	경북 구미, 대구 북구			
경인교육대	국립	인천 계양구			
경일대	사립	경북 경산			
경주대	사립	경북 경주			
경찰대	국립	충남 아산			
경희대	사립	서울 동대문구, 경기 용인 · 남양주	**외국어대 일본어학과** 교수진 이창수, 손지연, 김태경, 도가사키 유이치, 데시마 다카히로 교수 등 5명, 이재훈 객원교수 1명, 이해미, 노희진, 니시노 에리코, 하타나카 아이, 기타우치 다이토 등 강사 5명, 송경주 겸임교	**일반대학원 국제캠퍼스 동양어문학과 일어일문학 전공(석사, 박사, 석박사통합)**	국제지역연구원(Institute Global Affairs · IGA) 일본학연구소, 비교문화연구소 〈비교문화연구〉, 글로벌 류큐 · 오키나와연구소

대 학	국립/사립	위 치	일본 학과 및 일본 관련 연구소, 학술지		
			학 부	대학원	연구소와 학술지
			수 1명, 오미선 명예교수 1명 등 13명		
계명대	사립	대구 달서구	**-인문국제학대학 외국어문학부 일본어문학전공** 교수진 홋타 나나에, 노다 다카히로, 나성영, 신지숙, 유옥희, 장원재, 천호재 교수 등 7명 **-국제지역학부 일본학전공** 교수진 마쓰다 요시히코, 야스다 마사시, 김명수, 박승현, 어수정, 여박동, 이병로, 이성환, 이용덕, 홍민표 교수 등 10명	**일반대학원 일본학과(석사, 박사, 석박사통합), 통번역학과 일본어통번역학 전공(석사, 박사, 석박사통합)**	국제학연구소(〈국제학논총〉) 일본학연구실
고려대	사립	서울 성북구, 세종시	**문과대 일어일문학과** 교수진 김충영, 정병호, 서승원, 채성식, 김수미, 유재진, 조영남, 스기모토 쇼고, 고마쓰 나나 교수 등 9명	**일반대학원 중일어문학과 일본어학 전공, 일본문학 전공(석사, 박사), 교육대학원 일어교육 전공(석사),** 국제대학원 지역학과(석사)	글로벌일본연구원 〈日本硏究〉〈跨境/日本語文学硏究〉, 아세아문제연구원 〈亞細亞硏究〉 현대일본연구센터, 일민국제관계연구원 〈국제관계연구〉, 사범대 동아시아문화교류연구소
고신대	사립	부산 영도구			
공군사관학교	국립	충북 청주	공사 생도 일본 방위대 위탁교육(2000년부터 매년 1명), 일본 방위대 생도 공사수탁교육(2002년부터 매년 1명)		
공주교육대	국립	충남 공주			
공주대	국립	충남 공주			

대 학	국립/사립	위 치	일본 학과 및 일본 관련 연구소, 학술지		
			학 부	대학원	연구소와 학술지
광신대	사립	광주 북구			
광운대	사립	서울 노원구	**정책법학대학 국제학부 국제지역전공** 교수진 김광열, 신상진, 전진호, 윤이숙, 장수현, 션지아 교수 등 6명 **동북아대학(영어, 중국어, 일본어 교육)**	**일반대학원 국제지역학과 일본학전공(석사, 박사)**	동아시아연구소
광주가톨릭대	사립	전남 나주			
광주교육대	국립	광주 북구			
광주대	사립	광주 남구			
광주여대	사립	광주 광산구			
국군간호사관학교	국립	대전 유성구			
국민대	사립	서울 성북구	**글로벌인문 · 지역대학 일본학과** 교수진 김현욱, 박선영, 박창건, 이원덕, 최희식 교수 등 5명	**일반대학원 국제지역학과 일본지역전공(석사, 박사, 석박사통합)**	일본학연구소 〈일본공간〉
군산대	국립	전북 군산	**인문대학 동아시아학부 일어일문학전공** 교수진 김윤철, 장영철, 남이숙, 표세만, 안지영, 최대화 교수, 아오모리 쓰요시 객원교수 등 7명	**일반대학원 일어일문학과(석사), 교육대학원 일본어교육전공(석사)**	
극동대	사립	충북 음성	기존의 사회과학대학 일본문화관광콘텐츠학과를 2020년부터 **글로벌문화콘텐츠학과**로 개명 교수진 일본 전공자들 그대로. 유미선, 가네코 루리코, 마경옥, 겐코 히로아키, 정상철 교수 등 5명		아시아미래연구소

대 학	국립/사립	위 치	일본 학과 및 일본 관련 연구소, 학술지		
			학 부	대학원	연구소와 학술지
금강대	사립	충남 논산			
금오공대	국립	경북 구미			
김천대	사립	경북 김천			
꽃동네대	사립	충북 청주			
나사렛대	사립	충남 천안			
남부대	사립	광주 광산구			
남서울대	사립	충남 천안	글로벌상경대학 글로벌지역문화학과 일본지역전공 교수진 정웅수, 도기정, 정욱성 교수 등 3명		
단국대	사립	경기 용인(죽전), 충남 천안	외국어대학 아시아중동학부 일본학전공 교수진 학부 전체 24명	일반대학원 일어일문학과(석사, 박사, 석박사통합)	일본연구소 〈일본학연구〉
대구가톨릭대	사립	경북 경산	글로벌비즈니스대학 외국어자율전공학부 일어일문학 전공 교수진 강경완, 아오키 사야카, 나카지마 시노부, 이시바시 고 교수 등 4명, 유은경, 장정래 명예교수 등 2명	일반대학원 일어일문학과(석사, 박사, 석박사통합), 교육대학원 일어교육전공(석사)	다문화연구소
대구교육대	국립	대구 남구			
대구대	사립	경북 경산	인문대학 일본어일본학과 교수진 허영은, 최장근, 김봉정, 오수문 교수 등 4명	교육대학원 일본어교육전공(석사)	
대구예술대	사립	경북 칠곡			
대구한의대	사립	경북 경산			
대신대	사립	경북 경산			
대전가톨릭대	사립	세종시			

대 학	국립/사립	위 치	일본 학과 및 일본 관련 연구소, 학술지		
			학 부	대학원	연구소와 학술지
대전대	사립	대전 동구	**경영대학 글로벌비즈니스학부 국제언어학과 일본언어문화전공** 교수진 박희남, 육근화, 민병훈, 구로기 료지, 강연화 교수 등 5명	**일반대학원 일어일문학과(석사)**	글로벌지역문화연구소
대전신학대	사립	대전 대덕구			
대진대	사립	경기 포천	**글로벌산업통상대학 국제지역학부 일본학전공** 교수진 학부 전체 교수진 10명 중 미국학 4명, 중국학 4명. 일본학은 최석완, 다카쿠사기미나 교수 등 2명		다문화연구소
덕성여대	사립	서울 도봉구	**글로벌융합대학 일어일문학전공** 교수진 이상경, 이이야마 다케시, 손재현, 노주현 교수, 이광수 명예교수 등 5명		
동국대	사립	서울 중구, 경기 고양, 경북 경주	**문과대 일본학과** 교수진 이경철, 김환기, 송정현, 고쿠쇼 가즈미, 김태진 교수 등 5명	**일반대학원 일본학과(석사, 박사, 석박사통합)**	문화학술원 일본학연구소 〈일본학〉, 이주다문화통합연구소, 동아시아스토리텔링연구소
동덕여대	사립	서울 성북구	**인문대학 일본어과** 교수진 윤복희, 김영민, 김유영, 이승희, 사와다 노부에 교수 등 5명	**일반대학원 일본어문학과(석사, 박사)**	
동명대	사립	부산 남구			
동서대	사립	부산 사상구	**글로벌비즈니스대학 일본어학과** 교수진 안정숙, 김대식, 고한범, 이정수, 엄필	**일반대학원 일본지역연구과(석사, 박사, 석박사통합)**	일본연구센터 〈차세대 인문사회연구〉

대 학	국립/사립	위 치	일본 학과 및 일본 관련 연구소, 학술지		
			학 부	대학원	연구소와 학술지
			교, 후지와라 유코, 오자사 가쓰유키 교수 등 7명		
동신대	사립	경남 나주	**사회문화대학 관광일본어학전공** 교수진 김정구, 유재연, 시가 가나코, 후카세 다카코 교수 등 4명		동북아연구소
동아대	사립	부산 사하구·서구	**국제대학 일본학과** 교수진 김분숙, 허경희, 이길원, 최인택, 신동규, 모리 사토미 교수 등 6명	**교육대학원 일어일문학 전공, 일본문화·역사 전공(석사)**	
동양대	사립	경북 영주, 경기 동두천			
동의대	사립	부산 부산진구	**인문사회과학대학 일본어학과** 교수진 정효운, 조영호, 이경규, 임상민, 후지노 나오타카 교수 등 5명	**일반대학원 일어일문학과(석사, 박사)**	동아시아연구소, 한일해녀연구소, 원아시아미래연구소
루터대	사립	경기 용인			
명지대	사립	서울 서대문구, 경기 용인	**인문대 어문학부 일어일문학과** 교수진 곽형덕, 윤상실, 이미숙, 이은미, 스미유리카 교수 등 5명, 사이토 아사코, 오찬욱 명예교수 등 2명	**일반대학원 일어일문학과(석사, 박사)**	
목원대	사립	대전 서구			
목포가톨릭대	사립	전남 목포			
목포대	국립	전남 무안	**인문대 일문학과** 교수진 양경모, 이형재, 박찬기, 김선화, 정연욱 교수 등 5명	**일반대학원 일어일문학과(석사), 일본언어문화학 협동과정(박사), 교육대학원 일본어교육전공(석사)**	

대 학	국립/사립	위 치	일본 학과 및 일본 관련 연구소, 학술지		
			학 부	대학원	연구소와 학술지
목포해양대	국립	전남 목포			
배재대	사립	대전 서구	**인문사회대학 일본학과** 교수진 김양주, 정순분, 강철구, 야마나카 미네오, 니시하나 게이코, 고지마 겐지 교수 등 6명		
백석대	사립	충남 천안	**어문학부 일본어학과** 교수진 국어국문 영어, 일본어, 중국어, 러시아 등 5개 전공 교수진 52명		
부경대	국립	부산 남구	**인문사회과학대학 일어일문학부** 교수진 손동주, 박영숙, 최건식, 최연희, 김상규, 윤일 교수 등 6명	**일반대학원 일어일문학부(석사, 박사), 교육대학원 일어교육전공(석사), 글로벌정책대학원 일본학과(석사)**	
부산가톨릭대	사립	부산 금정구			
부산교육대	국립	부산 연제구			
부산대	국립	부산 금정구 · 서구, 경남 양산 · 밀양	**인문대학 일어일문학과** 교수진 류민화, 노선숙, 김임숙, 조강희, 한정선, 하재필 교수 등 6명, 데라다 에리 객원교수 1명	**일반대학원 일어일문학과(석사, 박사)**	일본연구소 〈일본연구〉
부산외국어대	사립	부산 금정구	**영일중대학 일본어창의융합학부** 교수진 임온규, 정기영, 김용각, 배은정, 이효선, 조치영, 이충호, 조봉기, 나유정, 전종미, 조은영, 신장호, 윤정훈, 미즈누마 가즈노리, 마쓰우라 게이코, 스와 아키히로, 나가노 아키, 히라나카 유카	**일반대학원 글로벌일본학과(석사, 박사, 석박사통합), 통역번역대학원 한일전공(석사)**	다문화연구소, 아시아공공체연구소

대학	국립/사립	위치	일본 학과 및 일본 관련 연구소, 학술지		
			학부	대학원	연구소와 학술지
			리, 사와이 료스케, 호리 히로코, 시바타 후미타케, 니시키 히로키, 마키노 히로야, 미쿠니 기호코, 하숙경, 강지훈, 김은영, 전영희 씨 등 28명		
부산장신대	사립	경남 김해			
삼육대	사립	서울 노원구	**인문사회대학 일본어학과** 교수진 유예진, 손숙자, 장성숙 교수 등 3명		
상명대	사립	서울 종로구, 충남 천안	**글로벌인문학부대학 글로벌지역학부 일본어권 지역학전공** 교수진 한선희, 양동국, 김유천, 이이호시 가즈야, 이한정 교수 등 5명	**교육대학원 일본어 교육전공(석사)** 교수진 성윤아, 장근수, 김평강, 신현태, 안노 마사히데, 조규헌 교수 등 6명	
상지대	사립	강원 원주시			
서강대	사립	서울 마포구	**국제인문학부 일본문화학전공**	국제대학원 한국과 동아시아학과(석사, 박사)	동아연구소 〈동아연구〉
서경대	사립	서울 성북구	**인문과학대학 국제비즈니스어학부 일어전공** 교수진 이즈미 지하루, 한영균, 백송종 교수 등 3명		한일문화예술연구소
서울과학기술대	국립	서울 노원구			
서울교육대	국립	서울 서초구			
서울기독대	사립	서울 은평구			
서울대	국립	서울 관악구		국제대학원 국제지역학(석사), 국제학(박사)	일본연구소 〈일본비평〉, 아시아연구소 〈아시아리뷰〉, 국제문제연구

대 학	국립/사립	위 치	일본 학과 및 일본 관련 연구소, 학술지		
			학 부	대학원	연구소와 학술지
					소 〈세계정치〉, 국제학연구소 〈국제지역연구〉, 비교문화연구〈비교문화연구〉
서울시립대	공립	서울 동대문구			
서울신학대	사립	경기 부천	**일본어과** 교수진 강성국, 오현석, 최순육, 하세가와 아키코 등 4명		
서울여대	사립	서울 노원구	**인문대학 일어일문학과** 교수진 박상도, 성혜경, 안선주, 이선희, 조대하, 최원재, 가미벳푸 마사노부 교수 등 7명		
서울장신대	사립	경기 광주			
서울한영대	사립	서울 구로구			
서원대	사립	충북 청주			
선문대	사립	충남 아산	**글로벌비즈니스대학 외국어자율전공학부 일본어전공** 교수진 이기용, 류재곤, 야가사카 히데노리 명예교수, 무라마쓰 마사아키, 미즈노 마리, 장혜선 교수 등 6명		일본연구소
성결대	사립	경기 안양	**인문대학 일어일문학과** 교수진 이시윤, 임태균, 이준서, 아이자와 유카 교수 등 4명		다문화평화연구소
성공회대	사립	서울 구로구	**인문융합자율학부 일어일본학 전공** 교수진 권혁태, 양기호, 장화경, 요코야마 나오코 교수 등 4명	일반대학원 국제문화연구학과(석사)	동아시아연구소

대 학	국립/사립	위 치	일본 학과 및 일본 관련 연구소, 학술지		
			학 부	대학원	연구소와 학술지
성균관대	사립	서울 종로구, 경기 수원			동아시아역사연구소, 동아시아학술원 〈대동문화연구〉, 〈Sungkyun Journal of East Asian Studeies (SJEAS)〉, 성균일본연구소
성신여대	사립	서울 성북구·강북구	**인문과학대학 일본어문·문화학과** 교수진 김원기, 박일호, 김옥임, 안평호, 홍윤표, 다케우치 노리아키, 네고로 유키 교수 등 7명	**일반대학원 일어일문학과(석사)**	동아시아연구소 〈국가와 정치〉
세명대	사립	충북 제천	**인문예술대학 국제언어문화학부 일본언어문화전공** 교수진 이기섭, 김필동, 김정미, 권연수, 노무라 히로시 교수 등 5명		
세종대	사립	서울 광진구	**인문과학대학 국제학부 일어일문학과** 교수진 박유하, 이병진, 정혜경, 김도형, 김효숙, 무라카미 겐이치, 야노 다카요시 교수, 손석의 교수, 이응수 명예교수 등 9명	**일반대학원 일어일문학과(석사, 박사)**	독도종합연구소, 다문화연구소
세한대	사립	충남 당진, 전남 영암			
송원대	사립	광주 남구			
수원가톨릭대	사립	경기 화성			
수원대	사립	경기 화성	**인문사회대학 외국어학부 일어일문학전공**		

대 학	국립/사립	위 치	일본 학과 및 일본 관련 연구소, 학술지		
			학 부	대학원	연구소와 학술지
			교수진 이성근, 김선희, 야요이 미도리, 방윤형, 야스코우치 아키코, 이인순, 허호 교수 등 7명		
숙명여대	사립	서울 용산구	**문과대학 일본학과** 교수진 김선민, 권혁기, 이지형, 박진우. 신하경, 박해환, 이지선, 요네자와 시오리 교수 등 8명	**일반대학원 일본학과(석사)**, 동아시아지역학(박사)	숙명인문학연구소 〈횡단인문학〉, 아시아여성연구원 〈아시아여성연구〉 〈Asian Women〉
순천대	국립	전남 순천	**인문예술대학 일본어일본문화학 전공** 교수진 박윤호, 이하자, 방극철, 조래철, 권혁성 교수, 마쓰나가 유미코, 마에다 요시마사 객원교수, 김광수 명예교수 등 8명	**일반대학원 일본학과(석사)**	
순천향대	사립	충남 아산			
숭실대	사립	서울 동작구	**인문대학 일어일문학과** 교수진 권승림, 신장철, 이시준, 오미영, 원지은, 조은애, 가와구치 게이코 교수 등 7명	**일반대학원 일어일문학(석사, 박사)**	
신경대	사립	경기 화성			
신라대	사립	부산 사상구	**-인문사회과학대학 일본어일본학과** 교수진 최광준, 추석민, 권기수, 정상미, 요시다 마이코 교수 등 5명 **-사범대 일어교육과** 교수진 이명희, 이정희, 후키아게 준코 교수 등 3명	**일반대학원 국제지역·어문학과 일어일문학전공(석사, 박사), 교육대학원 일어교육전공(석사)**	
신한대	사립	경기 의정부·동두천			

대 학	국립/사립	위 치	일본 학과 및 일본 관련 연구소, 학술지		
			학 부	대학원	연구소와 학술지
아세아연합신학대	사립	경기 양평			
아주대	사립	경기 수원	**국제학부 지역연구전공(일본), 지역트랙(중국·일본·동남아·유럽)** 교수진 국제학부 전체로 11이고 외국인은 없음		일본정책연구센터
안동대	국립	경북 안동			
안양대	사립	경기 안양, 인천 강화			
연세대	사립	서울 서대문구, 인천 연수구, 강원 원주	**언더우드국제대학 아시아학전공** 교수진 대학 전체로 내 외국인 100명	국제학대학원 International Cooperation, International Trade & Finance, International Management 전공(석사, 박사)	동서문제연구원 일본연구센터 〈동서연구〉, 국제학연구소
영남대	사립	경북 경산, 대구 남구	**문과대학 일어일문학과** 교수진 나공수, 김양선, 최범순, 기쿠치 세이지 교수 등 4명	**일반대학원 일어일문학과(석사, 박사)**	독도연구소 〈독도연구〉
영남신학대	사립	경북 경산			
영산대	사립	부산 해운대구, 경남 양산	**호텔관광대학 외국어학부 일어전공** 교수진 최영호, 진영순, 한규안, 최택호, 미나미 무쓰미 교수 등 5명		한중일비교문화연구소, 동양문화연구원〈동양문화〉
영산선학대	사립	전남 영광			
예수대	사립	전북 전주			
예원예술대	사립	전북 임실, 경기 양주			
용인대	사립	경기 용인			

대 학	국립/사립	위 치	일본 학과 및 일본 관련 연구소, 학술지		
			학 부	대학원	연구소와 학술지
우석대	사립	전북 완주, 충북 진천			동아시아평화연구소
우송대	사립	대전 동구			
울산대	사립	울산 남구	**인문대학 일본어·일본학전공** 교수진 노성환, 홍성목 교수, 신선향, 김원호, 최광호 명예교수, 김동완 특임교수 등 6명		
원광대	사립	전북 익산	**사범대 일어교육과** 교수진 이향란, 이진호, 이희두, 김영아 교수, 박정의 특수신분 교수 등 5명	**일반대학원 일어일문학과(석사, 박사)**	
위덕대	사립	경북 경주	**일본언어문화학과** 교수진 강진문, 안희정, 이정희 교수 등 3명		아시아태평양연구소
유원대	사립	충북 영동, 충남 아산	**사회서비스학군 일본어과** 교수진 한중선 교수, 고은숙 외래교수 등 2명		
육군사관학교	국립	서울 노원구	일본 방위대에 매년 1명 정도 위탁교육. 방위대 생도 매년 1명 정도 수탁교육		
을지대	사립	대전 중구			
이화여대	사립	서울 서대문구		**통역번역대학원 통역학과 한일전공(석사), 번역학과 한일전공(석사), 통역학, 번역학, 통번역학(박사), 외국어교육특수대학원 국제일본어교육학과(석사)**	아시아여성학센터, 다문화연구소, 국제지역연구소
인제대	사립	경남 김해, 부산	**- 국제어문학부 일어전공**		미래다문화연구소

대 학	국립/사립	위 치	일본 학과 및 일본 관련 연구소, 학술지		
			학 부	대학원	연구소와 학술지
		부산진구	교수진 김미경, 전성엽, 이진후, 임헌찬, 다카야나기 유키 교수 등 5명 **-융합전공 중 일본학전공** 교수진 국제어문학부 일어전공과 동일		
인천가톨릭대	사립	인천 연수구·강화군			
인천대	국립	인천 연수구	**-인문대 일어일문학과** 교수진 이건상, 박진한, 남상욱, 이호상, 이강원, 이석 교수, 나카무라 유리 객원교수 등 7명 **-사범대 일어교육과** 교수진 최은영, 하야사와 마사토, 조선영 교수 등 3명 **-동북아국제통상학부** 교수진 교수진 9명 중 정훈 교수가 일본에서 박사학위 취득	**일반대학원 일어일문학과(석사, 박사, 석박사통합), 교육대학원 일어교육전공(석사)**	일본문화연구소
인하대	사립	인천 미추홀구	**문과대학 일본언어문화학과** 교수진 왕숙영, 이성규, 임용택, 모세종, 민병찬 교수 등 5명	**일반대학원 일어일본학과(석사, 박사, 석박사통합)**	다문화융합연구소
장로회신학대	사립	서울 광진구			
전남대	국립	광주 북구, 전남 여수	**-인문대학 일어일문학과** 교수진 이덕배, 김정례, 김용의, 김대성, 정승운, 김성은, 임지영, 문현일, 이이다 사오리 교수 등 9명 **-문화사회과학대학 국제학부 일본학전공**	**일반대학원 일어일문학과(석사, 박사)**	일본문화연구센터, 아시아문화연구소

대 학	국립/사립	위 치	일본 학과 및 일본 관련 연구소, 학술지		
			학 부	대학원	연구소와 학술지
			교수진 국제학부 교수진 14명 중 일본 전공은 강지현, 이병훈, 정기룡 교수 등 3명		
전북대	국립	전북 전주·고창·익산·군산	**인문대학 일본학과** 교수진 설근수, 신충균, 최준호, 고영란, 오타니 유카 교수 등 5명	**일반대학원 일본학과(석사, 박사, 석박사통합), 교육대학원 일어교육전공(석사)**	일본·동아시아연구소
전주교육대	국립	전북 전주			
전주대	사립	전북 전주	**인문대 일본언어문화학과** 교수진 서은혜, 김진성, 박균철, 박강훈, 편용우, 우에노 유카코 교수 등 6명		
제주국제대	사립	제주 제주시			
제주대	국립	제주 제주시	**인문대학 일어일문학과** 교수진 김성봉, 김난희, 진은숙, 이창익, 소명선, 손영석 교수, 이토 에미 초빙교수 등 7명	**일반대학원 일어일문학과(석사, 박사), 교육대학원 일어교육 전공(석사), 통번역대학원 한일과(석사)**	아시아공동체연구센터
조선대	사립	광주 동구	**글로벌인문대학 일본어과** 교수진 김인현, 조영석, 정의상, 김희조, 나카다테 유키, 미쓰이 겐 교수 등 6명	- 일반대학원 아시아학과(석사) 교수진 학부 교수진 외에 박청국 교수 - 교육대학원 일어교육 전공(석사)	
중부대	사립	충남 금산, 경기 고양			
중앙대	사립	서울 동작구, 경기 안성	**인문대학 아시아문화학부 일본어문학전공** 교수진 권익호, 구정호, 임찬수, 이재성, 이길용 교수 등 5명	**일반대학원 일어일문학과(석사, 박사)**	일본연구소 〈일본연구〉
중앙승가대	사립	경기 김포			

대 학	국립/사립	위 치	일본 학과 및 일본 관련 연구소, 학술지		
			학 부	대학원	연구소와 학술지
중원대	사립	충북 괴산			
진주교육대	국립	경남 진주			
차의과학대	사립	경기 포천			
창신대	사립	경남 창원			
창원대	국립	경남 창원	**인문대학 일어일문학과** 교수진 이현우, 장홍규, 김선희 교수, 마치다 다카시 비전임교수 등 4명		
청운대	사립	충남 홍성, 인천 미추홀구			
청주교육대	국립	충북 청주			
청주대	사립	충북 청주	**인문학부 동양어문학전공** 교수진 중국과 일본을 동시에 배우는데 일본 전공 교수진은 전성용, 권영성, 김선영 교수 등 3명	**일반대학원 일어일문학과(석사)**	
초당대	사립	전남 무안			
총신대	사립	서울 동작구			
추계예술대	사립	서울 서대문구			
춘천교육대	국립	강원 춘천			
충남대	국립	대전 유성구	**인문대 일어일문학과** 교수진 최영숙, 윤혜영, 금종애, 김학순 교수, 김승배, 박미경 초빙교수 등 6명	**일반대학원 일어일문학과(석사, 박사)**	
충북대	국립	충북 청주			
침례신학대	사립	대전 유성구			
칼빈대	사립	경기 용인			
케이씨(KC)대	사립	서울 강서구			

대 학	국립/사립	위 치	일본 학과 및 일본 관련 연구소, 학술지		
			학 부	대학원	연구소와 학술지
평택대	사립	경기 평택			
포항공대	사립	경북 포항			
한경대	국립	경기 안성			
한국교원대	국립	충북 청주			
한국교통대	국립	충북 충주, 증평, 경기 의왕			동아시아연구소
한국국제대	사립	경남 진주			
한국기술교육대	사립	충남 천안			
한국방송통신대	국립	서울 종로구	**인문과학대학 일본학과** 교수진 정진성, 이영, 이애숙, 이경수, 정현숙, 사공환, 강상규, 김보경 교수 등 8명	**일반대학원 일본언어문화학과(석사)** 교수진 학부와 같으나, 다만 김보경 교수 대신에 구도 에리코 교수	
한국산업기술대	사립	경기 시흥			
한국성서대	사립	서울 노원구			
한국외국어대	사립	서울 동대문구, 경기 용인	**- 일본학대학 일본언어문화학부** 교수진 김동규, 문명재, 문창학, 금영진 교수 등 4명 **- 융합일본지역학부** 교수진 박용구, 이상훈, 이창민, 나카무라 야에, 오기하라 사에코, 아사히나 유키 교수 등 6명	(대학원은 학부에 없는 교수만 소개) **- 일반대학원 일어일문학과(석사·박사)** 교수진 권경애, 박민영, 서재곤 교수 **- 통번역대학원 한일과, 한영일과(석사) 통번역학과(박사), 국제지역대학원 일본학과(석사)** **- 교육대학원 일본어교육전공(석사)** 교수진 정상철, 최충희, 이토 사치코 교수	일본연구소〈일본연구〉
한국전통문화대	국립	충남 부여			

대 학	국립/사립	위 치	일본 학과 및 일본 관련 연구소, 학술지		
			학 부	대학원	연구소와 학술지
한국체육대	국립	서울 송파구			
한국항공대	사립	경기 고양			
한국해양대	국립	부산 영도구	국제대학 동아시아학과 교수진 5명 중 류교열 교수가 일본 전공	일반대학원 국제지역문화학과(석사, 박사)	
한남대	사립	대전 대덕구	**문과대학 외국어문학부 일어일문학전공** 교수진 정향재, 배정열, 신민철, 안증환, 마쓰시타 유미코 교수, 윤명로 명예교수 등 6명	**일반대학원 일어일문학과(석사)**	
한동대	사립	경북 포항			
한라대	사립	강원 원주			
한려대	사립	전남 광양			
한림대	사립	강원 춘천	**인문대학 일본학과** 교수진 서정완, 남기학, 이지원, 고시로 아키코 교수, 황경자 외국어 전담교수, 최수나, 오현열 겸임교수, 사이토 아케미 명예교수 등 8명		일본학연구소 〈한림일본학〉, 아시아문화연구소
한밭대	사립	대전 유성구	**인문사회대학 일본어과** 교수진 김의영, 김현주, 박혜성, 박희영, 윤재석, 조남성 교수, 고토 아유미, 소에지마 겐지 객원교수 등 8명	**일반대학원 일본어과(석사), 산업대학원 일본어과(석사)**	
한서대	사립	충남 서산·태안			
한성대	사립	서울 성북구			
한세대	사립	경기 군포			
한신대	사립	경기 오산, 서울 강북구	**글로벌협력대학 일본학과**		

대 학	국립/사립	위 치	일본 학과 및 일본 관련 연구소, 학술지		
			학 부	대학원	연구소와 학술지
			교수진 송주명, 오미정, 하종문 교수, 나카무라 모모코, 도키와 유코 초빙강의교원, 이성 겸임교수, 배준호 명예교수 등 7명		
한양대	사립	서울 성동구, 경기 안산	**국제문화대학 일본학과** 교수진 이강민, 정하미, 박규태, 세키 요코, 사토 다쿠마, 김지영, 박용일 교수 등 7명	**일반대학원 일본언어문화학과(석사, 박사)**	일본학국제비교연구소 〈비교일본학〉, 동아시아문화연구소
한일장신대	사립	전북 완주			
해군사관학교	국립	경남 창원			
협성대	사립	경기 화성			
호남대	사립	광주 광산구	**인문사회대학 일본어학과**		
호남신학대	사립	광주 남구			
호서대	사립	충남 아산·천안·당진, 서울 서초구			
호원대	사립	전북 군산			
홍익대	사립	서울 마포구, 세종시			동아시아예술문화연구소

7장. 대학연구소

1. 가천대학교 아시아문화연구소
2. 건국대학교 아시아콘텐츠연구소
3. 경남대학교 극동문제연구소
4. 경상대학교 국제지역연구원 일본문화연구센터
5. 경희대학교 국제지역연구원 일본학연구소
6. 경희대학교 글로벌 류큐·오키나와 연구소
7. 계명대학교 국제학연구소 일본학연구실
8. 고려대학교 글로벌일본연구원
9. 고려대학교 아세아문제연구원 현대일본센터
10. 고려대학교 일민국제관계연구원
11. 국민대학교 일본학연구소
12. 단국대학교 일본연구소
13. 동국대학교 문화학술원 일본학연구소
14. 동서대학교 일본연구센터
15. 동의대학교 동아시아연구소
16. 부산대학교 일본연구소
17. 서강대학교 동아연구소
18. 서울대학교 일본연구소
19. 서울대학교 아시아연구소
20. 서울대학교 국제문제연구소
21. 서울대학교 국제학연구소
22. 서울대학교 비교문화연구소
23. 성공회대학교 동아시아연구소
24. 성균관대학교 동아시아역사연구소
25. 성균관대학교 동아시아학술원
26. 성신여자대학교 동아시아연구소
27. 숙명여자대학교 숙명인문학연구소
28. 아주대학교 일본정책연구센터
29. 연세대학교 동서문제연구원 일본연구센터
30. 우석대학교 동아시아평화연구소
31. 이화여자대학교 아시아여성학센터
32. 인천대학교 일본문화연구소
33. 전남대학교 일본문화연구센터
34. 전북대학교 일본·동아시아연구소
35. 중앙대학교 일본연구소
36. 한국외국어대학교 일본연구소
37. 한림대학교 일본학연구소
38. 한양대학교 일본학국제비교연구소

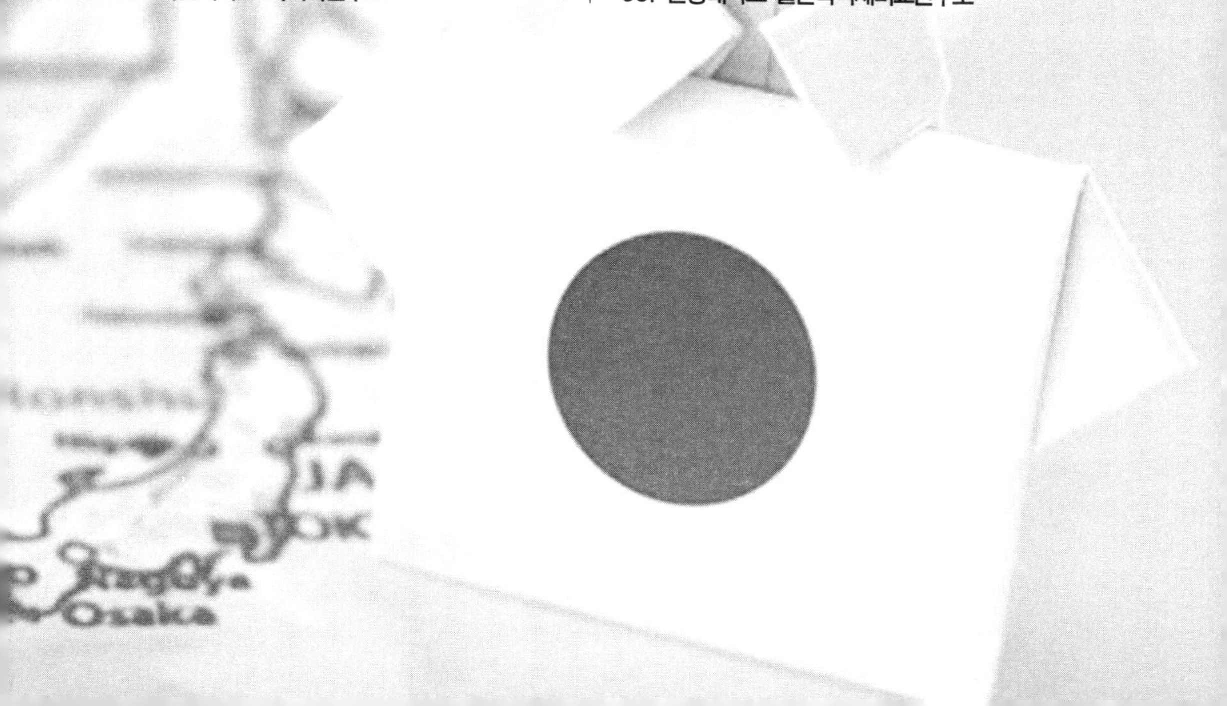

1. 가천대학교 아시아문화연구소

KOREA-JAPAN

가천대 '아시아문화연구소'는 1994년 '동양학연구소'로 발족해 1996년 '아시아문화연구소'로 이름을 바꾸었다. 2019년 한국연구재단 인문사회연구소 지원사업으로 '아시아 대중문화와 한류의 상호이해에 기반한 인문학 교육'이 선정됐다. 이 프로젝트는 아시아 대중문화의 연구를 교육과 연계해서 인문학적 소양과 전문성을 갖춘 인재를 양성하려는 목적이 있다.

최근의 연구 활동

일시	종류	내용
2019.10.25	금요연구포럼	양동국(상명대) **제국 일본의 엽서－한일 강제 병탄, 그리고 전쟁과 천황을 중심으로**
2019.11.29	금요연구포럼	런샤오리(任曉禮 · 루동대 교수) **척계광(戚繼光)과 임진전쟁**
2019.11 ~2020.1	대중문화연구회	**한중일의 『맹자』에 관한 해석 비교 (1)~(8)**
2020.6.11	대중문화연구회	박진수(가천대) **일제 강점기 국민가요의 흔적－라디오 체조와 유아 동요: '둥근 해가 떴습니다'와 1930년대 일본 라디오 체조 노래(ラジオ体操の歌)와의 연관성에 대해**
2020.8.21	한국일본연구단체 제9회 국제학술대회: 포스트휴먼 시대의 일본연구	제11발표장 가천대 아시아문화연구소 기획발표 주제 **아시아 대중문화와 인문학** 좌장 박진수(가천대) 사회 김계자(한신대) 발표1 김정희(경기대) **무라카미 하루키의 「헛간을 태우다」와 이창동의 「버닝」에 나타난 시대와 서사방법** 발표2 김정희(가천대) **고전과 문화콘텐츠: 일본 속 한국계 신사와 관련해서** 발표3 이미지(가천대) **동남아시아의 한류와 와류: 한국과 일본의 대 태국 문화콘텐츠 수출 비교** 토론 유수정(숙명여대) 박태규(가천대) 임다함(고려대)
2021.2.6	한국일본학회 제101회 국제학술대회: 한일 65년 체제의 재조명과 제언	제15발표장 가천대 아시아문화연구소 기획발표 주제 **역사 속의 한류** 좌장 박진수(가천대) 사회 김정희(가천대) 발표1 박태규(가천대) **고대 일본의 한류와 그 특이성－고마가쿠(高麗樂)의 고구려계 악무를 중심으로**

척계광(戚繼光)

1528~1588. 산둥성(山東省)에서 태어난 중국 명나라 말기의 장수. 유대유(兪大猷 · 1504~1580)와 함께 푸젠성(福建省), 저장성(浙江省), 광둥성(廣東省) 등지에서 왜구(倭寇)를 물리치는 데 큰 공을 세웠다. 중국인들에게는 항왜(抗倭)의 민족 영웅으로 숭앙받는, 중국의 이순신 같은 존재다. 말년에는 몽골 타타르족의 침입에 맞서 동북방 방어에서도 전공을 세운다. 그가 남긴 병서 〈기효신서(紀效新書)〉는 중국뿐 아니라 조선과 일본에도 큰 영향을 끼쳤다.

	발표2 임다함(가천대) **1930년대 후반 조선영화의 해외진출－안철영의 〈어화(漁火)〉(1938)를 중심으로** 발표3 김계자(한신대) **남북일의 영화 〈박치기! (パッチギ)〉** 토론 김태영(한국외대) 양인실(이와테대)

간행물

총 서	발행일	도서명	저자, 번역자, 편저자
아시아교양총서 1	2019.12.30	**어느 별 아래**	다카미 준 지음, 김계자 · 박진수 · 임만호 옮김
아시아교양총서 2	〃	**파노라마 섬 기담**	에도가와 란포 지음, 박연정 · 박진수 · 임만호 옮김
아시아교양총서 3	〃	**호켄모노가타리**	작자 미상, 박은희 · 박진수 · 임만호 옮김
아시아교양총서 4, 5	2020.4.29	**금색야차 상, 하**	오자키 고요 지음, 박미숙 · 박진수 · 임만호 옮김
아시아교양총서 6	2020.12.24	**사양(斜陽) 외**	다자이 오사무 지음, 박진수 옮김
아시아교양총서 7	〃	**일본 근대 아동문학 걸작선**	아쿠타가와 류노스케 외, 박진수 옮김
아시아학술번역총서	2020.5.8	**일본 아악의 이해**	아베 스에마사 지음, 박태규 · 박진수 · 임만호 옮김

이 연구소의 조직은 다음과 같다.

직 책	이름과 소속 등
연구소장	**박진수**(일어일문학과)
전임연구교수	**김정희**(비교문학, 비교문화), **임다함**(비교문학, 비교문화), **최재준**(중어중문학)
일반공동연구원	**박성희**(교육대학원), **신재홍**(인문대), **오미영**(사회과학대), **오석희**(게임대학원), **이상숙**(리버럴아츠칼리지), **이태준**(인문대), **정문상**(리버럴아츠칼리지), **정한데로**(인문대)
학술연구교수	**박은희**(일어일문학), **안승훈**(정치학), **이재은**(미술사)
연구원	**김현경**, **이승희** (연구보조원) **문재연**, **윤채은**
운영위원	**남현주**(사회복지학과), **오대영**(언론영상광고학과), **이인재**(관광경영학과), **정동규**(유럽어문학과), **최성실**(리버럴아츠칼리지), **탁성숙**(동양어문학과)

어화(漁火)

안철영 감독이 1939년에 만든 52분짜리 영화. 제목 '어화'는 '고기잡이 배에 켜놓은 등불'처럼 세상 풍파에 휩쓸려 위태롭게 살아온 여자의 인생을 의미한다. 도회지 청년들과 어촌 처녀들과의 스토리가 큰 줄거리인데 일부는 비극적 결말을 맞는다. 분명한 선악 구도와 진부한 소재이긴 하나, 도시와 어촌을 대비한 이미지와 시각적으로 처리한 시 낭송 장면이 보완해준다는 평가도 있다.

금색야차(金色夜叉)

오자키 고요(尾崎紅葉 · 1867~1903)가 1897년부터 1902년까지 요미우리 신문에 연재한 작품. 돈과 사랑, 배신을 주제로 한 메이지 시대 최고의 베스트셀러. 금전만능주의가 만연한 당시 일본 사회를 현실감 있게 묘사해 대중적으로 큰 인기를 끌었다. 여러 차례 각색해 연극과 영화로도 만들었으며, 한국인들도 『장한몽(長恨夢)』(1913)이라는 제목으로 번안한 책을 애독했다. (위키미디어 커먼즈)

가천대 아시아문화연구소는 (13120) 경기도 성남시 수정구 성남대로 1342 가천대 내에 있다.

전화 (031) 750-8572, 팩스 (031) 750-5843, 이메일 asia@gachon.ac.kr,

홈페이지 http://myhome.gachon.ac.kr/asia

2. 건국대학교 아시아콘텐츠연구소

건국대 아시아콘텐츠연구소는 2014년 9월에 문을 열었다. 아시아 각국의 콘텐츠와 관련된 연구의 초석을 마련하고 인문학을 기반으로 한 융합연구를 통해 아시아콘텐츠 연구의 거점이 되겠다는 비전을 갖고 있다. 연구소는 한국콘텐츠연구실, 중화콘텐츠연구실, 일본콘텐츠연구실을 두고 있다.

연구소는 알에치코리아(RH Korea)의 의뢰를 받아 2014년 1월부터 일본문화콘텐츠 전문잡지 『Boon』(격월간)을 기획하여 발행하고 있다. 이 잡지는 한국에서 처음 기획·출판하는 일본문화 전문잡지이다. 연구소는 2015년 4월부터는 타이완문화콘텐츠 전문잡지 『Plum Boon』(계간지)도 기획하여 발행하고 있다. 이것도 한국에서는 처음 시도하는 작업이다.

연구소는 2015년 9월부터 한국연구재단 토대연구지원사업(20세기 한국 관광지 자료의 조사 수집 해제 및 DB 구축)에 선정되어 개화기부터 식민지시기 사이 한일 양국 언어로 발간한 관광 관련 텍스트와 시각자료를 데이터베이스화하는 연구를 진행하고 있다.

국제학술대회

일 시	내 용
제2회 (2015.4.24)	**콘텐츠로서의 동아시아, 그 현황과 전망 – 한국, 타이완, 일본**
제3회 (2015.9.23)	**한중일 영토관련 공동수업의 성과와 과제** **제1부** 사회 유지아(경희대) 김지훈(성균관대) **중국 영토 수업의 결과 및 제언** 김정인(춘천교대) **영토수업을 통해 살펴본 영토교육의 방향** 신주백(연세대) **짧은 경험의 공론화를 향한 스케치** 이신철(성균관대) **한일 역사교과서 문제의 일환으로서 '독도' 문제를 다룬 수업과 강연 경험** **제2부** 사회 유지아(경희대) 박삼헌(건국대) **동아시아의 해양영토문제에 관한 공동교재의 실천과 제언** 야마구치 다케시(류큐대) **동아시아의 평화구축을 위한 해양영토분쟁 공동교재 개발 – '생활권'을 시점으로 한 수업 시행으로부터** 양스사(타이완 국립정치대) **중화민국(타이완)의 중학교교과서로 보는 센카쿠열도 문제**

동아시아 해양영토분쟁
현재 동아시아 곳곳에서 영토분쟁이 벌어지고 있다. 일본이 실효지배하고 있는 센카쿠(尖閣, 중국명 댜오위다오·釣漁島)를 둘러싸고 일본과 중국이 첨예한 대립을 보이고 있다. 독도는 대한민국이 실효지배하고 있으나 일본이 영유권을 주장하고 있다. 남사도(南沙島)는 남중국해 남부 해상에 있는 섬으로 영어로는 스프래틀리 제도(Spratly Islands)라고 한다. 말레이시아, 베트남, 브루나이, 대만, 중국, 필리핀이 영유권을 주장하고 있다. 동사도(東沙島)는 프라타스 제도(Pratas Islands)라고 하는데 현재 대만이 실효지배하고 있다. 중국이 영유권을 주장하고 있다. 서사도(西沙島)는 중국 하이난성(海南省)에 딸린 섬들로 파라셀 제도(Paracel Islands)라고 한다. 중국, 대만, 베트남이 영유권을 주장하고 있다. 중사도(中沙島)는 메이클즈필드 천퇴(Macclesfield Bank)와 스카버러 암초(Scarborough Shoal)를 합쳐 부르는 용어이다. 중국, 대만, 필리핀이 영유권을 주장하고 있다.

	제3부 사회 유지아(경희대) 안자코 유카(리쓰메이칸대) **한중일 영토문제 공동수업 결과 보고 및 일본 측의 제안** 이영채(게이센여학원대) **일본 대학의 평화교육의 현황과 과제 – 게이센여학원대학의 사례를 중심으로** 사이토 마사히토(아사히카와대) **공동수업을 통해 생각하는 평화교육에 관한 제안 – 이문화간 교육의 시점에서** **제4부 종합토론** 사회 한혜인(한국여성인권진흥원) 지정토론 박중현(잠일고) 윤세병(유성생명과학고)
제6회 (2017.3.25)	**식민지 조선과 타이완의 풍경과 기억** 개회사 박삼헌(아시아콘텐츠연구소장) **제1부 식민지 조선** 사회 권희주(건국대) 김용철(고려대) **식민지풍경의 이중구조 – 조선과 타이완의 경우** 강태웅(광운대) **항일과 향수의 변증법적 표상 – 타이완과 한국 영화는 식민지시대를 어떻게 그리고 있나** 김계자(고려대) **윤백남의 일본어 소설과 라디오 야담** 성윤아(상명대) **조선어회화서를 통해 본 조선 · 조선인의 모습** 토론 송민호(홍익대) 김유영(동덕여대)
제7회 (2017.11.18)	**20세기 동아시아와 문화사업** **제2부 일본과 중국의 문화사업** 사회 최정섭(성결대) 하시즈메 신야(橋爪紳也 · 오사카부립대) **관광과 문화산업진흥의 과제 – 교토시를 사례로** 뤼펑(呂鵬 · 상하이사회과학원) **나는 왕홍(망홍 · International celebrity)이 되고 싶다 – 라이브 스트리밍(live streaming)과 디지털 노동(digital labour)** 이영섭(건국대) **중국의 문화 아이콘 – 공자(孔子)와 판다(Panda)** 토론 김경리(건국대) 윤영도(성공회대)
제10회 (2018.6.23)	**20세기 동아시아 도시변화에 대한 새로운 전망** **일반발표** 제1발표장 사회 박삼헌(건국대) **1. 식민지 조선의 가족 나들이 연구 – 1929년 조선박람회의 '어린이 나라'를 중심으로** 발표 장나영(건국대 대학원) 토론 염복규(서울시립대) **2. '사회주의 도시' 평양의 밑그림 – 1938년 평양 시가지계획과 시행과정 연구** 발표 김태윤(서울시립대 대학원) 토론 박세훈(국토연구원) **3. 메이지 도쿄의 우지코이키(氏子域) 연구** 발표 고미나미 히로키(도쿄대 대학원) 토론 이길훈(서울시립대) **4. 전원도시로서의 20세기 도쿄론** 발표 나이토 게이타(호세이대 대학원) 토론 김경리(건국대)
제12회 (2019.11.9)	**동아시아에서의 문화 · 언어 · 교육과 콘텐츠** 이기원(건국대) **고대 일본국가가 백제에 미친 영향** 장유리(건국대) **한일 양국은 임진왜란에서 무엇을 추구했던 것일까 – 임진왜란 원인론** 노유진(건국대) **'정한론(征韓論)'은 '침한론(侵韓論)'인가**

왕홍(網紅)

중국 소셜네트워크서비스(SNS)에서 활동하면서 많은 팔로워를 거느린 사람. 왕루어홍런(網絡紅人)의 줄임말로 '인터넷에서 인기 있는 사람'을 뜻한다. 이들은 소셜네트워크 서비스로 대중에게 오락, 쇼핑, 여행, 요리, 패션, 게임 등 다양한 내용을 실시간으로 제공한다. 왕홍들은 제품을 직접 체험하는 영상 콘텐츠를 제작하기 때문에 기업들은 이들을 중요한 마케팅 수단으로 활용하고 있다. (시사상식사전)

	김윤기(건국대) **한중러일의 관점에서 본 러일전쟁** 윤현지(건국대) **한일병합은 유효한가** (이하 일본어학 등에 관한 기조발표와 일반발표는 생략)

국내학술대회

일 시	내 용
제1회 (2015.7.10)	**한일협정 50년, '제국의 위안부' 소송을 어떻게 볼 것인가** (일본역사문화학회와 공동주최)
제4회 (2017.2.27)	**근대 한국의 투어리즘과 소비문화** 사회 권희주(건국대) 박삼헌(건국대) **요시다 하쓰사부로와 조선박람회** 송민호(홍익대) **박람하는 '시선'들의 전시장 – 언론자료를 통해 본 조선박람회를 향한 욕망들** 김경리(건국대) **조선박람회 안내기 연구** 염복규(서울시립대) **조선총독부와 조선박람회** **종합토론** 사회 박삼헌(건국대) 안남일(고려대), 정광식(한국방송통신대)
제5회 (2017.4.15)	**역사, 도시, 관광** (도시사학회와 공동주최) 개회사 장규식(도시사학회 회장) **제1부** 사회 김경리(건국대) 반기현(고려대) **로마제국 군영이 동부 속주의 도시화에 미친 영향에 관한 조사** 토론 김경현(홍익대) 홍용진(서울시립대) **《이탈리아 기행》에 나타난 괴테의 역사도시 체험** 토론 임동현(한국외대) 황기우(성균관대) **1930년대 후반 일본의 만주개발에 대한 나치독일의 문화적 접근** 토론 조정우(한림대) **제2부** 사회 도재학(건국대) 박현(서울시립대) **경성공립농업학교의 내지 수학여행과 그 특징** 토론 권희주(건국대) 이연경(연세대) **식민 근대도시의 풍경 – 타이베이의 성벽과 대로** 토론 이영섭(건국대) 박철현(국민대) **중국 개혁기 사회관리체계 구축과 지방정부 성격 변화 – 1990년대 상하이 푸동지역의 사례** 토론 김형열(동의대)

《이탈리아 기행》
독일의 문호 괴테(1749~1832)가 1786~88년 이탈리아를 여행하며 고국 독일에 있는 친구들에게 보낸 편지와 일기 등을 손질해서 엮은 기행문이다. 1829년에 간행했다. 이 책은 예술적으로나 인간적으로 균정(均整)과 조화를 추구하는 고전주의에 대한 괴테의 지향성이, 동경하던 땅 이탈리아의 예술·인간·자연에 접하여 성숙함으로써 시인으로 재생하는 과정을 생생하게 서술하고 있다. (두산백과)

콜로키움과 연구회

형식	일시	내용
콜로키움	2014.11.17	야마구치 다케시(山口剛史 · 류큐대) **오키나와 전쟁의 기억, 군대의 기억**
	2015.3.19	히라노 게이이치로(平野啓一郎 · 소설가) **전후 70년의 미시마 유키오(三島由紀夫)**
	2015.4.8	박삼현(음식 칼럼리스트) **일본 음식의 원형**
	2015.12.15	임태훈(인문학협동조합 미디어기획위원장) **헬스케어 독재사회 - 이토 게이카쿠의 디스토피아**
	2016.4.27	**일상의 발견 - Gourmet & Memory** 1. 김계자(고려대 글로벌일본연구원 HK연구교수) **맛있는 일본문학** 2. 김우영(건국대 아시아콘텐츠연구소 연구교수) **'끼니'를 넘어 '음식'과 '키친'의 탄생**
	2016.5.9	양희승(드라마 작가) **한류와 관광지 이미지**
	2016.9.28	이와이 슌지 · 오지은 · 박혜은, 가을밤의 감성 북 토크
	2019.11.21	야마구치 다케시(山口剛史 · 류큐대) **우리는 전쟁과 결별할 수 있을까 - 오키나와의 경험이 말하는 것**
	2020.6.23	김선희(시마네현립대) **한국철도의 사회문화사**
	2020.8.11	김지환(인천대) **만주철도와 사회문화의 변화, 발전**
20세기 모더니티 연구회	2017.1.14. ~4.29, 4차례	**교재 〈제국일본의 생활공간〉**(조던 샌드 저, 박삼현, 조영희, 김현영 역) 한차례 이상 참석자 김경리(일본문화), 김계자(일본문학), 김금향(일본컨벤션), 김동식(한국문학), 김인수(사회학), 김일림(일본미술), 도재학(한국어학), 민수현(일본문화), 박삼헌(일본근대사), 송민호(한국문학), 심정명(일본문학), 오창섭(디자인), 이수경(일본문화), 이영섭(중국문학), 최재혁(일본미술), 한정선(일본문학)

디스토피아(dystopia)

유토피아와 대비되는, 전체주의적인 정부에 의해 억압받고 통제받는 가상 사회를 말한다. 컴퓨터 기술의 발달로 감시가 더욱 공고화하는 사회, 기계가 지배하는 사회, 핵전쟁이나 환경재해로 인해 모든 인류가 멸망하는 사회 등이 디스토피아에 해당한다. 20세기의 3대 디스토피아 문학으로는 영국 작가 조지 오웰의 〈1984년〉, 러시아 소설가 예브게니 이바노비치 자미아친의 〈우리들〉, 영국 작가 올더스 헉슬리의 〈멋진 신세계〉를 꼽는다. (시사상식사전)

이 연구소는 '동아시아모더니티총서'를 발간하고 있다. 1권은 〈천황 그리고 국민과 신민 사이〉(박삼헌 지음), 2권은 〈언어문명의 변동 - 근대초기 한국의 소리, 문자, 제도〉(송민호 지음), 3권은 〈일본의 컨벤션 도시를 가다〉(김금향 지음), 4권은 〈제국일본의 생활공간〉(조던 샌드 지음, 박삼헌, 조영희, 김현영 옮김)이고, 〈1929년 조선을 박람하다 1: 조선박람회기념사진첩〉이라는 자료집도 출간했다.

아시아콘텐츠연구소의 조직은 다음과 같다.

직 책	이 름	전 공
연구소장	**박삼헌**	일본근대사
부소장	**이영섭**	중국문학
	김경리	일본문화
	라단 로크니	Tourism Planning
학술연구교수	**김인수**	역사사회학, 지식문화론
선임연구원	**변정아**	일본근현대문학
	김선희	일본사상사 · 한일비교문화
	이수경	일본문화
	오석규	관광학

건국대 아시아콘텐츠연구소는 (05029) 서울특별시 광진구 능동로 120 건국대학교 경영관 541호에 있고, 대학 대표 전화 (02) 450-3114, 연구소 홈페이지 http://asiacontents.konkuk.ac.kr 이다.

3. 경남대학교 극동문제연구소

KOREA-JAPAN

경남대 극동문제연구소(The Institute for Far Eastern Studies · IFES)는 1972년 9월 1일 설립했다. 경남대에는 북한대학원대학교도 있기 때문에 극동문제연구소와의 시너지를 통해 북한과 통일분야 연구 및 교육에서 두각을 나타내고 있다.

일본 문제 중심의 국제학술회의(2000년 이후)

일시/장소	주 제	참석자
2000.5.25~26 도쿄, 요코하마	The Relations between Japan and the Korean Peninsula in the New Millennium	무라야마 도미이치(전 총리), 박재규(경남대 총장), 이오키베 마코토(전 방위대 교장) 고다 세이만(가나가와대), 사쿠라이 구니모토(가나가와대), 염재호(고려대), 이숙종(세종연구소), 다나카 노리히토(가나가와대), 박건영(가톨릭대), 히라카와 히토시(나고야대), 시모토마이 노부오(호세이대), 신정현(경희대), 고마키 데루오(아시아경제연구소), 함택영(경남대), 요코보리 가쓰미, 최완규(경남대), K.Sarkisov, 권영경(통일교육원), 마쓰모토 다케노리(도쿄대), 최정호(경남대), 박찬봉(통일부), 오다가와 고(아사히신문), 후지와라 기이치(도쿄대)
2001.10.12~13 극동문제연구소	동북아질서의 재구축	서대숙(경남대), 야마비 마사노리(가나가와대 총장), 블라디미르 쿠릴로프(러시아 극동국립대), 박재규(경남대), 다나카 노리히토(가나가와대), 신정화(경남대), 야마다 도루(가나가와대), 김우상(연세대), 박건영(가톨릭대), 함택영(경남대), 염홍철(한밭대), 금희연(서울시립대), 아키야마 겐지(가나가와대), 장덕준(국민대), 오다가와 고(아사히신문), 김진영(부산대), 이근(서울대), 정성임(이화여대), 김경동(서울대), 김호기(연세대), 요코쿠라 세쓰오(가나가와대), 이숙종(세종연구소), 오정만(가나가와대), 강문구(경남대), 마인섭(성균관대), 조대엽(고려대), 김태현(중앙대), 마쓰모토 야스오(가나가와대), 미란다 슈레즈(매릴랜드대), 시바타 나오코(가나가와대), 서재진(통일연구원), 정진영(경희대), 최완규(경남대)
2002.10.4 요코하마	가나가와대와의 국제학술회의:	고다 세이만(가나가와대), 야마비 마사노리(가나가와대 총장), 구보 아쓰히코(가나가와대), 이수훈(경남

일시/장소	주 제	참석자
	Globalization and Localization in Northeast Asia	대), 시바타 나오코(가나가와대), 다나카 노리히토(가나가와대), Zhou Chun Ming(베이징대), 함택영(경남대), 강문구(경남대), 아베 고키(가나가와대), 양문수(경남대), Zhang Yan Ling(베이징대), 요시다 유키오(가나가와현 도서관), 심지연(경남대), Wang Li Xia(베이징대), 송병주(경남대), 정봉화(경남대), 신윤석(한국일보), 야마다 도루(가나가와대), 요코쿠라 세쓰오(가나가와대), 고토 히토시(가나가와대),
2003.10.10 경남대	한일학술회의: 지방자치와 지역사회발전	박재규(경남대 총장), 김혁규(경남지사), 야마비 마사노리(가나가와대 총장), 고다 세이만(가나가와대), 요코쿠라 세쓰오(가나가와대), 최낙범(경남대), 요시이소(가나가와대), 최영규(경남대), 구몬 다카요시(가나가와대), 하태영(경남대), 권경석(전 경상남도 행정부지사), 송부용(경남발전연구원 산업경제연구실), 노상환(경남대), 다나카 노리히토(가나가와대), 전점석(창원YMCA 사무총장), 옥원호(경남대), 시바타 나오코(가나가와대), 양재인(경남대), 정상철(마산시의원) 전정효(마산MBC 보도국장), 가와다 노보루(가나가와대), 최덕철(경남대), 조용호(경남신문 사회부장), 야마다 도루(가나가와대), 성태현(경남발전연구원장)
2005.11.11 경남대	개교 60주년 기념 2005 한·일·중 국제학술 세미나: 세계화 시대의 동아시아 법과 정치·경제	하태영(경남대), 윤진기(경남대), 박재규(경남대), 가와다 노보루(川田昇·가나가와대), 양재인(경남대), 설한(경남대), 요코쿠라 세쓰오(가나가와대), 다나카 노리히토(가나가와대), 박창건(경남대), 김선국(경남대), 김병두(경상대), 와다 무네히사(가나가와대), 고평석(경남대), 김호(중국인민법원 판사), 최영규(경남대), 구몬 다카요시(가나가와대), 미우라 다이스케(가나가와대), 여인호(경남대), 야마다 도루(가나가와대)
2006.11.24.~25 요코하마 가나가와대	제7회 한·일·중 국제교류 심포지엄: 동아시아의 협조체제를 위해-정치, 법, 경제 및 사회학적 시점에서	가와다 노보루(가나가와대), 이노우에 마사코(가나가와대), 요코쿠라 세쓰오(가나가와대), Ga Rida(베이징행정학원), 구보 아쓰히코(가나가와대), 신종대(경남대), 강인순(경남대), E Zhenhui(베이징행정학원), 야마다 도루(가나가와대), 사카모토 히로시(가나가와대), 다나카 노리히토(가나가와대), 민경배(경남대), 양만식(경남대), 와다 무네히사(가나가와대), 고토 진(가나가와대), 최은석(경남대), 기쓰가와 도시타다(가나가와대)
2010.10.22 요코하마 가나가와대	가나가와대 공동 한일 국제심포지엄: 동아시아 지역협력과 공동체구상	이수훈(경남대 극동문제연구소장), 이케가미 가즈오(가나가와대 부학장), 나카지마 미치오(가나가와대 학장), 박재규(경남대 총장), 이즈모 마사시(가나가와

일시/장소	주 제	참석자
		대), 아키야마 겐지(가나가와대 아시아문제연구 소장), 양문수(북한대학원대), 요코쿠라 세쓰오(가나가와대), 구갑우(북한대학원대), 우징핑(푸단대), 다나카 노리히토(가나가와대), 김용복(경남대), 이종원(릿쿄대), 김근식(경남대), 고마키 데루오(고쿠시칸대), 이우영(북한대학원대), 장슈래(푸단대)
2013.2.15 극동문제연구소	**제8차 가나가와대 공동세미나(비공개): 동아시아 공동체 - 갈등을 넘어 상생과 번영으로**	이수훈(경남대 극동문제연구소장), 후나코시 다케히로(주한 일본대사관 공사), 오정만(가나가와대), 양문수(경남대) 박후건(경남대) 다나카 노리히토(가나가와대), 강문구(경남대) 임을출(경남대), 김석환(한국외대), 아시바 유키(야마구치현립대), 김용복(경남대), 양무진(경남대), 사하시 료(가나가와대), 히사다 가즈타카(가나가와대), 김근식(경남대), 신종대(경남대), 조재욱(경남대), 나희승(한국철도기술연구원), 박정진(경남대), 니시노 준야(게이오대)
2013.12.6 요코하마 가나가와대	**가나가와대 아시아연구센터 설립 기념 심포지엄: 아시아 패러다임 전환: 협력과 공생의 길을 묻는다**	김근식(경남대), 사하시 료(가나가와대), Chen Jianan(푸단대), Kitti Prasirtsuk(Thammasat University), 김용복(경남대), Pham Quang Minh(Hanoi University), Tang Siew Mun(ISIS:Institute of Strategic and International Studies, Malaysia)
2017.9.8 오키나와	**오키나와 평화포럼: 아시아 평화커뮤니티 구축(Building a Peace Community in Asia)**	바바 요시히사(소카대), Tien-Rein Lee(중국문화대), 박재규(경남대), 다마이 히데키(소카대), 김성경(북한대학원대), Wei-jen Hu(CCU), 아사가 히로노부(소카대), 김정(북한대학원대), 김동엽(경남대), Chien-min Chao(CCU), Chien-kuo Pang, 나카야마 겐지(소카대).
2018.5.31 도쿄 게이오대	**2018 한반도국제포럼(Korea Global Forum 2018) 일본 회의: 남북 및 북미 정상회담 이후 한·일 관계**	사회 이관세(경남대 극동연구소장) 개회사 박재규(경남대 총장) 환영사 하세야마 아키라(게이오대 총장) 축사 후쿠다 야스오(전 일본 총리), 이수훈(주일 대사) 기조연설 조명균 통일부장관(박형일 통일부 정책협력관 대독) **세션Ⅰ 남북관계 변화와 한일관계** 사회 강인덕(경남대 석좌교수) 니시노 준야(게이오대) **남북관계 변화와 한일관계 - 일본의 입장** 조진구(경남대) **남북관계 변화와 한일관계 - 한국의 입장** 토론 히라이 히사시(교도통신) 박정진(쓰다주쿠대)

일시/장소	주 제	참석자
		세션II 북미관계 변화와 한일관계 사회 오구라 가즈오(전 주한대사) 도구치 히데시(정책연구대학원대) **북미관계 변화와 한일관계 – 일본의 입장** 김정(북한대학원대) **북미관계 변화와 한일관계 – 한국의 입장** 토론 고미 요지(도쿄신문) 이즈미 하지메(도쿄국제대) 장철운(경남대) **세션III 한반도 평화와 한일관계의 미래** 사회 오코노기 마사오(게이오대) 토론 전체 참석자
2018.10.17 대만 문화대	2018 피스포럼 경남대, 소카대, 대만문화대 주최	**Panel 2 East Asia's Developments** Jung Kim (Porfessor, University of North Korean Studies) The Political Logic of Globalizaing and De-industrializing East Asian Democracies Kenji Nakayama (Professor, Soka University) East Asia's Developments and Localized Economic Zones: A "Sub-Regionalism" Perspective Hideki Tamai (Professor, Soka University) Mutual Understanding Between Peoples Through 'Border Tourism' 토론 Philip Hsu (Professor, National Taiwan University), Yunchang Jeffrey Bor (Professor, Chinese Culture University), Yong-Il Moon (Professor, IFES, Kyungnam University) **Panel 3 Regional Security in East Asia** Youngsoo Yu (Professor, University of North Korean Studies) Elites' Cooperation as a Means of Regional Cooperation Minoru Koide (Professor, Soka University) Abe's Security Politcy towards Asia Kaocheng Wang (Vice President for International Affairs, Tamkang University) New Trends in East Asian Security 토론 Kwei-Bo Huang (National Chengchi University), Jung Kim (Professor, University of North Korean Studies), Gregory Coutaz (Adjunct Assistant Professor, Chinese Culture University)
2019.5.15 한국SGI 제주한일우호연수원	2019 피스 포럼 경남대, 소카대, 대만문화대 주최	**제1회의** 주제 **한국과 일본의 갈등과 협력** 좌장 안호영(북한대학원대학교 총장) Hartmut Lenz(소카대) **협력과 갈등 – 동아시아 갈등 근절을 위한 공식적 및 비공식적 협력의 역할**

청중비용 (Audience Costs)

각 국가의 외교정책 결정자들이 외교정책에 실패했을 경우 청중들에게 지불해야 하는 비용을 의미한다. 여기서 '청중'은 사전적 의미보다 자국의 외교 정책결정자들을 지켜보는 내국인을 뜻한다. 민주주의 국가에서는 정책에 실패하면 지지층 이탈, 반대파의 공격, 선거에서의 패배 등으로 청중비용을 지불한다. 비민주주의 국가에서는 숙청이나 혁명(쿠데타) 등이 일어날 수도 있으나 대체로 큰 청중비용은 발생하지 않는다. (시사상식사전)

회복력(레질리언스 · Resilience)

'레질리언스'는 외부의 힘으로 변형됐다가 원래대로 되돌아가는 성질을 말한다. 탄성이라고도 한다. 화학용어인 이 말을 최근에는 다방면에 쓰고 있다. 예를 들어 '코로나 이후의 레질리언스'라고 하면 코로나 사태가 끝나고 나서 과거의 질서를 회복하는 것을 의미한다.

일시/장소	주 제	참석자
		Jonathan Malcolm Kuckhurst(소카대) **세계 경제거버넌스에서 한중일 3개국 협력에 대한 전후관계상 영향** 김정(북한대학원대) **민주적 확전에서 민주적 자제로 - 한일 국제분쟁의 청중비용** 토론 다마이 히데키(소카대), Chien-kuo Pang(중국문화대), 김용복(경남대)
2020.12.12	2020 피스 포럼 경남대, 소카대, 대만문화대 주최	주제 **회복력 있는 세계를 위한 창조적 협력 - 코로나 이후 세계의 공유 가치와 정책 개발** **제1회의** 주제 **회복력 있는 세계를 위한 창조적 협력 - 일본 관점에서의 전망** 사회 고이데 미노루(소카대) 다마이 히데키(소카대) **회복력 있는 세계를 위한 창조적 협력** 토론 김성경(경남대), Chien-kuo Pang(중국문화대) **제2회의** 주제 **포스트 코로나 시대, 동아시아의 지역간, 사람간, 국가간 협력** 사회 김정(경남대) 정재욱(경남대) **국가들의 팬데믹 억제에 있어 성공요인은 무엇인가?** 토론 WANG, Shun-Wen(중국문화대), 사사키 사토시(소카대) **제3회의** 주제 **2020년 미대선 이후 국가간 관계와 전망** 사회 Chien-min Chao(중국문화대) YU, Hsiao-Yun(중국문화대), SHAW, Johnny(중국문화대) **2020년 미대선 이후 국가간 관계와 전망** 토론 이병철(경남대), POPOVSKI, Vesselin(소카대)

일본 문제 중심의 학술세미나(2005년 이후)

일시/장소	세미나 이름	주제 및 발표자 등
2005.8.2 극동문제연구소	워크숍	김승영 교수(영국 애버딘대) **다극체제 하 일본의 적극외교: 러일전쟁기와 1970년대 대한반도 정책을 중심으로** 사회 함택영(경남대)
2014.8.8 극동문제연구소	해외학자 초청 세미나	히라이 히사시(일본 교도통신 객원논설위원) **북 · 일 협상의 현황과 전망,** 『김정은 체제, 북한의 권력구조와 후계』의 저자
2014.10.10 극동문제연구소	해외학자 초청 세미나	와카바야시 히로유키(일본 동아시아무역연구회 이사장) **최근 북일관계의 변화와 전망**
2016. 1.20 극동문제연구소	한일전문가 토론회	연구소 연구진과 일본 전문가들이 **한일관계, 한국의 정치 및 외교정책, 북한의 4차 핵실험, 북한정세, 남북관계** 등에 대해 논의
2016. 5.24 극동문제연구소	해외학자 초청 세미나	서승(리쓰메이칸대 석좌교수) **나와 우리에게 조선, 조선인이란 무엇인가?** 토론 원용진(서강대)

2017.12.20 극동문제연구소	해외학자 초청 세미나	가미야 마타케(일본 방위대) **동아시아 지역 질서의 미래와 한일 협력**
2018.9.4 극동문제연구소	일본 평화안보연구소(Research Institute for Peace and Security, RIPS) 연구진 방문 간담회	일본 평화안보연구소의 쓰치야마 지쓰오(RIPS펠로우 프로그램 디렉터) 등 13명이 방문해 "The International Situation and Korean Affairs"를 주제로 한반도 정세 변화와 관련한 주요 동향, 북한 내부 변화, 한국의 대북·외교안보 정책, 북일관계 정상화 등에 대해 연구소 교수진과 의견 교환
2018. 10.31 극동문제연구소	해외학자 초청 세미나	소에야 요시히데(게이오대) **아베 내각의 대내외 정책과 북한**
2019.1.22 극동문제연구소	일본 내 한반도 문제 전문가 방문 비공개 간담회	극동문제연구소에서는 이관세 소장이 2019년 김정은 위원장의 신년사 분석과 남북관계 전망을, 김동엽 연구실장이 북한 핵문제와 북미관계를, 임을출 교수가 북한 경제를, 이상만 교수가 북중관계를, 문용일 교수가 미중관계를, 조진구 교수가 한일관계를 각각 소개. 일본 측에서는 오코노기 마사오 게이오대 명예교수, 이즈미 하지메 도쿄국제대 교수, 히라이 히사시 교도통신 객원논설위원, 히라이와 슌지 난잔대 교수, 니시노 준야 게이오대 교수 등이 의견을 피력. 한국과 일본의 연구자들은 북한의 비핵화 및 미국의 상응조치와 관련해 대북경제제재 완화 가능성, 도널드 트럼프 미국 대통령 임기 내 문제해결 가능성, 문재인 정부의 한반도 정책 추진 방향 등에 대해 토론했다.
2019.8.13 극동문제연구소	일본 내 한반도 문제 전문가 방문 비공개 간담회	극동문제연구소에서는 이관세 소장, 강인덕 초빙석좌교수, 이상만, 임을출, 조진구, 김동엽, 단울렛, 장철운, 문용일, 박서화 교수 등이 참석. 일본 측에서는 오코노기 마사오 게이오대 명예교수, 이즈미 하지메 도쿄국제대 교수, 히라이 히사시 교도통신 객원논설위원, 구라타 히데야 방위대 교수, 후루카와 가쓰히사 전 UN안보리 대북제재 전문가위원회 위원, 니시노 준야 게이오대 교수, 이이무라 도모키 일본국제문제연구소 연구원 등이 참석. 양측 연구자들은 한반도 주변국 동향, 북한의 대내외 정세, 최근 한일관계 등에 관해 의견을 교환.

통일전략포럼

일시/장소	주제와 발표자
1999.4.22 극동문제연구소	**제15차 통일전략포럼** **한·미·일의 대북정책: 공조체제의 문제점 및 전망** 사회 함택영(경남대 극동문제연구소 연구실장) **한국의 대북정책**(김재홍 동아일보 논설위원) **미국의 대북정책**(박건영 가톨릭대 교수) **일본의 대북정책**(서동만 외교안보연구원 교수)

2019.8.8 극동문제연구소	**제64차 통일전략포럼** **한일관계 어떻게 풀어야 하나?** 사회·발표 이수훈 경남대 정치외교학과 교수(전 주일대사) 라운드 테이블 김민석(더불어민주당 일본경제침략대책특별위원회 부위원장), 길윤형(한겨레신문 전 도쿄특파원), 이원덕(국민대), 정혜경(전 국무총리소속 대일항쟁기강제동원피해조사 및 국외강제동원희생자등지원위원회 조사과장), 조진구(경남대), 남상구(동북아역사재단 한일관계연구소장)

단행본

발행일	도서명	저 자
1986.6	**현대 일본의 정치**	이갑윤(서강대), 이정복(서울대), 윤희석(외교안보연구원), 김용서(이화여대), 김용운(한양대), 이종윤(한국외국어대), 주준희(한국여성개발원), 이즈미 하지메(일본 평화안전보장연구소), 한배호(고려대), 신정현(경희대)
1989.9	**일본방위정책의 이상과 현실**	정광하(인천대)
2020.2	**한일관계 기본문헌집**	조진구(경남대)
2020.2	**한일 관계 - 무엇이 문제이고 어떻게 풀어야 하나**	이관세(경남대), 이경주(인하대), 이원덕(국민대), 조진구(경남대), 정혜경(일제강제동원&평화연구회 대표), 이지평(LG경제연구원), 길윤형(한겨레신문)

극동문제연구소 임원과 상근연구진 27명(2021년 2월 현재) 중에는 조진구 일본센터장(연구실장 겸임)과 양문수 도쿄대 경제학박사, 박후건 전 와세다대 교수 등이 일본 전문가이다. 비상근연구원 중에서는 강인덕 전 통일부장관, 이수훈 전 주일대사, 송영선 전 국회의원 등을 일본 전문가로 분류할 수 있다. 일본에서는 다케사다 히데시(武貞秀士) 전 방위성 방위연구소 교수, 성낙삼 일본 간사이흥은 부회장, 오코노기 마사오(小此木政夫) 게이오대 명예교수, 이즈미 하지메(伊豆見元) 전 시즈오카현립대 교수, 정진식 성광상사㈜ 대표, 다쿠보쿠 마사유키(鐸木昌之) 세이가쿠인대 교수, 이찬우 데이쿄대 교수 등이 초빙연구위원으로 이름을 올려놓고 있다.

경남대 극동문제연구소는 (03053) 서울특별시 종로구 북촌로 15길2(삼청동)에 있다.
전화 (02) 3700-0700, 팩스 (02) 3700-0707, 홈페이지 https://ifes.kyungnam.ac.kr

4. 경상대학교 국제지역연구원 일본문화연구센터

KOREA-JAPAN

경상대 국제지역연구원은 2001년 9월 1일 기존의 일본문화연구소, 통일문제연구소, 해외지역연구센터를 통합해 출범했다. 연구원은 일본문화연구센터, 통일평화연구센터, 해외지역연구센터를 두고 있다. 연구원은 일본문화연구센터는 일본의 사회문화 및 재일한국인을 위한 조사 연구, 한일 양국 간의 학문적 교류와 협력증진에 관한 사업 및 학술회의 개최 등을 한다고 밝혔다.

경상대 국제지역연구원은 (52828) 경상남도 진주시 진주대로 501 경상대 내에 있다.
전화 (055) 772-1050, 이메일 russia@gnu.ac.kr, 홈페이지 http://builder.gnu.ac.kr/igas/main.do

5. 경희대학교 국제지역연구원 일본학연구소

경희대 국제지역연구원(Institute of Global Affairs) 일본연구소의 홈페이지에 올라있는 글이다.

경희대학교 국제지역연구원 일본학연구소(Center for Japanese Studies)는 연구대상으로서의 '일본'에 대한 종합적, 체계적 연구를 목표로 설립되었습니다. 본 연구소는 기존 분과학문 간의 벽을 넘어 학문 간 융·복합적 연구를 지향하고자 합니다. 일본학연구소의 지(知)적 성과가 우리 사회에서의 관련 연구와 토론 확산에 기여함은 물론, 동아시아 국가 간의 편협한 내셔널리즘을 넘어 지속 가능하고 소통 가능한 미래지향적 담론 생산과 창조적 학문정신 활성화에 기여해가고자 합니다. (중략)

일본학연구소는 HK사업의 일환으로 근대 이전의 한일교류 연구와 일본 내 환동해 지역 관련 연구논문 및 자료 해제작업을 통해 환동해 교류연구의 인프라와 인적 네트워크를 구축해가고 있습니다. 앞으로는 이러한 학술 연구활동을 더욱 강화하면서 동시에 일본학 관련 지(知)의 확산을 위해 시민강좌 〈일본이야기〉를 개최하고자 합니다.

연구소장	**이창수**(경희대 일본어학과 교수)
연구위원	**미노와 요시쓰구**(**箕輪吉次**) 경희대 일본어학과 교수 **손지연** 경희대 일본어학과 강사 **이재훈** 경희대대학원 일어일문학과 박사과정 **쓰쓰미 가즈나오**(**堤一直**) 와세다대 대학원 아시아태평양연구과 박사과정 **나카후지 히로히코**(**中藤弘彦**) 고베학원대 국제관계법학과 강사
운영위원	김봉길 일본 도야마대 경제학부 교수 마쓰모토 신스케 경희대학교 일본어학과 교수
대외활동	일본(교토대, 교토산업대, 고베대, 오사카대, 리츠메이칸대, 규슈대), 중국(연변대, 浙江樹人大), 타이완(타이완대, 정치대, 동해대, 보인대, 카오슝대, 의수대) 등과 MOU를 체결하고 공동학술회의 등을 기획하고 있다.

이 연구원의 조직은 다음과 같다.

직 책	이름과 전공 등	
연구원장	**김준엽**(중국경제)	
부설연구소장	영미문화연구소	**김상욱**
	한국학연구소	**김종수**
	중국학연구소	**김준엽**
	유럽연구소	**신상협**
	일본학연구소	**이창수**
	동아시아법연구소	**최광준**
	아프리카연구소	**홍명희**
	중남미연구소	**황수현**
HK교수	**신진숙**(한국문학), **최영진**(사회학 · 중국)	
HK연구교수	**김석희**(식민지연구), **배규성**(국제정치학)	
공동연구원	신범철(경기대 경제학부), 신상협(경희대 국제대학원), 이창수(경희대 일본어학과), 임상헌(경희대 공공대학원), 주재우(경희대 중국어학과), 최영준(경희대 무역학과)	
연구위원	김관수(경희대 건축학과), 한형주(경희대 후마니타스칼리지), 허동현(경희대 후마니타스칼리지)	
객원연구원	김수현(SBS문화담당 선임기자), 김성환(이하 경기도 박물관), 박본수, 이승연, 이영은, 정성희	

경희대 국제지역연구원은 (17104) **경기도 용인시 기흥구 덕영대로** 1732 **경희대학교 국제캠퍼스 외국어대학 내에 있다.**

전화 (031) 201-2381, 2384, **팩스** (031) 205-2384, **홈페이지** http://iga.khu.ac.kr/neoiga/kr

6. 경희대학교 글로벌 류큐 · 오키나와연구소

KOREA-JAPAN

다음은 경희대 글로벌 류큐 · 오키나와연구소의 홈페이지에 올라있는 글이다.

동아시아에서 오키나와가 지니고 있는 위상은 상당히 문제적입니다. 오키나와는 일본제국 주의를 거치면서 '제국'의 일원인 동시에 '제국'의 억압과 차별의 당사자였고, 제2차 세계대전 이후에는 미국이라는 새로운 '제국'의 질서가 구체적이고 현실적인 억압과 차별로 작동한 지역이었습니다.

일본제국 주의는 몰락했지만 그것이 동아시아에서 식민주의의 단절을 의미하는 것은 아니었습니다. 미국이라는 '제국'의 등장은 새로운 식민주의의 시작이었으며, 이러한 동아시아의 문제적 상황은 오키나와라는 구체적 지역에서 극명하게 드러나기 시작했습니다.

일본 패전 이후 오키나와에 주둔하게 된 미군 기지는 이후 미국의 동아시아 지배 전략의 교두보로 활용되고 있으며, 한국전쟁과 베트남전쟁을 거치면서 오키나와와 미군 기지는 미국의 세계질서를 유지하는 상수로 작용하고 있습니다.

이에 본 〈글로벌류큐 · 오키나와연구센터〉는 인문학을 기반으로 한 지역학을 지향하며, 서구, 비서구지역 연구자 및 오키나와 문인과 사상가로 구성된 인적 네트워크를 최대한 살려 연구의 질적 강화와 새로운 담론의 창출을 도모해 갈 것입니다.

이 연구소는 한국연구재단 일반공동연구과제로 '전후 오키나와문학과 동아시아 · 반(反)폭력의 감수성과 소수자의 목소리'라는 프로젝트를 진행했다(연구 기간 2019.7.1.~2021.6.30.). 이 연구는 오키나와와 한국문학을 비교연구함으로써 식민주의와 냉전체제라는 동아시아문학의 마이너리티성을 규명하려는 것이다. 이 연구에서 '반폭력'이라는 개념을 사용하는 것은 제국의 질서와 새로운 제국의 등장과 함께 폭력성을 감지하는 감수성과 이를 비판하는 지적 상상력이 오키나와문학만큼 잘 드러나는 것이 없기 때문이고, '소수자'라는 개념을 사용하는 것도 오키나와 내부의 위계, 혹은 일국 차원의 마이너리티가 아닌 중앙 · 지역이라는 중앙중심주의적인 문학적 위계가 배태한 마이너리티의 다양한 양상을 살펴보는 데 유효하기 때문이라고 연구진은 밝히고 있다.

이 연구의 책임자는 손지연 교수(경희대)가 맡고 있고 고명철(광운대), 곽형덕(명지대), 김동윤(제주대), 하상일 교수(동의대)가 공동연구원으로, 김동현 씨(경희대)가 전임연구원으로, 조유미 씨(경희대)가 보조연구원으로 일하고 있다.

류큐·오키나와연구소가 참가한 국제학술대회, 세미나, 대담회

일시	형태	주제
2019.10.26	메도루마 슌(目取真俊) 초청강연회	**제국주의 폭력의 표상과 그 너머의 문제들**
2019.11.14	오시로 사다토시(大城貞俊) 작가 대담회	**전후 오키나와의 소설 세계: 산 자가 죽은 자에게, 죽은 자가 산 자에게 말을 걸다**
2019.11.15	국제학술대회	주제 **'오키나와학'은 가능한가? 포스트 이하 후유(伊波普猷) 시대의 도전과 전망** 개회 및 축사 손지연(경희대), 김영주(경희대), 박정원(경희대), 가토 다케시(일본국제교류기금 서울문화센터 소장) 기조강연 오시로 사다토시(작가) **언어의 힘을 찾아서** **제1부 이하 후유(伊波普猷) 시대의 오키나와학** 사회 김동윤(제주대) 발표 김재용(원광대), 사키하마 사나(도쿄대) 토론 임경화(중앙대) 남상욱(인천대) **제2부 포스트 이하 후유 시대의 오키나와학** 사회 곽형덕(명지대) 발표 김지영(서울대), 마스부치 아사코(도시샤대), 김은애(도쿄외국어대), 도모쓰네 쓰토무(도쿄외국어대), 요시다 나오코(도쿄대) 토론 박경석(연세대), 김동현(경희대), 윤명숙(일본군'위안부'문제연구소) **제3부 오키나와학과 동아시아지평** 사회 김동현(경희대) 발표 퍄오훙롄(朴紅蓮·도쿄외국어대), 사쿠모토 가나(히토쓰바시대), 사토 이즈미(아오야마가쿠인대), 황위샹(黃昱翔·류큐대), 데시마 다카히로(경희대) 토론 김동윤(제주대), 하상일(동의대), 김지영(서울대) **제4부 '반(反)폭력'으로 읽는 오키나와문학** 사회 남상욱(인천대) 발표 손지연(경희대), 김동윤(제주대), 김동현(경희대), 하상일(동의대). 조정민(부경대), 고명철(광운대), 곽형덕(명지대) 토론 도모쓰네 쓰토무(도쿄외국어대), 사토 이즈미(아오야마 가쿠인대), 사쿠모토 가나(히토쓰바시대)
2019.12.20	한국일본학회 산하 한국일본문학회의 국제학	주제 **전후 동아시아 여성 서사(序詞)는 어떻게 만날까-한국, 중국, 일본, 오키나와, 재일**

이하 후유(伊波普猷)

1876~1947. 언어학자, 민속학자. 오키나와의 아버지로 불릴 정도로 오키나와문화 연구의 기초를 쌓았다. 그는 오키나와라는 지역의 문화적 특질을 종합적으로 규명하려고 했다. 1911년에 출판한 《고유구(古琉球)》는 야나기타 구니오, 오리구치 노부오 등의 연구자가 오키나와문화에 주목하도록 만들었고, 결국 오키나와 연구는 일본민속학의 형성에 깊숙이 관여하게 된다. (일본 세계대백과사전 2판)

일 시	형 태	주 제
	술대회 참가	**제1부 기획주제** 사회 엄인경(고려대) 발표 백지연(서울여대), 임우경(성균관대), 오성숙(한국외대), 손지연(경희대), 윤송아(동덕여대) 토론 이수연(경희대), 곽형덕(명지대), 남상욱(인천대) **제2부 특별세션** 사회 이재훈(경희대) 발표 이다 유코(나고야대), 미쓰이시 아유미(나라대), 소명선(제주대) 토론 이한정(상명대), 이지형(숙명여대), 신하경(숙명여대) **제3부 자유주제** 사회 이기혜(고려대) 발표 정수진(고려대) 토론 조주희(고려대) **제4부 서평회** 《그녀들의 문학》 저자 이다 유코(나고야대) 강연 토론 손지연(경희대), 김효순(고려대), 이한정(상명대), 데시마 다카히로(경희대)
2020.2.4 류큐대학	국제학술대회	**전후 오키나와문학과 동아시아를 사유하다**
2020.2.4 류큐대학	사키야마 다미(崎山多美) 작가 대담회	**사키야마 다미의 문학세계와 번역불/가능성** 대담 손지연(경희대), 김동윤(제주대), 김동현(경희대), 김재용(원광대), 사토 이즈미(아오야마가쿠인대)
2020.7.27	학술세미나	**'번역'으로서의 4·3소설**
2020.8.18 ~19	전문가 간담회	전후 오키나와 문학과 동아시아 공동 연구팀 전문가 간담회 고성만(제주대) **제주, 오키나와의 과거사 문제와 기억의 정치학** 조성윤(제주대) **남양군도의 조선인**
2020.8.21	한국일본학회 세션발표	**상처에서 상처로-지금 여기에서 '번역'의 가능성을 모색하다** 1. 김동현(경희대) **번역적 신체의 탄생과 마이너리티의 목소리 - 오키나와와 제주문학에 나타난 지역어의 표출 양상을 중심으로** 2. 사토 이즈미(아오야마가쿠인대) **번역과 연대** 3. 윤명숙(일본군'위안부'문제연구소) **일본군 '위안부' 문제 해결 운동과 피해자 중심주의** 4. 고영란(니혼대) **레이프의 위상과 남성 섹슈얼리티 - 오시마 나기사 『교사형(絞死刑)』과 오시로 다쓰히로 『칵테일파티』 사이에서** 토론 오세종(류큐대), 신지영(연세대)
2020.11.26	화상세미나	주제 **오키나와, 한반도에 무엇인가** 사회 고승우(전 한겨레신문 부국장)

일시	형태	주제
		개회사 이부영(자유언론실천재단 이사장) 인사말 김동훈(한국기자협회장) 기조연설 하토야마 유키오(전 일본 총리) **미중 대립시대의 오키나와의 역할** 문정인(연세대 명예특임교수) **코로나 사태와 세계질서의 변화: 신냉전 구도의 대두와 동아시아평화** 발표1 기무라 아키라(가고시마대) **오키나와 문제와 동아시아 부전공동체(不戰共同體)** 토론 남기정(서울대 일본연구소) 발표2 아베 다카시(오키나와타임스 편집위원) **일본정부의 기지건설 강행과 오키나와의 민의** 토론 한승동(전 한겨레신문 도쿄특파원) 발표3 손지연(경희대) **개발과 근대화프로젝트: 제주와 오키나와가 조우하는 방식** 토론 문성희(일본 〈週刊 金曜日〉 부편집장) 마무리 인사 안기석(새언론포럼 회장)
2020.12.28	연속대담회	**동아시아를 횡단하는 목소리 - 한국/일본/오키나와의 경계에서 동아시아를 보다** 제1회, 증언자가 없는 증언 아시아 '여성'의 소리를 듣는 장소. 신지영(연세대) × 무라카미 요코(오키나와국제대)
2021. 1. 26	연속대담회	**동아시아를 횡단하는 목소리 - 한국/일본/오키나와의 경계에서 동아시아를 보다** 제2회, 목소리를 읽는 문학 역사 서사와 증언. 오세종(류큐대) × 조수일(동국대)

동아시아 부전(不戰) 공동체

기무라 아키라 교수가 말하는 '동아시아의 부전(不戰)공동체' 개념은 오키나와가 처한 특수 상황을 극복하려는 움직임과 관련이 있다. 기무라 교수는 오키나와는 여전히 일본의 국내식민지이자 미국의 군사식민지라며 이중의 식민지배를 받고 있다고 주장한다. 따라서 오키나와 문제는 오키나와만의 문제가 아니라 일본의 문제이자 미국의 문제이고, 군사와 안전보장 문제 이상의 인권과 민주주의 문제라는 것이다. 기무라 교수는 오키나와가 대미종속, 일본의 무의식적인 식민주의, 기지경제 등으로부터 탈피하는 것이 진정한 일본의 독립이라고 주장한다. 그렇게 하려면 오키나와를 '군사의 요충'에서 '평화의 요충'으로 바꾸고, 이를 매개로 동아시아 부전공동체를 구축해야 한다고 주장한다. 하토야마 유키오 전 총리가 제창한 '동아시아공동체 구상'도 같은 맥락이다. (기무라 아키라 교수 논문)

이 연구소의 조직은 다음과 같다.

직책	이름과 소속
연구책임자	**손지연**(경희대)
고문	**김재용**(원광대), **오시로 사다토시**(소설가 · 시인)
작가와 평론가 그룹	**아라카와 아키라, 나카자토 이사오, 오시로 다쓰히로, 마타요시 에이키, 메도루마 슌, 사키야마 다미, 오시로 사다토시**
국내회원	강성현(성공회대), 고명철(광운대), 곽형덕(명지대), 김동윤(제주대), 김동현(경희대), 김지영(서울대), 김환기(동국대), 남궁철(연세대), 남상욱(인천대), 데시마 다카히로(경희대), 박경석(연세대), 소명선(제주대), 송병권(연세대), 심정명(도시샤대), 윤명숙(일본군'위안부'문제연구소), 이진원(서울시립대), 임경택(전북대), 임경화(중앙대), 장인수(제주대), 정영신(가톨릭대), 조정민(부경대), 하상일(동의대)

해외회원	Davinder Leslie Bhowmik(University of Washington), Victoria Young (University of Cambridge), 가와무라 하지메(돗쿄대), 고영란(니혼대), 김은애(도쿄외국어대), 다카에스 마사야(가나가와대), 도베 히데아키(도쿄케이자이대), 모리 요시오(도시샤대), 사토 이즈미(아오야마가쿠인대), 신조 이쿠오(류큐대), 아키야마 미치히로(오키나와국제대), 오세종(류큐대), 오자토 도모코(호세이대), 요시다 나오코(도쿄대), 우에하라 고즈에(도쿄외국어대), 이사 유키(오즈마여자대)
전임연구원	**조유미**(경희대)

경희대 글로벌류큐 · 오키나와연구소는 (17104) **경기도 용인시 기흥구 덕영대로**1732 **경희대 국제캠퍼스의 비교문화연구소 내에 있다.**

대표 전화 031-201-2215, **팩스** 031-205-2217, **이메일** khwe2215@khu.ac.kr, **비교문화연구소 홈페이지** http://ccs.khu.ac.kr

7. 계명대학교 국제학연구소 일본학연구실

KOREA-JAPAN

계명대 국제학연구소는 1995년에 설립했다.

일본 관련 연구활동

일 시	형 태	주제와 강사
2019.11.19	제16회 계명국제학포럼	최재혁(한국근현대미술사학회 이사) **일본 현대미술 속의 핵-방사능 시대를 바라보는 예술적 상상력**
2020.8.21~22	2020년 제1회 국내학술대회	**일제강점기 이왕직의 조직 구성과 기능-일본 궁내성과의 관계를 중심으로**
2020.10.23	2020년 제2회 시민강좌 '세계 지역의 글로벌이슈와 일상'	이창민(한국외대) **태평양전쟁을 통해 바라본 일본사회의 결함**
2020.10.30~31	2020년 제2회 국내학술대회	주제 **세계질서와 글로벌 이슈** **제3세션 일본지역의 글로벌이슈와 역사적 쟁점** 사회 홍동현(독립기념관) 발표1 김영수(계명대) **일제강점기 미(米)구락부 및 연시장(延市場)에 대한 검토** 발표2 조명근(영남대) **대한제국기 중앙은행 설립 구상** 발표3 장신(한국학중앙연구원) **경성고등상업학교 조선인학생의 취업 연구** 토론 박현(대한민국역사박물관), 배석만(KAIST), 정용서(연세대)
2021.5.28	제26회 계명국제학포럼	지영임(대구가톨릭대 다문화연구원 교수) **일본 야스쿠니신사 이해하기**

이왕직(李王職)

일제 강점기 이왕가(李王家)와 관련한 사무 일체를 담당하던 기구. 이왕직은 1910년 망국과 함께 대한제국황실(大韓帝國皇室)이 이왕가로 격하됨에 따라 기존의 황실업무를 담당하던 궁내부(宮內府)를 계승해 설치했다. 조선총독부가 아닌 일본의 궁내성(宮內省) 소속 기구였다. 직원은 최고책임자인 장관(長官) 이하 198명이었다. (한국민족문화대백과)

米俱樂部와 延市場

1920년대 쌀은 인천을 중심으로 거래했으나 소비자는 경성에 많았다. 이런 불편을 해소하기 위해 경성에 허가했던 쌀 중매점이 미구락부이고, 지방에 예외적으로 허가한 쌀 현물시장이 연시장이다. 미구락부는 1924년 4월 경성에 83개가 있었고, 연시장은 경성, 부산, 대구, 군산, 목포, 진남포, 원산, 강경, 신의주 등 9개에서 열렸다. (김영수 계명대 교수)

이 연구소의 조직은 다음과 같다.

직 책	이름 및 전공 등	
연구소장	**김정규**(대학원 국제지역학과장 · 미국학전공 책임교수)	
연구실장	미국학연구실	**김정규**
	일본학연구실	**김명수**

	중국학연구실	**윤성환**
	유럽학연구실	**김승민**
	독일학연구실	**장희권**
	중남미학연구실	**정상희**
운영위원	김정규, 유정원, 김명수, 윤성환, 정상희, 이종광, 장희권, 이기동, 백수진	
간사	**남대엽**	
전임연구원	**한미애, 이동훈**	
연구위원	Atteraya, Madhusudhan(사회복지학과), 김관옥(정치외교학), 김명수(일본학), 김승민(유럽학), 김영석(스페인어중남미학), 김영찬(국어국문학), 김우형(Tabula Rass College), 김정규(미국학), 김지은(국어교육과), 김진하(Department of International Relations), 남대엽(중국학), 류두하(미국학), 박성호(국제통상학), 박윤주(스페인어중남미학), 박일우(Tabula Rass College), 박주홍(경영학), 백수진(중국학), 변재웅(국제통상학), 서경석(스페인어중남미학), 송형석(태권도학과), 오윤정(일본학), 유재성(미국학), 유정원(중국학), 윤성환(중국학), 윤창준(중국학), 은은기(사학과), 이기동(국제통상학전공), 이동훈(국제학연구소), 이병로(일본학), 이성환(일본학), 이승근(정치외교학), 이종광(유럽학), 이지용(중국학), 장희권(독일어문학), 전미향(Tabula Rasa College), 정상희(스페인어중남미학), 최경주(전자무역학), 한미애(국제학연구소), 한복희(독일어문학), 허정명(미국학), 홍민표(일본학), 홍순희(Tabula Rasa College)	

계명대 국제학연구소는 (42601) 대구광역시 달서구 달구벌대로 1095 계명대학교 성서캠퍼스에 있다.

전화 (053) 580-5195, 이메일 70231@gw.kmu.ac.kr, 홈페이지 http://newcms.kmu.ac.kr

8. 고려대학교 글로벌일본연구원

KOREA-JAPAN

고려대 글로벌일본연구원(Global Institute for Japanese Studies)의 뿌리는 1999년 8월에 만든 '일본학연구소'이다. 일본학연구소는 설립 배경을 "이웃 일본에 관한 체계적이고 종합적인 연구를 수행할 전문 연구기관의 필요성 대두, 국내 유수의 일본학 전문인력 양성, 학부 · 일반대학원 · 교육대학원의 유기적 발전 도모, 동북아시아 지역 연구 수요 증대 등"이라고 밝혔다.

고려대는 이 연구소를 2004년 7월 '일본학연구센터'로, 2008년 8월 '일본연구센터'로, 2015년 5월 '글로벌일본연구원'으로 확대 개편했다.

고려대 글로벌일본연구원은 단독 건물을 갖고 있다. 2005년 12월 재일사업가이자 일본 교토 젠니쿠(全日空)호텔 소유자인 청산 곽유지 회장과 일본 MK그룹 유봉식 회장이 당시 '일본학연구센터'에 20억 원을 기부했다. 연구센터는 학교로부터 부지를 받아 이 기금으로 2007년 6월 '청산 · MK문화관'을 준공했다. 지하 2층, 지상 6층(연면적 754평)에 최첨단설비와 원격화상회의시스템을 갖추고 있다.

글로벌일본연구원은 산하에 일본어문학 · 문화연구센터, 글로벌언어정책센터, 동아시아평화센터, 사회재난 · 안전연구센터, 일본번역센터, 국제교류위원회, 정보자료실을 두고 있다. 다른 대학의 일본학연구소나 일본연구센터가 정치, 외교, 안보 등에 힘을 쏟고 있는 것과는 달리 고려대 글로벌일본연구원은 일본의 문학과 문화, 일본 문학작품 번역, 일본의 재난연구 등에 힘을 쏟고 있는 것이 특징이다. 그간 글로벌일본연구원의 사업 내용을 보면 다음과 같다.

글로벌일본연구원은 2007년 인문한국(HK) 지원사업 해외지역연구분야에서 유일하게 일본연구사업단으로 선정돼 10년간 지원을 받음으로써 도약의 토대를 마련했다. 일본어문학 · 문화연구센터, 글로벌언어정책연구센터, 동아시아평화센터, 사회재난 · 안전연구센터는 이 사업의 일환으로 만든 연구센터이다.

이 책의 집필 취지에 따르면 일본 문학이나 문화 연구는 제외해야 하지만, 글로벌일본연구원의 주력 사업이라는 특성상 일부를 소개한다.

한국학중앙연구원에서 지원하는 사전편찬사업(2013.9~2016.8)에도 선정돼 '개화기와 일제강점기(1876-1945) 재조선 일본인 정보사전'도 편찬했다. 한국연구재단이 지원하는 토대연구사업으로 '경성일보 수록 문학자료 DB구축 사업'(2015.9~2020.8)도 진행했다.

글로벌일본연구원은 이밖에 일본국제교류기금의 지원으로 '식민지기 일본어 대중문학 시리즈 간행사업'(2013.4~2014.3)을, 일본만국박람회기념기구의 지원으로 '한반도 간행 일본전통시가 선집 시리즈 간행사업'(2013.3~2015.2)을, 스미토모재단의 지원으로 '근대초기(1900-1920) 한반도의 일본전통운문(와카 · 하이쿠) 문학의 형성 및 일본인과의 문학교류를 둘러싼 연구'(2012.4~2013.3)와 '식민지 시기의 일본추리소설의 한국적 수용에 관한 연구'(2013.4~2014.3) 등을 수행했다.

글로벌일본연구원은 국내학자들의 일본연구소, 교양서 등을 모은 '일본학총서'(2006년부터), 일본 이해의 기반을 이루는 고전 명작을 해당 전문가가 번역한 '일본명작총서'(2007년부터), 현대 일본의 정치, 경제, 사회, 문화 등의 분야를 다룬 명저나 번역서인 '현대일본총서'(2008년부터) 등도 발간하고 있다.

쓰키시마(月島)

쓰키시마(月島)는 일본 도쿄에 속한 섬이다. 1892년 도쿄만 매립 때 생긴 인공섬이다. 2010년에 나온 《쓰키시마 섬 이야기》는 요모타 이누히코(四方田犬彦)가 쓰키시마에 거주하며 그 지역의 문화를 기록한 책이다. 저자는 1988년부터 1994년까지 쓰키시마 주민으로 생활하며 쓰키시마의 역사와 문화 등 다방면에 걸친 서술을 통해 섬의 이야기를 입체적으로 기술해낸다. 쓰키시마의 역사를 단순히 사실로만 기술한 것이 아니라 매립사업, 도시구조, 경제적 배경, 생업을 비롯해 그 지역과 인연을 맺고 살던 소설가, 영화감독 등의 작품을 분석함으로써 섬에 관한 다양한 사실을 묘사한다. (출판사 책 소개)

현대일본총서

총서번호	발행 연도	저서명	저자, 번역자, 편자
1	2008	번역과 일본문학	김춘미 외 12인저
2	〃	일본문화예술의 현장	서연호 저
3	2010	쓰키시마섬 이야기	요모타 이누히코 저, 김효순 역
4	〃	함께하는 다문화 교육	구라치 아케미 저, 김선희 역
5	〃	성경으로 미국을 읽다	이시구로 마리로즈 저, 김춘미 역
6	〃	다문화공생 지향의 재일 한조선인	서용달 저, 서윤순 역
7	〃	저팬 리뷰 2010	최관 · 서승원 편
8	〃	재일한국인의 백년을 생각한다	정찬원 저
9	2011	저팬 리뷰 2011	최관 · 서승원 편
10	2012	일본 대재해의 교훈	다케나카 헤이조 · 후나바시 요이치 저 김영근 역
11	〃	저팬 리뷰 2012 - 3 · 11 동일본 대지진과 일본	송완범, 김영근, 김효진, 김태현, 전성곤, 정유경 등 저
12	〃	검증 3 · 11 동일본 대지진	간사이대 사회안전학부 저 고려대 글로벌일본연구원 역

일본자료총서

번호	발행 연도	저서명	편저자
1	2011.2	한반도 · 만주 일본어 문헌(1868-1945) 목록집(전13권)	고려대 글로벌일본연구원 토대연구사업단 편
2	〃	한반도 · 만주 일본어문헌(1868-1945) 목차집(전27권)	〃
3	2013.5	한반도 간행 일본전통시가 자료집: 가집편(전5권)	정병호 · 엄인경 편
4	〃	한반도 간행 일본전통시가 자료집: 단카잡지편(전22권)	〃
5	〃	한반도 간행 일본전통시가 자료집; 구집편(전4권)	〃
6	〃	한반도 간행 일본전통시가 자료집: 하이쿠잡지편(전4권)	〃
7	〃	한반도 간행 일본전통시가 자료집: 센류(전5권)	〃
8	〃	중국만주지역 간행 일본전통시가 자료집(전4권)	〃
9	〃	한반도 간행 일본전통시가 목차자료집	〃

일본 근현대 여성문학 선집 시리즈

2019년 3월 '일본 근현대 여성문학 선집 시리즈' 18권을 발간했다. 글로벌일본연구원은 이 시리즈의 발간에 대해 이렇게 밝히고 있다.

> 본 간행 사업은 고려대학교 글로벌일본연구원 일본근현대여성문학연구회가 2018년 일본만국박람회기념기금사업(日本万国博覧会記念基金事業)의 지원을 받아 기획한 것으로, 일본의 여성문학이 근대 이후 양적인 측면과 질적인 측면에서 상당한 성과를 축적하였을 뿐만 아니라, 같은 동아시아 문화권을 살아온 한국 여성의 삶이나 문학, 문화와 밀접한 관계를 가지고 있음에도 불구하고, 아직 체계적으로 전체를 조망할 수 있는 전집 형태로 소개된 적이 없다는 문제의식에서 출발하였습니다. 이에 근대인으로서의 자아각성이나 젠더, 섹슈얼리티, 계급, 원폭, 전쟁, 식민지 체험 등 일본 여성문학이 다루어 온 다양한 주제를 체계적으로 망라하여, 한국의 여성학, 여성문학 연구자 더 나아가 일반 독자들이 유사한 경험을 한 한국 여성의 삶과 문학을 사유하는 데에 참조가 되는 구성이 될 수 있도록 노력하였습니다. 모쪼록 이 책이 일본 여성문학을 이해하는 데에 머물지 않고, 한국을 비롯한 동아시아 여성문학을 아우르는 젠더적 사유를 발견하고 새로운 해석의 지평을 열어가는 마중물이 되기를 바랍니다.

이 시리즈에서 소개한 일본 여성문학자는 히구치 이치요, 요사노 아키코(2권), 다무라 도시코, 노가미 야에코, 오카모토 기노코, 우노 지요(2권), 미야모토 유리코(2권), 하야시 후미코(2권), 사타 이네코, 엔지 후미코, 히라바야시 다이코, 오타 요코, 사키야마 다미, 이다 유코 등이다.

동아시아와 동시대 일본어문학 포럼

글로벌일본연구원은 '동아시아와 동시대 일본어문학 포럼'이라는 국제학술모임에도 이니셔티브를 쥐고 있다. 이 포럼은 2013년에 시작해 현재 한국, 일본, 중국, 대만 등 4개국 학자들이 참여해 매년 한 차례씩 4개국을 돌며 포럼을 열고 있다. 앞으로는 호주, 인도네시아 등 오세아니아권으로 확대할 계획이다. 한국은 고려대 글로벌일본연구원(포럼 대표 정병호), 중국은 북경사범대 일본어학과(왕즈송 · 王志松), 대만은 대만정치대학 대만문학연구소(우페이쩐 · 吳佩珍), 일본은 나고야대 대학원 문학연구과 일본문화학강좌(히비 요시타카 · 日比嘉高), 규슈대 대학원 비교사회문화연구원(나미가타 쓰요시 · 波潟剛), 에히메대 법문학부 인문학과(나카네 다카유키 · 中根隆行)가 중심으로 포럼을 이끌어가고 있다.

2013년 첫해에는 고려대에서 포럼을 열었으며, 중국, 대만, 일본을 거쳐 2017년 5회 포럼을 동국대에서 개최했다. 2019년 10월 25~27일 대만의 정치대(政治大) 동우대(東吳大)에서 열린 '제7회 동아시아와 동시대 일본어문학포럼 타이베이(台北)대회 겸 차세대 포럼'의 프로그램은 다음과 같다.

콜론타이즘(kollontaiizm)

콜론타이주의(主義). 러시아의 여성해방론자이자 혁명가인 알렉산드라 콜론타이(1872~1952)의 이름에서 따왔다. 그녀는 여성노동자들과 아이들의 비참한 현실을 목도한 후 사회주의 혁명기에 여성의 역할과 중요성을 강조하고 이론화시켰으며 여성해방을 혁명완성과 함께 이루려 했다. 《붉은 사랑》이라는 책을 써서 자유연애론을 주창하기도 했다. 스웨덴 대사가 되면서 세계 최초의 여성외교관이라는 말도 들었다. (인물세계사 등)

2019년 10월 25일 차세대포럼 (인사 천팡밍 · 陳芳明 정치대학 대만문학연구소)

발표형식	발표자와 논문 테마
차세대포럼 1	사회 우페이쩐(吳佩珍) 쓰지 아키토시(辻明壽 · 간세이학원대) **가나세키 다케오(金關丈夫) 《民俗台灣》의 트랜스내셔널 민예로의 지향** 나카이 유키(中井祐希 · 리쓰메이칸대) **요코미쓰 리이치(橫光利一)와 구주 항로** 야마나카 유헤이(山中悠平 · 니혼대) **분단된 장소 – 미시마 유키오(三島由紀夫) 《潮騷》와 《絹와 明察》** 양지아지아(楊佳嘉 · 나고야대) **1920-1930년대 日中의 콜론타이즘 수용의 비교연구 – 여성지식인이라는 회로를 중심으로**
차세대포럼 2	사회 린쉐싱(林雪星) 차오야지에(曹雅潔 · 규슈대) **〈불의 기억(火の記憶)〉과 〈호반의 사람(湖畔の人)〉에 있어서의 풍경 – 무대의 가교로서** 궈리신(郭立欣 · 나고야대) **아쿠타가와 류노스케(芥川龍之介)의 '강남(江南)'체험 – 《지**

	나유기(支那游記)》에서의 쑤저우(蘇州)의 표상을 중심으로 황위룬(黃毓倫 · 오차노미즈여대) 미야자와 겐지(宮澤賢治) 〈첼로 켜는 고슈(セロ弾きのゴーシュ)〉에 있어서의 '신체체험' - '음악'의 표현방법에 주목하여
차세대포럼 3	사회 장꿰이어(張桂娥) 이나가키 이쓰키(稲垣いつき · 니혼대) 〈요코(杏子)〉의 발견 - 후루이 요시키치(古井由吉)의 번역과 창작, 후루이 요시키치 〈요코〉와 로버트 무질 작 후루이 요시키치 번역 〈사랑의 완성(愛の完成)〉을 중심으로 解放(동경외국어대) '억압'과 '자기검열'의 1960년대: 철수(引揚げ)문학을 통하여 구리야마 유스케(栗山雄佑 · 리쓰메이칸대) 반향하는 '悲鳴'과 기억 - 메도루마 슌(目取真俊) 《눈 속의 숲(眼の奥の森)》론 탕추후이(唐楚輝 · 간사이대) 〈전쟁고아〉에서 〈대지의 아들(大地の子)〉로 - 《대지의 아들》 주인공의 인물상에 관한 고찰
차세대포럼 4	사회 롼원야(阮文雅) 장원젼(張文貞 · 동우대) 황링즈(黃靈芝) 《유토피아》에 그려진 '理想' 동샤오위(董曉宇 · 홋카이도대) '대륙개척문학'에 있어서의 '만주'의 표상 - 유아사 가쓰에(湯淺克衛) 〈선구이민(先驅移民)〉을 중심으로 리우위링(劉俞伶 · 동우대) '나(私)'의 눈길 - 뤼허뤄(呂赫若) 〈이웃(隣居)〉 〈묘정(廟庭)〉 〈월야(月夜)〉에서 보았을 때 영 다니엘(규슈대) 실종과 아이덴디티의 관계 - 데라야마 슈지(寺山修司) 《전원에 죽다(田園に死す)》와 아베 고보(安部公房) 《모래여인(砂の女)》
차세대포럼 5	사회 나카가와 시게미(中川成美) 리우이젼(劉怡臻 · 메이지대) 동아시아에서의 다쿠보쿠(啄木) 문학의 수용 - 잡지 《詩精神》에 게재된 대만문학자 왕바이위엔(王白淵)의 작품을 통해 량야취엔(梁雅茜 · 대만대) 다와다 요코(多和田葉子) 〈헌등사(獻燈使)〉의 세계관에 대하여 라이잉(賴瑩 · 나고야대) 皇民을 향한 기나긴 여정 - 저우진포(周金波) 〈지원병〉론 이정화(고려대) 프레카리아트(불안정 노동계급) 문학 연구 - 프레카리아트 운동과 문화활동을 중심으로
차세대포럼 6	사회 오카 에리나(岡英里奈) 박성주(나고야대) 종추월(宗秋月) 작품에 있어서의 여성상 - 이카이노(猪飼野)의 여성을 중심으로 오카자키 료코(岡崎享子 · 리쓰메이칸대) 김시종이 그린 광주 5 · 18과 제주 4 · 3 신재민(고려대) 1980년대의 잡지 〈民濤〉연구 - 재일조선인의 민중문화운동과 당시의 시대적 상황을 중심으로 네고로 유키(根來由紀 · 릿쿄대) 《조선시가집》(1943년)에 있어서의 조선적(朝鮮的) 제재에 관한 고찰
차세대포럼 7	사회 유재진 고지마 아키라(小島秋良 · 나고야대) 중국과의 〈재회〉 - 히노 아시헤이(火野葦平) 〈붉은 국가의 여행자(赤い國の旅人)〉를 중심으로 남상연(고려대) 고마쓰가와(小松川)사건이 가져온 소년 사형에 관한 문인의 인식고찰

프레카리아트(precariat)

'불안정한(precarious)'과 '프롤레타리아트(proletariat)'를 합해서 만든 말이다. 불안정한 노동환경에 놓인 프롤레타리아트(무산계급)라는 뜻으로 신자유주의 경제체제에서 등장한 신노동자 계층을 말한다. 비정규직, 파견직, 실업자, 노숙자 등을 총칭한다. 2003년 이탈리아에서 처음 사용했으며, 2005년 프랑스 최고고용계약법 관련 시위에서 쓴 적이 있다. 우리나라의 '88만 원 세대', 일본의 '잃어버린 세대(로스제네)', 유럽의 '700유로 세대'처럼 불안정한 계층이 점차 젊은층으로 확산하고 있어 사회적으로 문제가 되고 있다. (시사상식사전)

고마쓰가와(小松川) 사건

1958년 일본 도쿄 고마쓰가와 고교에서 발생한 여학생 살인 사건의 범인으로 재일 조선인 이진우를 체포해 1962년 사형을 집행한 사건을 말한다. 이진우는 그 전에 다른 여성 한 명도 살해했다고 자백했다. 이 사건을 통해 재일 조선인의 빈곤과 차별 문제가 부각됐으며 많은 일본인 지식인과 재일 조선인들이 '이진우 소년을 구하기 위한 기원'이라는 성명을 내고 그의 구명 운동을 벌이기도 했다. 미성년자에게 사형을 언도하고 사형 언도 후 불과 1년 3개월 만에 집행한 것은 문제가 있다는 지적도 있다.

차세대패널	주제 식민지 대만과 국경을 넘어선 문예사조 우종요우(吳宗佑) 연애사상과 대만신극 - 1920년대 「臺灣日日新報」 문예란의 신극각본을 중심으로 장시친(張詩勤) 대만의 일본어 근대시와 다이쇼 시대 일본 근대시의 관계 - 詩話會와 《일본시인》을 중심으로 장정지에(張政傑) 우쿤황(吳坤煌)의 《포르모사(フォルモサ)》시대 - 쓰키지소극장과 左連(중국좌익작가연맹) 동경지부의 사이에서 린페이룽(林佩蓉) 식민지시기에서의 전시체제와 문화 - 양윈핑(楊雲萍)과 우신롱(吳新榮)의 민속연구와 《대동아민속학》

포르모사(Formosa)

"아름다운"이라는 뜻의 스페인어, 라틴어 또는 포르투갈어이다. 여러 곳의 지명과 자두 이름 등에도 쓰이지만 이곳에서는 포르투갈 선원이 타이완을 발견하고 "아름다운 섬"이라고 한 데서 타이완의 별칭으로 쓰고 있다.

에크리튀르(écriture)

'문자', '쓰여진 것'이라는 뜻의 프랑스어다. 바르트(Roland Barthes · 1915~80)가 《영도(零度)의 에크리튀르》(1953)라는 책을 통해 '지금, 여기'를 중시하는 '현전성(現前性)'을 현대 문학이론의 하나로 정착시켰다. 그러나 데리다(Jacques Derrida)는 1967년 《그라마톨로지》라는 저술을 통해 에크리튀르를 중시하는 태도를 비판하면서, '지금, 여기'라는 우위를 채용하지 않는 철학과 외부에서 시작하는 사고의 가능성을 모색했다. (현상학사전)

모모타로(桃太郞)

일본 전설에서 귀신을 퇴치하는 대중적인 영웅이다. 모모타로는 복숭아 속에서 나왔다고 해서 복숭아를 뜻하는 '모모'와 장남을 '타로'를 합친 것이다. 여러 책과 영화, 작품 등에서 주인공으로 등장한다. 태평양전쟁 때는 용감한 군인의 상징으로 썼고, 모모타로가 물리친 귀신에 빗대 미국과 영국은 〈귀축미영(鬼畜米英)〉이라고 했다. (키워드로 여는 일본의 향)

2019년 10월 26일 동아시아와 동시대 일본어문학포럼

발표형식	발표자와 논문 테마
개인발표 1	사회 김보현 사카모토 사오리(坂元さおり · 푸런대 輔仁大) 기타카타 겐조(北方謙三) 《望鄕의 길(望鄕の道)》에서의 '대만' - '하드보일드'가 이어주는 '동아시아근대사'와 '가족사' 이시카와 다카오(石川隆男 · 대만대) '바다'가 보여주는 양의성 - 재대만 일본인 2세 작가 니가키 고이치(新垣宏一)의 눈길
개인발표 2	사회 나가이 신페이(永井真平) 나카네 다카유키(中根隆行 · 에히메대) 쓰시마 유코(津島佑子) 작품군의 세계관 스기모토 쇼고(杉本章吾 · 고려대) 야마다 후타바(山田双葉) 에이미(詠美)에서의 여성 표상 연구
개인발표 3	사회 김효순 구마오 사야(熊尾紗耶 · 히로시마대) 다니자키 준이치로(谷崎潤一郞) 《사사메유키(細雪)》에서의 다에코상(妙子像)의 검토 - '순결' 규범의 수용을 둘러싸고 오바 겐지(大場健司 · 국방대) 마이너문학으로서의 이와이 슌지(岩井俊二) - 영화 〈스월로우 테일〉과 동아시아의 표상
개인발표 4	사회 인즈시(尹芷汐) 우페이전(吳佩珍 · 정치대) 1930년대의 아일랜드 문학의 국경 넘기와 대만 신문학의 변용 이욱혜(히로시마대) 대만문학에서의 다언어적 에크리튀르
개인발표 5	사회 가와구치 다카유키(川口隆行) 롼원야(阮文雅 · 동우대) 대만 번계(蕃界)를 향한 눈길 - 일본인 남성작가의 이민촌 묘사를 통하여 정병호(고려대) 조선반도에서의 일본어문학과 「경성일보」
개회식	사회 우페이전(吳佩珍) 축사 왕스허(王世和) 東吳大 學術交流長 기조강연 로버트 티아니(일리노이대) 남양(南洋)의 모모타로(桃太郞) - 민화, 식민지정책, 패러디

개인발표 6	사회 처우뤄산(邱若山) 오카 에리나(岡英里奈 · 요네자와여자단기대) **한촌(寒村)과 이동－미즈카미 쓰토무(水上勉) 《석가내구패(釋迦內柩唄)》《고향(故鄕)》을 읽다** 다키구치 아키히로(瀧口明詳 · 다이토문화대) **표류민과 이야기－이부세 마스지(井伏鱒二)를 중심으로** 오하라 유지(大原祐治 · 지바대) **귀환선에서 바라본 전망－거꾸로 읽는 오오카 쇼헤이(大岡昇平) 《포로기(俘虜記)》** 오자키 나즈코(尾崎名津子 · 히로사키대) **표류자의 내러티브－나카무라 지헤이(中村地平) 《장이국표류기(長耳國漂流記)》을 중심으로**
개인발표 7	사회 임다함 우키바 마사치카(浮葉正親 · 나고야대) **사회참가로서의 재일 조선인문학－이소가이 지로(磯貝治良)의 문학활동을 중심으로** 사카모토 히로시(阪本博志 · 미야자키공립대) **출판미디어의 '오쿠리테(送り手)'의 戰中과 戰後(2)－1950년대 대중오락잡지 〈평범(平凡)〉을 둘러싸고** 김욱(고려대) **전시하 '외지' 고등교육기관에 나타난 식민지의 풍경－잡지 〈청량(淸凉)〉과 〈상풍(翔風)〉을 중심으로**
패널 1	사회 정병호(고려대) **세계 각지의 일본 전통 시가(단카 · 短歌, 하이쿠 · 俳句)의 창작과 수용①** 엄인경(고려대) **한반도에서의 20세기 일본 전통 시가** 윌리 봔디와라(벨기에 루벵대) **유럽에서의 하이쿠의 수용, 그 궤적과 전망** 그웬 브 퀀 뉴(베트남국가대 · 日文硏) **베트남 계어(季語)의 탐구** 구로카와 에쓰코(黑川悅子 · 일본국제하이쿠교류협회) **일본의 하이쿠와 세계의 HAIKU** **세계 각지의 일본 전통 시가(단카, 하이쿠)의 창작과 수용②** 주웨이훙(朱衛紅 · 상하이재경대) **하이쿠의 한역에 관하여－마쓰오 바쇼(松尾芭蕉)를 예로** 라이옌훙(賴衍宏 · 징이대 靜宜大) **대만에서의 황민화운동: 정책의 형성과 단카의 확산** 김보현(고려대) **한국에서의 하이쿠 창작 현황과 로컬 칼라(지역색)** 토론 나카네 다카유키(中根隆行 · 에히메대), 완문아(東呉大)
패널 2	**엔도 슈사쿠(遠藤周作)를 복수화(複數化)하다－스타 작가라는 관점에서** 니시무라 미네타쓰(西村峰龍 · 나고야대 · 사회) **엔도 슈사쿠의 오컬트 수용－눈물을 흘리는 성모상을 단초로** 이마이 쓰부라(今井瞳良 · 교토대 · 가와바타 야스나리川端康成 문학관 학예원) **엔도 슈사쿠 사후의 '늙어가기'－엔도 사망 후의 영상작품을 둘러싸고** 사이토 요시코(齊藤佳子 · 간사이대) **〈사무라이〉론－벨라스코와 일본의 관계에서**
패널 3	**'대동아'의 書物과 표상－아시아태평양 전쟁 시기의 문화정책 · 전장 · 통제** 히비 요시타카(日比嘉高) **전시하에서의 소매서점－기업정리와 통제조합** 고미부치 노리쓰구(五味渕典嗣) **제국의 자화상－상상의 〈대동아〉** 나카노 아야코(中野綾子) **'군인이라는 독자'의 선전－잡지 〈兵隊〉의 기사를 중심으로** 와다 아쓰히코(和田敦彦) **대외문화정책의 항쟁지점－전전 사웅파울로의 일본어 출판물 정보지 〈문화〉로부터**

메인 심포지엄장	**바다에서 본 동아시아의 문학과 문화** 사회 사카모토 사오리(坂元さおり · 천주교 보인대) 소리단(矣立丹 · 북경언어대) **오시로 다쓰히로(大城立裕)와 오키나와 현대 구미오도리(組踊)의 역사서술** 오니시 히토시(大西仁 · 도카이대) **전시하 일본의 해양문학의 제창과 그 경위** 니시 마사히코(西成彦 · 리쓰메이칸대) **바다의 문학 – '우미유카바(うみゆかば)'에서 '대양에 사는 꿈(大海に生きる夢)'까지** 남상욱(인천대) **변용하는 대지의 법과 바다를 건너는 사람들 – 《화산도(火山島)》의 '밀항자'의 눈으로 본 점령지 일본** 토론 우치다 야스시(内田康 · 담강대 淡江大)
패널 4	**바다를 건너지 못하는 그대들이여, 생각만이라도 저 바다 건너로 – 전후 일본문학에서의 '大陸像'의 재구축** 웨이천(魏晨) **철수문학으로서의 아동문학의 가능성 – 아카기 요시코(赤木由子)가 그린 '만주'를 단초로** 린리팅(林麗婷) **바다를 건너지 못하는 사람 – 오다 다케오(小田嶽夫) 《望鄕》을 중심으로** 후지와라 다카마사(藤原崇雅) **철수 부모세대의 상하이 노스탤지어 – 1980년 전후의 회고록에 나타난 대륙의 '환상'** 토론 리원루(李文茹)
패널 5	**군항도시 구레(吳)의 기억: 《전함 야마토의 최후(戦艦大和ノ最期)》에서 《이 세상의 한 구석에(この世界の片隅に)》로** 현무암(홋카이도대) **'해군의 도시'를 계승하는 근대유산 스토리: 상징으로서의 '전함 야마토' 이야기** 와타나베 고헤이(渡辺浩平) **'敗レテ目覺メル(패배하고 나서야 정신을 차린다)'의 진위: 전함 야마토와 요시다 미쓰루(吉田滿)의 전후** 장경재 **군항도시의 일상, 과거에서 미래로**

구미오도리(組踊)

일본 오키나와에서 공연하는 일본 전통예술로 일종의 뮤지컬이다. 오키나와 특유의 음악과 춤을 바탕으로 하고 있지만 일본의 노(能)와 가부키(歌舞伎), 중국의 연희기법도 융합했다. 1719년 중국 황제가 보낸 칙사를 환영하기 위해 공연한 것이 효시이다. 오키나와의 문학 · 공연예술 · 역사 · 윤리를 전승하면서 고대 오키나와의 표현 양식을 이어가는 중요한 예술이다. 1972년 국가 중요무형문화재로, 2010년 유네스코 인류무형문화유산으로 지정됐다. (유네스코 인류무형문화유산)

2019년 10월 27일

발표형식	발표자와 논문 테마
개인발표 8	사회 스기모토 쇼고(杉本章吾) 요시다 에리(吉田惠理 · 릿쿄대 등) **일본현대시와 '바다'의 상상력 – 헨미 요(辺見庸) 〈눈 속의 바다(眼の海)〉** 판슈원(范淑文 · 대만대) **일본현대문학에서 말하는 바다의 한 예 – 무라카미 하루키(村上春樹) 〈여자가 없는 남자들(女のいない男たち)〉과 다와다 요코(多和田葉子) 〈헌등사(獻燈使)〉를 텍스트로**
개인발표 9	사회 라이이쩐(賴怡眞) 나가이 신페이(永井眞平 · 나고야학원대) **오리구치 시노부(折口信夫) 〈月しろの旗〉론 – 패전을 넘어선 바다의 전쟁시** 이다 유코(飯田祐子 · 나고야대) **여공과 수양잡지**

개인발표 10	사회 오자키 나즈코(尾崎名津子) ARUN Shyam(The English and Foreign Language University) **영국령 인도말레이어권에서의 일본기행문** Dayu Mita(우다야나대) **공명하는 아이누 문화의 정신: 골든 카무이와 인도네시아에서의 수용**
개인발표 11	사회 오바 겐지(大場健司) 시모오카 유카(下岡友加 · 히로시마대) **〈대만애국부인〉게재 연재소설 〈가노의 꿈(加納抱夢)〉의 〈夢〉考** Rouli Esther(인도네시아대) **〈자바 발〉 잡지에서의 여성표상**
개인발표 12	사회 김욱 린쉐싱(林雪星 · 동우대) **사토무라 긴조(里村欣三)가 본 '만주' - 〈苦力頭의 표정〉에서 〈전란의 만주〉로** 천아이화(陳愛華 · 충칭대) **전시하 일본의 西遊記 붐 재고** 인즈시(尹芷汐 · 아이치 슈쿠토쿠대) **중국에 있어서의 일본문학의 '내부발행' - 군국주의 비판과 미시마 유키오(三島由紀夫)** 라이이쩐(賴怡眞 · 동우대 · 푸런대) **일중문학에서의 허상의 동물 - 루쉰(魯迅) 〈고향〉과 아베 고보(安部公房) 〈바벨탑의 늑대(バベル塔の狸)〉**
패널 6	사회 임다함 **'국경을 넘는' 일본 문학과 문화론의 가능성을 향하여 - 「경성일보」를 중심으로** 김효순 **「경성일보」와 기쿠치 간(菊地寬)의 문학연구 - 《생활의 무지개(生活の虹)》의 여성과 식민지표상을 중심으로** 강완주 **「경성일보」에 개재된 신문소설의 조선표상 - 조선작가를 중심으로** 이현진 **「경성일보」에서의 구연동화(口演童話) 활동의 양상** 임다함 **식민지 시대 일본 '외지'에서의 영화문화를 생각한다 - 「경성일보」의 영화관련 기사를 단초로**
패널 7	사회 무라카미 가쓰나오(村上克尙) **빙재론(憑在論)으로 다시 읽는 '가타리(語り)' - 망령(들)과의 해후** 다케우치 가요(武內佳代) **상처입은 망령들 - 빙재론으로 읽는 오에 겐자부로(大江健三郎) 〈하늘의 괴물 아구이(空の怪物アグイー)〉** 다카기 마코토(高木信) **동물의 내면을 상상하는 욕망 - 미시마 유키오(三島由紀夫) 〈하시즈쿠시(橋づくし)〉에서의 '怨靈' 배제** 호리이 가즈마(堀井一摩) **콜로니얼 고스트(식민지 망령)가 나타날 때 - 나카니시 이노스케(中西伊之助) 〈불령선인(不逞鮮人)〉을 둘러싸고**
패널 8	**동아시아에서의 탐정소설의 번역과 창작의 유통권(流通圈)** 요시다 모리오(吉田司雄) **장편번역 탐정소설의 원점과 좌절 - 윌키 콜린즈 〈월장석(月長石)〉을 둘러싸고** 유재진(고려대) **장편 탐정소설의 아시아적 수용 - 에밀 가보리오 〈룰루즈 사건〉의 번역을 둘러싸고** 정혜영 **식민지조선과 셜록 홈즈의 장편 탐정소설 - 〈바스커빌가의 개〉의 조선어번역 과정을 둘러싸고**

골든 카무이

일본의 만화. 저자는 노다 사토루(野田サトル). 제목은 황금을 뜻하는 '골든(Golden)'과 신을 의미하는 아이누어 '카무이'의 합성으로 홋카이도를 배경으로 금괴를 찾는다는 것이 큰 줄거리이다. 주간 〈영 점프〉에서 2014년 38호부터 연재하고 있고, 단행본 판매부수는 2020년 12월 기준 누계 1500만 부를 돌파했다.

경성일보(京城日報)

한말부터 일제강점기에 걸쳐 조선총독부 기관지로 경성(서울)에서 발행한 일본어 신문. 이토 히로부미가 〈한성신보(漢城新報)〉와 〈대동신보(大東新報)〉를 합병해 1906년 9월 1일에 창간했다. 국한문판과 일문판을 발행했으나 1907년 4월 21일부터 일문판만 발행했다. 1910년 국권침탈 후에는 한말 최대의 민족지였던 〈대한매일신보(大韓每日申報)〉를 흡수해 〈매일신보(每日申報)〉로 이름을 고쳐 자매지로 발행했다. 41년간 일관해서 일제의 한반도 침략을 지지하고 조선에 대한 식민지정책을 대변했다. 1945년 10월 31일 자로 폐간했다. (두산백과)

글로벌일본연구원의 조직은 다음과 같다.

직 책	이름 및 소속 등
연구원장	**정병호**(일어일문학과)
부원장	**송완범**(글로벌일본연구원)
일본번역원장	**김춘미**(일어일문학과 명예교수)
전임교수	**김영근**, **김용철**, **김효순**, **엄인경**
공동연구원	(전원 일어일문학과 교수) 서승원, 채숭식(어학교육연구실장), 조영남(정보자료원장), 김충영, 유재진, 김수미
연구교수	**강원주**, **이현진**, **노윤선**
자문위원	지명관(전 한림대 일본연구소장), 서연호(고려대 명예교수), 정구종(한일문화교류회의 회장), 김춘미(전 글로벌일본연구원 원장), 김현구(전 글로벌일본연구원 원장), 임영철(중앙대), 염재호(전 고려대 총장), 구태훈(성균관대), 김순전(전남대), 김선민(숙명여대), 박유하(세종대), 이강민(한양대)

고려대 글로벌일본연구원은 (02856) 서울특별시 성북구 고려대로 108 청산 · MK문화관에 있다.
전화 (02) 3290-2592, 팩스 (02) 3290-2538, 홈페이지 http://www.kujc.kr

9. 고려대학교 아세아문제연구원 현대일본센터

KOREA-JAPAN

고려대 아세아문제연구원(Asiatic Research Institute, Korea University)은 1957년 아세아문제연구소(아연)로 문을 열었고 2019년 12월 아세아문제연구원으로 이름을 바꿨다. 아연은 홈페이지에서 설립 배경과 의미를 다음과 같이 밝히고 있다.

아연은 1950년대 한국전쟁의 여파로 아시아 지역에 대한 연구가 불모지에 가까웠던 시기에 설립되었다. 이런 상황 속에서 아연은 인류의 상호이해와 문화 증진에 공헌한다는 목표 하에 아시아 지역 연구를 시작했다. 본 연구소는 1957년 6월 17일 한국 최초의 대학부설연구소로 설립되어 반세기의 전통을 가지고 있으며, 아시아 지역 국가의 사회 · 문화 · 역사 · 정치 · 경제에 대한 종합적 연구를 수행해 왔다. (중략)

또한 아연의 설립으로 각 대학은 대학부설 연구소의 필요성을 절감하기 시작했고 아연의 조직 체계와 운영 방식은 이후 탄생할 대학부설 연구소의 원형으로 자리 잡게 되었다.

아연은 설립 이후를 크게 다섯 시기로 나누는데, (1) 공산권 연구 주력 시기(1957~1978) (2) 한국사회 연구 주력 시기(1979~1993) (3) 동아시아 사회 · 문화 연구 주력 시기(1994~2007) (4) 동북아시아 지역연구 주력 시기(2008~2012) (5) 한반도통합과 동아시아협력연구 주력 시기(2013년~현재)가 그것이다. 아연에는 비교사연구센터, 국제관계연구센터, 중국연구센터, 대만연구센터, 북한연구센터, 현대일본센터, 아시아협력센터가 있다.

현대일본센터(CCJS: Center for Contemporary Japanese Studies)는 동아시아 지역 연구의 문맥 속에서 현대 일본에 관한 연구를 수행하기 위해 설치했고, 현대일본과 동아시아 지역 속의 일본에 관한 연구테마를 지속적으로 발굴하고, 공동연구 프로젝트 등을 통해 연구 성과를 축적해 나가고 있다.

현대일본센터는 △동아시아와 현대일본을 테마로 한 공동연구 △현대일본사회에 대한 조사연구 △관련 학술회의 개최 및 참가 △정례 연구모임 '근대일본사료 강독회' 운영 △뉴스레터, 전문서 등 관련 간행물 발간 △국제적 연구 네트워크 구축 등의 활동을 하고 있다.

'근대일본사료 강독회'는 근대일본의 개인 문서를 집중적으로 분석하고 내용을 정리하는 모임이다. 개인 문서는 정책심의과정에서 생산한 문서를 비롯해 서신이나 재임 중 작성한 일기 등을 말한다. 이들 자료는 공문서의 공백을 메울 수 있는 귀중한 사료군이라는 평가를 받고 있다. 대부분의 국내 연구자들은 일본 고문서 해독을 위한 훈련을 받은 적이 없어 이들 자료를 활용하는 데 한계가 있었다. 그런 점에서 강독회는 일본근대사, 근대한일관계사 연구자들에게 관련 자료를 이용할 수 있는 토대를 제공하고 있다. 강독문서는 『斎藤実関係文書』(사이토 미노루 관계문서), 『守屋栄夫関係文書』(모리야 에이후 관계문서) 등이다. 사이토 미노루는 조선총독과 총리를 지냈고, 모리야 에이후는 조선총독비서관과 중의원을 지냈다.

현대일본센터가 관여하거나 생산한 연구업적은 다음과 같다.

아세아문제연구원 전체 차원의 연구 중 일본 문제도 포함하고 있는 연구주제를 소개한다.

공동연구프로젝트

발주처	연구 주제	연구기간
한국연구재단	동북아시아의 초국가적 공간 - 사상, 사회문화, 제도의 교류와 재구성	2008.11~2017.10
한국연구재단	문화적 다양성과 공존	2010.9~2012.8
한국학중앙연구원	디아스포라연구 네트워크, DB 및 정책개발을 위한 중앙허브 구축사업	2011.12.1.~2016.11.30
한국연구재단	안에서 본 동북아시아: 외교사료 교차분석을 통한 한국-대만-일본 관계의 재구성	2012.9~2015.8
포스코 청암재단	아시아 유학생의 두뇌순환과 초국가적 정체성에 관한 조사 연구	2012.3.16~2013.3.28
한국연구재단	한말 식민지 시기 사회 경제 조사와 통계 기초 연구	2014.11.1~2017.10.31
한국연구재단	동북아시아의 이민자 통합과 다문화주의	2019.5.1~2021.4.30
한국연구재단	태평양전쟁 말기 조선인참정권	2019.7.1~2020.6.30
한국연구재단	패전 후 일본인 귀환자의 '식민지 조선' 체험과 기억 연구	2020.7.1~2021.6.30

학술회의

일시	내용	공동주최 등
2014.11.21	주제 **패전 후 귀환 일본인 기억의 다이내미즘과 식민지·제국의식** **제1부 제국의 해체와 식민지의식** 사회 강태웅(광운대) 가토 기요후미(국문학연구자료관) **만주국 붕괴와 만몽개척단-'비극'을 둘러싼 가해와 피해** 미야모토 마사아키(릿쿄대) **패전 직후 일본의 식민지 통치인식의 형성-『일본인의 해외활동에 관한 역사적 조사』 성립에 이르는 과정을 중심으로** 토론 김영숙(아주대), 박환무(건국대) **제2부 귀환 일본인들의 조선·한국 인식과 '공적기억'** 사회 송규진(고려대) 이형식(고려대) **귀환한 조선관계자의 조선통치사편찬과 조선인식-우방협회를 중심으로** 정준영(서울대) **경성제대 교수들의 전후** 토론 서민교(동국대), 송병권(고려대) **제3부 재조일본인과 '제국의식'** 사회 정병욱(고려대) 이연식(서울시립대) **일본인 귀환자의 조선 회고와 조선관** 신승모(동국대) **식민자 2세 출신자의 문학과 '조선', 그리고 전후 일본사회** 히로세 레이코(홋카이도정보대) **여성식민자의 식민지 경험과 그 변천-제국의 붕괴·귀환을 둘러싸고** 토론 기유정(서강대), 홍윤표(성신여대), 한승미(연세대)	후원: 한국연구재단, 동북아역사재단
2015.8.3 제5회 동아시아 공동체포럼	주제 **70년의 분단과 동북아 100년의 미래** 참석자 현인택 전 통일부 장관 김성한(전 외교부 차관) Minilateralism in Northeast Asia: China-Japan-Korea, US-Japan-Korea, and US-China-Korea Cooperation 천젠(陳健·전 중국 외교차관보) Sino-Japanese Relations and Its Impact on East Asian Security Cooperation 다나카 히토시(전 일본 외무성 심의관) A Call for Multi-Layered Functionalism in Northeast Asia: Security, Confidence Building, Trade and Investment, Energy and Environment 등.	
2015.12.22	주제 **2015년 동북아지역 정세평가와 전망** **제2세션 한반도를 둘러싼 안보환경과 발전추세** 사회 김홍규(아주대) 공커위(상하이국제문제연구원) **중미관계의 전개와 향후 발전추세** 조세영(동서대) **중일관계의 전개와 동북아 평화에 대한 영향** 토론 김현욱(국립외교원), 하도형(국방대), 이동선(고려대), 홍은정(고려대)	
2017.7.16. ~17 제7회	주제 **동아시아 지역 질서의 위기와 공동체의 미래** 참석자 한국 이종화, 이창용, 손기영, 서진영, 이동선, 이정남, 성기영,	칭화대 당대국제관계연구원, 와세다대 아시

우방협회(友邦協会)

1952년 조선총독부 식산국장을 지낸 호즈미 신로쿠로(穂積真六郎·1889~1970)가 총독부에 근무했던 일본 관료들을 모아 결성했다. 조선통치에 관한 자료수집과 보존, 연구 등을 내세웠으나 자신들의 총독부 근무를 부정적으로만 평가하는 데 대한 불만도 있었다. 산하에 1958년 조선근대사료연구회, 1964년 조선문제연구회를 만들고 〈우방문고〉라는 이름으로 30권의 자료집을 발간했다. 〈우방문고〉에는 총독부 정무총감과 각 국장들의 정책보고서와 메모 등이 들어있다. 1983년 수집한 자료를 모두 가쿠슈인대(学習院大)에 기증했다.

동아시아 공동체포럼	정주연, 곽도원, 강문성, 이동은, 김현경, 홍종욱, 정태헌, 박상수, 윤형진 중국 자오커진, 선시아, 류장용 일본 우라타 슈지로, 아오야마 루미, 후카가와 유키코, 아사노 도요미, 하야세 신조 기타 헬게슨 게이르(코펜하겐대 노르딕아시아연구소 소장)	아태평양연구센터
2018.6.1	How Much Wine is Really Produced and Consumed in China, Hong Kong and Japan? & Case Study of Japan Wine Speaker Kimie Harada, Professor, Chuo University	
2018.9.20.~21 중국 베이징 라오닝맨션, 제8회 동아시아 공동체포럼	Multilateralism in East Asian Community 참석자 한국 고려대의 강문성, 손기영, 이동선, 이정남, 윤인진, 정주연, 현인택 중국 주펑(난징대), 리천양(윈난대), 리우더빈(길림대), 우즈청(남개대), 퉁더즈(천진사범대), 차이타(중국정법대), 위커핑(북경대), 친야칭(외교학원), 진찬룽(인민대), 양수(란저우대), 장성쥔(북경사범대), 리우젠쥔(복단대), 쑤장허(복단대), 리우장용(칭화대), 순쉐펑(칭화대), 자오커진(칭화대), 황위싱(칭화대) 외 특별 초청 푸잉(전인대 외사위원회 부주임위원) 일본 우라타 슈지로, 나카지마 세이오, 우에키 지카코, 아마코 사토시, 히라카와 사치코(이상 와세다대), 나카 노리오(도요에이와)	와세다대 아시아태평양연구과, 칭화대 당대국제관계연구원 · 싱크탱크센터
2019.11.15. 공동학술회의	주제 **중-미 세력경쟁과 한반도** **제2세션 인태전략과 일대일로: 중미 간 아태지역 영향력 경쟁과 한국의 선택** 사회 우하오(吴昊 · 지린대 동북아연구원 부원장) 류홍송(刘宏松 · 상하이교통대) **중미전략 경쟁과 동북아 지역 안보(中美战略竞争与东北亚地区安全)** 조은일(한국국방연구원) **미-일의 인태전략, 중국 봉쇄전략인가?** 장후이즈(张慧智 · 지린대) **중미 세력 경쟁과 북한 핵문제** 손기영(고려대) **질서전쟁(秩序戰爭)의 서막: 일대일로 및 인태전략에 대한 한국의 미래전략** 토론 남성욱(고려대), 청샤오허(成晓河 · 인민대), 이창형(한국국방연구원), 바뎬쥔(巴殿君 · 지린대)	중국 지린대
2019.12.6. 공동학술회의	**국제법으로 본 일본의 조선 지배** 주제 **일본국제법학의 보호국논쟁** 발표 니시 다이라(간사이대) 토론 오시진(삼육대) 주제 **일본의 조선지배 하의 인권침해와 책임** 발표 도요타 데쓰야(국제교양대) 토론 강병근(고려대)	간사이대학 법학연구소

아연 동북아총서(2010년부터) 중 일본 관련

총서번호	발행일	저자, 편자	총서 이름과 일본 관련 장(章)
1	2010.10.29	이정훈, 박상수 엮음	**《동아시아, 인식지평과 실천공간》** 7장 다케우치 요시미의 중국관(스즈키 마사히사) 8장 1960년 안보 투쟁과 다케우치 요시미: 기시 노부스케와의 만남(마루카와 데쓰시)
2	2010.12.1	윤인진, 박상수, 최원오 엮음	**《동북아의 이주와 초국가적 공간》** 5장 재중국 일본 이주민의 전후 처리와 사상교육(김지환)
3	2010.12.27	한용섭(한국평화학회장) 편	**《미중 경쟁시대의 동북아 평화론: 쟁점, 과제, 구축전략》** 3장 일본의 동북아 평화론(박영준)
4	2011.8.30	이내영, 이신화 엮음	**《동북아 지역질서의 형성과 전개: 역사적 성찰과 정치 경제적 쟁점》** 2장 대동아공영권 구상에서의 '지역'과 '세계'(임성모) 3장 일제하 '선만관계'와 '선만일여론'(송규진) 5장 전후 일본의 동아시아경제공동체 구상의 전개와 동아시아 공간(김현성) 6장 한·중·일 경제통합(FTA) 논의의 역사적 고찰(정인교)
5	2011.7.29	이정환, 신미나 엮음	**《동북아 '집단' 이해의 다양성: 근대 민족주의를 넘어서》** 3장 중세 일본의 자기 정체성과 타자성(신미나) 4장 조선 후기 통신사행에 나타난 '중간자'와 '타자': 계미사행을 중심으로(조현우) 6장 야나기타 쿠니오의 '일국민속학'과 문화 내셔널리즘(임경택)
8	2012.6.8	김진기 지음	**일본의 방위산업: 전후의 발전궤적과 정책결정**
11	2013.8.30	이동준, 장박진 편저	**미완의 해방: 한일관계의 기원과 전개**
15	2014.4.15	이주경 저	**자민당 정권의 정책 변경 메커니즘: 일반 유권자와 지지층 대응의 두 가지 역학**
17	2014.5.23	강원봉·도베 히데아키·미쓰이 다카시·조관자·차승기·홍종욱 지음	**가지무라 히데키의 내재적 발전론을 다시 읽는다**
18	2014.5.29	박상수·송병권 편저	**동아시아, 인식과 역사적 실재-전시기(戰時期)에 대한 조명**(대부분이 일본 관련)

가지무라 히데키(梶村秀樹)

1935~1989. 일본의 역사학자로 가나가와대 경제학부 교수를 지냈다. 전공은 조선근현대사. 1959년부터 〈조선사연구회〉에서, 1961년부터 〈일본조선연구소〉에서 연구했다. 조선의 자체적인 발전은 불가능했다고 보는 '정체사관'을 반박하고, 전근대적 조선이 내부적으로 갖고 있던 발전 가능성이 일제의 강점으로 사라졌다는 '내재적 발전론'을 주창했다. 연구 외에도 김지하와 김희로 지원 운동, 지문 날인 거부 운동 등에도 적극 참가했다. (세계한민족문화대전)

19	2014.5.26	이용욱 · 손기영 편저	《동아시아 지역질서의 복합변환과 한국의 전략》 6장 일본의 지역경제아키텍처 건축전략: 통상정책을 중심으로(손열)
21	2014.5.30	이정남 · 이내영 편저	《세력 전환기 동아시아의 국가 정체성과 지역 인식》 3장. 수정주의적 내셔널리즘과 보통군사국가화: 일본 아베 정부의 외교안보정책 변화를 중심으로(박영준) 5장. 역사가 현실의 문화보다 강할까?: 문화 접촉에 따른 한 · 일 역사인식의 전환 가능성(손애리)
22	2015.6.29	신봉길 지음	한중일 협력의 진화
23	2015.10.12	강태웅 지음	싸우는 미술: 아시아 · 태평양전쟁과 일본 미술
24	2016.3.21	최영종 지음	동아시아의 전략적 지역주의: 중·일 경쟁과 중견국가의 역할
27	2018.2.26	신승모 지음	재조일본인 2세의 문학과 정체성
32	2018.11.5	정상우 저	조선총독부의 역사 편찬 사업과 조선사편수회
33	2018.12.17	윤영실 저	육당 최남선과 식민지의 민족사상
35	2019.4.22	조명근 지음	일제하 조선은행 연구: 중앙은행 제도의 식민지적 변용

현대일본센터의 연구진은 다음과 같다.

직 책	이 름
센터장	**이형식(李炯植)** 아연 HK교수
연구원	**방광석(方光錫)** 동국대 연구교수
	송병권(宋炳卷) 연세대 연구교수
자문위원	**김영근(金暎根)** 고려대 글로벌일본연구원 교수
	서동주(徐東周) 서울대 일본연구소 교수
	선재원(宣在源) 평택대 일본학과 교수
	이창민(李昌玟) 한국외대 일본학교 교수

일본 전문가인 박경민 박사가 연구원 연구교수로 있다.

고려대 아세아문제연구원은 (02841) **서울특별시 성북구 안암로** 145 **고려대 내에 있다.**

전화 (02) 3290-1600, **팩스** (02) 923-4661, **이메일** arc2005@korea.ac.kr,

홈페이지 http://www.asiaticresearch.org

10. 고려대학교 일민국제관계연구원

KOREA-JAPAN

고려대 일민국제관계연구원(Ilmin International Relations Institute)은 1995년 4월에 문을 열었다. 설립 목적은 급변하는 세계와 아시아태평양 지역에서의 국제관계 및 지역문제를 체계적, 전문적으로 연구하고, 국제협력과 바람직한 외교정책을 제시하며, 국제화시대가 요구하는 인재를 양성하는 것이라고 밝혔다. 일민(一民)은 동아일보 사장과 명예회장, 고려중앙학원 이사장을 지낸 김상만(金相万) 선생의 아호다.
다음은 일민국제관계연구원의 일본 관련 연구업적이다.

일민외교안보포럼 (IFIAS · Ilmin Forum for International Affairs and Security)
2009년 8월에 시작한 포럼이다.

차수	일 시	내 용
13	2011.10.17	주제 **북한 급변사태시 일본의 정책전망** 박영준(국방대) **북한 급변사태시 일본의 정책 전망 및 우리의 대응방안** 지정토론 윤덕민(외교안보연구원), 송화섭(한국국방연구원), 박창희(국방대), 황지환(서울시립대) 자유토론 이신화(고려대), 이동선(고려대), 정성윤(일민국제관계연구원).
17	2012.2.17	주제 **미국의 아시아 귀환과 동북아 정세** 신성호(서울대) **미국의 아시아 귀환과 동북아 정세** 토론 구본학(한림대), 김덕주(외교안보연구원), 박인휘(이화여대), 박철희(서울대), 신범철(한국국방연구원), 우정엽(아산정책연구원), 윤덕민(외교안보연구원), 이동선(고려대), 이정남(고려대), 인남식(외교안보연구원), 전재성(서울대), 정성윤(일민국제관계연구원)
19	2012.6.5	주제 **G2시대 동아시아의 새로운 질서와 한반도** 손열(연세대) **2010년대 동아시아를 어떻게 볼 것인가: 새로운 질서?** 토론 김덕주(국립외교원), 김재철(가톨릭대), 박철희(서울대), 윤덕민(국립외교원), 인남식(국립외교원), 정성윤(일민국제관계연구원)
21	2013.11.8~9	주제 **주요국의 대중국 인식 및 전략과 한국의 대응과제** 김성한(고려대) **미국의 대 중국 인식 및 전략** 박철희(서울대) **일본 및 동남아의 대 중국 인식 및 전략** 김덕주(국립외교원) **러시아의 대 중국 인식 및 전략** 인남식(국립외교원) **중동의 대 중국 인식 및 전략** 토론 신범철(외교부 정책기획관), 박영준(국방대), 이재현(아산정책연구원), 강윤희(국민대), 장세원(단국대)

미국의 아시아 귀환

신성호 서울대 교수는 오바마 정권의 아시아 귀환은 미국의 경제적 번영과 안보 이익에서 아시아지역의 비중과 중요성이 점점 커지고 있음을 반영한 것으로 보았다. 2011년 힐러리 클린턴 국무장관은 〈포린 폴리시〉에 기고한 '미국의 아시아 세기'라는 글을 통해 이런 시각을 밝혔다. 미국은 이를 위해 ①양자 간 안보동맹 강화(주요 5개국; 일본, 한국, 호주, 필리핀, 태국) ②중국 등 부상하는 국가와의 유대 강화 ③지역 다자기구와의 교류 및 참여 확대 ④무역 및 투자 증대 ⑤광범위한 군사력 배치(broad-based military presence) ⑥민주주의와 인권 증대 등 6가지 주요 행동원칙을 밝혔다. (일민국제관계연구원 '폴리시 브리프', 2012년 2월)

26	2014.5.27	주제 **한반도 통일을 위한 일본의 역할** 박철희(서울대) **한반도 통일을 위한 일본의 역할** 토론 박영준(국방대), 송화섭(국방연구원)
30	2014.7.4~5	주제 **한반도 통일과 주변국의 역할** 〈4일〉 구본학(한림국제대학원대), 한석희(연세대), 박철희(서울대) **한반도 통일과 미·중·일·러의 역할** 박홍순(선문대), 이근관(서울대), 윤덕룡(대외경제정책연구원), 황지환(서울시립대), 동용승(삼성경제연구소) **한반도 통일을 위한 UN/EU/IO/NGO 활용과 통일재원** 〈5일〉 인남식 국립외교원 교수 발표 및 전원 토론
31	2015.5.8~9	주제 **한국의 안보 도전과 대응 방향** 인남식(국립외교원), 홍규덕(숙명여대), 이근(서울대) **범세계적 안보 도전과 한국의 대응** 신성호(서울대), 박영준(국방대), 박철희(서울대) **지역적 안보 도전과 한국의 대응** 정성윤(통일연구원), 이상현(세종연구소), 김한권(국립외교원), 김덕주(국립외교원), 구본학(한림국제대학원대) **안보 도전과 한국의 대응** 이신화(고려대), 이재승(고려대), 정서용(고려대) **신안보 도전과 한국의 대응** 토론 신각수(전 주일 대사), 천영우(전 대통령 외교안보수석)
33	2015.7.21	주제 **지역적 안보 도전과 한국의 대응 방향** 신성호(서울대), 박영준(국방대), 박철희(서울대) **지역적 안보 도전과 한국의 대응방향** 이재승(고려대) **에너지 안보위협** 토론 김재철(가톨릭대), 조양현(국립외교원), 송화섭(국방연구원), 신범식(서울대)
40	2017.3.31	주제 **동아시아 중기 전망과 한국의 전략** **제1세션** 김태효(성균관대) 정재정(서울시립대) **동북아 국제관계와 한국** 토론 김용호(연세대), 이용욱(고려대), 이현주(동북아역사재단), 전진호(광운대) **제2세션** 김흥규(아주대) 이재현(아산정책연구원) **동아시아 국제관계와 한국** 토론 문홍호(한양대), 박영준(국방대), 손기영(고려대 아세아문제연구소)

학술회의

일 시	명 칭	내 용
2015.2.16	국제학술회의, 일본국제문제연구소(JIIA: Japan Institute of International Affairs)와 공동주최	주제 **아시아 주요국의 대중국 인식 및 정책**(세션별로 미국, 일본, 호주, 인도, 인도네시아, 한국의 대중국 인식을 비롯해, 각국의 주요 대중정책에 대해 의견 교환) 일본 측 참가자 다카기 세이치로(일본국제문제연구소), 구라타 히데야(방위대), 이토 도루(방위대), 슈토 모토코(쓰쿠바대), 후쿠시마 데루히코(방위대), 가도자키 신야(일본국제문제연구소) 한국 측 참가자 김성한(일민국제관계연구원장), 이상현(세종연구소), 김한권(아산정책연구원), 이재현(아산정책연구원), 박재적(한국외국어대), 박영준(국방대), 김민성(일민국제관계연구원)

연구보고서

발표일시	발표자	주 제
2016년 1월	박철희(서울대)	미·일관계와 한·일관계에서 오는 한국의 안보 도전
2017년 5월	일민국제관계연구원	1장 미일 대 중러 구도 변화 가능성 2장 한중일 역사 갈등의 전망과 대응 3장 미중관계 변화와 동아시아 국제관계 4장 동아시아 다자협력 전망과 전략 5장 한국의 정책적 고려사항
2018년 10월	이토 고타로 일민국제관계연구원 방문연구원	'보통국가'를 지향하는 한일 양국
2020년 8월	박철희(서울대)	암울한 한일관계

일민국제관계연구원의 원장은 한승주 초대원장에 이어 현인택, 김성한, 현인택에 이어 2013 9월부터 다시 김성한 교수가 맡고 있다.

고려대 일민국제관계연구원은 (02841) 서울특별시 성북구 안암로 145, 고려대 인촌기념관 5층에 있다.

대표전화 (02) 3290-1649,50, 팩스 (02) 3290-2982, 이메일 irikor@korea.ac.kr,

홈페이지 http://www.iiri.or.kr

11. 국민대학교 일본학연구소

KOREA-JAPAN

국민대 일본학연구소(Institute of Japan Studies)는 2002년에 설립했다. 연구소가 걸어온 길을 홈페이지는 다음과 같이 소개하고 있다.

본 연구소는 2002년 9월 설립 이후 연구과제의 수행, 학술회의 및 콜로키움 개최, 국내외 연구자 및 연구기관과의 협력, 학술지 『일본공간』 발행 등 다양한 연구 활동을 펼쳐 왔습니다.

연구소 설립 직후, 기초학문연구사업인 '일본형 시스템의 동요와 새로운 모색에 관한 연구'(2002.8~2004.7)와 '일본형 시스템과 글로벌화'(2004.9~2006.8)를 수행하면서 연구소의 학문적 정체성을 확립하는 초석을 다졌습니다. 이후, 중점연구소로 선정되면서 '한일회담 외교문서 공개에 따른 기초사료 연구'(2005.12~2008.11)를 수행하였고, 그 후속연구로써 '한일회담 이후 한일관계 관련 외교문서 및 기초자료의 수집, 발간, 연구'(2008.12~2011.11) 및 '한일회담 이전 시기(1945년~1951년) 한일관계 자료의 수집, 발간, 연구'(2011.12~2014.11)를 수행하였고, 이는 연구소가 비약적으로 발전하는 계기가 되었습니다. 이와 함께 토대연구사업인 '한일회담 미해결 과제의 해법 마련을 위한 일본 측 자료 수집, 해제 및 자료해제집의 집대성 사업'(2012.9~2015.8)을 비롯하여 한일관계와 관련된 다양한 연구과제를 수행하면서 한일관계 연구를 선도해 왔습니다.

이와 같은 연구 성과는 국내외에서 큰 평가를 받았습니다. 중점연구소 제1단계 연구과제를 수행하면서 발간한 '한일회담 외교문서 해제집'(전5권)은 한일회담과 관련된 외교사 연구뿐만이 아니라, 외교정책 결정과정과 협상과정에 대한 획기적인 역할을 하였고, 한국 현대정치외교사의 연구 지평을 확대시킨 걸작으로 평가받았습니다. 해제집은 그 공로를 인정받아 2009년도 교육과학기술부 대표우수성과, 2012년 인문사회기초학문육성 10년 연구성과의 하나로 선정되었습니다.

2015년에는 한국 외교부와 일본 외무성이 지원한'한일 국교정상화 50주년 국제학술행사'에서 국내 일본 관련 연구소로는 유일하게 본 연구소가 공동주최자로 참가하였습니다. 그리고 연구논문, 좌담회, 현지보고 등을 통해 일본의 다양한 모습을 한국사회에 알린 학술지 『일본공간』이 그 동안의 성과를 인정받아 2017년도에 등재학술지로 선정되었습니다.

일본학연구소가 수행한 연구 활동은 다음과 같다.

기초학문사업

☑ 제1기 연구주제: 일본형 시스템의 동요와 모색(2002.8.1~2004.7.31)

☑ 제2기 연구주제: 일본형 시스템의 글로벌화-저항과 적응의 실태파악을 위한 필드워크 (2004.9.1.~2006.8.30.)

중점연구소사업

1단계(2005.11~2008.12)

한일회담 외교문서 공개에 따른 기초 사료연구. 1단계 연구에서는 3만 5000장에 달하는 외교문서에 대한 해제를 수행하여 『한일회담 외교문서 해제집』(전5권)을 출간했고, 한일회담의 주요 이슈들을 구체적으로 어떠한 교섭과 협의 과정을 거쳐 결정했는지를 연구해 『외교문서의 공개와 한일회담의 재조명1; 의제로 본 한일회담』(2010), 『외교문서의 공개와 한일회담의 재조명2; 한일회담과 국제사회』(2010)를 출간했다. 『한일회담 외교문서 해제집』은 한일회담의 영역뿐 아니라 해방 후 한국 외교사 분야의 연구 지평을 확대하고 심화시키는 데 공헌했다는 학술적인 의의를 인정받아, 2009년도 교육과학기술부 대표우수성과, 2012년 인문사회 기초학문육성 10년 연구성과의 하나로 선정됐다.

2단계(2008.12~2011.11)

한일회담 이후 한일관계 관련 외교문서 및 기초자료의 수집, 발간, 연구. 2단계 사업에서는 ①1965년의 한일회담 체결 이후의 한국 경제구조의 대일 의존의 심화 ②1970년대 중반의 한일 양국의 정치적 갈등과 대립 ③1970년대 데탕트 시기의 동아시아 국제관계의 재조정과 한일관계라는 세 가지 측면을 검토했다. 외교통상부가 공개한 자료 중, 1966~1977년까지 생산한 자료를 연구대상으로 설정했다. 총 900건의 문서철과 10만 장의 개별문서들을 살펴본 결과, 농상회담, 무역회담, 경제장관회의 등의 경제협력에 관한 문서, 독도문제를 포함한 어업관련 문서, 재일한인의 강제퇴거 관련 문서, 사할린 한인의 귀국문제 등 해외동포 귀환문제 관련 문서, 북일 교류 및 미국, 중국 등 주변국들과의 외교관계 관련 문서, 정치인, 민간단체 등 인적교류 관련 문서, 김대중 납치사건 등을 비롯한 한일 간의 주요사건에 관한 문서 등으로 묶을 수가 있었다. 이들 문서를 한일경제협력, 일본 대외관계(북일·미일·중일 관계), 정치사건, 교류 및 방문, 어업·독도·대륙붕 문제, 재일

김대중 납치사건

1973년 8월 8일 한국의 중앙정보부가 일본 도쿄의 한 호텔에서 당시 야당 지도자 김대중을 납치했다가 129시간 만인 8월 13일 서울 자택 부근에서 풀어준 사건이다. 당시 김대중은 박정희 대통령의 유신체제를 선포에 맞서 1973년 7월 재미교포 반체제단체인 '한국민주회복통일촉진국민회의'(약칭 한민통)를 결성하고 일본에서도 이를 결성하기 직전이었다. 한국 정부는 납치사건에 개입하지 않았다고 주장했으나 일본 경찰은 납치현장에서 주일 한국대사관에 근무하던 중앙정보부 요원의 지문을 채취하고 출두를 요구했다. 그러나 한국 정부가 이를 거부하자 이 사건은 한국 공권력에 의한 일본 주권의 침해라는 외교문제로 비화하면서 양국 관계는 급격히 냉각했다. 사건 발생 석 달 후인 11월 2일, 김종필 총리가 유감의 뜻을 담은 박정희 대통령의 친서를 다나카 가쿠에이(田中角榮) 수상에게 전달하면서 정치적으로 봉합했다. (한국민족문화대백과) 김대중 납치사건으로 한일관계는 1965년 국교정상화 이후 최악이었다고 하는데, 최근 한일관계는 이때보다 더 나쁘다는 말이 나오고 있다.

재외동포, 기타 등 총 7개의 주제군 별로 수집 · 정리하여 이에 대한 해제집과 자료집을 발간하고, 이들 자료를 바탕으로 『박정희 시대의 한일관계의 재조명』(2011)이라는 연구서를 출간했다.

3단계(2011.12~ 2014.11)

한일회담 이전 시기(1945~1951) 한일관계 자료의 수집, 발간, 연구. 한일회담 이전 시기는 한미일 관계라는 프리즘을 통해 한일관계의 현안들이 다양한 형태로 도출되는 특징을 지니며, 이후 전개되는 한일회담의 성격을 규정하는 배경으로서 중요한 의미를 지닌다. 위와 같은 맥락에서 한일회담 이전 시기를 한일회담의 성격을 규정하는 전사(前史)로써 주목해 1년 차에는 GHQ 문서 중 한일관계 관련 문서를 조사 · 수집하고 이를 바탕으로 쟁점별 목록집을 작성했다. 2년 차에는 1년 차에 분류한 자료들을 바탕으로 해제집과 주요문서 관련 자료집 — 제1권 배상 및 청구권 관계, 제2권 한일경제관계, 제3권 재일한인관계, 제4권 어업 및 평화선 관계, 제5권 독도 및 영토관계, 제6권 샌프란시스코 강화조약 및 안전보장관계 — 을 발간했다. 3년 차에는 청구권 문제, 재일 한국인문제, 어업문제, 영토문제 등 한일회담의 주요 현안들이 이 시기 어떠한 방식으로 도출되고 조정됐는지를 실증적으로 분석하였고, 성과물로서 『GHQ 시대 한일관계의 재조명』(2016)을 출간했다.

토대연구사업 (2012.9~ 2015.8)

한일회담 미해결 과제의 해법 마련을 위한 일본 측 1차 자료 수집, 해제 및 자료 해제집의 집대성 사업: 일본군위안부, 사할린조선인억류자, 조선인원폭피해자 문제를 중심으로

• 일본군 위안부
• 사할린 조선인억류자
• 조선인 원폭피해자

2005년 '한일회담 문서 공개 후속 대책 관련 민관공동위원회'는 조사 결과, 한일 양국이 이 세 피해자 그룹의 구제를 논의한 것은 없다고 밝힌바 있다. 8월 26일 발표문은 "② 일본군 '위안부' 문제 등 일본 정부 · 군 등 국가 권력이 관여한 반인도적 불법행위에 대해서는 청구권 협정에 의하여 해결된 것으로 볼 수 없고, 일본 정부의 법적 책임이 남아 있다. ③ 사할린동포, 원폭 피해자 문제도 한일청구권 협정 대상에 포함되지 않았다"고 밝혔다.

동북아역사재단사업

1단계(2009~2012)

이 연구는 2007년 3월 이후 6차례에 걸쳐 일본 정부가 공개한 6만여 장의 한일회담 관련 외교문서를 수집 · 정리해 자료집을 작성하고, 독도문제를 비롯한 한일간의 현안에 대한 일본 측의 입장을 고찰해 정책적 대응을 모색하는 것이 목적이었다. 이 연구를 수행할 때 일본 외무성은 2007년 3월 이후 한일회담 관련 외교문서를 공개했는데 그 양은 개시 문서 1369건, 개시 장수 5만 9763장, 부분 개시 524건, 개시 불가 23건이었다.

사업 1년 차(2009년)에는 한일회담 일본 측 전체 공문서의 연대별 정리 작업, 독도

관련 문서집 편집 및 그에 대한 상세 리스트 작성 및 해제, 독도 관련 문서 분석을 통한 정책보고서 작성 작업을 했고, 성과물로서 103권에 달하는 『한일회담 일본 외교문서』(2010)를 영인본으로 출간했다.

사업 2년 차(2010년)에는 '일본 공문서 상세목록 작성', '독도 관련 중요 자료집 작성'을 수행했고, 그 성과물로서 전 6권의 『독도관련 일본 측 외교문서 1952-1969』(2011) 영인본과 『독도관련 일본 측 외교문서 해제집』(2011)을 출간했다.

사업 3년 차(2011년)에는 한일회담 관련 일본 측 공문서 중 청구권 문제, 기본관계 문제, 문화재 문제 관련 문서에 대한 중요 문서집 · 해제 · 보고서 작성 자료에 대해 해제 및 보고서를 작성했다.

사업 4년 차(2012년)에는 3년 차에서 다루지 않은 어업, 법적지위, 북송 · 억류자, 선박 문제와 관련된 자료에 대해 해제 및 보고서를 작성했다. 위의 작업을 바탕으로 『한일공문서를 통해 본 독도』(2013)라는 연구서도 출간했다.

제2단계 사업(2016~2018)

제1단계 사업의 후속 사업으로서, 일본 정부가 추가로 공개한 한일회담 관련 외교문서(약 2만 장)를 대상으로, 개시변경 여부를 표시한 최종문서 리스트, 추가공개 문서를 수집 · 분류하여 상세 목록집과 해제집을 작성하고, 이를 바탕으로 해당 자료의 집대성과 실증적인 연구를 수행하는 것을 목적으로 한다.

사업 1년 차(2016년)에는 외무성 개시결정문서 일람, 외무성 개시결정문서 상세목록, 2014년 4월 2일 외무성 개시 결정 문서, 한일회담에 관한 문서 19개, '국교정상화 기록 총설'에 있는 회고록 28개, 재무성 소장 관계문서를 대상으로 해당 문서를 청구권(경제협력), 기본관계, 법적지위, 문화재, 선박, 어업, 독도, 북송, 억류자, 기타로 주제별로 분류하고, 상세 목록집을 작성했다.

사업 2년 차(2017년)에는 사업 1년차의 상세 목록집을 바탕으로 해당 외교문서의 해제작업을 수행하고, 공동연구원들은 해당 외교문서를 바탕으로 실증적인 연구 논문을 집필했다.

사업 3년 차(2018년)에는 지금까지 수행한 상세 목록집 및 문서 해제 자료들을 디지털 아카이브 구축을 위한 콘텐츠로 재정비했다. 이를 위해 문서의 세부 항목과 기본 해제 작업에 대한 정리 및 해제 작업을 했고, 연구 성과를 바탕으로 동북아역사재단에서 디지털 아카이브 작업을 진행했다. 이후 연구논문을 완성하고, 이를 모아 『한일협정과 한일관계』라는 단행본으로 출간했다.

그 밖의 연구사업

☑ 일본의 대(對) 한국정책에 참여하는 파워엘리트에 관한 연구: 독도, 역사, 대북한 정책 성향의 자료수집과 분석(2013.3~11 · 동북아역사재단 지원)

☑ 한일 국교정상화 연구(2014.4~10): 한일 과거사 갈등의 기운을 잉태한 한일 국교정상화 교섭, 한일회담의 핵심의제에 초점을 맞춰 한일관계 65년 체제 성립 이후 50년의 궤적을 종합적이고 체계적으로 고찰

☑ 2016년 한일관계 백서 제작: 2016년의 일본정세와 한일관계의 현황을 정치안보, 역사문제, 경제, 문화교류의 4대 영역 19개의 분야로 나눠 분석과 전망

☑ 일본군 '위안부' 문제에 관한 종합 보고서 작성(2014.8~2015.12)

☑ 일본국제교류기금 서울문화센터와 2003년부터 일본연구와 지적교류를 위한 협력 체제 구축

2010년 이후의 학술활동은 다음과 같다.

국내학술회의

일 시	주 제	공동주최 또는 후원
2010.8.27~28	전후 일본 공문서 조사 분석 연구	
2011.8.18~19	동아시아 역내구조 개편과 지식지도 변화: 역사-영토 문제의 향방	현대일본학회, 동북아역사재단
2012.2.14~16	한일관계사 연구 및 한일관계 현안 대토론회	동북아역사재단, 제주평화연구원
2012.11.16	일본공문서를 통해서 본 한일관계의 어제와 오늘	동북아역사재단
2013.8.20~21	동아시아 지역 재균형에 따른 일본의 정치·경제 변화	현대일본학회
2014.6.11	샌프란시스코 강화조약과 역사문제	
2014.9.26	한일국교정상화 연구	대한민국역사박물관
2015.8.18~19	한반도 통일시대의 한일협력 모색	강원정치학회, 동북아역사재단, 독도연구소, 통일연구원
2017.7.17~19	한일회담 관련 일본외교문서 정리 및 분석	
2018.7.29~8.1	한일회담 관련 일본외교문서 정리 및 분석	
2018.11.16	한일관계 연구의 신지평	
2019.12.20	2019년을 넘어서: 신세대 한일관계 연구의 지평	현대일본학회

아시아 재균형 (Rebalancing)

오바마 대통령 시절(2009~2017)에 채택했던 아시아 중시 정책이다. '피벗 투 아시아'(Pivot to Asia · 아시로의 중심축 이동)라는 말과 함께 사용했다. 유럽이나 중동지역에 뒀던 미국 대외전략의 중심을 아시아 쪽으로 옮긴다는 의미다. 구체적으로는 이들 지역의 안보에 적극적으로 관여하고, 경제협력을 강화하며, 소통 기회를 늘리는 것이다. 중국은 이를 중국 포위 전략의 하나로 간주했다.

국제학술회의

일시	주제	장소	공동주최, 후원
2010.1.23	일한 국교정상화와 현대적인 의미	도쿄대	
2010.10.2	동아시아공동체와 한일 지적교류	도쿄대	현대일본학회, 도쿄대 종합문화연구과
2010.11.19	박정희 시대의 한일관계 재조명	국민대	현대일본학회, 한국정치외교사학회, (사)아셈연구원)
2011.8.23~25	한국정치세계학술대회, 세계 속의 한국정치: 이론과 실제(국민대 일본학연구소는 기획 패널을 구성했다. 주제는 '전후 한국 외교사의 재조명')	인천대 연세대	
2011.9.30	한일교류의 과거와 현재, 공통과제를 탐색하다	규슈대	규슈대 한국연구센터
2011.11.18~19	일본의 제3의 길: 효율성과 공평성의 조화를 위한 일본국가개조계획의 미래	국민대	현대일본학회
2012.3.16	한국의 일본연구 일본의 한국연구 현황과 새로운 모색	국민대	
2013.6.28	점령기(1945-1952)에 있어서의 한일관계의 재조명	도쿄대	도쿄대 현대한국센터
2013.8.22	한국정치세계학술대회, 세계와 한국정치: 영향과 공헌(국민대 일본학연구소는 기획 패널을 구성했다. 주제는 'GHQ와 한일관계, 일본의 보수화와 한일관계')	고려대	
2013.10.11	포스트성장시대 일본의 미래: 성숙사회의 과제	국민대	게이오대SFC연구소 JSP
2014.3.29	김영삼 정부 시기의 한일관계	국민대	(사) 김영삼 민주센터
2014.9.12	한중일 3국간 갈등을 넘어 협력을 향하여	국민대	동북아역사재단, 국민대 중국인문사회연구소
2015.6.17~19	한일 국교정상화 50주년 국제학술행사	제주도	동북아역사재단, 한국국제정치학회, 일본국제정치학회 등 7개 기관
2015.3.27	한국의 일본 '우경화론'에 대한 비판적 고찰	국민대	
2016.7.17	한국 현대외교사 연구와 일본	도쿄대	
2016.10.21	협력과 갈등의 동북아시아	경희대	경희대 국제지역연구원

2016.10.29	**한일 외교문서 연구회**	국민대	
2017.3.31	**일본 외교사 연구회**	국민대	
2019.12.6	**한일관계, 어떻게 개선할 것인가?**	국민대	국가안보전략연구원
2021.3.19	**포스트 코로나시대의 한일관계를 모색한다** **제1부 코로나 확산 속에서의 한·일의 재해대응과 위기관리** 사이토 요코(齋藤容子·간세이학원대 재해부흥제도연구소 주임연구원·준교수) **코로나 바이러스에 대한 재해 대응의 과제: 레이와 2년 7월 호우를 사례로 하여** 나정일(전국재해구호협회 재난안전연구소 부소장) **코로나19에 있어서 구호지원기관의 역할** 최은미(아산정책연구원 연구위원) **신형 코로나 바이러스 감염증과 한일 위기 관리 거버넌스 연구** **제2부 코로나 재해를 둘러싼 한일관계** 윤석정(국립외교원 연구교수) **신종 코로나 바이러스에 대한 한일관계 전개: 평가와 전망** 야마 야스유키(山泰幸·간세이학원대 재해부흥제도연구소 부소장) **코로나확산에서의 재해 지원으로 본 한일 관계** **제3부 종합토론** 발표자 외에 나가오카 도루(長岡徹·간세이학원대 재해부흥제도연구소 소장), 오카다 노리오(岡田憲夫·간세이학원대 재해부흥제도연구소 고문), 최희식(국민대 일본학연구소장) 이원덕(국민대 일본학과 교수), 심규선(전 동아일보 편집국장)	줌 회의	간세이학원대와 공동주최

한일 국교정상화 50주년 기념 국제학술대회

'2015 한일 국교정상화 50주년 국제학술행사 – 한일관계의 과거를 넘어 미래로'는 한일 국교정상화 50주년의 의미를 돌아보면서, 한일 양국의 새로운 미래 비전을 찾아내는 것을 목표로 2015년 6월 17일부터 6월 19일까지 제주도에서 열렸다. 이 학술행사는 외교통상부와 일본 외무성이 후원했으며, 한국 측에서는 국민대 일본학연구소와 동북아역사재단, 한국국제정치학회, 현대일본학회가, 일본 측에서는 일한문화교류기금, 도쿄대 한국학연구부문, 일본국제정치학회, 현대한국조선학회 등이 공동주최했다. 이 행사에는 한일관계의 국내외 전문가들이 대규모로 참가해 정치, 경제, 사회, 문화, 역사 등 다방면에 걸쳐 한일 양국의 과거, 현재를 검토하고 앞으로의 한일관계에 대해 건설적인 의견을 교환했다.

국민대 일본학연구소는 국내 일본학 관련 연구소로서는 유일하게 공동주최자로 참가하면서 연구소 내에 국제학술회의 사무국을 설치했다. 연구소 연구원들은 진행자, 발표자, 토론자 등으로, 국제지역학과(일본전공) 대학원생들은 회의 진행 스태프로 참가했다.

콜로키움 (2015년 이후)

일시	주제	발표자
2015.3.5	아사히신문 오보 파동과 위안부 문제	김부자(도쿄외국어대)
2015.3.27	한국의 '일본우경화' 담론과 한일관계	기미야 다다시(도쿄대)
2015.4.23	일제강점기의 고적조사	사오토메 마사히로(도쿄대)
2015.5.19	이토 히로부미와 대한제국	한상일(국민대 명예교수)
2015.12.16	원형론으로 본 한일관계	김용운(한양대 명예교수)
2016.5.9	위안부 합의 이후의 과제와 전망	와다 하루키(도쿄대)
2016.5.13	나카무라 마사나오의 사상: 근대 일본에서의 유학의 실천	이새봄(국민대)
2016.11.25	미 트럼프 정권의 동아시아 정책전망과 일본, 한반도	김기석 외 4명
2016.12.22	일본의 고도인재 포인트제에 대한 비판적 검토: 인구 감소 시대의 외국인 수용에 관한 이해의 일환으로	최민경(동서대)
2017.1.19	일본 의료보험 개혁의 정치적 동학	김성조(서울대 사회과학연구원)
2017.3.17	1990년대 일본장기불황의 정치경제 - 재정개혁을 중심으로	최은미(세종연구소)
2017.3.30	위안부 합의 이후의 한일관계	와다 하루키(도쿄대)
2017.4.14	포스트 한일회담 이후의 한일관계 - 외교문서 자료 수집, 데이터베이스화 및 연구	김승배, 엄태봉, 윤석정 (이상 국민대)
2017.5.12	국교 정상화 이후의 한일관계(1965~1986)	김승배, 엄태봉, 윤석정(이상 국민대), 조양현(국립외교원)
2017.6.7	일본학연구의 접근방법 모색과 HK사업	박창건(국민대), 이형식(고려대)
2017.6.14	한일 과거사를 둘러싼 갈등과 화해	정재정(서울시립대)
2018.3.13	한일국교정상화 교섭의 정치사	김은정(오사카사립대)
2018.3.30	일한문화교류와 국제교류기금사업	야마사키 히로키(국제교류기금 서울문화센터)

아사히신문 오보

아사히신문이 위안부 동원과 관련해 요시다 세이지(吉田清治 · 1913~2000)의 발언을 보도한 기사를 모두 취소하고 사과한 것을 말한다. 요시다는 1973년부터 책과 인터뷰를 통해 본인은 야마구치현 노무보국회 시모노세키 지부에서 동원부장으로 일했는데, 제주의 한 마을에서 한국 처녀 200여 명을 강제적으로 끌고가 위안부로 삼았다고 하는 등 1943년부터 위안부 1천여 명을 포함해 수천 명을 강제징용했다고 주장했다. 아사히신문은 요시다의 이런 주장을 여러 차례 보도했으나 근거가 희박하다는 외부의 지적을 받고 내부 조사를 거쳐 2014년 8월 관련 기사를 전면 취소했다. 일본의 우익은 아사히신문의 기사 취소를 위안부의 강제동원은 전혀 없었다는 근거로 확대 해석해서 선전하고 있다.

고도외국인재 포인트제

초고령화와 인구격감 대책으로 일본이 만든 우수 외국인 유치 제도이다. 기술 분야(외국기업 주재원, 기술자 등), 교육 · 연구분야(대학교수, 기업연구원 등), 경영 분야(기업의 대표 등 임원)에 근무하는 외국인 우수 인재가 일본 정부가 만든 평가표에 따라 채점을 했을 때 70점 이상이면 3년 후에, 80점 이상이면 1년 후에 영주권 신청을 할 수 있다.

쇼와 유신

"1930년대 일본, 제1차 세계대전의 호황이 끝나고 변화하는 국제질서 속에서 재벌과 썩은 정치세력들을 몰아내고 국가개조를 꿈꾸던 이들이 있었다. 그들은 바로 쇼와 유신론자들이었다. 천황을 기점으로 한, 일본 혼의 부활을 외치며 2·26 쿠데타를 일으킨 그들의 시도는 끝내는 실패했다. 그러나 그들의 노력과 쿠데타의 영향력은 사라지지 않고 살아남아 결국 일본을 군국주의로 가는 길로 인도했으며, 그 결과 태평양 전쟁이 발발했고 일본은 제1차 세계대전의 승전국에서 제2차 세계대전의 패전국으로 전락하고 말았다." (한상일, 《쇼와 유신》 소개)

2018.4.13	쇼와유신	한상일(국민대 명예교수)
2018.5.4	동해 표기 문제와 한일 관계 연구에의 시사점	주성재(경희대)
2018.5.10	요시다 시게루의 역사인식과 한국	남기정(서울대)
2019.4.25	한일관계 연구의 신지평 모색: 빅데이터 분석방법의 활용	정재은(중앙대)
2019.11.1	북일관계의 이해와 오해	신정화(동서대)
2019.11.14	징용문제와 국제사법재판소	김두영(전 국제해양재판소 차장)

특별강연회

오자와 이치로(민주당 간사장) 새로운 한·일 관계와 그 역할을 담당할 지도자 육성

(2009년 2월 12일, 명예정치학박사 학위 수여기념)

출판물

저서명	저 자	출판일
일본형 시스템 - 위기와 변화	한상일·김영작 외	2005년
변용하는 일본형 시스템 현장보고	한상일·김영작 외	2008.6.25
21세기 동북아공동체 형성의 과제와 전망	김기석	2006.3.25
글로벌화 시대의 일본 - 한국에의 함의	김영작 외	2006.3.30
일본학총서1 - 일본은 한국에게 무엇인가	김영작	2006.4.10
21세기 한일관계와 동북아시아의 새로운 비전 2 - 한일 국교정상화 40주년 국제학술회의 총서	현대일본학회	2007.12.14
한일회담과 국제사회 - 외교문서 공개와 한일회담의 재조명 1	국민대 일본학연구소	2010년 3월
의제로 본 한일회담 - 외교문서 공개와 한일회담의 재조명 2	국민대 일본학연구소	2010년 3월
GHQ시대 한일관계의 재조명	국민대 일본학연구소	2016년 3월
일본 파워엘리트의 대한정책	국민대 일본학연구소	2016년 4월
한일국교정상화 연구	이원덕 외	2016년 6월
박정희 시대 한일 관계의 재조명	국민대 일본학연구소 편저, 기미야 다다시(도쿄대), 김	2010년 11월

	영미(국민대), 안소영(국민대), 이현진(국민대), 최우영(한국항공우주연구원), 류상영(연세대), 박창건(국민대), 최희식(국민대), 조양현(외교안보연구원), 구라타 히데야(일본방위대), 남기정(서울대)	
한일공문서를 통해 본 독도	이원덕 외	2013년 10월

자료 및 해제집

제 목	저 자	발행일
한일회담 외교문서 해제집 I 예비회담~5차회담	국민대 일본학연구소(김영미, 김영수, 안소영, 이이범, 이현진)	2008.5.13
한일회담 외교문서 해제집 II 평화선 · 북송 · 6차회담	〃	〃
한일회담 외교문서 해제집 III 6차회담 [예비교섭 · 청구권]	〃	〃
한일회담 외교문서 해제집 IV 고위정치회담 및 7차 회담 [법적지위 · 어업관계 · 문화재]	〃	〃
한일회담 외교문서 해제집 V 7차 회담 [기본관계 · 청구권 · 협정체결]	〃	〃
한일회담 일본외교문서 세트(104권)	국민대 일본학연구소	2010년 5월
1952~1969 독도 관련 일본측 외교문서 세트(6권)	국민대 일본학연구소	2011년 11월

일본학연구소장은 초대 김영작 소장(2002~2005)을 거쳐 한상일(2005~2008), 이원덕 교수(2008~2019)가 맡았으며 2019년부터 최희식 교수가 소장으로 있다.
이 연구소의 연구진은 다음과 같다.

직위	이름	학 위	전 공
소장	**최희식**	정치학 박사(게이오대)	일본정치외교, 한일관계
연구원	**김현욱**	학술박사(도쿄대)	일본고전극문학, 전통문화
	류미나	문학박사(와세다대)	일본 식민지정책사
	박선영	사회정보학박사(도쿄대)	언론학, 저널리즘, 대중문화론

연구원	**박창건**	국제정치학박사(Sheffield University)	일본 정치경제
	이원덕	국제정치학박사(도쿄대)	일본정치외교, 한일관계

국민대 일본학연구소 연구원을 거쳐 다른 대학이나 연구기관으로 전직한 사람도 많다. 다음은 그 명단이다(소속은 달라졌을 수도 있다).

곽진오(동북아역사재단 독도연구소), 김성조(순천대 사회교육과), 김영미(국민대 한국역사학과), 김영수(영남대 정치외교학과), 남기정(서울대 일본연구소), 류미나(국민대), 박홍영(충북대 정치외교학과), 박훈(서울대 동양사학과), 신하경(숙명여대 일본학과), 안도 준코(후쿠오카대 동아시아지역언어학과), 안소영(경희대 한국현대사연구원), 유지아(원광대 동북아시아인문사회연구소), 윤석정(국립외교원), 이기태(통일연구원), 이상훈(한국외국어대 일본어대학 융합일본지역학부), 이이범(강릉원주대 일본학과), 이정환(서울대 정치외교학과), 이종은(국민대 정치외교학과), 이지영(한국외국어대 국제지역연구센터), 이현진(국사편찬위원회), 이형식(고려대교 아세아문제연구소), 임은정(공주대 국제학부), 전진호(광운대 국제학부), 정미애(전 니가타 총영사), 전상숙(연세대 국가관리연구원), 조양현(국립외교원), 최우영(한국항공우주연구원), 한경구(서울대 자유전공학부), 현대송(한국해양수산개발원 독도연구센터), 황선익 씨(국민대 한국역사학과)

국민대 일본학연구소는 (02707) 서울특별시 성북구 정릉로 77 국민대학교 북악관 1109호에 있다.
전화 (02) 910-4300, 이메일 kmijs@kookmin.ac.kr, 홈페이지 www.ijs.or.kr

12. 단국대학교 일본연구소

KOREA-JAPAN

단국대 일본연구소(Institute of Japanese Studies)는 2002년 10월에 문을 열었다. 동아시아학으로서의 일본문화에 관한 통합적 연구개념의 정립, 전문연구인력의 양성, 인문과학을 중심으로 한 학제적이고 체계적인 일본연구를 설립 목적으로 내세우고 있다.

그간의 연구 업적은 다음과 같다.

한국연구재단 토대연구지원사업 (2014.9.1~2017.8.31)

탈민족주의적 관계 정립을 위한 한 · 중 · 일 동아시아 삼국 신화 자료 집성 Data-Base 구축과 전자 문화지도 작성

한국연구재단 일반공동연구지원사업 (2014.12.1~2017.11.30)

한일 고전문학 속 비일상 체험의 형상과 일상성 회복의 메타포-콜로키엄을 통한 한일 공동연구의 지평 확대

학술심포지엄 (2015년 이후)

일시	명칭	내용
2015.2.27	제36회 국제학술 심포지엄	주제 **동북아 신화에 나타난 죽음과 타계관** 사회 한정미(단국대 일본연구소) 개회사 정형(단국대 일본연구소장) 축사 야마사키 히로키(일본국제교류기금 서울문화센터소장), 김준(金俊 · 중국 절강공상대 한국학연구소장) 발표 노로브냠(단국대 몽골학과) **몽골 구비문학에 나타난 죽음관-신화 · 영웅서사시를 중심으로** 토론 장장식(국립민속박물관) 권태효(국립민속박물관) **한국 무속신화에 나타난 죽음 인도신, 저승차사의 인물 형상화 양상** 토론 김종대(중앙대 민속학과) 빈미정(성결대) **중국 신화 · 전설에 나타난 죽음과 재생관념** 토론 김성환(군산대) 사이토 히데키(일본불교대) **일본 신화에 나타난 죽음과 재생-신화해석사의 시점에서** 토론 김후련(단국대)

소막차(蘇莫遮), 길간(吉簡), 소지마리(蘇志摩利), 소막자(蘇莫者)

거리 연희인 소막차는 서역의 구자국(龜玆國), 강국(康國), 언기국(焉耆國), 고창국(高昌國) 등에서 널리 공연했다. 소막차를 공연할 때는 짐승 모양의 가면을 쓰고 노래와 춤을 추며 거리에서 물을 뿌리면서 추위와 재앙이 없어지기를 기원했다. 이 공연이 남북조시대에 중국에 전래돼 11, 12월에 주로 서역인이 집단 거주하는 곳에서 널리 공연했다. 중국인들은 이를 걸한희(乞寒戲), 또는 발한호희(潑寒胡戲), 발호왕흘한희(潑胡王乞寒戲)라고 불렀다. 삼국에 전래한 고려악 길간(吉簡)은 걸한(乞寒)을 가리킨다. 신라에 전래한 고려악 소지마리(蘇志摩利)는 무인이 도롱이를 걸치고 삿갓을 쓰고 춤을 추며, 기우제 때에 널리 공연했다. 소막자(蘇莫者)는 소막차가 중국을 거쳐 일본에 간 것이다. 한 사람이 원숭이나 귀신 형상의 가면과 도롱이를 걸치고 춤을 춘다. (전덕재 논문 초록)

신라해적

"869년 5월에는 신라 해적선 2척이 야음을 틈타 일본의 서쪽 수도인 '하까다(후꾸오까시)'를 습격해 국가의 공물선을 공격해 비단과 면제품들을 약탈했다. 충격을 받은 일본국은 큐슈 지역은 물론이고, 혼슈의 야마구치현, 시마네현, 돗토리현의 지방 정부에 방어태세를 갖추라고 지시했다. 이후 상황이 더욱 심해지자 870년에는 중앙정부가 큐슈지역과 대마도 이끼섬 지역에 방어준비를 철저히 할 것을 명했다. 그러나 신라해적들은 893년에는 큐슈 북부지역을, 894년에는 대마도를 봄과 가을에 걸쳐 두 번이나 습격했다." (윤명철 동국대 교수가 최재석의 《고대 한일 관계사 연구》를 인용한 것을 재인용했으므로 하까다, 큐슈, 이끼 등의 표기를 바꾸지 않았다.)

일시	명칭	내용
		종합토론 사회 신재인(서울디지털대) 토론 정형, 노로브냠, 권태효, 빈미정, 사이토 히데키
2016.11.18	제37회 국제학술 심포지엄	주제 **일본 고대문헌에 나타난 '한국' - 문화교류사의 시점에서** 사회 이경화(단국대 일본연구소) 개회사 정형(단국대 일본연구소장) 축사 야마사키 히로키(일본국제교류기금 서울문화센터소장) 발표 전덕재(단국대) **고대 한중일 문화교류에 대한 고찰 - 蘇莫遮와 蘇志摩利, 吉簡을 중심으로** 토론 이재환(서울대) 데시마 다카히로(경희대) **일본 대외관계에 있어서 '고려'** 토론 이세연(한양대) 정순일(고려대) **일본 고대문헌에 나타난 '신라해적' - '貞觀11년(869) 신라해적' 경유항로 재론** 토론 이정빈(동북아역사재단) 하카마다 미쓰야스(시즈오카대) **본 고대문학에 있어서 신라·고려·백제의 이미지 - 삼국의 용례와 문화사적 고찰** 토론 구정호(중앙대) 종합토론 사회 정형(단국대 일본연구소 소장) 토론 전덕재, 데시마 다카히로, 정순일, 하카마다 미쓰야스, 윤채근(단국대), 김경희(한국외국어대), 김정희(한국외국어대), 이권희(단국대), 한정미(단국대), 한경자(경희대)
2017.11.11	제38회 국제학술 심포지엄	주제 **한·중·일 동아시아 신화연구의 현재와 미래** 사회 김미진(한국외국어대) 개회사 정형(단국대 일본연구소장) 기조발표 정형(단국대 일본연구소장) **한·중·일 동아시아 삼국 신화자료 집성 DB구축의 의의** 발표 정제호(고려대) **홍수신화의 변주를 통해 살펴본 신과 인간의 관계** 토론 김정숙(고려대) 엄태웅(강원대) 금영진(한국외국어대) **한일신화 속의 좌(左)와 우(右)** 토론 김정희(한국외국어대) 홍성준(단국대) 최승은(단국대) **일본 고전문학 속 질투 양상 - 이와노히메(磐姫)와 고키덴노뇨고(弘徽殿女御)의 질투담을 중심으로** 토론 김경희(한국외국어대) 이경화(서울대) 종합토론 사회 김미진 토론 정형, 정제호, 금영진, 최승은, 김정숙, 엄태웅, 임근실, 김정희, 홍성준, 김경희, 이경화, 이권희, 윤채근, 이시준

일시	명칭	내용
2018.12.1	제39회 국제학술 심포지엄	주제 **한일 고전번역의 현황과 과제** 사회 윤지원(단국대 일본연구소) 개회사 허재영(단국대 일본연구소장) 발표 이미숙(서울대) **「겐지 모노가타리」의 한국어역과 번역자의 작품 해석** 김경남(단국대) **지식교류의 차원에서 본 근대 한국의 번역 문제 연구** 임상석(부산대) **한국 고전번역사의 시대구분 시론: '한국 고전번역사의 전개와 지평'에 대하여** 홍성준(단국대) **일본근세기 서양고전 번역의 양상: 난학(蘭學)의 번역 사정을 중심으로** 종합토론
2019.12.7	제40회 국제학술 심포지엄	주제 **동아시아 인문학 연구의 실제** 사회 홍성준(단국대 일본연구소) 개회사 허재영(단국대 일본연구소장) 인사말 정형(단국대 일본연구소 운영위원장) 발표 김인호(동의대) **가짜가 진짜가 되는 비극, 한국 근현대사** 황종원(단국대) **양계초의 중화민족주의와 지리, 문명 지식체계의 근대적 구성** 양민호(부경대) **동북아시아 인문학 연구의 현황과 과제** 최석원(단국대) **宋代 문인 王安石에 대한 조선의 평가와 인식 -『조선왕조실록』의 관련 기사를 중심으로**
2020.12.11	제41회 국내학술심포지엄	주제 **일본 문화 속 재난과 재해** 사회 최승은(단국대) 개회사 윤채근(단국대 일본연구소장) 축사 정형(단국대 전 일본연구소장) 발표 김보한(단국대) **동아시아의 재난, 해적과 왜구 - 13~14세기 왜구를 중심으로** 토론 송완범(고려대) 이충호(부산외대) **에도시대 도시형 재난과 요시와라 유곽의 대응** 토론 정경진(단국대) 편용우(전주대) **재해 연극 속의 기억과 추모의 의미** 토론 임다영(단국대) 김인아(고려대) **『헤이케모노가타리(平家物語)』에서의 재난의 서사적 활용 양상 - 다이라노 기요모리(平清盛)의 인물조형을 중심으로** 토론 김미옥(전북대) 종합토론 발표자인 김보한, 이충호, 편용우, 김인아 씨 외에 윤지원, 홍성준, 김경남, 김세종, 김정남, 김태훈, 이병민, 최보영, 한성구

난학(蘭學)

에도시대 때 네덜란드를 통해 전래한 서양 지식을 말한다. 네덜란드를 '화란(和蘭)'이라고 했기에 난학이라는 말이 붙었다. 에도 막부는 쇄국정책을 썼지만, 유일하게 선교활동을 하지 않는 네덜란드에게는 교역을 허용했다. 그래서 네덜란드를 통해 서양의 과학기술이 들어왔고, 신흥세력으로 부상한 상인층을 중심으로 서양의 기술이나 의학 서적 등을 배우는 사람이 많았다. 이들을 난학자라고 했다. 일본의 근대화에 대한 각성은 이들 난학자들에 의해 싹트기 시작했다. (두산백과)

요시와라(吉原) 유곽

에도 막부 때 에도에 있던 공창(公娼)이다. 처음에는 니혼바시 근처(지금의 니혼바시닌교초 · 日本橋人形町)에 있었으나 1657년 메이레키(明曆) 대화재 이후 센소지 뒤(지금의 니혼쓰쓰미 · 日本堤)로 옮겼다. 원래 도쿠가와 이에야스가 숨진 슨푸(駿府 · 지금의 시즈오카시 아오이구 · 静岡市葵区)에 있던 니조마치 유곽 일부를 도쿄로 옮겨온 것이 시초이다. (위키백과)

학술총서

발행일	책 명	저 자
2009	일본문학 속 에도 도쿄 표상연구	정형, 김필동, 손지연, 이권희, 한경자, 나가시마 아키히로, 장웬쉰(張文薫)
2011	일본 근대 여성의 시대 인식	조혜숙
2011	『古事記』 왕권의 내러티브(narrative)와 가요	이권희
2014	아사이 료이 문학의 성립과 성격	김영호
2014	일본의 전쟁영웅 내러티브 연구	정형, 김정희, 한경자, 조혜숙, 이권희, 노병호, 윤석상
2017.5.15	한일 고전문학 속 비일상 체험과 일상성 회복: 기적과 신이, 경험과 상상의 카니발	정형, 윤채근 공편
2017.8.24	한일 고전문학 속 비일상 체험과 일상성 회복: 파괴된 인륜, 문학적 아노미	정형, 윤채근 외 공저
2018.4.30	한·중·일 동아시아 신화의 문화적 교차	정형 외 공저

이 연구소의 조직은 다음과 같다.

직 책	이름과 소속
연구소장	**윤채근**(한문교육과)
고문	정형(일어일문학과 명예교수·전 연구소장)
감사	황광길(아시아중동학부 일본학전공)
운영위원회	위원장 김문식(사학과), 위원 배은한(아시아중동학부), 윤지원(일본연구소), 윤채근(한문교육과), 이건식(국어국문학과), 이재령(사학과), 주재형(철학과), 홍성준(일본연구소), 황종원(철학과)
국내 연구자문위원	김경희(한국외대 미네르바교양대학), 김유천(상명대 일어일문학과), 김창호(원광대 한문교육과), 김필동(세명대 일본어학과), 류정선(인하공업전문대 항공운항과), 송혁기(고려대 한문학과), 엄기영(대구대 국어국문학과), 엄태웅(강원대 국어국문학과), 이상훈(한국외대 일본학부), 이용미(명지전문대 일본어과), 이이범(강릉원주대 일본어과), 이현영(건국대 일어교육과), 최원오(광주교대 초등교육과), 최창완(가톨릭대 일어일본문화과), 허우성(경희대 철학과)
국외 연구자문위원	일본의 나가시마 히로아키(長島弘明·니쇼가쿠샤대), 미타니 노리마사(三谷憲正·불교대), 아마 도시마로(阿満利麿·메이지학원대), 사토 가쓰라(佐藤かつら·아오야마가쿠인대), 고바야시 후미코(小林ふみ子·호세이대), 사토

	유키코(佐藤至子 · 도쿄대), 소메야 도모유키(染谷智幸 · 이바라기그리스도교대), 김영호(도호쿠가쿠인대), 한정미(조치대), 아오노 마사아키(青野正明 · 모모야마가쿠인대), 다카하시 고지(高橋孝治 · 릿쿄대), 한경자(아오야마가쿠인대), 대만의 于乃明(국립정치대), 캐나다의 Hur, Namlin(브리티시컬럼비아대)
학술연구교수	**류정선**(인하공업전문대 항공운항과), **한경자**(일본 아오야마학원대 일본문학과), **김정희**(경기대 글로벌어문학부), **김경희**(한국외대 미네르바교양대학), **한정미**(일본 조치대 grief care연구소), **이권희**(한국외대 일본연구소)
HK교수	**윤지원**(중국철학), **홍성준**(일본문학)
HK연구교수	**김경남**(한국문학), **김세종**(중국철학), **김정남**(중국문학), **김태훈**(한국사학), **이병민**(중국문화), **임다영**(한국어학), **정경진**(일본문학), **최보영**(한국사학), **최승은**(일본문학), **한성구**(중국철학)

단국대 일본연구소는 (16890) 경기도 용인시 수지구 죽전로 152 단국대 죽전캠퍼스 상경관 530호에 있다.

전화 (031) 8005-2667, 팩스 (031) 8005-2668, 홈페이지 http://www.dkjapan.or.kr

13. 동국대 문화학술원 일본학연구소

KOREA-JAPAN

동국대 문화학술원 일본학연구소(Institute of Japanese Studies)는 일본의 역사, 문화, 사회의 연구를 통해 한일간의 상호이해 증진과 문화교류에 목적을 두고 1979년 9월에 문을 열었다. 설립 초창기부터 일본 교토의 '왕이호일본학연구재단(王利鎬日本學研究財團)'으로부터 특별연구기금을 지원받고 있다. 또 1998년 12월 신한은행 이희건 회장의 지원으로 연구소 특별기금을 조성했으며, 2002년 2월에는 이시가미 젠노(石上善応) 교수의 지원으로 한일문화학술상을 제정해 운영하고 있다.

2017년 9월, 한국연구재단이 주관하는 대학중점연구소 지원사업에 선정되면서 '재일디아스포라의 생태학적 문화지형과 글로컬리티'를 어젠다로 설정했다. 이 연구를 계기로 국내 최초의 재일디아스포라 전문 아카이브 기관을 지향하고 있다.

대학중점연구소 지원사업 (한국연구재단 주관)

- 어젠다: 재일디아스포라의 생태학적 문화지형과 글로컬리티
- 1단계(2017.9-2020.8) 정치 · 경제, 사회 · 교육, 예술 · 체육 분야의 생태학적 기반연구
- 2단계(2020.9-2023.8) 융복합 창의연구

국제학술대회 (최근 5건)

일시/장소	내 용
2017.10.27.~29 고려대, 동국대	**동아시아와 동시대 일본어문학포럼 2017 서울대회+차세대 포럼** 주제 **언어권과 디아스포라 문학** 기조강연 페이 阮 클리먼(콜로라도대) **바이링규얼 · 하이브리드 · 텍스트** 심포지엄① **디아스포라 문학과 상상력** 에드워드 마크(워싱턴대), 김환기(동국대), 고영란(니혼대) 심포지엄② **골리안 · 디아스포라 문학** 이한정(상명대), 이승진(동국대), 김계자(고려대) 패널세션 **과경과 창조, 이민자들의 아시아, 이동과 언어권, 눈길의 이동**
2018.2.2~3	**근대화와 민속연구**(실천민속학회, 한림대 일본학연구소 공동주최)

일시/장소	내용		
동국대	**⟨2월 2일⟩**		
	시간	주제	사회 및 발표자
	10:20~10:30	학회장 인사(이상현 실천민속학회장)	
	제1세션	**근대화와 민속학**	사회 엄장혁(중앙대)
	10:30~10:55	민속학이란 무엇인가	발표 시마무라 다카노리(島村恭則 · 간세이학원대)
	10:55~11:20	독일의 근대화와 고향의 발명, 그리고 민속학	발표 이상현(안동대)
	11:20~12:30	토론 정전룡(창원대) 김연(문화관광정책연구원) 권혁희(서울시립대)	
	제2세션	**민속의 근대, 민속학의 실천**	사회 정연학(국립민속박물관)
	13:30~13:55	봉산탈의 근대와 민속학의 실천	발표 남근우(동국대)
	13:55~14:20	'중국적 문제'로서 불꽃놀이와 폭죽	발표 周星(아이치대)
	14:20~15:30	토론 서정완(한림대) 허용호(고려대)	
	제3세션	**근대화와 일상/생활 연구**	사회 표인주(전남대)
	15:40~16:05	일본의 생활개선 운동과 민속학: 모더니제이션과 '일상' 연구	발표 이와모토 미치야(岩本通弥 · 도쿄대)
	16:05~16:30	근대식민주의 반응양식으로서의 생활문화: 천황의 '御眞影'에서 대청마루 초상사진으로	발표 김정하(한국해양대)
	16:30~17:40	토론 임경택(전북대) 조형근(한림대) 정수진(동국대)	
	⟨2월 3일⟩		
	제4세션	**근대화와 민속의 변용**	사회 박환영(중앙대)
	09:30~09:55	근대 신분제 해체와 마을공동체 민속의 단절 또는 변화: 경북지역 반촌의 경우에 대한 문제제기와 시론	발표 배영동(안동대)
	09:55~10:20	식민지기 근대 도시의 성장과 '장의사'의 보급	발표 정유리(도쿄대)
	10:20~11:10	토론 김성복(충남대) 이용범(안동대) 김재호(안동대)	
	제5세션	**근대화와 정체성 문제**	사회 홍태한(전북대)
	11:20~11:45	한국 마을공동체의 친족적 상상과 경계/매개로서의 '근대적 향촌중인'	발표 안승택(경북대)
	11:45~12:10	도시 이주와 정착, 여성 노동자의 정체성 구성 연구: 광주지역 방직공장 여성노동자를 대상으로	발표 한정훈(국민대)
	12:10~13:00	토론 이진교(안동대) 이은아(이화여대) 오창현(국립민속박물관)	
2019.4. 13 도쿄 재일본	**재일코리안 문학연구 심포지엄** 개회사 김사인(한국문학번역원장)		

<table>
<tr><th>일시/장소</th><th>내 용</th></tr>
<tr><td>한국YMCA</td><td>제1부 재일코리안 문학연구의 과거와 현재
좌장 호테이 도시히로(布袋敏博 · 와세다대)
호테이 도시히로(와세다대) 일본에서의 조선한국문학연구 및 재일조선인 문학연구의 현황 성과와 과제
송혜원(오사카경제법과대) '재일조선인 문학'과 탈식민지화, 남북분단, 바이링규얼리즘
조수일(도쿄대) 재일조선인 문학의 '독자' - 김석범 문학을 중심으로
다카하시 아즈사(도쿄외국어대) 1945년 이전의 '재일조선인 문학' - 〈文藝首都〉에서의 조선인작가의 창작을 중심으로
제2부 재일코리안의 창작활동과 문학현장 좌장 권성우(숙명여대)
권성우(숙명여대) 내가 만난 재일코리안 문학, 그 매력과 귀중한 자극
이승진(건국대) 현대 일본의 대중문화와 재일문학 - 2000년도 이후의 소비양상의 변화에 주목해서
권정선(동국대), 신승모(경성대) 재일 잡지에 나타난 재일코리안의 자기 서사
종합토론 질의응답
좌장 권성우(숙명여대)</td></tr>
<tr><td>2019.6.7~8
동국대</td><td>동국대학교 일본학연구소 40주년 기념 학술 심포지움
주제 세계평화와 남북통일 - 재일코리안의 역할
심포지엄 I (6월 7일) 세계평화와 남북통일
개회사 김환기(동국대 일본학연구소장)
축사 왕청일(왕이호일본학연구재단 이사장) 윤성이(동국대 총장) 공로명(전 외무부 장관), 강창일(한일의원연맹 회장)
초청 강연 한창우(마루한그룹 회장) 눈은 세계로, 가슴은 조국으로
발표
오구라 기조(교토대) 재일코리안의 철학
이시다 조(왕예제미술관 부관장) 신앙심과 환심 - 재일 지구인으로서
윤건차(가나가와대) 한반도의 평화통일과 재일코리안의 역할
가미가이토 겐이치(오즈미여자대) '재일'기업의 세계성 - 재일기업가는 세계평화에 기여할 수 있는가?
김시종(시인) 시에 대해 생각한다, 사유한다 - 나의 일본어와 시

심포지엄 II (6월 8일)
1부 재일코리안의 정치 · 경제의 현황과 미래 사회 이진원(서울시립대)
발표
허광무(일제강제동원평화연구회) 전전 재일 한인의 경제적 지위와 노동시장
이승진(건국대) 재일조선인운동의 발아와 전개 - 1950년대까지를 중심으로
김웅기(홍익대) 고베 나카타 지역 케미컬슈즈산업의 발전과정과 재일 코리안의 역할
이승희(동덕여대) 일본의 우경화와 재일코리안 문제
조경희(성공회대) 이동과 장소에 대한 권리 - 한국거주 재일조선인을 중심으로
이지영(동국대) 글로컬화와 재일코리안에 관한 시론
토론 김학동(동국대) 박미아(청암대)
2부 재일코리안문화의 변용과 지식인계층의 역할 사회 박광현(동국대)
발표</td></tr>
</table>

일시/장소	내 용
	김인덕(청암대) **재일조선인 역사 서술의 3 · 1운동에 대한 기억 – 林光澈의 역사인식을 위해** 박정이(부산외국어대) **'재일문학' 작품의 선택과 배제 – 일본고등학교 국어교과서를 중심으로** 윤송아(동덕여대) **재일조선인 문학에 나타난 민족교육자의 형상과 실제 – 재일조선인 지식인의 역할과 민족교육의 상관성** 이영호(동국대) **분열되는 재일조선인 사회와 민족교육 – '계간 마당'의 기사를 중심으로** 신승모(경성대) **영화 '우리학교'에 나타난 조선학교 학생들의 일상과 언어** 이한정(상명대) **재일코리안의 자서전과 조국** 토론 곽형덕(명지대) 양명심(건국대)
	3부 재일코리안의 예술활동과 문화적 위상 사회 정수완(동국대) 발표 황익구(청암대) **해방 직후 재일조선인의 음악활동과 조련문화** 주혜정(청암대) **재일코리안의 영화와 감독들** 나리카와 아야(동국대) **1975년 이전 재일코리안 영화인의 활동 – 조청련계 영화인 단체를 중심으로** 이대범(동국대) **한국영화 속 재일조선인 표상연구를 위한 서설** 한정선(동국대) **전후 일본미술계와 재일조선인 화가들** 토론 유임하(한국체육대) 이한정(상명대)
2019.11.3. 동국대	주제 **3 · 1독립운동, 5 · 4운동 100년** 개회사 김환기(동국대 일본학연구소장) 발표 우라타 요시카즈(구루메대) **일본 근대 · 현대문학에 표상된 이슬람 – 오리엔탈리즘과 아시아주의** 이영호(동국대) **재일조선인에게 주입된 아이덴티티와 민족교육 – 崔実의 '지니의 퍼즐'을 중심으로,** 최고은(도쿄대 대학원생) **마쓰모토 세이초(松本清張) '통감(統監)'론 – 조선과의 관계에서 본 근대 일본과 전후 일본** 미야자와 쓰요시(재일문학연구가) **시와 내셔널 아이덴티티 – 김시종의 제주도 4 · 3사건을 둘러싼 시적 표현** 하타 시게오(오사카부립 사쿠라즈카고교) **나카니시 이노스케(中西伊之助)와 3 · 1독립운동** **심포지엄 '3 · 1독립운동, 5 · 4운동'** 사회 시노자키 미오코, 조수일 기조강연 김환기(동국대 일본학연구소장) **코리안 · 디아스포라 문학의 경계의식과 트랜스네이션** 발표 스 샤오웨이(上海杉達大) **5 · 4운동과 湖南人** 가메다 히로시(金子文子연구가) **3 · 1운동과 가네코 후미코(金子文子)의 반역적 기분** 코디네이터 다케우치 에미코(메이지대) 폐회인사 고모리 요이치(일본사회문학회 대표이사)

임광철(林光澈)

1920년 평북 정주에서 태어나 와세다대 사학과를 졸업한 재일 교육자이자 역사학자. 한 시기 일본 내 조선인 사회와 재일본조선인연맹(조련)을 대표한 인물이다.《이조봉건사회사연구》《조선역사교재초안(상)(중)(하)》등 역사일반과 재일조선인(운동)사, 민족교육 분야에서 여러 권의 저서와 논문을 남겼다. 조선역사연구소 대표, 도쿄조선중고급학교 교장 등을 지내고 1955년 8·15해방 10주년을 경축하는 재일동포 조국방문단원으로 북한을 방문했다. 1959년에도 북한을 방문했다가 반김일성운동으로 숙청을 당해 옥사한 것으로 알려졌다. (김인덕 교수 논문에서)

최실의《지니의 퍼즐》

최실(崔実)은 1985년생 재일교포 3세로 도쿄에 살고 있다.《지니의 퍼즐》은 2016년 제59회 군조신인문학상, 제33회 오다사쿠노스케상, 제67회 예술선장(選奨) 신인상을 수상했고, 아쿠타가와상 최종 후보에도 올랐다. 일본에서 조선학교를 다닌 작가가 자신의 "경험을 바탕으로 쓴 픽션"으로, 재일 한인 소녀가 차별과 폭력이 난무하는 사회에서 자신이 있어야 할 곳을 찾으려는 분투와 갈등을 그렸다. 샐린저의《호밀밭의 파수꾼》을 연상시킨다는 호평을 받았다. (인터넷 교보문고)

초청강연

회수	일 시	강의 주제	연 사
1	2017.9.12	〈화산도〉의 저자 김석범과 문학	김석범
2	2018.5.29	자이니치 2세의 삶을 통하여 보이는 것들	김종태
3	2018.6.14	하라 가즈오(原一男) 감독 초청 강연, '센난 석면 피해 배상 소송' 상영회	하라 가즈오
4	2018.8.27	디아스포라로서의 재일동포	왕청일(왕이호일본학재단 이사장)
5	2018.10.23	계간 〈삼천리〉에서 만난 재일코리안 작가들	고이삼(新幹社 대표)
6	2019.2.19	재일코리안의 연극활동과 민족교육	김철의
7	2019.3.21	재일코리안으로서 한국영화계에서 활동한다는 것	김인우
8	2019.5.3	월드 옥타 - 세계를 누비는 한인무역인	주대석 월드옥타 부회장
9	2019.9.19	차별과 빈곤에 굴하지 않고 길을 열어온 '재일동포의 역사와 기업가정신'	김명홍(주식회사 세이가쿠샤 회장)
10	2020.6.18	조선통신사와 디아스포라	서인범(동국대 문화학술원장)
11	2020.6.25	한일관계 어떻게 풀어갈 것인가	강창일(동국대 일본학과 석좌교수)
12	2020.11.26	니가타(新潟)에서 본 재일코리안	정미애(전 니가타 총영사)
13	2021.2.1	일본에서의 코리안댄스 이미지와 재일코리안	이리카(李理花 · 주오대)

월드 옥타(World-OKTA)
세계한인무역협회(World Federation of Overseas Korean Traders Associations)를 말한다. 1981년에 설립한 재외동포 경제인단체로 모국의 경제발전과 수출촉진을 위해 활동하고 있다. 750만 재외동포를 묶는 최대의 한민족 해외경제네트워크로, 세계 68개국 143개 지회에 7천여 명의 재외동포 CEO들과 차세대 경제인 2만1천여 명이 가입해 있다. (월드옥타 홈페이지)

콜로키움

회수	일 시	주 제	연 사
1	2017.11.1	두 개의 이름 - 헤이트스피치가 계속되는 국가에서	니시지마 신지(西嶋眞司) 감독
2	2017.11.29	조선학교, 우리 학교	김명준 감독(몽당연필 사무국장)
3	2017.12.8	중점연구사업팀 운영의 경험과 노하우	서정완 한림대 일본학연구소장
4	2018.4.19	고베 학생청년센터와 무궁회, 그리고 나	히다 유이치(飛田雄一)
5	2018.6.15	GHQ 점령기 재일조선인에 대한 일본의 치안정책	발표 이승희(동덕여대) 토론 오현석(서울신학대)
		재일동포의 민족정체성 변화고찰 - 2000년, 2015년 오사카시를 중심으로	발표 황혜경(강남대) 토론 이지형(아주대)

6	2018.11.19	독일 한인사회와 문학, 그리고 통일	쾨펠 연숙
7	2018.11.30	브라질 한일문학 어디쯤 와 있나?	안경자(브라질 한인문학가)
8	2019.2.25	한국경제에 이바지한 재일 경제인	홍성곤
9	2019.4.16	파라과이 랩소디-지구 끝에서 던지는 이야기	명세봉
10	2020.1.30	법정립적 폭력에서 본 1949년 시모노세키 사건	정우종(오타니대)
11	2020.2.14	〈민중시보〉의 의료광고를 통한 1930년대 중반 재일조선인의 일상	김인덕(청암대 재일코리안연구소)
12	2020.6.2	포스트 재일영화를 생각하다	오가와 쇼타(小川翔太 · 나고야대)
13	2020.12.17	한국 젊은층의 일본관 변화와 문화적 요인 분석 -'상호 혐오의 악순환'을 넘어	오승희(동아시아연구원) 토론 김지영(한양대)
14	2021.1.6	'내선결혼(內鮮結婚)'을 통해 본 '조선적(朝鮮籍)'의 기원과 특징	이정선(조선대 역사문화학과)

시민인문강좌: We Are Here, 다문화공생사회와 재일코리안의 목소리

강좌	일 시	주 제	연 사
1강	2019.10.30	재일코리안 여성과 일본에서의 일본군'위안부' 해결 운동	윤명숙(한국여성인권진흥원 일본군'위안부'문제연구소장 직무대리, 조사팀장)
2강	2019.11.20	영상으로 보는 재일코리안 민족교육	이지영(동국대 일본학연구소 전문연구원)
3강	2019.12.18	일본경제의 혁신을 주도하는 재일코리안	박성빈(아주대 행정학과 교수, 일본정책연구센터장)
4강	2020.4.22	어렸을 때 일본에 간 재일교포 이야기	장양광(가톨릭대 일어 일본문화전공 초빙교수)
5강	2020.5.27	재일코리안으로서의 모국, 나의 춤	김리혜(무용가)
6강	2020.6.16	영화 '박치기'와 재일코리안 음악	유영민(동국대 일본학연구소 전문연구원)

기타 활동

☑ 동국대 일본학연구소 · 요코하마시립대 학생교류 프로그램: 한일 다문화공생 사회의 상호이해와 실천(2019.9.16., 동국대)

☑ 재일코리안 영화제 - 일본 영화 속 재일코리안을 다시 본다(2019.11.8~9), 상영목록 〈교사형(絞死刑)〉(오시마 나기사, 1968), 〈돌아온 주정뱅이〉(오시마 나기사, 1968), 〈박치기!〉(이즈쓰 가즈유키, 2004), 〈달은 어디에 떠 있는가〉(최양일, 1993), 부대행사 오시마 나기사와 한국/일본 (오가와 쇼타, 채경훈), 재일코리안의 삶 그리고 영화 (조경희, 이봉우)

☑ 이어령 전 문화부장관, 김환기 동국대 일본학연구소장 대담, 한중일의 미래: 재일코리안의 역할(2020년 8월 13일, 서울 평창동 영인문학관 이어령 씨 서재)

연구총서

발행일	도서명	저 자
2001.8.30	일본의 갈 길을 생각한다	공로명 편
2001.12.31	재일 한국인문학	홍기삼, 김원우, 이한창, 윤상인, 추석민
2003.5.15	일본 문화의 뿌리를 찾아서	홍윤식
2004.6.20	일본 문학에 나타난 한국 및 한국인상	김태준
2005.9.15	한국과 일본의 상생 문화	동국대학교 일본학연구소
2013.12.31	제국과 식민지의 주변인 - 재조일본인의 역사적 전개	이형식 편
2018.4	재일 디아스포라 문학선집 전 5권(시, 소설1, 소설2, 평론, 연구)	재일디아스포라문학의 글로컬리즘과 문화정치학 연구팀 편역

번역총서

발행일	도서명	저 자
2014.12.31	후쿠자와 유키치의 젠더론 - 후쿠자와 선생, 남녀의 풍속을 논하다	표세만, 권희주, 송민호, 안용희, 윤상현, 이승진, 이형진, 최범순 옮김
2015.10	〈화산도〉 재일조선인작가 김석범 대하소설(전12권)	
2016.3.31	'재일'이라는 근거	다케다 세이지 지음, 재일조선인문화연구회 옮김
2017.4.27	1945년 여름 - 김석범 장편소설	김석범 지음, 김계자 옮김
2017.4.28	전야(前夜)	황영치 지음, 한정선 옮김
2017.10.25	고종의 자객	아오야기 미도리 지음, 윤상현 옮김

2018.5	축구와 내셔널리즘	세이 요시아키 지음, 신승모 옮김
2018.6	지평선-김시종 시집	곽형덕 옮김
2020.6.17	재일조선인에 관한 종합조사 연구	박재일 지음, 이지영, 박양신 옮김
2020.6	《달은 어디에 떠 있는가》를 둘러싼 두세 가지 이야기	이봉우 편저, 정수완, 채경훈 옮김
2020.6	13인의 재일 한인 이야기(역도산, 다치하라 마사아키, 장훈, 한창우, 진창현, 조니 오쿠라, 마쓰다 유사쿠, 정대세, 서승, 이희건, 김희로, 마치이 히사유키, 정의신)	다카쓰기 야스시 지음, 한정선 옮김

13인의 재일 한인
재일 한인 13인 중 역도산(레슬링), 장훈(야구), 한창우(파친코), 정대세(축구), 서승(재일동포 유학생 간첩사건), 이희건(신한은행 창업자), 김희로(인질사건), 정의신(극자가 겸 연출가) 씨 등은 알만한 사람들이다. 다치하라 마사아키(김윤규)는 기성작가에게 주는 일본 최고 권위의 나오키상을 수상한 소설가, 진창현은 세계적인 바이올린 제작 명장, 조니 오쿠라(박운환)와 마쓰다 유사쿠(김우작)는 둘 다 유명 가수 겸 배우, 마치이 히사유키(정건영)는 야쿠자 출신 사업가이다.

동국대 일본학연구소는 초대 정재각 소장에 이어, 김사엽, 신근재, 신용태, 공로명, 홍윤식, 남근우 소장이 맡아왔으며, 2012년부터 김환기 소장이 연구소를 이끌고 있다.

이 연구소의 조직은 다음과 같다.

직 책	이름 및 소속
연구소장	**김환기**(일어일문학과)
운영위원	**강석우**(가톨릭대), **서인범**(동국대), **유임하**(한국체대), **이경철**(동국대)
연구위원	**김양수**(동국대), **방광현**(동국대), **이한정**(상명대), **정병호**(고려대)
전임연구원	**조수일**(일본학연구소)
학술연구교수	**최연주**(일본학연구소)
전문연구원	**김학동**, **이영호**, **유영민**(이상 일본학연구소)

동국대 일본학연구소는 (04620) 서울특별시 중구 필동로 1길 30 동국대 내에 있다.

전화 (02) 2260-3512, **팩스** (02) 2273-6631, **이메일** labjapanstudies@naver.com,

홈페이지 https://js.dongguk.edu

KOREA-JAPAN

14. 동서대학교 일본연구센터

동서대 일본연구센터는 2003년 9월에 설립했다. 부산에 거점을 둔 연구센터로서 한일관계 연구와 교류 활동에 적극적으로 참여하고 있다. 지방에 있는 대학 중에는 유일하게 서울에도 사무실을 두고(2009년 5월 개소, 서울 종로구 새문안로의 오피시아빌딩 23층) 수도권과 부산을 연결해 입체적인 활동을 벌이고 있다.

동서대 일본연구센터가 가장 힘을 쏟고 있는 사업은 한일차세대학술포럼(대표 장제국 동서대 총장)이고, 적극 지원하고 있는 사업은 부산-후쿠오카포럼이다. 두 포럼에 대해서는 포럼을 다룬 앞 장에서 언급했으므로, 여기서는 서울사무소가 운영하는 '한일 지식인 세미나-동서사랑방'을 소개한다.

'동서사랑방'은 2009년 6월에 시작했다. 이 모임은 한두 달에 한 번꼴로 동서대 일본연구센터 서울사무소에서 연다. 시사적인 테마를 놓고 그에 정통한 전문가를 초빙해 보통 오후 4시 30분부터 한 시간 정도 강의를 하고, 한 시간은 토론을 벌인다. 강의와 토론은 일본어로 하며 강사가 일본어를 못할 경우에는 통역을 준비한다. 서울에서 일본에 관한 시사적인 테마를 놓고 이렇게 자주 토론을 벌이는 모임은 '동서사랑방' 외에는 없다.

동서사랑방에는 보통 20~30명 정도가 모인다. 학자, 전·현직 언론인, 전직 외교관, 주한 일본대사관 관계자가 많다. 일본 매스컴의 서울특파원들도 꾸준히 온다. 일본특파원들은 청중으로 올 때가 많지만 가끔 강사로서 발표도 한다.

동서사랑방 강연자와 주제 리스트

회차	날 짜	강연자	강연 테마
1	2009년 6월	배인준 동아일보 주필	한국 정치 현황과 한일관계
2	2009년 7월	오코노기 마사오(小此木政夫) 게이오대 교수	일본의 최근 사정과 한일관계 전망
3	2009년 8월	오구라 기조(小倉紀藏) 교토대 교수	한류와 일류의 최근 사정
4	2009년 9월	(참석자 라운드 테이블)	한일관계 현황
5	2009년 12월	공로명 동서대 석좌교수	한일관계 회고와 전망 2009-2010

회차	날 짜	강연자	강연 테마
6	2010년 2월	①장훈 중앙대 교수 ②하코다 데쓰야(箱田哲也) 아사히신문 서울지국장 ③박정호 한일의원연맹 사무총장	2010년 한국정치, 일본정치, 한일관계 전망
7	2010년 3월	이와쿠니 데츤도(岩國哲人) 전 일본 중의원 의원	전 이즈모시(出雲市) 시장이 보는 세종시문제
8	2010년 4월	와카미야 요시부미(若宮啓文) 전 아사히신문 주필	최근의 일본 정치 정세와 하토야마 정권의 향방
9	2010년 7월	오코노기 마사오(小此木政夫) 게이오대 교수	국제정치로 본 천안함 침몰사건
10	2010년 8월	공로명 동서대 석좌교수	일본의 한국 강제병합 100년을 넘어서-간 나오토 일본총리의 사죄담화를 어떻게 볼 것인가
11	2010년 12월	오코노기 마사오(小此木政夫) 게이오대 교수	연평도 포격사건과 분단체제의 현상
12	2011년 1월	다카하시 레이이치로(高橋礼一郎) 일본대사관 총괄공사	한일외교현장 3년의 회고와 전망-새로운 100년을 향한 한일관계
13	2011년 3월	신각수 전 외교통상부 차관	최근 동북아정세와 한일관계의 바람직한 발전방향
14	2011년 6월	고바야시 요시아키(小林良彰) 게이오대 교수	일본 대지진과 혼미 속의 일본 정치
15	2011년 7월	와카미야 요시부미(若宮啓文) 전 아사히신문 주필	동일본 대지진 복구과정에 있어서의 일본정치 사회적 변화와 일본의 진로
16	2011년 8월	스즈키 히로시(鈴木浩) 일본대사관 공보문화원장	한일 교류 현황과 전망
17	2011년 10월	미즈코시 히데아키(水越英明) 일본대사관 정치부장	3년간 체재했던 한국을 회고하며
18	2011년 11월	다케사다 히데시(武貞秀士) 연세대 국제대학 교수	중국이 바꾼 한반도 전략환경
19	2011년 12월	윤덕민 외교안보연구원 교수	북한 김정일 위원장의 사망과 남북한 관계 전망
20	2012년 1월	미치가미 히사시(道上尙史) 일본대사관 공보문화원장	일중 국교정상화 40년의 변화와 전망-한일은 중국을 어떻게 대해야 하는가
21	2012년 2월	조세영 외교통상부 동북아국장	한중 국교정상화 20년-앞으로의 한중관계 전망과 한일의 대응

연평도 포격 사건

2010년 11월 23일 오후 2시 30분경, 북한이 선전포고 없이 인천광역시 옹진군 연평면의 대연평도를 포격하자 대한민국 해병대가 북한 영토를 향해 대응사격을 한 사건이다. 이 사건으로 해병대원 전사자 2명, 군인 부상자 16명, 민간인 사망자 2명, 민간인 부상자 3명 등 19명의 사상자가 나왔다. 휴전 협정 이후 북한군이 대한민국의 영토를 직접 타격해서 민간인이 사망한 최초의 사건이자, 천안함 피격 사건에 이어 8개월 만에 벌어진 사건이다. 한국과 국제 사회는 북한을 규탄했으나 북한은 정당한 군사적 대응이었으며 책임은 전적으로 대한민국에게 있다고 주장했다. 2021년 3월 31일, 국방부는 해병대와 전사자 유족의 요구를 받아들여 이 사건의 공식 명칭을 '연평도 포격 도발'에서 '연평도 포격전'으로 변경했다. (위키백과)

회차	날 짜	강연자	강연 테마
22	2012년 3월	다케사다 히데시(武貞秀士) 연세대 국제대학 교수	북한 '미사일'의 실체와 배경, 그리고 한미일중 등 관계국의 대응
23	2012년 4월	김형준 명지대 교수	4·11총선 결과 분석과 12월 대통령 선거를 앞둔 정국 전망
24	2012년 5월	와카미야 요시부미(若宮啓文) 전 아사히신문 주필	일본 정국의 긴박한 움직임과 노다 요시히코 정권의 중의원 해산 전망
25	2012년 6월	무토 마사토시(武藤正敏) 전 주한 일본대사	한일 국교정상화 반세기를 돌아보며 - 한일 관계의 과거, 현재, 미래
26	2012년 7월	윤덕민 국립외교원 교수	'한일군사정보보호협정(GSOMIA)'으로 본 한일 안보협력 문제의 현황과 전망
27	2012년 8월	이원덕 국민대 일본학연구소장	한일간 현안에 대한 특별강연
28	2012년 9월	우치야마 기요유키(內山清 行) 니혼게이자이신문 서울지국장	일본 자민당 총재선거와 민주당 대표선거 등 일본의 최근 정국에 대하여
29	2012년 10월	구로다 가쓰히로(黑田勝弘) 산케이신문 서울주재 특임기자	노벨상의 산실 - 교토대의 비밀
30	2012년 11월	장세정 중앙일보 외교안보팀장	시진핑 체제의 성격과 중국의 대외전략
31	2012년 12월	후나코시 다케히로(船越健裕) 일본대사관 정치부장	2013년 한일관계 전망
32	2013년 1월	박철희 서울대일본연구소장	한일 새정권 출범과 갈등관리 프로세스
33	2013년 2월	진창수 세종연구소 일본연구센터장	박근혜 신정권의 대외정책과 한일관계
34	2013년 3월	하코다 데쓰야(箱田哲也) 아사히신문 서울지국장	일본특파원이 본 한일관계 10년의 명암
35	2013년 4월	표우젠이(朴鍵一) 중국사회과학원 아태·글로벌전략연구원 수석연구원	시진핑체제와 중국의 동아시아전략
36	2013년 5월	박준우 전 EU대사	한미정상회담과 앞으로의 대일, 대중 정책 방향
37	2013년 6월	하종대 동아일보 국제부 차장·전 베이징 특파원	중미 신형대국관계와 한반도
38	2013년 7월	우치야마 기요유키(內山清行) 니혼게이자이신문 서울지국장	참의원 선거 이후의 일본 정국 동향
39	2013년 9월	최봉태 대한변협 일제피해자 인권특위 위원장	미쓰비시중공업 한국인 노동자 소송의 경위와 전망 - 소송결과가 한일관계에 미치는 영향

회차	날 짜	강연자	강연 테마
40	2013년 10월	미치가미 히사시(道上尙史) 일본대사관 공보문화원장	한일중 상호이해의 과제-선입견의 벽을 어떻게 넘을까, 문화교류가 할 수 있는 것과 없는 것
41	2013년 11월	조세영 동서대 특임교수	일본의 집단적 자위권 문제와 한일 안보협력
42	2014년 2월	와카미야 요시부미(若宮啓文) 전 아사히신문 주필	도쿄도지사 선거 결과와 아베 정권 발족 2년째의 일본 정치
43	2014년 3월	박철희 서울대일본연구소장	한일 국가 정체성의 충돌, 해법은 있는가
44	2014년 4월	오코노기 마사오(小此木政夫) 게이오대 교수	역사마찰 속의 한일관계-4개의 시나리오
45	2014년 5월	①가노 다케히로(加納雄大) 일본외무성 안전보장정책과장	일본의 안전보장정책에 대하여
		②미치시타 나루시게(道下德重) 일본 정책연구대학원대학 안전보장국제문제 프로그램 디렉터	동아시아의 안전보장환경에 대하여
46	2014년 6월	벳쇼 고로(別所浩郞) 주한 일본대사	한일관계를 생각한다
47	2014년 7월	이즈미 하지메(伊豆見元) 시즈오카현립대 교수	최근의 일북관계
48	2014년 8월	윤덕민 국립외교원장	광복 60년을 넘어 새로운 한일관계를 전개해야
49	2014년 9월	정재정 서울시립대 교수	현대의 한일관계를 어떻게 볼 것인가-역사로부터 화해와 공영의 지혜를 배운다
50	2014년 10월	오코노기 마사오(小此木政夫) 게이오대 교수	최근의 북한사정과 일북한 교섭의 행방
51	2014년 11월	김경일 중국 베이징대 교수	북한의 변화와 북중 관계
52	2014년 12월	와카미야 요시부미(若宮啓文) 전 아사히신문 주필	일본의 총선거 결과와 한일관계 전망
53	2015년 2월	윤덕민 국립외교원장	박근혜 정권 3년째의 외교과제와 한일관계 전망
54	2015년 3월	이원덕 국민대 일본학연구소장	광복 70년, 국교정상화 50년의 한일관계-현주소와 장래
55	2015년 4월	가나스기 겐지(金杉憲治) 일본대사관 총괄공사	역사로서의 안전보장법제
56	2015년 5월	공로명 동서대 석좌교수	동아시아 현대사에서의 한일관계, 그 역사적 의의와 장래

일본의 집단적 자위권

'집단적 자위권'이란 동맹국이 침략을 받을 경우 이를 자국에 대한 공력으로 간주해 무력으로 개입할 수 있는 국제법적 권리를 말한다. 모든 나라가 갖는 권리이다. 그러나 일본 정부 1968년 헌법해석을 통해 "국제법상 집단적 자위권을 보유하지만 현행 헌법 제9조(전쟁의 포기, 군비 및 교전권의 부인)에 따라 헌법을 개정하지 않는 한 방위만 할 수 있다"는 전수방위(專守防衛) 입장을 취해 왔다. 그러던 일본이 2014년 7월 1일 헌법을 개정하지 않고 각의 결정을 통해 '무력행사의 새로운 3대 원칙'을 발표하며 집단적 자위권을 인정했다. 새로운 3대 원칙이란, 첫째 일본, 또는 일본과 밀접한 관계에 있는 나라에 대한 무력공격이 일본에게도 명백한 위험인 경우, 둘째 다른 적절한 수단이 없을 경우, 셋째 필요 최소한도로 무력행사를 하겠다는 것이다. 그러나 이 기준이 매우 자의적이어서 혹시 일본이 한반도 유사시에도 개입할 수 있을지 모른다는 우려를 낳았다. 이에 대해 일본은 한국의 허락 없이는 불가능하다는 입장을 밝히고 있다. (시사상식사전 등)

회차	날 짜	강연자	강연 테마
			①해방 70년, 국교정상화 50년, 한일관계의 현상과 전망
57	2015년 6월	벳쇼 고로(別所浩郎) 주한 일본대사	동아시아 현대사에서의 한일관계, 그 역사적 의의와 장래 ②함께 열어가는 한일의 미래
58	2015년 7월	최서면 국제한국연구원장	동아시아 현대사에서의 한일관계, 그 역사적 의의와 장래 ③역사의 굴곡을 넘어서 새 한일관계 구축을
59	2015년 8월	①와카미야 요시부미(若宮啓文) 전 아사히신문 주필 ②심규선 동아일보 대기자 ③이와타니 시게오(岩谷滋雄) 한중일 3국협력사무국 사무국장	아베 신조 총리의 '전후 70년 담화' 내용분석과 각국의 반응
60	2015년 9월	후카가와 유키코(深川由起子) 와세다대 교수	아베노믹스의 최근 사정과 일본 경제
61	2015년 10월	①다케사다 히데시(武貞秀士) 다큐쇼쿠대 대학원 특임교수 ②송화섭 한국국방연구원 책임연구위원	일본의 새로운 안보법과 동아시아
62	2015년 11월	다카스기 노부야(高杉暢也) 전 한국후지제록스 대표	외국인 CEO가 보는 한국경제 – 과거, 현재, 미래
63	2015년 12월	오코노기 마사오(小此木政夫) 게이오대 명예교수	움직이기 시작한 한일관계 수복 – 앞으로의 과제는?
64	2016년 1월	**라운드 테이블** 토론자 ①이원덕 국민대 일본학연구소장 ②와카미야 요시부미(若宮啓文) 전 아사히신문 주필 특별초청 이상덕 외교부 동북아국장	위안부 문제에 대한 한일외교장관 합의의 의미와 2016년의 한일관계 전망
65	2016년 2월	박철희 서울대 일본연구소장	박근혜 정권 4년 차, 위안부 합의와 북핵 이후의 외교 안보 과제
66	2016년 3월	유흥수 주일대사	2016년 한일 새시대를 향한 바람직한 한일 관계
67	2016년 4월	①우스키 게이코(臼杵敬子)	위안부문제와 한일관계

회차	날 짜	강연자	강연 테마
		NPO법인 'C2SEA朋' 대표 ②기시 도시미쓰(岸俊光) 마이니치신문 논설위원	
68	2016년 5월	스즈키 히데오(鈴木秀生) 일본대사관 총괄공사	글로벌차원의 한일관계 전망
69	2016년 6월	구보 후미아키(久保文明) 게이단렌 21세기정책연구소 교수	미국정치의 현황과 미일관계, 한미관계에 미치는 영향
70	2016년 8월	정병원 외교부 동북아국장	화해치유재단 설립의 의의와 향후 과제
71	2016년 9월	마크 내퍼(Marc E. Knapper) 주한 미국대사관 부대사	한미관계의 현재와 미래
72	2016년 10월	오코노기 마사오(小此木政夫) 게이오대 명예교수	대(對) 북한정책의 재검토 – 핵 · 미사일 실험에 대한 대응을 중심으로
73	2016년 11월	심규선 동아일보 대기자	격동의 한국 정치, 향후의 한일 관계
74	2016년 12월	아사바 유키(淺羽祐樹) 니가타현립대 교수	한일, '역사과잉의 시대'를 넘어서
75	2017년 2월	①이케하타 슈헤이(池畑修平) NHK서울지국장 ②요네무라 고이치(米村耕一) 마이니치신문 서울지국장	한일의 새로운 마찰, 현상과 해법은?
76	2017년 6월	윤덕민 전 국립외교원장	새 정부의 대외정책 방향
77	2017년 7월	스즈키 히데오(鈴木秀生) 일본대사관 총괄공사	외교일선에서 본 한일관계
78	2017년 9월	박창희 국방대 교수	북한 핵 억제전략과 한미일의 대응
79	2017년 10월	미네기시 히로시(峯岸博) 니혼케이자이신문 서울지국장	총선거 후의 일본정치 변화와 한일관계
80	2017년 11월	장제국 동서대 총장	조선통신사 유네스코 세계기록유산 한일 공동등재 경위와 한일관계
81	2018년 1월	오코노기 마사오(小此木政夫) 게이오대 명예교수	북한의 핵 · 미사일 문제 – 5가지 시나리오
82	2018년 2월	나가미네 야스마사(長嶺安政) 주한 일본대사	최근의 한일 관계
83	2018년 5월	다케사다 히데시(武貞秀士) 다쿠쇼쿠(拓植)대 대학원 특임교수	남북정상회담의 의미와 향후 전망 – 일본의 시각

화해치유재단

2015년 12월 28일 한일 위안부 합의에 따라 2016년 7월 28일 발족했다. 김태현 성신여대 명예교수를 위원장으로 하고 당연직인 외교부와 여성가족부 국장, 전직 외교관, 학자, 언론인, 변호사 등 11명의 이사로 출범했다. 일본 정부는 2016년 9월 1일 10억 엔을 송금했다. 재단은 이 돈으로 생존 위안부 47명 중 35명에게 1억 원씩을, 사망 위안부 199명의 유족 64명에게 2천만 원씩을 지급했다. 정부는 2017년 7월 31일 외교부 장관 직속으로 〈한일 일본군 위안부 피해자 문제 합의 검토 태스크 포스〉를 만들어 그해 12월 27일 12 · 28합의가 피해자중심주의를 지키지 않는 등의 문제가 있었다고 발표했다. 정부는 2018년 11월 21일 해산방침을 밝혔고, 2019년 1월 21일 재단설립 허가를 취소했다.

회차	날 짜	강연자	강연 테마
84	2018년 9월	정재정 서울시립대 명예교수	동북아철도 공동체 - 역사와 현실
85	2018년 11월	최봉태 변호사	강제징용 피해자 소송, 대법원 판결의 의미와 한일 관계
86	2019년 1월	①오코노기 마사오(小此木政夫) 게이오대 명예교수 ②이즈미 하지메(伊豆見元) 도쿄국제대 교수 ③니시노 준야(西野純也) 게이오대 교수	2019년 한반도 정세 - 미북협상과 한일관계의 전망
87	2019년 2월	고바야시 요시아키(小林良彰) 게이오대 교수	2019년 일본의 정치·경제 - 지방선거와 참의원선거 전망
88	2019년 5월	나리카와 아야(成川彩) 전 아사히신문 문화담당 기자	제3차 한류붐의 현황과 전망
89	2019년 6월	미즈시마 고이치(水嶋光一) 일본대사관 특명전권공사	한반도정세와 한일관계 - 고찰과 전망
90	2019년 8월	①오코노기 마사오(小此木政夫) 게이오대 명예교수 ②박철희 서울대 국제대학원 교수 ③이즈미 하지메(伊豆見元) 도쿄국제대 교수 ④이원덕 국민대 교수 ⑤니시노 준야(西野純也) 게이오대 교수	(1) 남북·미북 정상회담 재개 전망과 북한 핵문제의 향방 (2) 한일 무역마찰 및 징용자문제 해법과 한일관계 전망
91	2019년 10월	나가미네 야스마사(長嶺安政) 주한 일본대사	최근의 한일관계(이임 인사를 겸해)
92	2020년 11월	오코노기 마사오 게이오대 명예교수	기로엔 선 한일 관계
93	2020년 12월	윤덕민 전 국립외교원장	미국 새 정권의 동아시아정책과 한·중·일
94	2021년 3월	사와다 가쓰미(澤田克己) 마이니치신문 논설위원·전 서울지국장	2021 도쿄올림픽과 일한관계
95	2021년 4월	서영아 동아일보 콘텐츠기획본부 기자(국장급) 하코다 데쓰야(箱田哲也) 아사히신문 논설위원	한일 선거정국과 한일관계 회복 전망 - 한국의 서울·부산시장 선거 여당 참패와 2022년 대선 전망 - 일본의 중의원 해산, 총선거 움직임과 '포스트 스가' 경쟁

회차	날 짜	강연자	강연 테마
96	2021년 5월	이원덕 국민대 교수 하코다 데쓰야 아사히신문 논설위원	문재인 정권 4년과 '코로나 출입국 봉쇄' 속의 한일관계 - 출구전략은?
97	2021년 8월	심규선 서울대 일본연구소 객원연구원 하코다 데쓰야 아사히신문 논설위원	김학순 씨 증언 30년: 위안부 소송의 변천과 한일관계

이 연구센터는 연구실(인문학연구실, 사회과학연구실, 초국경연구실, 종교사상연구실)과 행정실(부산사무소, 서울사무소, 자료정보실), 위원회(운영위원회, 자문위원회, 편집위원회)를 두고 있다. 소장은 이원범 동서대 아시아학과 교수가 맡고 있고, 윤은혜 교수와 오자사 가쓰유키 사무국장, 김아정 연구원과 행정직원, 조교 등이 센터를 돕고 있다. 정구종 전 소장은 고문으로 있으면서 '동서사랑방'을 총괄하고 있다.

동서대 일본연구센터의 본부는 (47011) 부산광역시 사상구 주례로 47 동서대학교 국제협력관 8층에 있다. 전화 (051) 320-1900~1, 팩스 (051) 320-1902.
서울사무소는 (03186) 서울특별시 종로구 새문안로 92 광화문오피시아 2331호에 있다.
전화 (02) 723-2270~1, 팩스 (02) 723-2272, 홈페이지 https://uni.dongseo.ac.kr/japancenter

15. 동의대학교 동아시아연구소

KOREA-JAPAN

동의대 동아시아연구소(DONG-EUI UNIVERSITY INSTITUTE FOR EAST ASIAN STUDIES)는 2015년 2월 1일에 설립했다. 동아시아 정치, 경제, 사회, 문화 각 분야의 연구를 통해 동아시아 관련 학문 분야의 발전에 기여하겠다는 설립 목적이다.

국제학술 심포지엄

개최일시	주 제
2014.12.4	근대번역과 동아시아
2015.5.8	근대번역과 동아시아
2015.9.5	동아시아의 일본어교육과 일본연구
2015.9.21	일본 근현대문학과 동아시아
2016.5.17	전후 70년, 한일수교 50년
2018.5.11	재일조선인과 마이너리티
2018.12.14	동아시아 마이너리티의 삶과 표상
2019.3.22	통아시아 마이너리티의 사회와 타자표상

송연옥

송연옥은 일본에서 위안부 문제를 연구한 1세대 학자이다. 1947년 오사카에서 태어난 재일조선인 2세. 민족 차별 때문에 재일조선인은 사회적으로 배제당하는 역사적 배경을 알고자 대학을 마치고 한국으로 유학을 왔다. 그러나 당시 한국의 정치적 계절은 겨울이어서 대학원 석사과정을 다 마치지 못한 채 일본으로 돌아왔다. 1992년부터 다시 한국을 오가게 됐고, 50세 때 도쿄의 아오야마가쿠인대의 교수가 됐다. 위안부 문제를 연구하게 된 것은 대학을 졸업하고 센다 카코(千田夏光)의 《종군위안부(従軍慰安婦)》(1973)를 읽은 것이 계기가 됐다고 한다. 주요 저서로 《군대와 성폭력》, 《동아시아 일본군 위안부 연구(공저)》, 《식민주의, 전쟁, 군'위안부'(공저)》 등이 있다. 지금은 아오야마가쿠인대 명예교수로 '문화센터 아리랑'의 관장을 맡고 있다. (일본군'위안부'문제연구소 웹진 〈결〉)

전문가초청 강연

일 시	연 사	주 제
2016.2.16	신경호 고쿠시칸대 교수	동아시아 국제관계의 재조명
2016.6.3	정병호 고려대 교수	근대 연애론의 탄생의 일본의 문명론
2017.4.6	이지형 숙명여대 교수	일본 한센병 문학과 동아시아의 마이너리티
2017.9.14	야마사키 히로키 일본국제교류기금 서울문화센터 소장	한일관계와 일본국제교류기금 사업
2017.11.7	권영하 경희대 교수	4차 산업혁명과 우리
2017.11.13	이시카와 다쿠미 릿쿄대 교수	개인의 죽음을 추모하는 방법 - 하세가와 시로(長谷川四郎)의 〈작은 예배당〉을 중심으로
2019.4.25	송연옥 문화센터 아리랑 관장	문화센터 아리랑 - 과거와 현재, 그리고 미래

한국연구재단 연구비 수주 연구 주제

☑ 동아시아 근대문학에 묘사된 근대 도시 문화의 교류와 변용(2013.9.1~2016.8.31)

☑ 전후 재일조선인 마이너리티 신문잡지 기사의 조사 수집 해제 및 DB구축(2016.9.1.~2019.8.31)

동아시아연구총서

권수	제 목	발행일
1	동아시아교류와 문화 변용	2013.2.28
2	근대 번역과 동아시아	2015.5.8
3	전후 70년, 한일수교 50년	2016.5.27
4	동아시아 종교와 마이너리티	2018.5.15
5	재일조선인 미디어와 전후 문화담론	2018.6.30
6	동아시아 마이너리티 사회와 타자 표상	2019.5.20

해제 및 색인집

권수	제 목	발행일
1	전후 재일조선인 마이너리티 미디어 해제 및 기사명 색인	2018.6.30
2	전후 재일조선인 마이너리티 미디어 해제 및 기사명 색인	2019.5.20

다음은 동의대 동아시아연구소에 대한 기사이다.

동의대(총장 한수환) 산학협력단(단장 이임건)은 최근 동아시아연구소(소장 이경규)가 교육부와 한국연구재단이 주관하는 '2020년 인문사회연구소 지원사업(순수학문연구형)'에 선정됐다고 밝혔다.

교육부는 인문사회연구소의 전문화, 특성화를 통한 대학의 연구거점 구축을 위해 올해 전국 대학에서 20개의 신규 과제를 선정하였으며, 부산에서는 동의대 동아시아연구소와 부경대 글로벌지역학연구소가 선정되었다.

동의대 동아시아연구소는 '해방이후 재일조선인 관련 외교문서의 수집 해제 및 DB구축'을 연구과제로 선정되었으며, 해방 이후부터 현재까지 일반 공개된 재일조선인 관련 외교문서를 수집, 분석하고 이를 데이터베이스화하는 연구를 진행한다. 사업기간은 올해 9월 1일부터 6년간이며 총사업비는 12억 원이다.

이번 연구사업에는 이경규 소장을 비롯하여 동의대 일본어학과 임상민 교수, 문헌정보학과 정영미 교수, 도쿄가쿠게이대학 이수경 교수 등 10명의 전문가들이 참여한다. (하략) (부산일보, 2020년 9월 1일 입력)

이 연구소의 조직은 다음과 같다.

직 책	이름 및 소속
연구소장	**이경규**(일본어학과)
연구위원(교내)	**이영희**(중국어학과), **임상민**(일본어학과), **김영찬**(중국어학과), **김형열**(사학과), **김일철**(광고홍보학과), **정영미**(문헌정보학과), **유형숙**(호텔컨벤션학과), **한기조**(무역학과)
연구위원(교외)	마키노 에이지(호세이대), 신경호(고쿠시칸대), 이수경(도쿄가쿠게이대), 소명선(제주대), 박희영(대진대), 엄기권(한남대)
전임연구원	**이행화**(동아시아연구소), **현영미**(동아시아연구소)

동의대 동아시아연구소는 (47340) 부산광역시 부산진구 엄광로 995(가야동 산 24번지) 제2인문관 205호에 있다.

전화 (051) 890-1264, 팩스 (051) 890-1262, 홈페이지 https://www.d-asia2000.com

16. 부산대학교 일본연구소

부산대 일본연구소는 1960년에 개소한 '한일문화연구소'에 뿌리를 두고 있다. 이후 1981년 일본문제연구소, 1993년 아시아문제연구소(일본문제연구소와 중소문제연구소 통합), 1997년 국제지역문제연구소(아시아문제연구소와 구미문제연구소 통합)를 거쳐 2000년 5월 16일 일본연구소로 재발족했다.

학술활동 (2008년 이후)

유형	일시	주제
일본정창원(正倉院)문서연구회	2007.9 ~2008.8	참가자 류민화, 박미현, 김문경, 마쓰오 요시키(松尾良樹), 구와바라 유코(桑原祐子), 구로다 요코(黒田洋子), 나카가와 유카리(中川ゆかり), 이노우에 요코(井上洋子), 대학원생 2, 3명 등 내용 **정창원 문서의 계(啓)와 서장(書狀) 등** 장소 일본나라여대 문학부 마쓰오 요시키 교수 연구실
초청강연회	2008.11.11	세마 마사유키(瀨間正之 · 조치대) **한자 한문의 전래 – 백제에서 倭로**
	2009.11.26	이정은(한국화 화가 · 경성대 한국학연구소) **18세기 한일회화, 그리고 자포니즘**
	2011.3.23	모리 히로미치(森博達 · 교토산업대) **봄은 여명 – 옛날 발음과 액센트로 고전을 읽다**
초청강연회	2011.3.28	구와바라 유코(桑原祐子 · 나라산업대) **고대언어로서의 정창원(正倉院)문서** 구로다 요코(黒田洋子 · 나라여대) **정창원문서의 가능성** 좌담회 **정창원문서를 통한 한국 고대 문자자료의 활용방안**
	2011.10.19	이이오 준(일본정책대학원대) **일본 재생의 전망과 과제**
	2011.11.2	긴스이 사토시(오사카대) **역할어 연구의 전개** 요다 메구미(오사카대) **서투른 일본어와 역할어**
	2011.12.2	이케다 게이코(간사이대) **인터액션과 제2언어 습득**
	2011.12.20	王維坤(중국 서북대) **중국 출토 문물을 통해 고대 동아시아의 교류**
	2012.11.2	이용현(국립춘천박물관 학예사) **한국 출토 자료의 변체한문(속한문)**
	2013.3. 21	요시노 슈지 **정관지진과 동일본대지진**

자포니즘(Japonism)

19세기 중반이후 20세기 초까지 서양 미술 전반에 나타난 일본 미술의 영향과 일본적인 취향이나 일본풍을 즐기고 선호하는 현상을 이르는 말이다. 특히 1862년 런던 만국박람회와 1867년 파리 만국박람회를 통해 일본의 도자기와 차(茶), 부채, 우키요에(浮世繪)판화 등이 유럽에 소개되면서 일본의 문화 및 예술에 대한 관심이 커졌다. 모네, 반 고흐, 보나르, 드가, 고갱, 쇠라, 로트레크, 휘슬러 등도 영향을 받았다. 프랑스의 미술비평가 필립 뷔르티가 1872년 '자포니즘'이라는 용어를 처음 썼다. (두산백과)

정창원(正倉院)

일본 나라(奈良)현 동대사(東大寺)에 있는 왕실의 유물 창고. 창건연대는 쇼무왕(聖武王)대인 덴뵤(天平)연간(729~749)으로 추정된다. 756년 쇼무왕이 죽자 그의 명복을 빌기 위해 왕비가 헌납한 칼·거울·무기·목칠공예품·악기 등 왕실 애장품, 나라시대부터 일본문화를 구체적으로 전하는 수많은 유품, 한국·중국·인도의 고대 유물 등 9천여 점을 소장하고 있어 일본이 세계 제일의 보고로 자랑하는 곳이다. 특히 가위·유리잔·칼·사리기(舍利器) 등 외형이나 새겨진 무늬만으로도 통일신라시대의 작품임을 알 수 있는 것들도 많다. (두산백과)

※ 백과사전을 인용하는 것이어서 '천황'을 '왕'으로 표기한 것을 그대로 두었다.

학술대회	2009.3.26	주제 **정창원(正倉院)문서의 문자와 문화** 마쓰오 요시키(나라여대) **정창원문서와 중국어** 구와바라 유코(나라산업대) **정창원문서와 먹(墨) - 한국과 일본의 교류** 구로다 요코(나라여대) **정창원 문서 속의 두 통의 편지 - 공직자의 마음씀씀이**
	2010.11.2	주제 **동아시아 한자 문화의 교류와 수용** **1부 한국의 문자문화** 세마 마사유키(조치대) **파해속문(頗解屬文)의 편린 - 백제·왜의 문자 문화** 권인한(성균관대) **목간을 통해서 본 동아시아의 문자 문화** **2부 중국과 일본의 문자문화** 동 지차오(난징사범대) **과정·상태의 지속을 나타내는 중국의 본원** 모리 히로미치(교토산업대) **고대 한국 한자문화와 일본서기 구분론** **3부 종합토론** 류민화(부산대), 조강희(부산대), 남덕현(부산대), 김경호(경주대), 백승옥(부산박물관), 총 메이즈(東明大)
	2012.11.9	**동아시아 언어와 문화**
한국연구재단 토대연구지원사업 심포지엄	2018~2020 (3차례)	**식민지/제국사 연구를 위한 〈朝鮮時報〉 총기사와 광고의 DB구축**
	2019.11.12	**텍스트 데이터의 분석과 활용**(이순영 부산대 문헌정보학과 강사)
번역총서	2012	**말이란 무엇인가(ことばとは何か)** 이마이 나쓰미 지음, 김옥영 옮김 **한자를 길들이다(漢字を飼い慣らす)** 다나카 가쓰히코 지음, 류민화 옮김 **문화의 경계, 경계의 문화(文化の境界 境界の文化)** 이게타 사다요시(井桁貞義) 지음, 조강희 옮김 **일한중의 교류(日韓中の交流)** 요시다 미쓰오(吉田光男) 지음, 김임숙 옮김

한국연구재단 수행과제 (최근 2년간)

연구 시작	사업 유형	주제
2019	중견연구자지원사업	**『朝鮮王朝實錄』에 보이는 일본인 인명의 음독표기법에 대한 연구**
	시간강사연구지원사업	**『일본서기』 고사본의 한국고유명에 가점된 성점의 형태적 연구**
		テノ명사구 구문의 특성 및 화용론적 기능에 관한 분석
		「~것 같다」에 대응하는 「そうだ・ようだ(みたいだ)・らしい」에 관한 연구
		근대를 읽는 또 하나의 창: 한국 근대 저널리즘에 나타난 일본고

		전 현상
		전후 일본 '암시장'의 기억과 표상-일본 단편선『闇市』의 전후 담론을 중심으로
		일본어 학습자의 발음에 대한 빌리프와 발음변화 분석
2020	신진연구인력지원사업	전후 일본 미스터리 문학상과 미디어 오디언스
	기초연구지원인문사회지원사업(단독연구)	〈쓰시마일기(津島日記)〉에 반영된 신미통신사(1811) 연구
	인문사회학술연구교수(B유형)	후지와라 데이카(藤原定家)의 유심(有心) 담론
		일본어학습자의 발음의 자율학습촉진을 위한 기초연구
		韓日번역소설 속에 나타난 추량표현 연구-「(ㄴ/ㄹ)것 같다」「듯하다」「모양이다」「가 보다」를 중심으로

단편선《闇市》

2018년 7월 마이클 모랄스키가 '암시장'을 다룬 일본의 유명 단편 11편을 선정해 신초문고(新潮文庫)에서 펴냈다. 한 장의 백 엔짜리 지폐가 화자가 되어 암거래상, 육군 대위 등을 전전하면서 목격한 욕(欲)과 정(情)의 광경을 다룬 다자이 오사무(太宰治)의 〈화폐〉, 회사의 명령으로 암시장에서 쌀을 조달하려고 분주히 움직이다가 체포된 조선인의 비참한 운명을 그린 정승박의 〈벌거벗은 포로〉, 평범한 회사원이 전차 내에서 돌발사건을 만나 암거래상으로 살아가려고 하는 우메자키 하루오(梅崎春生)의 〈시지미(蜆·바지락)〉 등이 실려 있다. (출판사 책 소개)

이 연구소의 조직은 다음과 같다.

직 책	이름과 소속
연구소장	**김임숙**(일어일문학과)
운영위원	**한태문**(국어국문학과), **류속영**(국어국문학과), **조강희**(일어일문학과), **류민화**(일어일문학과), **김승룡**(한문학과), **노지현**(문헌정보학과), **차철욱**(한국민족문화연구소)
전임연구원	**나승회**, **김수진**

부산대 일본연구소는 (46241) 부산광역시 금정구 부산대학로63번길 2 (장전동)에 있다.

전화 (051) 510-0311, 홈페이지 https://nihon.pusan.ac.kr

KOREA-JAPAN

17. 서강대학교 동아연구소

서강대학교 동아연구소(Institute for East Asian Studies)는 1981년 개소했다. 다양한 주제의 연구프로젝트를 수행해오며 한국연구재단의 지원으로 '동아시아연구단', '동남아선거연구단', '중국모델연구단'을 운영하기도 했다. 2008년 한국연구재단의 인문한국사업 중형연구소로 선정되고, HK 동남아연구단을 구성한 이후부터는 다른 지역보다 동남아시아 연구에 집중하고 있다.

동아연구소의 홈페이지를 조사했으나 최근 10년간 국제학술대회, 국내학술대회, 워크숍 등에서 이렇다 할 일본 관련 행사는 찾지 못했다. 동아연구소가 발행하는 〈동아연구〉에는 일본 관련 논문이 매번 한 편 정도씩 실린다.

동아연구소의 역대 소장은 초대 전해종 교수를 시작으로 이상우, 이태욱, 박상태, 김수용, 정인재, 신윤환, 최진석, 다시 신윤환 교수를 거쳐 2018년 9월부터 강희정 교수가 맡고 있다.

서강대 동아연구소는 (04107) 서울특별시 마포구 백범로 35(신수동) 서강대학교 내에 있다.
전화 (02) 705-8227, **팩스** (02) 718-4353, **이메일** sieas@sogang.ac.kr, eastaisa@sogang.ac.kr,
홈페이지 http://sieas.sogang.ac.kr

18. 서울대학교 일본연구소

KOREA-JAPAN

서울대학교 일본연구소(Institute for Japanese Studies)는 2004년 문을 열었다. 일본의 과거보다는 현재에 비중을 두면서도 역사적인 것과 동시대적인 것을 연결하는 연구, 사회과학과 인문과학을 결합하는 다학제적 연구, 현장을 중시하는 연구를 지향하고 있다.

서울대 일본연구소의 연혁은 다음과 같다.

- 1995년 서울대학교 지역종합연구소 일본연구실 설립
- 1996년 서울대학교 국제지역원 일본자료센터로 확대개편
- 2003년 서울대학교 국제대학원 일본연구센터로 확대개편
- 2004년 11월 서울대학교 일본연구소 설립, 초대 소장 김용덕 교수 취임
- 2008년 11월 학술진흥재단 HK해외지역연구소 선정
- 2012년 10월 서울대학교 교내연구소 평가에서 최우수연구소로 선정(이후 3회 연속 선정)

이 연구소의 활동은 크게 연구, 학술교류, 차세대 일본전문가 양성, 사회공헌, 출판 등으로 나눌 수 있다.

각 분야별 활동을 살펴보면 다음과 같다.

연구활동

■ HK기획연구(2009~2018년)

서울대 일본연구소는 '현대 일본 생활세계 연구의 세계적 거점'이라는 어젠다로 2008년 11월 한국학술진흥재단(지금의 한국연구재단)의 HK(Humanities Korea, 인문한국) 해외지역연구소로 선정됐고, 2009년 1월부터 20018년 8월까지 HK기획연구를 수행했다. 단계별 연구 과제는 다음과 같다.

■ HK기획연구 1단계

어젠다	세부 어젠다	연구자
현대일본 생활세계의 정체성과 변용	전후일본의 지식형성-전후 점령기와 50년대까지를 중심으로	연구책임자 장인성(서울대 정치외교학부), 간사 서동주(서울대 일본연구소), 연구참여자 박진우(숙명여대). 남기정, 서동주. 이경분, 이은경, 조관자(이상 서울대 일본연구소), 한영혜(서울대), 조교 이경미(서울대 외교학과 박사과정)
	현대일본의 전통문화와 예술-변화와 재생산	연구책임자 권숙인(서울대 인류학과), 간사 이은경(서울대, 연구참여자 박규태(한양대), 김효진. 윤기엽, 이은경, 조아라(이상 서울대 일본연구소), 조교 지은숙(서울대 인류학과 박사과정)
	현대일본의 사회변동과 지역	연구책임자 한영혜(서울대 국제대학원), 간사 조아라(서울대 일본연구소), 연구참여자 김영(부산대), 이종구(성공회대), 박정진, 서동주, 이호상, 임채성(이상 서울대 일본연구소), 조교 정기인(서울대 국어국문학과 박사과정)
	전후 일본의 생활세계와 동아시아	연구책임자 남기정(서울대 일본연구소), 간사 김효진 (서울대 일본연구소) 연구참여자 박철희(서울대 국제대학원) 신하경(숙명여대), 이지선(숙명여대), 정진성(방송통신대), 박동성, 박정진, 이경분(이상 서울대 일본연구소) 조교 김인수(서울대 사회학과 박사과정)
	일본 노사관계의 형성과 변용	연구책임자 임채성(서울대 일본연구소), 간사 정영훈 (헌법재판소 선임연구원), 연구참여자 선재원(평택대), 김삼수(서울산업대), 김양태(한국외국어대), 정진성(방송통신대), 에노키 가즈에(호세이대), 우종원(사이타마대), 조교 장일수(서울대 경제학부 박사과정)

■ HK기획연구 2단계

어젠다	세부 어젠다	연구자
현대일본 생활세계의 구조변동	포스트 고도성장기 일본의 사상과 문화표상	연구책임자 조관자(서울대 일본연구소), 간사 이경분 (서울대 일본연구소), 연구참여자 박규태(한양대), 박정진(쓰다주쿠대), 박지환(서울대 일본연구소), 장인성 (서울대), 남상욱(성균관대), 조교 최호영(서울대 국어국문학과 박사과정)
	고도성장기 에너지 전환과 생활세계의 변화	연구책임자 임채성(서울대 일본연구소), 간사 이은경, 연구참여자 서동주, 진필수, 김은혜(이상 서울대 일본연구소), 여인만(강릉원주대) 임은정(존스홉킨스대), 조교 장일수(서울대 경제학부 박사과정)

	일본의 사회적 격차와 공공성의 재구축	연구책임자 박지환(서울대 일본연구소), 간사 조아라 (서울대 일본연구소), 연구참여자 김영(부산대), 한영혜(서울대 국제대학원), 박경민(서울대 비교문화연구소), 최민경(서울대 일본연구소), 이순남(서울대 국제대학원 박사과정), 조교 다무라 후미노리(서울대 지리학과 석사과정)
	생활평화주의의 형성과 전개: 전후 일본인의 생활과 평화	연구책임자 남기정, 간사 진필수, 연구참여자 박이진, 서동주, 이경분, 이은경(이상 서울대 일본연구소), 박진우(숙명여대), 박정진(쓰다주쿠대), 조교 시모카와 아야나(서울대 정치외교학부 석사과정)

■ HK기획연구 3단계(1차)

어젠다	세부 어젠다	연구자
전후 일본의 구조적 대전환과 생활세계의 재편	탈-전후의 사상과 감성	연구책임자 조관자(서울대) **재일조선인 지식인의 '탈식민주의' 담론** 공동연구원 장인성(서울대) **'잃어버린 20년'과 보수의 미학** 남상욱(인천대) **'반도에서 나가라': 국제 질서의 변동과 생의 안전/불안과 폭력 표상** 황성빈(릿쿄대) **'친한'과 '반한'의 사상과 감정** 심정명(한양대) **3 · 11과 전후의 끝: 무의미한 죽음과 애도의 문제** 신기영(오차노미즈대) **글로벌 시각에서 본 일본군'위안부' 문제: 한일관계의 양자적 틀을 넘어서** 조교 임희현(서울대 국어국문학과 박사과정)
	'저성장 · 고령화시대'의 일본인의 생활경제	연구책임자 임채성(서울대) **일본 항공업의 규제개혁과 경제구조의 변화** 공동연구원 정진성(방송통신대) **구조개혁과 일본형 경제시스템의 변화** 김현철(서울대 일본연구소) **일본기업의 경쟁력 하락과 유통산업** 여인만(강릉원주대) **산업구조의 변화와 주요 산업의 국제경쟁력** 김동환(금융연구원) **금융중개기능의 변화: 한일 비교** 김용도(호세이대) **정부-기업 간 관계의 신전개: 조직성과 시장성의 새로운 결합** 김양태(성공회대) **헤이세이불황 이후 노동시장과 고용관행의 변화** 조교 김민(서울대 동양사학과 석사과정)
	안전사회의 동요와 사회적 연대의 재구축	연구책임자 이은경(서울대) **고립된 싱글맘을 구출하라: 현대 일본 싱글**

《반도에서 나가라》

《반도에서 나가라(半島を出よ)》는 무라카미 하루키가 2005년에 내놓은 장편소설이다. 북한군이 일본 후쿠오카를 점령하는 것을 가상해서 썼다. 남상욱은 이 작품에 대한 선행연구가 90년대 이후 일본의 대북한 인식과 관련해 논했지만 본인은 "포스트 냉전기 새로운 전쟁 형태로서의 '글로벌 내전'을 문제화했다고 파악한다"고 시각을 달리했다. 그러면서 다음과 같이 주장했다. "냉전기 일본의 지나친 대미 의존이 어떻게 비정규군의 전쟁이 일상화되는 탈냉전기에 대한 대응을 못하게 하는지를 보여준다. 또한 남녀노소를 가리지 않고 행해지는 잔혹한 폭력을 통해서 이에 대응하지 못하는 일본의 위기관리 능력의 부재를 드러내고자 한다. 결국 국가적 위기를, 국가 질서의 바깥에 있는 반지성주의적이며 폭력적 성향의 마이너리티를 통해서 극복하는 이 소설은, 포스트 냉전기 일본의 자기 보존력이 위기에 휩싸여 있음을 보여주는 작품이라고 할 수 있다." (2016년 〈일본학보〉에 게재한 논문 초록)

		맘의 현실과 지원, 상생의 모색 공동연구원 박지환(전북대) 일본 고등학교–직장 이행기의 변동: 학교경유 취직에서 학교–공익단체 연계형 진로지원으로 진필수(서울대) 고령사회에 대한 일본 지자체행정의 현황과 과제: 오사카 스이타시의 사례 이지원(한림대) 일본 국가–지자체–시민사회 관계의 재구성: 담론과 실천 김영(부산대) 일본 블랙기업 노무관리 연구: 청년 노동자 '갈아버리기'(遣い潰し)의 기법과 확산 배경 김희경(서울대) 현대 일본의 지역사회에서 에이징 인 플레이스(aging in place)이념의 적용방식에 대한 검토 김은혜(서울대) 피해와 연대의 스케일: 후쿠시마의 어린이 보양프로젝트 조교 한지명(서울대 국제대학원 국제협력전공 석사과정)
	일본 보수화의 표상과 정치사회적 실상	연구책임자 남기정(서울대 일본연구소) 자위대에서 군대로?: 자주독립의 꿈과 미일동맹의 현실 공동연구원 이경분(서울대 일본연구소) 기미가요와 마유즈미 도시로(黛敏郎): 일본보수 사운드의 상징성 박진우(숙명여대) 야스쿠니 문제와 일본의 보수정치: '전몰자 추도'와 '정치의 논리' 사이 이근관(서울대) 국제법과 고유영토론의 착종: 일본의 영토문제를 둘러싼 담론의 변화분석 박삼헌(건국대) '만세일계'의 주박에 걸린 보수 논객들: 여성 미야케(宮家) 창설 논쟁을 중심으로 김태기(서울대) 일본회의와 종교집단의 역할: 세이초노이에(生長の家)를 중심으로 남상욱(인천대) 일본교과서: 국제주의와 애국주의의 중첩 조교 이민정(서울대 정치외교학과 외교학전공 석사과정)

에이징 인 플레이스 (aging in place)

노인이 시설로 들어가 격리당하지 않고 자신이 살고 있던 집이나 지역사회에서 여생을 보내는 것을 의미한다. 미국 질병통제예방센터는 '에이징 인 플레이스'를 "연령, 소득, 능력 수준과 상관없이 안전하고 독립적이고 편안하게 자신의 집과 지역사회에서 살 수 있는 능력"으로 정의한다. 전 세계적으로 고령화 현상이 심화하면서 노인의 건강한 노후를 지원하기 위해 활발히 논의하고 있는 개념으로, 복지 선진국들은 이를 노인 복지 정책의 키워드로 삼고 있다. (시사상식사전)

■ HK기획연구 3단계(2차)

어젠다	세부 어젠다	연구자
전후 일본의 구조적 대전환과 생활세계의 재편	구조적 대불황 (Secular Stagnation)과 일본 경제・경영 시스템의 재편성	연구책임자 여인만(강릉원주대) '탈(脫)성장론'의 확산과 그 의미 공동연구원 권혁욱(니혼대) 생산성・임금 하락과 장기불황 류상윤(LG경제연구소) 저출산・고령화와 경제・산업구조의 전환 구본관(삼성경제연구소) 아베노믹스의 성과・한계・전망

	김동환(금융연구원) 일본의 은행 및 금융시스템의 미래상 우종원(사이타마대) 일본형 인적관리 시스템의 재편성 오재훤(메이지대) 일본형 생산시스템의 성과와 한계 - 자동차기업의 개발 · 생산 혁신활동 사례를 중심으로 임채성(릿쿄대) 일본 산업의 구조조정과 기업의 대응 - 해운업 · 조선업의 사례를 중심으로 박상준(와세다대) 일본 제조업 해외진출의 현상과 구조적 특징 조교 유상희(서울대 국제대학원 박사과정)
전후의 탈각과 민주주의의 탈주	연구책임자 조관자(서울대 일본연구소) 전후 사회운동과 전후민주주의의 비판 서동주(서울대 일본연구소) 문화보수주의의 민주주의론 공동연구원 조정민(부산대) 안보투쟁과 리버럴리즘의 방향전환 남상욱(인천대) 1970년대 이후 문화운동과 포스트모더니즘 신기영(오차노미즈대) 전후헌법의 여성/가족 조항과 헌법 개정운동 문제 박규태(한양대) 신도본청의 민주주의/문명비판과 에콜로지 김태진(서울대) 1970년대 이후 전전 민주주의의 인식과 재현 조교 임희현(서울대 국어국문학과 박사과정)
재기하는 일본의 정치와 외교: 보수정치가 주도하는 국가혁신의 다각/다층구조	연구책임자 남기정(서울대 일본연구소) 저출산(소자화) 고령화 시대의 복지와 방위: '버터와 총'의 정치경제학 공동연구원 박철희(서울대 국제대학원) 자민당 우위체제의 재구축과 그 전망: 아베노믹스와 개헌론의 합주 진필수(서울대 일본연구소) 일본의 보수화와 오키나와 반기지운동의 새로운 전개: 일본의 아킬레스건, 오키나와 박영준(국방대) 일본의 지구본외교와 미일동맹의 혁신: 지역동맹에서 글로벌동맹으로 기미야 다다시(도쿄대) 중국의 부상과 일본의 한반도 전략: 역사와 국익의 발산과 수렴 경제희 일본 외교와 국민여론의 이중성: 보통국가화의 속도와 한계 조교 유다인(서울대 정치외교학부 석사과정)
공동체 경계의 유동화와 '국가'의 침투	연구책임자 김효진(서울대 일본연구소) 성소수자와 동성파트너십 - 포섭과 배제의 정치학(가제) 이은경(서울대 일본연구소) 여성이 '나라를 사랑'할 때: 근현대 일본 여성 애국론의 계보

버터와 총(대포)

국제정치학에서 버터는 국민경제나 복지, 대포(총)는 군사비를 의미한다. 각자의 의미가 중요한 것이 아니라 둘 중 하나를 선택해야 할지, 두 개가 양립 가능할지에 대해 논의할 때 의미가 중요해진다. 결국 한 국가는 국방(대포)과 사회보장(버터)의 비율을 선택할 수밖에 없고, 그 선택이 국가의 모습과 미래를 결정하게 된다.

		공동연구원 강태웅(광운대) **일본예찬론 유행에서 상상되어지는 21세기 일본의 이미지** 박승현(한림대) **일본 사회복지협의회를 통해 본 새로운 공공성 논의(가제)** 박훈(서울대) **'嫌中'의 濫觴 – 中國異質論의 계보** 이경분(서울대 일본연구소) **'일본적' 대중음악의 환상, '후루사토' 가요와 엔카(가제)** 정지희(서울대 일본연구소) **공동체 붕괴 시대의 '국가 경쟁력' 수사와 소프트 파워: 외국인 대상 NHK 영상국제방송** 최재혁(서울대) **'일본미술 붐'과 일본 현대미술의 연동 현상: 무라카미 다카시(村上隆)의 새로운 전략을 중심으로(가제)** 조교 김민(서울대 동양사학과 석사과정)

■**HK+ 기획연구** (2019~2026년)

이 연구소는 2019년 HK사업의 후속사업인 HK+ 해외지역분야 연구단으로 선정됐다. 연구소는 HK+ 사업의 어젠다로 '포스트 지역학 시대의 일본생활세계 탐구'를 선정했다. 1단계(2019.9~2022.8) 중간주제는 '생활세계의 성숙과 위기', 2단계(2022.9~2026.8) 중간주제는 '생활세계의 변용과 연대'로 정하고, 전후 일본을 지탱해 온 두 가지 사상과 체제, 즉 '일본형 민주주의'와 '일본형 자본주의'를 연구할 계획이다.

■**동일본 대진재와 사회변동 연구팀** (2011년 3월~2013년 8월)

3 · 11 동일본 대지진 이후 일본사회의 변화를 학술적으로 연구하기 위해 구성했던 팀이다. 연구책임자는 권숙인(서울대 인류학과), 간사는 조아라(서울대 일본연구소), 연구참여자는 임채성(서울대 일본연구소), 서동주(서울대 일본연구소), 이강원(서울대 비교문화연구소), 김은혜(서울대 사회학과 박사), 이호상(국토연구원), 조교 사카자키 모토히코(서울대 언론정보학과 박사과정) 씨 등이었다.

■ 일본학 연구지원

일본 관련 인문학과 사회과학 분야의 연구를 지원하는 제도이다. 지원기간은 보통 1년이다. 최근의 실적은 다음과 같다.

연도	연구자	연구 테마	연구형태
2013	권숙인	'식민지 여자'와 '제국의 주부': 1910년대 〈조선공론〉과 〈조선과 만주〉를 통해 본 식민지 조선 일본인 사회의 젠더정치	단독
	김은혜	1964년 도쿄올림픽과 도시개조	단독
	김인수	태평양문제조사회(IPR)와 제국 일본의 농정: 농촌조사의 개념, 범주, 결과를 중심으로	단독
	김용철	아시아 · 태평양전쟁기 일본의 오카쿠라 덴신 재조명	단독
	이강원	'저선량피폭지대(底線量被爆地帯)'에서의 삶의 양식 - 3 · 11 동일본대지진 이후 일상생활 변화에 대한 재난 인류학적 연구	단독
2014	방민호	일본문학과 한국문학에 있어 '전후' 개념과 그 구조	공동
	사이토 아유미	문학작품으로 보는 일본 중세 과도기에 대한 연구 - 『增鏡』에서의 세 천황(고보리가와 · 後堀河, 시조 · 四条, 고사가 · 後嵯峨)에 대한 서술	단독
	장경렬	축소 지향의 시학과 확장 지향의 시학: 하이쿠와 시조의 형식에 대한 비교 분석	단독
	정신영	일본 현대미술에 나타난 서브컬처의 영향	출판지원
2017	지은숙	올드커머와 뉴커머 사이에서: 1960~80년대 일본으로 결혼 이주한 한국 여성들의 통합과 배제	단독
	한인섭	일본의 재판원 제도 연구: 한국, 대만과의 비교를 염두에 두면서	공동
2018	양일모	근대 일본의 학지(學知)와 한학(漢學)의 재편	공동
2019	김범수	근대 일본의 대의정체 구성과 번역의 정치	공동
2020	이연승	근대 일본 종교학의 태동과 분기:이노우에 데쓰지로(井上哲次郎, 1856-1944)와 후계자들	공동
	이재민	일본의 국제사법재판소 재판 절차 참여	단독

태평양문제조사회 (Institute of Pacific Relations)

태평양지역에 이해관계가 있는 여러 국가와 민족의 상호이해 및 정확한 정보교환을 목적으로 했던 국제조사단체. 약칭 IPR. 1925년 호놀루루 회의에서 발족해 1961년까지 존속했다. 미국, 일본, 중국, 조선, 영국, 캐나다, 오스트레일리아 등의 민간 지식인들이 조직했다. 본부는 호놀루루에 있다가 뉴욕으로 옮겼다. 정기적으로 국제회의를 열어 각국 대표가 토론을 하거나 태평양 관련 문제에 대해 학술적으로 연구했다. (일본 세계대백과사전 제2판)

일본의 재판원 제도

한국의 국민참여재판과 같은 제도이다. 국민 중에서 선택한 재판원 6명이 형사재판 과정에 참여해 재판관 3명과 함께 피고인의 유무죄를 따지고, 유죄라면 형량을 어느 정도로 해야 하는지를 결정하는 제도이다. 2009년 5월 21일부터 시행하고 있다. 시민의 자유와 권리가 부당하게 빼앗기는 경우를 방지하고, 사법에 대한 국민의 신뢰도를 높이기 위한 것이라고 밝히고 있다. 재판원이 참여하는 형사재판은 살인, 강도치사상, 상해치사, 위험운전 치사, 현주건조물 등 방화, 신체대금목적 유괴, 보호책임자 유기 치사 사건 등이다.

■ **외부수행과제**

일본연구소 인력이 수주한 외부과제는 다음과 같다(2015년 이후).

기 간	연구주제	연구자	지원기관
2015.5~11	**한일수교 50년, 한일 관계 비교사적 연구**	연구책임자 박철희(서울대 일본연구소장) 공동연구원 남기정(서울대 일본연구소), 박영준(국방대), 양기호(성공회대), 가와시마 마코토(도쿄대) 오코노기 마사오(게이오대), 고하리 스스무(시즈오카현립대)	문화체육관광부
2015.11~12	**일본의 동북아 역내 다자협력에 대한 입장 연구**	연구책임자 박철희(서울대 일본연구소장) 공동연구원 이근(서울대)	외교부
2015.11~12	**공회계 기준 설정**	연구책임자 이은경(서울대 일본연구소) 공동연구원 박지수(서울대 국제대학원 석사과정), 안예담(서울대 국제대학원 석사과정)	한국조세재정연구원
2016.6~12	**새로운 한일관계 비전연구**	연구책임자 박철희(서울대 일본연구소장) 공동연구원 남기정(서울대 일본연구소), 서승원(고려대), 이정환(국민대), 최희식(국민대), 박인휘(이화여대), 이원덕(국민대), 박정진(쓰다주쿠대), 김지영(도쿄대 대학원)	국립외교원
2016.11 ~2017.10	**세계가 묻고, 세계가 답하다**(여시재의 연구 주제와 관련해 미국, 중국, 일본, 러시아, 유럽의 싱크탱크들이 발표한 자료를 분석 소개하는 것으로 서울대 일본연구소는 일본 관련 현안을 분석했다).	연구책임자 김현철(서울대 일본연구소장) 2016년 11월 **일본의 '보수'와 '우익'에 대한 심층 이해1**(조관자, 이하 소속 표시가 없으면 모두 서울대 일본연구소) 11월 **후텐마기지 반환운동 20년: '올 오키나와' 운동의 양상과 전망**(진필수) 12월 **일본의 '보수'와 '우익'에 대한 심층 이해2**(조관자) 2017년 1월 **저성장 시대, 어떻게 돌파할 것인가**(김현철), **일본 싱크탱크의 2017년 전망**(남기정) 2월 **트럼프 취임과 일본 싱크탱크의 전략 구상**(남기정), **트럼프 시대를 맞이하는 제조업 강국 일본**(남기정) 3월 **개헌논의와 각국의 정치 체제**(이은경), **각국의 기후변화 대응전략**(남기정) 4월 **표현의 자유과 정치권력**(정지희) 5월 **인구변화와 사회변동**(진필수), **한반도를 둘러싼 각국의 인식**(박정진 쓰다주쿠대) 6월 **각국의 북극 전략과 관련된 최근의 논의와 정책 방향 전망**(유인태 연세대), **경제 위기와**	여시재

올 오키나와 (All Okinawa)

오키나와현 기노완시(宜野灣市)에 있는 미 해병 후텐마(普天間) 항공기지를 현 밖으로 옮기지 않고 나고시(名護市) 헤노코(辺野古)로 옮기는 것에 반대하는 단체를 말한다. 사민당과 공산당 등 진보세력만이 아니라 보수 세력까지 참여하고 있어 '올 오키나와'라는 이름을 얻었다. '올 오키나와'는 단체만을 지칭하는 것이 아니라 '헤노코 기지 반대 운동'을 뜻하기도 하고 이 운동에 동참하는 정치인의 선거연대이기도 하다. 2015년 오나가 다케시(翁長雄志) 오키나와현 지사(2018년 8월 별세)는 헤노코 기지 건설을 위한 연안 매립이 법적 요건을 충족하지 않는다며 승인 취소 결정을 내렸다. 하지만 아베 정부는 소송을 제기해 2016년 최고재판소에서 승소하면서 공사를 재개했다.

		각국의 통화, 재정 정책(이지평 LG경제연구원) 7월 **각국의 고립주의, 민족주의의 전개**(김효진), **각국의 에너지 소비 및 수요 전망 분석 및 에너지 수급방안**(박명덕 에너지경제연구원) 9월 **러시아 신동방정책에 대한 각국의 입장**(남기정), **군축을 포함한 신안보이슈**(박영준 국방대) 10월 **각국의 농업정책**(이정환 서울대 정치외교학부), **각국의 ODA(정부 개발원조) 정책**(박홍영 충북대) 11월 **각국의 해양정책**(박영준 국방대), **각국의 도시문제 현황 및 대응방향**(김은혜 히토쓰바시대)	
2018.10 ~2019.4	**일본의 동북아문화공동체에 대한 인식조사와 연구동향**	연구책임자 양일모(서울대) 공동연구원 조관자(서울대 일본연구소), 김민(서울대 동양사학과 박사과정)	통일연구원
2020.7~11	**일본 현황과 한일관계**	연구책임자 남기정(서울대 일본연구소) 공동연구원 이정환(서울대), 박승현, 손석의(이상 서울대 일본연구소)	국립외교원
2020.9~12	**일본의 세계전략 분석-시나리오를 중심으로**	연구책임자 김현철(서울대 일본연구소장) 공동연구원 남기정(서울대 일본연구소), 이창민(한국외대), 조양현(국립외교원)	대외경제정책연구원

신동방정책
러시아가 추진하는 정책으로 핵심은 중국을 비롯한 동북아 국가들과 경제협력을 강화해 유럽에 대한 의존도를 줄이고 낙후한 극동지역을 개발하는 것이다. (여시재) 러시아는 2012년부터 '신동방정책'을 추진하기 시작했고 정부 내에 극동개발부를 신설했다.

학술활동

■ 국내학술회의

2015년 이후 서울대 일본연구소가 단독 개최한 것 위주로, HK기획연구를 학술회의 형식으로 발표한 적도 있어 중복되는 것도 있다.

일시	주제	발표자
2015.11.2	**동아시아 속의 재일코리안: 디아스포라를 넘어서**	**제1세션** 사회 최영호(영산대) 신기영(오차노미즈여대) **디아스포라 이론과 재일코리안** 조관자(서울대 일본연구소) **1990년대 이후 한국에 소개된 재일코리안(조선인)의 담론과 표상** 정대균(슈토대) **왜 강제연행론은 계속되는가** 토론 권숙인(서울대), 박광현(동국대), 서민교(동국대) **제2세션** 사회 박진우(숙명여대) 하구치 나오토(도쿠시마대) **민족경제의 다이나믹스: 재일코리안 직업의 추이 1980~2010** 유혁수(요코하마국립대) **전문가의 위상을 통해서 본 재일사회: 재일변호사집단을 중심으로** 토론 정진성(방송대), 김웅기(홍익대), **종합토론** 사회 신기영(오차노미즈여대), 유혁수(요코하마국립대)

일시	주제	발표자
2015.11.19	일본의 집단적 자위권 도입과 한반도	축사 윤덕민(국립외교원장) **제1세션 일본은 왜 집단적 자위권을 도입했는가** 사회 김성한(고려대) 봉영식(아산정책연구원) 미일동맹 글로벌화와 일본의 집단적 자위권 도입 임재환(아오야마가쿠인대) 일본의 안보위협인식 변화와 방위체제의 재정비 토론 전재성(서울대), 김두승(한국국방연구원) **제2세션 집단적 자위권은 어떤 내용을 담고 있는가** 사회 진창수(세종연구소장) 박영준(국방대) 안보법제의 통합적 이해: 국가안보전략, 미일가이드라인, 그리고 집단적 자위권 송화섭(한국국방연구원) 일본 안보법제의 지속성과 변화-집단적 자위권 도입에 새롭게 반영된 방위조치 토론 남창희(인하대), 서승원(고려대) **제3세션 우리는 일본의 집단적 자위권에 어떻게 대응해야 하나** 사회 신각수(국립외교원) 이기태(통일연구원) 미국과 일본의 안보 협력과 한국의 안보전략 조세영(동서대) 일본의 집단적 자위권 도입과 한국 외교안보전략의 재구성 토론 이원덕(국민대), 남기정(서울대)
2016.4.8	새로운 일본의 출현을 어떻게 볼 것인가: 일본 보수화의 표상과 실상	**1부 천황, 야스쿠니, 교과서** 사회 한영혜(서울대) 박삼헌(건국대) '만세일계'의 주박에 걸린 보수 논객들: 여성 미야케(宮家) 창설 논쟁을 중심으로 박진우(숙명여대) 야스쿠니 문제와 일본의 보수정치: '전몰자 추도'와 '정치의 논리' 사이 남상구(동북아역사재단) 일본교과서: 국제주의와 애국주의의 중첩 토론 유지아(경희대), 현대송(한국해양수산개발원) **2부 영토, 자위대, 생장의 집** 사회 한경구(서울대) 이근관(서울대) 국제법과 고유영토론의 착종: 일본의 영토문제를 둘러싼 담론의 변화분석 남기정(서울대 일본연구소) 자위대에서 군대로?: 자주독립의 꿈과 미일동맹의 현실 김태기(서울대) 일본회의와 종교집단의 역할: 세이초노 이에(生長の家)를 중심으로 토론 전진호(광운대), 최희식(국민대) **3부 NHK, 기미가요, 헤이트스피치** 사회 권숙인(서울대) 정지희(서울대 일본연구소) 2000년대 이후 자민당 정권의 방송내용 규제 논리와 NHK 우경화 논란 이경분(서울대 일본연구소) 기미가요와 우익: 음악가 마유즈미 도시로(黛敏郎)의 견해를 중심으로

만세일계(万世一系)

일본 황실이 초대 진무(神武) 천황 이래 단 한 번도 단절되지 않고 2600년이 넘도록 줄곧 이어져 내려왔다는 관념을 말한다. 역사적으로는 그럴 가능성이 극히 낮지만, 고대부터 일본인들은 그런 관념을 가지고 있었으며, 그러한 관념이 메이지유신을 거치면서 일본 민족주의와 국수주의 확립에 이용되면서 현재의 만세일계 관념으로 발전했다. 이 말은 1867년 메이지유신의 원로 이와쿠라 도모미(岩倉具視)가 처음 사용한 용어라고 한다. (나무위키)

일시	주제	발표자
		김효진(서울대 일본연구소) **헤이트 스피치의 저류로서의 혐한 서적: '문화이해'와 '혐한'의 복잡한 관계** 토론 김용철(고려대), 조관자(서울대 일본연구소)
2016.4.22	일본경제, 장기불황의 함정과 탈출	**제1세션** 사회 김효진(서울대 일본연구소) 정진성(한국방송대) **구조개혁과 일본형 경제시스템의 변화** 김동환(금융연구원) **금융중개기능의 변화: 한일 비교** 김현철(서울대 일본연구소장) **일본기업의 경쟁력 하락과 유통 산업** 토론 김양희(대구대), 강철구(배재대) **제2세션** 사회 남기정(서울대 일본연구소) 김용도(호세이대) **정부 기업간 관계의 신전개: 조직성과 시장성의 새로운 결합** 김양태(성공회대) **헤이세이 불황 이후 노동시장과 고용관행의 변화** 토론 이지평(LG경제연구원), 선재원(평택대) **제3세션 및 종합토론** 사회 김낙년(동국대) 여인만(강릉원주대) **산업구조의 변화와 주요 산업의 국제경쟁력** 임채성(릿쿄대) **일본 항공업의 규제개혁과 경제구조의 변화** 토론 김명수(계명대)
2016.5. 6	탈-전후의 사상과 감성	**제1세션** 사회 윤상인(서울대) 장인성(서울대) **'잃어버린 20년'과 보수의 미학** 심정명(한양대) **3·11과 전후의 끝: 무의미한 죽음과 애도의 문제** 신기영(오차노미즈여대) **글로벌 시각에서 본 일본군'위안부' 문제: 한일관계의 양자적 틀을 넘어서** 토론 조진구(고려대), 이영진(전남대) **제2세션** 사회 박규태(한양대) 조관자(서울대 일본연구소) **재일조선인 지식인의 '탈식민주의' 담론** 남상욱(인천대) **'반도에서 나가라': 국제 질서의 변동과 생의 안전/불안과 폭력 표상** 황성빈(릿쿄대) **'친한'과 '반한'의 사상과 감정** 토론 남기정(서울대 일본연구소), 황호덕(성균관대)
2016.5.20	안전사회의 동요와 사회적 연대의 모색	**제1부 가족 · 여성 · 고령자** 사회 강태웅(광운대) 이은경(서울대 일본연구소) **고립된 싱글맘을 구출하라: 현대 일본 싱글맘의 현실과 지원, 상생의 모색** 김희경(서울대) **현대 일본의 지역사회에서 에이징 인 플레이스(aging in place)이념의 적용방식에 대한 검토** 진필수(서울대 일본연구소) **고령사회에 대한 일본 지자체 행정의 현황과 과제: 오사카 스이타시의 사례** 토론 신기영(오차노미즈여대), 김혜경(나사렛대)

일시	주 제	발표자
		제2부 교육 · 노동 · 시민사회 사회 이호상(인천대) 김은혜(서울대) **피해와 연대의 스케일: 후쿠시마의 어린이 보양 프로젝트** 이지원(한림대) **일본 국가-지자체-시민사회 관계의 재구성: 담론과 실천** 토론 이정환(국민대) 박지환(전북대) **일본 고등학교-직장 이행기의 변동: 학교경유 취직에서 학교-공익단체 연계형 진로지원으로** 김영(부산대) **일본 블랙기업 노무관리 연구: 청년노동자 '갈아버리기'(遣い潰し)의 기법과 확산 배경** 토론 송지연(서울대)
2017. 5. 2	트랜스휴머니즘과 미래 일본사회	사회 이지형(숙명여대) **제1부** 이강원(KAIST) **섬뜩한 계곡: 일본 안드로이드(로봇)의 감성지능과 미적 매개** 토론 김효진(서울대 일본연구소) 전치형(KAIST) **트랜스휴먼은 어떻게 오는가: 알파고와 사이배슬론** 토론 임소연(서울대) **제2부** 신상규(이화여대) **트랜스휴머니즘과 인간향상: 개인의 자율성과 사회적 공정성** 토론 천현득(이화여대) 신하경(숙명여대) **일본 Sci-Fi(공상과학) 소설 속 '포스트휴먼'적 상상력의 현재** 토론 서동주(서울대 일본연구소)
2017.9.29	1세들의 대한민국 - 재일 한인의 삶과 정체성, 그리고 조국(서울대학교 재일동포연구단, 대한민국역사박물관과 공동 개최)	**제1부** 사회 서동주(서울대 일본연구소) 개회사 한영혜(서울대 재일동포연구단장 · 서울대 일본연구소장) 환영사 주익종(대한민국역사박물관장 직무대리) 축사 박노수(이희건 한일교류재단 이사장), 조용병(신한금융그룹 회장) 경과보고 한영혜(서울대) 기조강연 강상중(도쿄대 명예교수) **제2부** **제1패널 재일한인 1세의 생활세계와 문화적 표상** 사회 정근식(서울대) 권숙인(서울대) **노동과 일을 통해 본 재일한인 1세 여성의 삶과 주체성: 1세 여성에 대한 표상과 관련하여** 김인수(건국대) **사회조사 자료로 본 재일한인의 표상과 그 정치적 의미** 한영혜(서울대 일본연구소장) **1960~1970년대 한국무용의 일본유입과 재일 한인 사회: 민족 표상과 시장** 토론 김수진(대한민국역사박물관) **제2패널 재일한인 1세의 기업활동과 모국공헌** 사회 이지원(한림대)

트랜스휴먼

트랜스휴먼(Transhuman)은 인간과 포스트휴먼(posthuman) 사이의 존재로서, 인간과 닮았지만 개조를 통해 인간보다 훨씬 뛰어난 능력을 가진 사람을 말한다. 트랜스휴먼을 만들자는 운동을 트랜스휴머니즘이라고 한다. 트랜스휴머니즘 사상가들은 인류가 더 확장된 능력을 갖춘 존재로 자신들을 변형시킬 것이라고 예언하면서, 이렇게 변형된 인간을 포스트휴먼이라고 명명했다. (위키백과)

일시	주제	발표자
		정진성(한국방송대) **오사카한국인상공회의 구성과 활동: 상공회 창립에서 신한은행 설립까지** 김백영(광운대) **1960년대 재일한인 기업인 모국 투자의 이상과 현실: 발전국가의 공단 개발과 '애국/애향'의 정체성 정치** 정호석(세이가쿠인대) **모국공헌의 문화정치: 1970년 일본만국박람회와 재일한인 1세의 후원활동** 토론 최영호(영산대)
2018.5. 4	메이지유신에 '동아시아 근대(성)'를 묻는다	**제1부** 사회 박훈(서울대) 이새봄(연세대) **메이지 유학자들의 사상사적 토대와 근대서양과의 만남** 토론 조관자(서울대 일본연구소) 배관문(고려대) **국학의 메이지 유신: '복고'의 착종으로부터 '신도'를 창출하기까지** 토론 이경희(한림대) 김태진(서울대) **국가라는 신체에서 전통과 근대는 어떻게 접합하는가: 슈타인(Lorenz von Stein)과 가이에다 노부요시(海江田信義)의 유기체설을 중심으로** 토론 김도형(성균관대) **제2부** 사회 김영민(서울대) 서영채(서울대) **메이지의 문학과 동아시아의 근대성** 토론 류준필(서울대) 오윤정(계명대) **메이지 미술과 일본의 '근대'** 토론 최재혁(성신여대)
2018.11.2	'일본미술 붐'으로 보는 현대 일본	**제1부** 사회 목수현(미술사학자) 강태웅(광운대) **우키요에 붐과 21세기 자포니즘** 토론 이지형(숙명여대) 노유니아(도쿄대) **세계인을 향한 일본미술사 쓰기: 개념과 용어의 선점** 토론 박세연(추계예술대) 조현정(KAIST) **현대 일본의 소주택과 '작음'의 담론** 토론 정지희(서울대 일본연구소) **제2부** 사회 권숙인(서울대) 최재혁(성신여대) **'기상(奇想)의 계보'를 통해 본 미술사의 대중화, 혹은 일본미술사 새로 쓰기** 토론 김효진(서울대 일본연구소) 오윤정(계명대) **일본미술응원단: 전위의 우익 코스프레?** 토론 한정선(고려대) 김계원(성균관대) **도몬켄(土門拳)의 불상사진과 일본미술의 대중화** 토론 박소현(서울과학기술대)
2019.5. 4	일본·일본인과 3·1 운동	**제1부** 사회 이형식 김영숙(고려대) **3·1운동의 전개와 하라 다카시 내각의 대응** 토론 이승희(동덕여대) 박완(강릉원주대) **3·1운동 전후 조선인의 군사적 이용에 관한 일본 육군 내 논의** 토론 김종식(아주대) 박양신(가천대) **1920년대 일본 식민정책학의 식민정책론: '식민**

우키요에(浮世繪)

일본 에도시대(1603~1867)에 서민들 사이에서 발달한 풍속화. '우키요(浮世)'는 덧없는 세상을 뜻하고, 에(繪)는 그림을 말한다. 소재는 미인, 기녀, 광대 등 풍속화가 중심이었다. 목판화로 다량 생산해서 서민의 수요를 충족시켰다. 우키요에는 17세기 후반 히시카와 모로노부(菱川師宣)의 소설 삽화에서 출발해 독립 목판화로 발전했다. 1765년 스즈키 하루노부(鈴木春信)가 다색 목판화인 니시키에(錦繪) 기법을 개발하면서 우키요에 제작기법은 정점에 달했다. (세계미술용어사전)

코스프레

'의상'을 의미하는 'costume'과 '놀이'를 의미하는 'play'의 합성어를 줄여서 표현한 일본식 말이다. 코스프레는 유명 게임이나 만화, 애니메이션, 영화 등에 등장하는 캐릭터를 모방해서 그들과 같은 의상과 분장을 하고 행동까지 흉내 내는 일종의 퍼포먼스이다. 국내에서는 코스프레를 더 짧게 줄여 '코스'라고도 하고, 코스프레를 하는 사람을 '코스어'라고 한다. (대중문화사전)

일시	주제	발표자
		지본위'와 자치주의 토론 박환무(건국대) **제2부** 사회 이지형(숙명여대) 이동훈(계명대) **3·1운동과 일본인 식민자 사회: 일본인 사회의 대응과 인식을 중심으로** 토론 기유정(성신여대) 박은영(성균관대) **『고쿠민신문·(国民新聞)에 나타난 3·1운동** 토론 정지희(서울대 일본연구소) 곽형덕(명지대) **3·1운동과 일본문학: 프롤레타리아문학을 중심으로** 토론 손지연(경희대)
2019.10.12	글로벌 냉전, 동아시아 그리고 일본, 1945~1972	**제1부** 사회 한정선(고려대) 김숭배(충남대) **샌프란시스코 평화조약과 동북아시아 비(非)서명국들: 소련, 한국, 중국을 중심으로** 토론 박영준(국방대) 정진성(방송통신대) **한국전쟁과 일본의 고도경제성장** 토론 여인만(강릉원주대) 정혜윤(한국노총 중앙연구원) **일본사회당을 위한 변명: 정당의 노선, 파벌, 노동조합 간 관계를 중심으로** 토론 손석의(서울대 일본연구소) **제2부** 사회 이지형(숙명여대) 정지희(서울대) **점령기 일본의 진상폭로 미디어: 미일합작의 진실 찾기와 역사 다시 쓰기** 토론 유지아(원광대) 김지영(서울대) **포스트 제국의 동아시아와 냉전의 심상지리: 히노 아시헤이의 전후 평화주의와 나가사키·평양·오키나와** 토론 남상욱(인천대) 강태웅(광운대) **가상 속의 냉전: 일본 영화 속의 미·소** 토론 김보경(고려대)
2019.12.20	현대일본학회 2019년 연례학술회의 '2019년을 넘어서: 신세대 한일관계 연구의 지평'	전체 사회 박경민(국민대) 개회사 남기정(서울대 일본연구소, 현대일본학회장), 김현철(서울대 일본연구소장) 기조연설 한상일(국민대 명예교수) **한국의 대일외교 어디로 가고 있나** **1세션 국내정치와 한일관계의 연동** 사회 박영준(국방대) 오승희(동아시아연구원) **정책결정과정의 변화와 한일관계** 조은일(한국국방연구원) **국가정체성과 한일관계의 구조적 변화** 석주희(연세대) **일본의 '전후'에 대한 우익의 인식과 미디어,** 토론 최은미(아산정책연구원), 김남은(국방대), 정지희(서울대) **2세션 국제체제 변동과 한일관계** 사회 신정화(동서대) 윤석정(국민대) **포스트 탈냉전과 한일 안보관계의 재구성** 김성조(순천대) **글로벌 밸류체인과 한일관계** 김숭배(충남대) **동북아 질서로의 샌프란시스코평화체제: 공존과 갈등의 한일관계** 토론 이기태(통일연구원), 엄태봉(대진대), 박경민(국민대) 폐회사 최희식(국민대 일본학연구소장)

일시	주제	발표자
2020.5.8	올림픽의 재해석 : 21세기 일본과 메가 스포츠 이벤트	**제1부** 사회 김효진(서울대/일본비평 23호 책임편집자) 박해남(원광대) **제국의 게임, 발전국가의 게임: 1940년과 1964년의 도쿄올림픽** 토론 정지희(서울대) 윤석정(국립외교원) **2020년 도쿄 올림픽과 아베의 올림픽: 부흥, 헌법개정, 올림픽 연기 사례를 중심으로** 토론 김성조(순천대) 김은혜(부산대) **2020 도쿄 올림픽과 도시재생** 토론 이호상(순천대) **제2부** 사회 이지형(숙명여대/편집위원장) 김보경(고려대) **NHK 대하드라마 〈이다텐〉 속의 올림픽** 토론 이경희(한체대) 박세연(성신여대) **이미지의 올림픽: 도쿄올림픽(1964)의 디자인 프로젝트 다시보기** 토론 오윤정(계명대) 김희경(경북대) **메가이벤트를 통한 지역활성화와 지역성의 구성 맥락: 나가노 동계올림픽 사례를 중심으로** 토론 박지환(전북대)
2020.11.7	한일 경제 관계의 현황과 전망	**제1부** 사회 정진성(방송통신대/일본비평 24호 책임편집자) 김양희(국립외교원) **일본의 대한 수출 규제 1년의 평가와 전망: '상호의존성의 무기화'와 '탈동조화'의 길항작용** 토론 이지평(LG경제연구원) 유혁수(가나가와대) **국제 무역질서 구축 과정에서의 한일 양국의 협조와 갈등** 토론 김경우(연세대) 여인만(강릉원주대) **한일 자동차산업의 협력과 경쟁** 토론 조형제(울산대) **제2부** 사회 이지형(숙명여대/일본비평 편집위원장) 최형섭(서울과기대) **한일 기술 관계와 '국산화' 개념의 변화** 토론 이정은(국사편찬위원회) 김정명(한국출판학회) **출판물 교류와 흔들리는 한일관계** 토론 박찬수(책문화콘텐츠연구소) 조아라(문화관광연구원) **한일 관광 변화와 전망: 일본 수출규제에서 코로나19까지** 토론 김효진(서울대 일본연구소) 아베 마코토(일본아시아경제연구소) **한일 경제관계의 과거 현재 미래: 철강산업을 중심으로** 토론 이상훈(동아일보)
2020.11.18	스가 내각 출범 이후 한일관계를 구상한다: 젊은 연구자의 시선	사회 남기정(서울대) 패널 손석의(서울대), 오승희(동아시아연구원)

상호의존성의 무기화 vs 탈동조화

김양희 교수는 수출규제를 둘러싼 한일간의 마찰에 대해, 일본은 헨리 파렐(Henry Farrell)과 아브라함 뉴먼(Abraham Newman)(2019)이 제시한 '상호의존성의 무기화(weaponized interdependence)'에 나선 것으로, 한국은 소재·부품·장비의 경쟁력 강화를 통해 탈일본화, 즉 '탈동조화(decoupling)'를 시도한 것으로 파악한다. 그러나 일본은 양날의 칼인 '상호의존성'을 제대로 무기화하지 않았고, 한국도 탈일본기업은 하지 못하고 공급선만 다각화했다고 본다. 따라서 상호의존성의 무기화와 탈동조화의 맞대결 승자는 전자도 후자도 아닌 상호의존성 자체라며, 양국은 정경분리 원칙으로 돌아가 수출규제 철회와 WTO 제소 취하를 선언하고 대화의 길에 나서라고 촉구한다. (서울신문 '열린세상', 2020년 8월 5일 자)

■ 국제학술회의 (2015년 이후)

일시/장소	주 제	발표자
2015.9.7 서울대 국제대학원	**일본연구소 동아시아일본연구자협의회 국제학술회의**	기조발제 박철희(서울대 일본연구소장) **동아시아일본연구자협의회 추진전략** **제1세션 국가별 참가유도 전략** 사회 남기정(서울대 일본연구소) 徐一平(XU Yping · 중국 베이징외대 일본연구소장) **중국의 유력기관과 참가유도 전략** 徐興慶(SHYU Shing-Ching · 대만국립대학 일본연구센터소장) **대만의 유력기관과 참가유도 전략** 이강민(한양대학교 비교문화연구소장) **한국의 유력기관과 참가유도 전략** 토론 참가자 전원 **제2세션 협의회 구성 및 운영상 유의점(주의사항)** 사회 조관자(서울대 일본연구소) 하야세 도모노리(早瀨智則 · 일본국제교류기금 일본 연구지적교류부 아시아대양주팀장) **협의체 구성시 유의점** 이마니시 준코(今西淳子 · 아쓰미재단 이사) **아시아 미래회의의 경험과 유의점** 쓰노다 에이이치(角田英一 · 아쓰미재단 실무관) **협의회 구성시 실무상의 유의점** 토론 참가자 전원
2015.10.16 대한민국역사박물관(대한민국역사박물관과 공동개최)	**국교정상화 이후 한일관계: 비교사적 관점에서 본 한일 50년**	개회사 김왕식(대한민국역사박물관장) 환영사 박철희 (서울대 일본연구소장) 축사 장제국(동서대 총장) 기조강연 공로명 전 외무부장관, **1부 비교사적 관점에서 본 한일관계 정상화** 사회 김용덕(광주과학기술원 석좌교수) 가와시마 마코토(동경대) **중일관계 정상화: 한일관계 정상화와의 비교** 남기정(서울대 일본연구소) **한일관계 정상화: 일-베트남 정상화와의 비교** 토론 이원덕(국민대) 이종원(와세다대) **2부 국제정치구조의 변화와 한일 50년: 냉전기, 탈냉전기, 세력전환기** 사회 윤덕민(국립외교원장) 오코노기 마사오(게이오대 명예교수) **한일관계: 냉전기와 탈냉전기 비교** 박영준(국방대) **한일관계: 탈냉전기와 세력전환기의 비교** 토론 조세영(동서대) 기미야 다다시(도쿄대) **3부 비교생활사적 관점에서의 한일 50년** 사회 정재정(서울시립대) 양기호(성공회대) **한일 50년: 한일 국민의 생활변화**

일시/장소	주 제	발표자
		고하리 스스무(시즈오카현립대) **한일 50년: 시민교류와 의식 변화** 토론 한영혜(서울대), 후카가와 유키코(와세다대)
2016.10.21 서울대 국제대학원	**동아시아 일본연구자 네트워크 국제세미나**	발표1 김효진(서울대 일본연구소), 김태기(서울대 일본연구소) **동아시아일본연구자협의회의 국제학술회의를 통한 네트워크** 토론 하야세 도모노리(일본국제교류기금 일본연구지적교류부 아시아대양주팀장) 발표2 이강민(한양대 비교문화연구소장), 徐興慶(SHYU Shing-Ching · 대만국립대학 일본연구센터 소장), 사노 마유코(일본국제문화센터) **국제학술회의의 지속적인 성장을 위한 실천적 활동** 토론 안평호(성신여대) 서승민(고려대)
2017.11.16. 서울대 국제대학원	**일본연구의 프론티어: 일본연구의 경계를 묻다**	축사 박수진(서울대 아시아연구소장), 야마사키 히로키(일본국제교류기금 서울문화센터 소장) 발표1 Karlian Cheng Chua (AteneoDe Manila University) **동남아시아에서 일본연구 글로벌화의 과제: 국경과 경계를 넘어서** 오가와 아키히로(University of Melbourne) **호주의 일본연구: '아시아의 세기'라는 관점에서** 도모쓰네 쓰토무(도쿄외국어대) **사회의 위기와 국제공동연구: 냉전 말기의 일본을 사례로** 토론 남기정(서울대 일본연구소) 발표2 백지운(서울대 통일평화연구원) **동아시아의 번역 가능한 평화 연구를 위하여** 은기수(서울대 국제대학원) **비교연구대상으로 경험한 일본** 윤순진(서울대 환경대학원) **비슷하거나 아주 다르거나: 환경에너지분야 비교대상으로서의 일본** 토론 권숙인(서울대)
2019.11.29. 서울대 국제대학원 소천국제회의실	개소 15주년 기념 국제학술대회 : **헤이세이사(平成史) 재고-현대 일본사회의 구조적 전환과 한일관계의 미래**	사회 서동주(서울대) 개회사 김현철(서울대 일본연구소장) **1부 헤이세이 시기 일본의 대외전략과 동아시아 국제관계** 사회 이은경(서울대 일본연구소) 이기태(통일연구원) **헤이세이 시기 일본의 대외전략과 한일관계** Lim John Chuan-tiong(타이완중앙연구원) **헤이세이기의 중일관계** 조관자(서울대 일본연구소) **헤이세이 일본의 '동아시아 공동체': 논의와 네트워크**

넷우익(Net右翼)

인터넷에서 인종차별이나 국수주의 주장 등을 하는 이용자들을 가리키는 말이다. 일본에서는 인터넷상에서 활동하는 태평양 전쟁 이후 출생자가 주축을 이루는 우익 세력을 뜻한다. 이들은 주로 한국과 중국을 혐오 대상으로 삼고 있는데 특히 한국에 대하여 더 공격적이다. 이들은 주로 과거 일본제국 시절의 일본을 찬양하거나 근거없는 주장으로 혐한을 조장하고 한국과 한국인을 모욕하고 조롱한다. 예전에는 대체로 사회부적응자로 보였으나 최근에는 공무원 같은 엘리트층 넷우익도 생겨나고 있다. (위키백과)

일시/장소	주 제	발표자
		토론 백지운(서울대), 최은미(국립외교원) **2부 헤이세이 시기 '전후체제'의 변동과 새로운 내셔널리즘** 사회 정지희(서울대 일본연구소) 야마구치 도모미(몬태나주립대) **넷우익과 역사인식, 젠더** 니쿠라 다카히토(세이조대) **미들클래스의 변용과 헤이세이라는 시대** 김효진(서울대 일본연구소) **코믹마켓을 통해 본 헤이세이의 오타쿠문화** 토론 조경희(성공회대), 남상욱(인천대) **3부 종합토론**
2020.7.24	**구조적 대전환기의 한일관계 - 과거사와 수출규제를 넘어, 포스트 코로나의 미래 구상**	개회사 성경륭 이사장(경제 인문사회연구회) 환영사 김흥종(대외경제정책연구원) 축사 이수훈(전 주일대사) 기조강연 재러드 다이아몬드(UCLA 교수) **포스트 코로나 시대, 세계사의 대전환과 한일관계** **제1세션 수출규제 1년과 한일관계의 현주소** 사회 김현철(서울대 일본연구소장) 정성춘(대외경제정책연구원) **일본의 수출규제 1년과 한일경제관계** 야마구치 지로(호세이대) **아베 정치와 한일관계** 알렉시스 더든(코네티컷대) **세계사 전환기의 한일 역사갈등 해법** 토론 김양희(국립외교원), 호리야마 아키코(마이니치신문 서울지국장), 이종원(와세다대), 조양현(국립외교원) **제2세션 포스트 코로나 시대의 한일협력과 동북아** 사회 남기정(서울대 일본연구소) 최희식(국민대) **포스트 코로나 시대 한일관계 전망: 한국의 시각** 기미야 다다시(도쿄대) **포스트 코로나 시대 한일관계 전망: 일본의 시각** 제프리 킹스턴(템플대 일본분교) **포스트 코로나 시대 동북아 국제정치와 한일관계** 토론 나카노 고이치(소피아대), 이왕휘(아주대), 리청르(중국사회과학원), 손열(연세대)
2020.12.14	**한국전쟁 70주년 학술회의 "한반도 정전체제와 '전후' 일본"**	개회사 김현철(서울대 일본연구소장) 남기정(서울대) **동북아시아 전쟁으로서 한국전쟁과 한일관계** 권헌익(캠브리지대) **한국전쟁과 오늘의 일본** 사회 박명림(연세대) 대담 남기정 & 권헌익
2021.3.18~19	**2000년도 이후 일본 오타쿠 문화의 쟁점과 전망: 쿨 재팬 20년을 되돌아보다**	**〈3월 18일〉** 사회 김효진(서울대) 개회사 김현철(서울대 일본연구소장) 축사 박태균(서울대 국제대학원장), 가토 다케시(일본국제교

일시/장소	주 제	발표자
		류기금 서우문화센터소장), 오모리 게이스케(공일재단법인 도시바국제교류재단 전무) 기조강연1 이와부치 고이치(간세이가쿠인대) Undoing Cool Japan 기조강연2 김준양(니가타대) Otaku/Fana, Identity-creating Performance, and Kinesthetic Experience of Viewing Anime **제1부 오타쿠 문화와 표현의 자유** 사회 남기정(서울대) 호리 아키코(간사이대) **오타쿠 문화의 쟁점으로서의 페미니즘** 이토 마사아키(세이케이대) **오타쿠 문화와 넷우익** 오기노 고타로(NPO Uguisu Ribbon Campaign) **문장 · 묘화 · 낭독으로 표현되는 허구의 규제를 둘러싼 논란과 그 파장에 대하여** 토론 정지희(서울대), 서동주(서울대) **〈3월 19일〉** **제2부 오타쿠 문화와 LOCALTY** 사회 박지환(서울대) 사다카네 히데유키(릿쿄대) **아키하바라 · 이케부쿠로의 두가지 기원: 도시 · 도쿄의 운명** 이석(인천대) **2010년대 지방문화의 새로운 가능성에 관하여 - 사가현과 애니메이션 『좀비랜드 사가』를 중심으로** 오카모토 다케시(긴키대) **일본의 콘텐츠 투어리즘 전개: 오타쿠적 관광에서 애니메이션 성지 순례가 어떻게 주류가 되었는가** 토론 조아라(한국문화관광연구원), 스기모토 쇼고(고려대) **제3부 BL과 후조시를 둘러싼 새로운 담론** 사회 이은경(서울대) 니시하라 마리(아이치가쿠센대) **남성 아이돌 문화의 BL전략: 미디어와 수용자의 "공범"관계** 김효진(서울대) **부녀자를 "말하다": BL을 읽는 여성은 어떻게 그려져 왔는가** 미조구치 아키코(가쿠슈인대) **BL, 게이영상, 그리고 현실의 게이와의 관계 재고: 영상화의 새로운 국면, 지금 여기** 토론 김경태(영화학자), 허윤(부경대) **제4부 오타쿠 문화와 리얼리티** 사회 박승현(계명대) 김일림(한국예술종합학교) **'오타쿠문화 공영권' 연구** 후지타 나오야(일본영화대) **오타쿠문화와 내셔널 아이덴티티** 야마나카 지에(교토산업대) **망가 표현의 리얼리티** 토론 남상욱(인천대), 신하경(숙명여대) **종합토론** 사회 김효진

BL

보이즈 러브(Boy's Love)의 약자로, BL은 남성 캐릭터와 남성 캐릭터 간의 연애나 성관계를 소재로 다루는 창작 장르이다. 실제 동성애자의 문화나 환경과는 공통분모가 적고, 동성애를 향한 망상과 성적 판타지가 가미된 장르다. 기본적으로는 여성취향이며, 소수의 남성들도 즐긴다. (나무 위키)

마치즈쿠리(まちづくり)

마치즈쿠리는 '마을만들기'라는 뜻이지만 물리적 건설이나 하드웨어적인 면이 아니라 소프트웨어적인 면을 강조한다. 마치즈쿠리는 일거리 확보, 인재교육, 각종 이벤트, 정보 발신, 관광촉진 등을 통해 지역에 활기를 넣는 것을 중요하게 생각한다. 일본 각지에서 마치즈쿠리를 전개한 것은 1980년대. 공공사업의 방향을 고도성장기의 특징인 하드웨어적 개발에서 소프웨어적 개발로 눈을 돌릴 때였다. 그간의 개발 중시 정책으로 발생한 공해, 환경, 자연파괴 등의 문제로 지역이 잃어버린 아이덴티티를 재구축할 필요성을 느끼고 있던 시점이었다. 당시 지역주민의 가치관도 경제중시에서 생활중시로 바뀜에 따라 국가중심의 행정보다 주민자치를 선호하면서 마치즈쿠리와 자연스레 결합했다. (일본의 '지역고찰 미디어'의 설명 정리)

염상섭의 독립운동

횡보 염상섭은 '표본실의 청개구리', '만세전', '삼대' 등의 작품으로 우리에게 잘 알려진 한국근대소설가이다. 그런 염상섭이 일본 오사카에서 독립선언을 시도하려다가 체포된 적이 있다. "염상섭(1897~1963)이 주도한 '3·19 오사카 독립선언'이었다. …염상섭은 오사카 독립선언서에서 독립의 근거로 민족자결주의를 내세우는 한편 일제가 조선을 동화시키기 위해 만든 '동조동근'(同祖同根 · 일본과 한국의 조상이 같고 뿌리가 같다는 의미)론을 강력 비판했다. 당시 오사카 아사히신문은 '시내 조선인 검거, 불온한 비밀 출판을 배포하고 시위운동용 깃발 은닉'이라는 제목의 3월 21일 자 기사에서 '19일 오사카 시내 덴노지(天王寺) 공원 음악당(공회당)에 집결한 조선인 24명이 체포됐다'고 보도했다. …일본 법원은 1심에서 염상섭에게 금고 10개월, 이경근과 백봉제에게 금고 3개월 15일을 선고했으나 그해 6월 열린 2심 재판에서 무죄 판결을 내렸다."(동아일보 2019년 2월 9일 자)

■ 전문가초청 세미나 (최근 2년간)

회차	일 시	강 사	강의 주제
219	2018.3.13	미마키 세이코(三牧聖子) 다카사키경제대, 아사노 도요미(浅野豊美) 와세다대, 간 히데키(菅英輝) 교토외국어대 교수	한일관계의 구조변동과 역사인식 문제: 일본 연구자와 한국 대학원생의 대화
220	2018.3.27	야마나카 지에(山中千恵) 교토산업대 현대사회학부 교수	학습만화가 그리는 인간과 세계 - 아키 레이지(秋玲二)의 『공부만화』를 단초로
221	2018.4.10	엄태봉 국민대 일본학연구소 연구교수	한일회담 중단시기 문화재 반환문제의 쟁점
222	2018.4.24	김인덕 청암대 교수	해방이후 재일조선인 민족교육운동
223	2018.5.15	다카노 도시후미(高野利文) 장안대 교수	일본 마치즈쿠리의 발전과정과 규슈 유후인정(湯布院町)의 지역활성화
224	2018.5.29	심규선 전 동아일보 대기자	위안부 합의는 지금
225	2018.6.12	김지혜 뉴욕시립대 박사	동아시아의 영정사진을 통해 본 사자(死者)의 추모방식
226	2018.10.23	손석의 서울대 박사	자민당-공명당의 선거협력 변천: 적응과 유연의 메커니즘
227	2018.10.30	김은혜	도쿄올림픽과 도시재생의 공간정치학
228	2018.11.13	이종호	일본 오사카에서의 3.1운동 - 염상섭의 독립선언과 그 함의
229	2018.12.6	LIM John Chuan-tiong(대만중앙연구원)	중국의 부상과 일본 · 중국 · 대만 관계
230	2018.12.11	윤석정 국민대 일본학연구소 연구교수	아베 담화와 한국: 역사관, 화해 그리고 한일관계
231	2019.3.19	김성민 홋카이도대	'65년 체제'와 대중문화 - 한일문화교류론의 비판적 검토
232	2019.3.26	마쓰타니 모토카즈(松谷基和)	후쿠시마 원전사고 그 후: 한일의 미래를 위한 당사자의 관찰과 시사
233	2019.4.23	이경미	제국일본의 역사편찬사업과 조선의 주체성
234	2019.5.28	박완	제1차 세계대전의 충격과 근대 일본의 대응: 육군의 동향을 중심으로
235	2019.6.11	박경민 국민대 강사	낯설지 않은 역사인식: 조선을 떠난 일본인들의 한일회담

236	2019.9.10	신가에 아키토모(新ヶ江章友) 오사카시립대 인권문제연구센터 준교수	일본의 동성애자와 국가: 에이즈, 동성혼, 생식의료를 통해 보다
237	2019.9.17	목수현 미술사학자	한국 박물관 100년의 '취향'과 일본-제실(帝室) 박물관 컬렉션을 중심으로
238	2019.10.8	박승현 서울대 인류학과 BK21플러스사업단 BK조교수	고도경제성장기의 유산: 일본 공공단지의 삶과 죽음
239	2019.10.22	배묘정 서울대 인문대학 공연예술학전공	정치의 가극화, 가극의 정치화 : 소녀가극이 재현한 제국 통합의 이데올로기
240	2020.2.25	제임스 웰커	BL미디어와 젠더, 섹슈얼리티의 변용
		후지모토 유카리(藤本由香里)	일본 만화속의 '여성간의 사랑'의 계보
241	2020.9.22	최은미(아산정책연구원)	코로나19와 일본의 위기관리 거버넌스 (줌 이용)
242	2020.10.13	송정현(동국대 일본학과)	포스트코로나 시대의 일본경제 향방
243	2020.11.10	남유민(고려대 교양교육원)	새로운 현대 일본 대중문학, 라이트 노벨
244	2020.11.17	박지선(오카야마대학 사회문화과학연구과)	일본의 정부여당 관계: 여당사전심사제도의 발전을 중심으로
245	2020.11.24	김지영(도쿄예술대 예술학과 박사)	해방 전 재일본 조선인 미술유학생
246	2020.12.8	엄혜원(하와이대 정치학 박사)	일본 사회 운동에서의 소송의 의의: 일본인 잔류고아의 사례를 중심으로
247	2021.3.9	구유진(도쿄대 동아시아예문서원 특임조교)	일본 정치에 있어서 보수의 변용에 대한 고찰: 1990년 이후 '보수시민사회' 등장을 중심으로
248	2021.3.16	기무라 슈헤이(쓰쿠바대 준교수)	災厄と地域: 東日本大震災とCOVID19の調査をもとに
249	2021.3.23	최가영(고마자와대 정치학과 전임강사)	관련 법/제도의 진화와 코로나19: 한국과 일본
250	2021.3.30	이영진(강원대 문화인류학과 교수)	생명정치적 통치성에서의 법의 의미-미나마타(水俣) 소송을 중심으로
251	2021.4.6	노유니아(도쿄대 문화자원학 박사)	일본미술사의 역사: 성립·수정·선전
253	2021.4.27	이혜진(세명대 교양학부 부교수)	제국의 아이돌: 제국의 시대, 경계에선 여인들

미나마타병(水俣病)
수은중독으로 발생하는 다양한 신경학적 증상과 징후를 특징으로 하는 공해병이다. 1956년 일본의 구마모토현 미나마타시에서 메틸수은이 들어있는 조개와 어류를 먹은 주민들에게 집단적으로 발생하면서 사회적으로 큰 문제가 되었다. 이 메틸수은은 인근의 화학 공장에서 바다에 방류한 것으로 밝혀졌다. 2001년까지 공식적으로 2265명의 환자가 확인됐다. 1987년 3월 30일 구마모토 지방법원에서 원고 승소 판결이 나왔고, 2004년 10월 대법원은 국가와 지방정부의 책임을 인정했다. (서울대학교 의학정보, 두산백과)

이 밖의 학술활동으로 ▷연구집담회(콜로키움 · 2009~2013년, 34회) ▷일본진단 세미나(2012~2017년, 27회) ▷기획특별강연(2007~2015년, 16회) 등이 있다.

국제교류

일반적인 국제교류사업은 해외연구기관과 MOU 등을 통해 네트워크를 맺는 것이지만, 여기에서는 동아시아 일본연구자 협의회(East Asian Consortium of Japanese Studies)를 소개한다. 서울대 일본연구소가 이 협의회를 발족시키는 데 주도적인 역할을 했기 때문이다. 협의회 발족 경위와 협의회가 주최한 제1회 국제학술대회를 서울대 일본연구소 홈피의 설명을 요약해 소개하면 다음과 같다.

동아시아지역의 일본연구 정보를 교류하고 차세대 연구자를 육성하기 위해 경계와 세대를 넘는 국제적인 연구교류 채널이 필요하다는 인식에 따라 수년간의 협의를 거쳐 2015년 9월 '동아시아 일본연구자 협의회'를 만들었다. 그 후 협의회가 동아시아의 일본연구자가 모이는 학술회의를 제안함에 따라 각국 일본연구기관의 찬동을 얻어 2016년 11월 30일부터 12월 2일까지 대한민국 송도컨벤시아에서 제1회 국제학술대회를 열었다. 이 국제학술대회의 집행기관은 서울대 일본연구소였으며, 각국의 유수한 일본연구기관이 참가했다.

제1회 국제학술대회는 특별강연, 공동패널, 자유패널, 차세대패널 등으로 진행했으며 약 300명의 동아시아 일본 연구자와 차세대 연구자가 참가했다. 마지막 날인 12월 2일에 열린 협의회 운영위원회에는 각국의 12개 연구기관 대표가 참가해 이후 사업 등을 논의했다. 그 결과 1) 매년 동아시아의 지역을 순회하는 국제학술대회 개최, 2) 협의회 운영의 안정과 책임을 확보하기 위해 동아시아 유수의 일본연구기관의 대리인이 참가하는 운영위원회 구성, 3) 차세대 연구자가 참가하는 패널 운영, 4) 협의회를 학회로 발전시킬 수 있는 가능성 모색 등에 합의했다.

차세대 연구자 양성

■ 포스트 닥(Post-Doc) 지원

서울대 일본연구소는 한국연구재단 등 외부기관의 연구비지원을 받은 박사급 인력에게 연구 공간과 컴퓨터 등 연구 기자재를 제공하고 연구소의 학술활동에 참여할 수 있는 기회를 주고 있다. 지금까지 최민경(히도쓰바시대), 박이진(오사카대), 윤기엽(연세대), 이호상(쓰쿠바대) 씨가 거쳐갔고, 2021년 현재 김지영 씨(도쿄대)가 포스트 닥으로 있다.

■ 대학원생 현지자료 조사

공모를 통해 선발된 대학원생들이 일본 현지에서 자료 조사와 수집을 할 수 있도록 지원하는 제도이다. 2003년부터 시작해 2019년까지 93명을 지원했다. 2019년에 선발한 5명의 연구테마는 다음과 같다.

이름/소속	연구 테마
리나(환경계획학과)	Urban form evolution of Seoul and Tokyo by cluster analysis after world war II
아베 사토코(식품영양학과 식품영양학 전공)	재난 시 급식제공을 위한 영양관리 기준 및 급식소 메뉴 개발
이새봄(디자인학부 디자인역사문화 전공)	A Visual Representation of a Female Image in Illustrations during Enlightenment Period in Korea and Japan: A Case Study of Textbooks
김성진(고고미술사학과 미술사학 전공)	〈蒹葭堂雅集圖〉의 제작과 호레키(宝歴)통신사의 연구
전가람(환경대학원 환경조경학과)	에치고 쓰마리(越後妻有) 아트필드의 구성주체들의 경관(景観) 리터러시와 그 어메니티로서의 프로그램 분석

에치고 쓰마리

일본 니가타(新潟)현 남부 도카마치시(十日町市)시와 쓰난초(津南町)를 합쳐 에치고 쓰마리(越後妻有)라고 부른다. 중산간 지대로, 인구 고령화와 과소화로 존폐의 위기에 몰렸으나 '현대예술'로 기사회생해 관심을 끌고 있다. 2000년부터 3년에 한 번씩 '대지의 예술제'를 여는데, 2015년에는 50만 명을 불러들였고 50억 엔의 경제효과를 봤다. (경향신문, 2018년 9월 17일 입력). 을씨년스러운 공장지대였던 가가와현의 나오시마를 예술의 섬으로 변모시킨 열정과 아이디어가 이곳에서도 성공을 거둔 셈이다.

■ Japan Table

서울대 국제대학원에 재학 중인 대학원생 중심으로 일본에 관한 학문적 관심사와 사회적 현안을 주제로 운영하는 토론 모임이다. 일본연구소는 주제 선정에 대한 자문과 경비를 지원하고 있다. 2018년의 토론 주제와 참가자는 다음과 같다.

토론 주제	참가자
대중문화의 대표격 일본의 센토(銭湯) - 니가타와의 관련성	가와세 에마리(국제협력)
일본의 서브 컬쳐	황혜선(국제지역)
일본의 성년식	배유진(국제지역)
포켓몬과 관련 번역의 문제점	박나현(국제지역)
일본의 식사방법	Liao Ziyi (국제지역)
일본의 쿨재팬 정책	류다정(국제협력)
유키구니(雪國) 니가타의 생활에서 본 눈의 활용법	
센류(川柳)	
다카라즈카 가극단(宝塚歌劇団)	
AKB48 그룹	

■ 주니어 펠로우

주니어 펠로우는 학부생의 일본에 대한 이해와 관심을 높이기 위한 프로그램이다. 주니어 펠로우로 선발된 학생은 일본연구소가 주최하는 학술행사, 교류행사,

교육프로그램 등에 참가할 수 있고, 일본 관련 학습 및 연구에 필요한 상담과 조언도 받을 수 있다. 지금까지 7기 157명이 펠로우로 일했다. 펠로우 활동이 일정 기준을 충족하면 인증서도 수여하고 있다.

■ **일본 생활세계 탐구교실**

학부생 대상의 교양강좌 프로그램이다. 현대 일본인들의 생활과 의식에 대한 탐구를 통해 일본에 대한 이해를 증진시키는 것이 목적이다.

2019년의 강의 내용은 다음과 같다.

일시	강연자	주 제
3.13	이은경	동쪽 수도(東京)의 탄생: 에도 · 생활 · 재해
3.27	마쓰타니 모토카즈	후쿠시마로부터의 편지: 나는 왜 한국(인)을 연구하는가
4.10	남기정	한반도 평화 프로세스와 한일관계
4.24	서동주	전쟁과 미학: '약한' 일본인상(像)의 계보
5.8	정지희	NHK 수신료 문제와 '행동하는 보수' 운동을 통해 본 현대 일본의 공정사회 인식
5.22	김효진	만화뮤지엄 논쟁을 통해 본 한일의 만화문화
9.18	이은경	일본 근대 여성 분투기: 모성 · 참정권 그리고 전쟁협력
9.25	박삼헌	근현대 천황제와 표상의 변천
10.2	여인만	일본경제의 최근 동향과 한일 산업경쟁력 변화
10.30	조관자	한일관계, 무엇이 문제이고, 어떻게 풀 수 있을까
11.13	조현정	경합하는 미래: 일본 '전후' 건축의 쟁점
11.27	서동주	일본의 전후문학과 '타자'라는 사상과제

〈아재's 러브(おっさんずラブ)〉

TV아사히가 2018년 4월부터 6월까지 방영한 토요 BL(보이러브) 드라마. 주연은 다나카 게이. 2016년에 스페셜 1부작으로 만들었고, 2018년에 연속 드라마로 다시 제작한 것이다. 여자친구가 없는 주인공 하루타 소이치가 어느 날 상사인 남자 부장과 남자 후배에게 동시에 고백을 받으면서 벌어지는 일들을 그리고 있다. 2019년 8월 23일에 극장판이 나왔다. 2019년 11, 12월에는 항공사를 배경으로 한 시즌 2 〈아재's 러브-in the sky〉를 방영했다. (나무위키)

2020년의 강의 내용은 다음과 같다.

일시	강연자	주 제
9.9	조현정	탈(脫)전후 일본 건축의 쟁점과 주택 디자인
9.16	남기정	일본의 보수 · 우경화와 헌법개정론: 아베 그리고 포스트 아베
9.23	마쓰타니 모토카즈	후쿠시마에서 본 오늘의 한일관계: 숨겨진 현지인의 목소리
10.7	김효진	〈아재's 러브〉를 통해 본 현대 일본의 성소수자: 정책과 표상의 변화
10.14	박승현	고령화와 복지, 재해와 시민사회
10.28	서동주	〈고질라〉와 전후 일본의 정신사

11.4	심규선	일본과의 품위 있는 동거법: 조선통신사, 최서면, 연극 '친일탐구'의 경우
11.11	정지희	전후 민주주의와 대중공론장
11.18	이은경	도쿄를 통해 보는 일본의 역사
11.25	조관자	'코로나의 역설'에서 배우는 포스트 코로나 시대

사회공헌

■ 관정일본연구 프로젝트

2019년 7월 24일 관정이종환교육재단이 기부한 2억 5,000만 원으로 진행하는 사업이다.

■ 연구사업

초고령사회, 재난사회 일본 생활세계의 재편과 재생: 1995년 대지진 이후 한신지역에 대한 인류학적 연구

직 책	이 름	연구 주제
연구책임자	권숙인(서울대)	외국인 노동자, 케어 로봇, AI: 최선단 다문화화의 장으로서의 개호 현장
공동연구원	박승현(서울대)	한신대지진 이후의 도시계획과 공공주거, 그 생활체계에 대한 인류학적 연구
	지은숙(서울대)	고령사회의 지역운동과 여성주체의 부상: 더 나은 고령사회를 위한 여성의모임 · 오사카의 활동을 중심으로
	오와 미에(간세이가쿠인대)	개호가 필요한 고령자의 재택생활 지원체제에 대한 연구: AIP와 커뮤니티 케어, 고령자 고립의 문제와 재택지원
	야마 요시유키(간세이가쿠인대)	초고령사회의 지역커뮤니티를 기반으로 해서 재해 때 원호가 필요한 사람에 대한 지원시스템 구축

■ 학술사업

명 칭	일 시	내 용
관정일본연구 제1회 학술회의 "한일관계: 반일과 혐한을 넘어서"	2019.8.26	사회 정지회(서울대학교 일본연구소) 개회사 김현철(서울대학교 일본연구소장) 축사 이종환(관정이종환교육재단 회장)

친일탐구

연극계는 2016년 당시 문화계 최대 관심사였던 '블랙리스트'에 반발해 여러 극단이 참여하는 저항형 공연 축제를 시작했다. 〈권리장전 2016년 검열각하〉가 그것이다. 여기서 권리장전은 '權利章典'이 아니라, '권리를 쟁취하기 위해 오래 싸우겠다'는 의미로 '權利長戰'으로 쓴다. 연극인들은 이런 문제 의식을 버리지 않고 2017년 '국가본색', 2018년 '분단국가', 2019년 '원조적폐'로 프로젝트를 이어왔고 2020년 테마가 '친일탐구'였다. 2016년 20개 팀, 2017년 21개 팀, 2018년 11개 팀, 2019년 14개 팀, 2020년 9개 팀이 참가했다. 2020년 '친일탐구'는 7월 1일부터 9월 6일까지 서울 혜화동 연우소극장에서 공연했다.

		기조강연 와다 하루키(도쿄대 명예교수) **아베 제2차 내각의 대한·대북한 관계** 발표 남기정(서울대) **한일 1965년 체제의 동요와 극복** 김현철(서울대) **한국 경제의 전화위복 전략** 조관자(서울대) **강제동원 배상 판결 후 일본인의 한국인식 양상** 김효진(서울대) **소녀상 철거 논란을 둘러싼 한일 인터넷 반응** 토론 예영준(중앙일보) 길윤형(한겨레신문) 축사 정운찬(KBO 총재, 전 국무총리)
관정일본연구 제2회 학술회의 "코로나19와 일본"	2020.8.24	개회 조관자(서울대 일본연구소) 환영사 김현철(서울대 일본연구소장) 축사 김대영(관정이종환교육재단 부이사장), 가토 다케시(일본국제교류기금 서울문화센터 소장) **1부** 사회 조관자(서울대 일본연구소) 기조강연 김태형(순천향의대) **이상주의와 현실주의가 공존하는 한일의 코로나19 현장 이야기** 발표 남기정(서울대) **포스트 코로나 시대 동북아 질서 변혁과 한일협력 가능성** 박정진(쓰다주쿠대) **코로나 위기 속의 일본정치: 국가전략의 연속, 그리고 재편의 가능성** **2부** 사회 이은경(서울대 일본연구소) 발표 이창민(한국외대) **코로나19의 충격과 일본경제** 박승현(서울대 일본연구소) **팬데믹 이후의 일본사회: 재난, 불안과 자숙, 올림픽** 토론 심규선(서울대 일본연구소 객원연구원·전 동아일보 대기자) 호리야마 아키코(마이니치신문 서울지국장·서울외신기자클럽 회장)

■ 전국일본어교사협의회(JTA)와의 교류사업

– 찾아가는 일본강좌(2019년 하반기)

학 교	강 사	주 제
미추홀외국어고	남기정	**한국과 일본: 과거 100년, 미래 100년**
청원고	조관자	**한일 대중문화 교류와 한일 우호**
인천세무고	서동주	**한일 관계의 전환과 한일 교류의 재인식**
인천신현고	서동주	**한일 관계의 전환과 한일 교류의 재인식**

■ 관정일본리뷰

2020년 3월에 시작한 기획. 서울대 일본연구소 소속 교수만이 아니라 외부 전문가도 필진으로 참여하고 있다. 시의성 있는 일본 이슈와 한일 현안에 대한 분석적 칼럼을 일본연구소 홈페이지에 게재하고 있다.

순서	게재일자	필 진	주 제
1	3월 25일	김효진(서울대 일본연구소)	영화 '기생충'과 한일의 새로운 연결: 국경을 가로지르고 경계를 옮기는 사건
2	4월 8일	박정진(쓰다주쿠대)	일본의 '긴급사태'와 '자숙' 매뉴얼
3	4월 16일	박영준(국방대)	일본이 한국형 안보제도를 도입하는 이유
4	4월 29일	남기정(서울대 일본연구소)	4·15총선, 코로나19, 그리고 한일관계
5	5월 13일	심규선(서울대 일본연구소 객원연구원)	최서면 원장님, 병실밖은 신록이 꽃보다 아름답습니다
6	5월 27일	박철희(서울대 국제학연구소장)	한일간 역사수정주의의 대립을 넘어서야
7	6월 10일	김범성(히로시마공업대 환경학부)	코로나 시대의 "위생적"인 일본
8	6월 24일	서동주(서울대학교 일본연구소)	코로나 팬데믹 속의 '탈아입구(脫亜入欧)'를 경계하며
9	7월 8일	권혁욱(니혼대 경제학부)	코로나 이후의 일본경제
10	7월 22일	여인만(강릉원주대학 국제통상학과)	일본의 대(對)한국 수출규제의 의미와 영향
11	8월 5일	임재환(아오야마가쿠인대 국제정치경제학부)	코로나19와 중일관계의 현재
12	8월 19일	유혁수(가나가와대 교수·요코하마국립대 명예교수)	75번째 8.15를 맞이하며: 앞으로의 한일관계를 생각한다
13	9월 2일	국중호(요코하마시립대 교수·게이오대 특별초빙 교수)	한·일 간 소득격차 축소와 한국의 대일 전략
14	9월 16일	이영진(강원대 문화인류학과)	메이지의 유령: '메이지 일본의 산업혁명유산'을 둘러싼 문제들
15	10월 7일	조관자(서울대 일본연구소)	문화·자연·지방창생: 지브리의 재탄생을 기대하며
16	10월 21일	김성민(홋카이도대 미디어커뮤니케이션연구원)	'3차 한류'의 세 가지 풍경
17	11월 4일	정재정(서울시립대 명예교수)	역사문제, 어떻게 풀어야 하나?
18	11월 18일	박훈(서울대 동양사학과)	하기에는 언제쯤 갈 수 있을까

스튜디오 지브리

일본 도쿄에 있으며, 전 세계적으로 많은 팬을 보유한 애니메이션 스튜디오이다. 1985년에 설립해 미야자키 하야오 감독을 중심으로 〈바람계곡의 나우시카〉, 〈천공의 성 라퓨타〉, 〈이웃집 토토로〉, 〈폼포코 너구리 대작전〉, 〈모노노케 히메〉, 〈벼랑 위의 포뇨〉 등 자연과의 공존, 반전·평화의 메시지를 가진 애니메이션 영화를 제작했다. (세계애니메이션백과)

3차 한류

김성민 교수는 일본에서의 1차 한류는 영화 '쉬리'(2000년), 가수 보아(2001년), 드라마 겨울연가(2002, 2003)에서 시작하는 등 발화와 영향이 분명했다고 지적한다. 그에 비해 2차 한류는 특별한 시차 없이 한류의 주요 장르가 드라마에서 K팝으로 바뀌고, 10, 20대가 주요 수용자로 부상한 2010년 전후의 변화를 이전과 구분하기 위해 쓰기 시작한 용어라고 말한다. 3차 한류는 시작점이 불분명한 데 이는 "이미 글로벌한 흐름과 연계하여 일어나고 있던 다양한 경험들이 2017년경부터 사회현상으로 재발견된 것으로 봐야 한다"고 분석했다. 김 교수는 최근의 한류까지도 3차로 분류하지만 3차와 4차를 나누고, 드라마와 영화, 팝을 넘어 패션과 뷰티까지 인기를 끌고 있는 현상을 3차 한류로, 코로나 사태 이후 넷플릭스 등을 통해 '사랑의 불시착' '이태원 클래쓰' 등 한국 드라마가 다시 큰 인기를 얻고 있는 현상을 4차 한류로 부르는 학자도 있다.

19	12월 2일	정지희(서울대학교 일본연구소)	팬데믹 시대 35엔의 나비 효과: 스가 내각 출범과 공영 방송 NHK
20	12월 16일	이은경(서울대 일본연구소)	황실의 여자들: 비교, 비교, 비교 그리고 인권
21	2021년 1월 20일	박태균(서울대 국제대학원장)	한일관계 현안에서 역사문제를 분리해야
22	2월 10일	손석의(서울대 일본연구소)	정치개혁, 그 후
23	2월 24일	박승현(서울대 일본연구소)	두 번의 3.11, 두 번의 긴급사태선언
24	3월 10일	박지환(서울대 국제대학원)	지방에서 지내며(暮す), 머물고(籠る), 살아가는(生きる) 청년
25	3월 24일	이종원(와세다대)	'미래지향'의 한일갈등
26	4월 14일	윤상인(서울대 일본연구소 객원연구원, 전 서울대 아시아언어문명학부 교수)	근대문명과 신체(身體)정치
27	4월 28일	김효진(서울대 일본연구소 교수)	삿포로 지방법원 〈동성혼 불인정 위헌판결〉이 보여주는 일본 사회의 변화
28	5월 12일	한정선(고려대 국제학부 교수)	줌(Zoom)으로 가 본 일본 도야마현(富山県) 도야마시(富山市)
29	5월 26일	남기정(서울대 일본연구소 교수)	피해/생존자 없는 시대의 피해자 중심 접근과 일본군'위안부' 문제
30	6월 9일	이정환(서울대 정치외교학부 교수)	제44차 유네스코 세계유산위원회와 한일관계
31	6월 23일	오승희(서울대 일본연구소 HK연구교수)	〈귀멸의 칼날〉과 〈사랑의 불시착〉으로 본 한일관계
32	7월 14일	서동주(서울대 일본연구소 교수)	난감한 이웃 일본의 복잡한 내면
33	7월 28일	정준영(서울대 규장각 한국학연구원 교수)	옛날 관광안내서로 한일 투어리즘을 상상하기
34	8월 11일	이은경(서울대일본연구소 교수)	우리 다시 만나 [서 싸우] 게 해주세요

제44차 유네스코 세계유산위원회

군함도 등을 소개하는 일본의 산업유산정보센터의 안내문에는 조선인 노동자들이 강제노동을 한 사실이 빠져 있어 문제가 됐다. 제44차 유네스코 세계유산위원회가 이 문제에 대해 어떤 태도를 취할지가 관심을 끌었다. 다음은 문화재청 보도자료의 일부이다. "제44차 유네스코 세계유산위원회(WHC · 의장국 중국)는 2021년 7월 16일부터 31일까지(파리 현지시각) 온라인으로 개최했다. 한국과 일본이 갈등을 빚고 있는 '군함도'(하시마 · 端島)'를 포함한 '메이지, 일본의 산업혁명 유산'의 보존현황보고 결정문에서 유네스코는 "조선인 강제노동을 포함한 유산의 전체 역사가 제대로 전달되지 않은 데 대한 강한 유감(strongly regret)"이라고 매우 이례적이고 강도 높은 권고를 제시했다. 위원회는 자문기구의 의견을 만장일치로 합의하고 등재 당시 위원회가 일본에 권고한 후속조치의 충실한 이행을 촉구했다."

■ **일본주요신문 사설과 칼럼 발신**

2014년 2월 12일부터 시작한 사업으로 일본 주요신문 — 아사히, 마이니치, 요미우리, 산케이 — 의 사설과 칼럼(칼럼은 사설에 비해 적다)을 일본 전문가들에게 메일 등을 통해 보내주고 연구소 홈페이지에도 업로드한다. 가끔 일본 관련 한국 언론의 사설이나 칼럼도 보내준다. 과거 사설과 칼럼을 신문사, 게재일, 키워드로 검색할 수 있다.

■ 일본교육자 한국학워크숍

2002년 한일월드컵을 계기로 2000년부터 한일 양국의 교사들을 상호 초청하는 사업을 시작했다. 한국은 한국국제교류재단(KF · 코리아 파운데이션)과 서울대학교 일본연구소가, 일본은 일본국제교류기금(JF · 재팬 파운데이션)이 담당했다. 2008년부터는 일본의 교사만 한국에 오는 사업으로 바뀌었고, 2012년에 사업이 끝났다.

2012년 이 프로그램에 참가한 일본인 교사는 다음과 같다.

이 름	성별	소속학교	과 목
구도 준이치(工藤順一)	남	六戸町立六戸中学校	사회과
스즈키 마사미쓰(鈴木正光)	남	三戸町立杉沢中学校	사회과
오사와 마사루(大沢勝)	남	岩手県立一戸高等学校	지리역사(세계사)
구로사와 스스무(黒澤進)	남	湯沢市立皆瀬中学校	사회과
이노우에 히로타카(井上宏孝)	남	茨城県立水戸第三高等学校	지리역사 · 공민과
요시다 다쓰히코(吉田辰彦)	남	神奈川県立相模原高等学校	지리역사
세키 다쿠야(関拓也)	남	三条市立栄中学校	사회과
마루야마 야스오(丸山靖生)	남	羽島市立羽島中学校	사회과
오쓰카 마사유키(大塚雅之)	남	大阪府立泉鳥取高等学校	사회과
미야와키 다카후미(宮脇隆文)	남	宇多津町立宇多津中学校	사회과
다나카 준(田中淳)	남	唐津市立呼子中学校	사회과
하라구치 료코(原口玲子)	여	熊本県立松橋高等学校	지리역사
노부유키 마사카즈(信國正和)	남	阿蘇市立波野中学校	사회과
다이크스 사오리	여	沖縄県立前原高等学校	공민과
사이쇼 겐타(最所健太)	남	福岡市立多々良中央中学校	사회과

이들이 한국에서 들은 강의는 다음과 같다.

분 야	강의명	강 사
정치	**2012년 한국 정치와 한일관계**	박철희(서울대 국제대학원)
교육	**한국 대학입시와 고교교육**	김미란(한국교육개발원)
지리	**인구집중과 공간의 변용**	조아라(서울대 일본연구소)

한국어	한국어와 문학	강유리(서울대 언어교육원)
경제	한국경제와 기업경영	김현철(서울대 국제대학원)
북한	일본과 북한 문제	박정진(서울대 일본연구소)
역사	근대 한국의 역사적 변화와 전개	김익한(명지대 기록관리대학원)

출판

■ SNU일본연구총서

일본연구소의 학술지원으로 수행한 연구결과만이 아니라 연구소 구성원이 자발적으로 연구한 성과도 발간한다.

발간연도	저서명	저 자
2010년 3월	전후 일본의 보수와 표상	장인성(서울대 외교학과), 서동주(서울대 일본연구소), 임성모(연세대 사학과), 강태웅(광운대 일본학과), 한정선(고려대 국제학부), 김범수(서울대 정치학과)
2010년 8월	다문화사회 일본과 정체성 정치	권숙인(서울대 인류학과), 한영혜(서울대 국제대학원), 조아라(서울대 일본연구소), 김백영(광운대 교양학부), 아사노 신이치(고베대 발달과학부), 통안(류코쿠대 강사), 신기영(오차노미즈여대 인간문화창성과학연구과), 와타도 이치로(메이세이대 인문사회학과)
2011년 7월	'관광'으로 읽는 홋카이도: 관광산업과 문화정치	조아라(서울대 일본연구소)
2013년 3월	현장에서 바라본 동일본 대지진	편자 한영혜, 저자 서동주, 임채성, 조아라, 박지환, 사카자키 모토히코, 이호상
2013년 7월	월경의 아방가르드	저자 나미가타 쓰요시, 역자 최호영, 나카지마 겐지
2014년 5월	일본 민주당정권의 성공과 실패	박철희(서울대 국제대학원), 김경주, 박영준(국방대), 심미정, 조양현(국립외교원), 최희식(국민대)
2015년 12월	일본 국가기구의 변화와 연속성	엄석진, 남경태, 신동애, 나카무라 도라아키(中村虎彰), 박지혜
2016년 8월	일본의 집단적 자위권 도입과 한반도	봉영식, 임재환, 박영준(국방대), 송화섭(한국국방연구원), 이기태(통일연구원), 조세영(동서대 일본연구센터), 박철희(서울대 국제대학원) 엮음
2016년 10월	현대 일본의 분권개혁과 민관합동	이정환(서울대 정치외교학부)
2019년 5월	서브컬처로 읽는 일본현대 미술	정신영(서울대 미술관 수석학예사)

■ **현대일본생활세계총서**

일본연구소가 수행한 HK사업의 기획연구 성과를 출판한 것이다.

발간연도	책 이름	편자, 또는 저자
2011년 7월	전후 일본, 그리고 낯선 동아시아	남기정 엮음
2012년 6월	현대일본의 전통문화: 새로운 과거, 오래된 현재	권숙인 엮음
	도쿄 메트로폴리스	한영혜 엮음
2013년 6월	전후 일본의 지식 풍경	장인성 엮음
2013년 12월	협조적 노사관계의 행방	임채성 · 선재원 · 김삼수 · 정진성 · 김양태
2014년 5월	일본 생활세계의 동요와 공공적 실천	박지환 엮음
	전후 일본의 생활평화주의	남기정 엮음
2014년 9월	일본, 상실의 시대를 넘어서	조관자 엮음
2014년 10월	에너지혁명과 일본인의 생활세계	임채성 엮음
2017년 2월	저성장시대의 일본 경제	임채성 엮음
2017년 2월	안전사회 일본의 동요와 사회적 연대의 모색	이은경, 박지환 엮음
2017년 6월	탈전후 일본의 사상과 감성	조관자 엮음
2017년 8월	일본정치 구조변동과 보수화	남기정 엮음
2018년 8월	구조적 대불황기 일본경제의 진로	서울대 일본연구소 경제와 경영팀
2019년 7월	흔들리는 공동체, 다시 찾는 '일본'	김효진 · 이은경
2020년 4월	전후의 탈각과 민주주의의 탈주	서동주 엮음

생활평화주의

'생활평화주의(everyday-life pacifism)'는 전후 일본의 평화주의 또는 평화운동의 주요 흐름을 추적하기 위해 만든 새로운 개념이다. 전후 일본의 평화운동은 혁신 엘리트 정치인의 반전·반핵운동으로 시작해, 점차 반기지·반원전의 주민운동으로 정착되어 갔다. 이는 '평화'가 정치나 이념의 높이에서 생활과 감각의 평지로 하강한 것으로 볼 수 있다는 것이다. ('전후 일본의 생활평화주의'의 책 소개)

■ Reading Japan

일본연구소가 기획특별강연에 초청한 국내외 석학의 발언과 연구결과를 책으로 만들어 사회적으로 공유하려는 것이다.

발간연도	책 이름	초청강연자, 또는 저자
2011년 7월	봉인된 디아스포라	테사 모리스 스즈키
	착한 일본인의 탄생	해리 하루투니언
	러일전쟁과 대한제국	와다 하루키(和田春樹)

발간연도		책 이름	초청강연자, 또는 저자
		말과 돈의 미래형	시마다 마사히코(島田雅彦)
		나치 독일의 일본 프로파간다	이경분
2012년 6월		사상과제로서의 아시아, 그 이후	야마무로 신이치(山室信一)
		문학에 나타난 생활사	니시카와 유코(西川祐子)
2013년	2월	독도가 우리 땅인 이유	최서면, 공로명, 박준우
	6월	일본의 한반도 외교	기미야 다다시(木宮正史)
	8월	아베의 일본은 어디로 향하고 있는가	제럴드 커티스, 와카미야 요시부미(若宮啓文), 박철희
		일본 전후의 붕괴-서브컬처 소비사회 그리고 세계	권혁태
	11월	천황과 전쟁책임 봉인 · 망각과 왜곡 · 미화의 역사인식	박진우
2014년	2월	한일 관계의 어제와 내일을 묻다	최상용, 신각수
	5월	일본의 편의점	김현철
	9월	일본 속의 NPO	다케다 하루히토(武田晴人)
	10월	샌프란시스코 강화조약 체계와 역사문제	하타노 스미오(波多野澄雄)
2015년	4월	포위된 평화, 굴절된 전쟁 기억	정근식, 헬렌 리, 김민환, 정영신
		일본의 혐한파는 무엇을 주장하는가	오구라 기조(小倉紀藏)
	6월	독도문제는 일본에서 어떻게 논의되고 있는가	와다 하루키(和田春樹), 이케우치 사토시(池內敏), 마고사키 우케루(孫崎享), 후쿠하라 유지(福原裕二), 도고 가즈히코(東鄕和彦), 이와시타 아키히로(岩下明裕)
		나는 왜 혐한시위를 싫어하는가	스즈키 구니오(鈴木邦夫)
2016년	5월	재특회(在特會)와 일본 극우-배외주의 운동의 원류를 찾아서	히구치 나오토(樋口直人)
	7월	일본정치의 우경화	나카노 고이치(中野晃一)
	12월	북한 리스크와 한일협력	이주인 아쓰시(伊集院敦)
2017년	6월	질곡의 한일관계 어떻게 풀 것인가	남기정, 박영준, 박철희, 손열, 이원덕, 조양현

재특회(在特会)

'재일 조선인들의 특권을 용납하지 않는 시민들의 모임'의 약칭으로 2007년 1월 20일에 발족한 일본의 극우 민족주의 성향의 시민단체이다. '재일특권'이란 '특별 영주 자격'을 지칭하는 것으로, 이는 1991년 일본에서 시행한 '입관특례법'을 근거로 구 일본 국민이던 한국인(대한민국 국적자)과 조선인(대한민국 정부수립 전 국적) 등에게 준 특권이다. 재특회는 이 '입관특례법' 폐지하고 재일 한국인을 다른 외국인과 동등하게 취급하라고 주장하고 있다. (위키백과) 재일동포들은 제국 일본의 희생자나 그 후손들로서 '특별 영주 자격'은 특권이 아니라 최소한의 배려라는 사실에는 철저하게 눈을 감은 주장이다.

발간연도		책 이름	초청강연자, 또는 저자
	7월	**위안부합의 이후 한일관계**	와다 하루키(和田春樹)
		온고지신의 한일관계	다니노 사쿠타로(谷野作太郎)
2018년 8월		**전쟁을 모르는 세대는 어떻게 전쟁을 기억해야 하는가**	미마키 세이코(三牧聖子)
		학습만화가 그리는 인간과 '세계'	야마나카 지에(山中千惠)
2019년 10월		**한일/대중/문화**	김성민
		후쿠시마 원전 사고, 그 후	마쓰타니 모토카즈(松谷基和)
2020년 2월		**엑소포니, 다와다 요코의 글쓰기**	최윤영

일본연구소장은 김용덕(전 서울대 동양사학과), 한영혜(서울대 국제대학원), 박철희(서울대 국제대학원), 김현철 소장(서울대 국제대학원)을 거쳐 다시 한영혜 교수가 맡았고, 지금은 김현철 소장이 다시 맡고 있다.

이 연구소의 조직은 다음과 같다.

직 책		이름과 소속
소장		**김현철**(국제대학원)
부장 및 담당	연구부장	**남기정**(일본연구소)
	학술교류부장	**이은경**(일본연구소)
	출판부장	**조관자**(일본연구소)
	자료부장	**서동주**(일본연구소)
	국제협력부장	**김효진**(일본연구소)
	연구성과국제발신담당	**정지희**(일본연구소)
HK연구교수		**오승희, 노유니아**
운영위원		위원장 김현철(국제대학원), 위원 송지연(국제대학원), 권숙인(인류학과), 남기정(일본연구소), 김범수(자유전공학부), 박훈(동양사학과), 박철희(국제대학원)
겸무연구원(교내)		박수철(동양사학과), 윤상인(아시아언어문명학부), 장인성(정치외교학부), 이정환(정치외교학부), 권숙인(인류학과), 김태웅(역사교육과), 김범수(자유전공학부), 박철희(국제대학원), 한영혜(국제대학원), 이근관(법학전문대학원 법학과), 김용권(공학전문대학원 응용공학과)

엑소포니(exophonie)

모어(母語) 바깥으로 나간 상태나 모어가 아닌 언어로 쓴 문학을 가리킨다. 다와다 요코는 1960년 도쿄에서 태어나 독일 베를린에 살면서 독일어와 일본어로 글을 쓰고 있다. 이런 배경이 다와다 요코를 '엑소포니'와 함께 논하도록 하고 있다. "엑소포니는 어떤 언어에서 다른 언어로 한 번 이동하면 끝나는 운동이 아니라 끊임없이 이동할 수 있는 날개를 가진 정신이듯, 모어는 기존의 세계와 너무 꽉 맞물려 있어 그 안에서 사유를 제한하지만, 낯선 언어를 배움으로써 언어란 세계와의 근본적인 관계를 성찰해보고 언어로 매개된 세계에서 벗어날 수 있는 가능성을 찾아볼 수 있기 때문이다. 다와다 요코의 작품은 항상 언어 바깥의 세계와 언어 바깥의 인식을 향하고 있고, 이를 위한 다양한 모색을 하고 있다." (최윤영의 책 소개). 다와다 요코가 쓴 《엑소포니》(2003년)가 2018년 《여행하는 말들 - 엑소포니, 모어 바깥으로 떠나는 여행》(돌베개)으로 번역 소개됐다.

HK일반연구원	김은혜(부산대 사회학과), 송지연(서울대 국제대학원), 여인만(강릉원주대 국제통상학과), 이정환(서울대 정치외교학부), 한정선(고려대 국제학과)
객원연구원	이경분(전 서울대 일본연구소 HK연구교수), 김은혜(부산대 사회학과), 심규선(전 동아일보 대기자), 백인수(전 SYS리테일 미래전략실 상무), 김찬훈(사단법인 신규장각 이사장), 윤상인(전 서울대 아시아언어문명학부 교수), 마에다 겐타로(도쿄대 교수)

괄호 안은 일본연구소 홈페이지에 올라 있는 직책이지만, 그들의 이력을 계속 추적한 것이 아니어서 차이가 있을 수 있다.

일본연구소에서 일하다 다른 대학이나 연구기관으로 간 사람도 많다. 다음은 그 명단이다.

송주명(한신대 일본학과), 박수철(서울대 동양사학과), 박훈(서울대 동양사학과), 원지연(전남대 국제학부), 이종구(성공회대 사회학과), 윤기엽(동국대 불교문화연구원), 박이진(성균관대 동아시아학술원), 최민경(히토쓰바시대 사회학 박사), 박동성(순천향대 국제문화학과), 이지선(숙명여대 일본학과), 정영훈(헌법재판소 책임연구원), 박정진(쓰다주쿠대 국제관계학과), 이호상(인천대 일문과), 조아라(한국관광문화연구원), 남상욱(인천대 일어일문학과), 이윤석(계명대 행정학과), 김태기, 이경분, 진필수, 김태진(이상 서울대 일본연구소 객원연구원), 강성우(옥스퍼드대학 동양학박사), 양지원(도쿄대 학제정보학부 박사), 정신영(서울대 교육학박사), 고(故) 와카미야 요시부미(전 아사히신문 주필), 오재훤(메이지대 국제일본학부), 신각수(국립외교원 국제법센터 소장) 씨 등이다.

또 연구보조원으로 일하던 김인수, 사카자키 모토히코, 서대승, 손석의, 시모카와 아야나, 이순남, 장일수, 정기인, 최호영, 다무라 후미노리, 이경미, 김태진, 오미정, 이상훈, 강여린, 김유훈, 지은숙, 최가영, 다키가와 진켄, 김은혜, 안재익, 전하민, 양지영, 장고은, 조아라, 이용운, 유채영, 아사노 가나, 김민, 이민정, 임희현, 유다인, 이정범, 이준희, 유상희, 손혜경, 야마다 아키히코, 손동재, 백아롱, 고마쓰다 요시히로 씨 등이 박사학위 등을 받고 젊은 연구진의 대열에 합류했다.

서울대 일본연구소는 (08826) 서울특별시 관악구 관악로 1 서울대학교 국제대학원 140동 403호에 있다.

전화 (02) 880-8503, 팩스(02) 874-3689, 이메일 ijs@snu.ac.kr, 홈페이지 http://ijs.snu.ac.kr

19. 서울대학교 아시아연구소

서울대 아시아연구소(Seoul National University Asia Center · SNUAC)는 2009년 2월에 문을 열었다. 개소 10년을 맞아 '지역과 주제를 결합한 아시아연구의 세계 허브'라는 비전 아래 아시아적 발전모델과 아시아인의 삶의 질 향상 및 지속가능한 발전을 위한 패러다임 제시에 노력하고 있다고 밝혔다. 연구소에는 동북아시아센터, 동남아시아센터, 중앙아시아센터, 남아시아센터, 서아시아센터, 베트남센터 등 6개의 센터가 있다.

동북아시아센터의 일본 관련 연구 활동(최근 2년간)

일시	형태	내용
2019.1.28	리쓰메이칸 아시아태평양대 아시아태평양연구센터와 공동주최 국제 심포지엄	주제 **동아시아 문명교류의 통로 재조명 - 고대 길 및 경로 연구** 참석자 도도로키 히로시(리쓰메이칸 아시아태평양대 교수), 박수진(서울대 아시아연구소장), 김낙중(전북대), 갈계용(Zhengzhous University), 고일홍 박사와 연구팀(서울대 아시아연구소), 정재훈(경상대)
2019.5.23	서울대 아시아지역연구기관협의회 좌담회	주제 **종합대학 인문사회계 연구소의 역할과 기능 - 아시아 각국의 시각, 개별국가 사례발표 독일, 중국, 일본, 싱가포르, 한국** 참석자 문우종(서울대 아시아연구소), 김현철(서울대 일본연구소), 신정철(서울대 교육학과), 백지운(통일평화연구원), 강성용(인문학연구원), 서옥란(중국연변대), 남기정(서울대 일본연구소), 김종호(서강대), 박수진 · 고민경(서울대 아시아연구소), 강정원(서울대 러시아연구소)
2019.7.6	한일정치사상학회 공동학술회의	주제 **동아시아와 국제정치사상** 개회사 장형근(용인대, 한국정치사상학회 회장) 축사 가와데 요시에(도쿄대) **세션1 국가 간 관계의 이상과 현실** 사회 박의경 가와데 요시에(도쿄대) **국가연합에 의한 평화 - 장 자크 루소의 세계질서구상** 오다 아키라(라이덴대) **근세 동아시아에서의 그리스도교계의 구상 - 발리냐뇨의 정교이론** 이하경(서울대) **역사화해 관점에서 본 조선후기 변무사건** 토론 기유정(서울대), 김봉진(기타규슈대), 안도 유스케(릿쿄대)

알렉산드로 발리냐뇨 (Alexandro Valignano)

1539~1606. 아시아 선교 관찰사로 1580년 일본에 와 일본에서의 선교 방식을 완전히 바꾼 인물이다. 그가 오기 전에 일본 선교를 지휘했던 프란씨스꼬 데 까브랄은 화려한 비단옷을 입고 무역투자를 통해 선교 경비를 조달하던 선교사들에게 "예수 그리스도의 가난과 겸손으로 돌아가라"고 요구했다. 그러나 발리냐뇨는 까브랄의 선교정책을 폐지하고 현실주의적인 선교정책을 지시한다. 소위 '토착화 선교신학'과 '상류층 우선 선교 원칙'이다. 두 사람의 상이한 선교정책 중 무엇을 선택해야 할지는 오늘날에도 우리를 고민하게 만든다.(김상근, '예수회의 초기 일본 선교정책 비교 - 프란씨스꼬 데 까브랄과 알레산드로 발리냐뇨를 중심으로' 초록)

일시	형태	내용
		세션2 국가 간 경계짓기와 넘나들기 사회 마쓰다 고이치로(릿쿄대) 안도 유스케(릿쿄대) **코스모폴리탄이자 또한 애국자? - 중농주의자의 국제질서구상** 바지 도모히토(도쿄대) **20세기 초의 경계를 넘나드는 다원주의 - 대양적 사상사 너머의 모색** 김봉진(기타큐슈대) **일본의 병학적 근대와 후쿠자와 유키치의 국제정치관** 토론 이하경(서울대), 정훈(와세다대), 마쓰모토 마사카즈 **세션3 국가간 균열과 지성적 고투** 사회 가와데 요시에(도쿄대) 기유정(서울대) **냉전 초기 국체정치지형을 둘러싼 지성계의 논쟁과 민족(주의국가)론의 균열들** 정훈(와세다대) **롤즈의 질서정연한 사회의 위기** 토론 바지 도모히토(도쿄대), 오쿠보 다케하루(게이오대), 오승희(동아시아연구원) **종합토론**
2020.11.17	《Comfort Women》 저자 초청강연회	발표자 이정실(워싱턴정신대문제대책위원회(WCCW) 이사장)
2020.11.27	전시성폭력과 공공역사 포럼	주제 **전시성폭력과 공공역사** **제1세션 전시성폭력의 역사적 기억** 사회 정근식(서울대) 전갑생(서울대 사회발전연구소) **조선인 '위안부' 피해자들의 연합군포로수용소에서 포로처리 과정** 심아정(독립활동연구가) **서적, 잡지, 재판으로 보는 일본인 '위안부'문제 - 비교사를 넘어 교차적 관점으로** 최호근(고려대) **의분과 온정 사이에서 - 전시폭력을 재현하는 다양한 길** 토론 정호기(전남대), 이영진(강원대) **제2세션 소녀상 문화정치와 기억의 미래** 사회 김재형(방송대) 전진성(부산교육대) **평화의 소녀상과 기억의 물화** 김세진(작가) **소녀상의 과거와 현재, 그리고 미래** 이지영(동국대 일본학연구소) **일본군 '위안부' 기림비 건립을 둘러싼 정치적 동학 - 글렌데일시 '평화의 소녀상'과 샌프란시스코시 '여성 강인함의 기둥'을 사례로** 원지호(작가) **미리 지어진 전쟁기념물** 토론 천경효(서울대 통일평화연구원), 서정경(서울대 아시아연구소)
2020.12.2 ~3	학술회의(미 어바인대주관)	War, Women's Human Rights and Comfort Women: Reparation, Reconciliation and Restoration **〈December 1, 2020(현지시간)〉**

일시	형태	내용
		Keynote Laura Hyun Yi Kang (Gender and Sexuality, UC Irvine) Chair & Discussant Margaret Stetz (Women and Gender Studies, Univ. of Delaware) Speaker Hye Kyoung Kwon (Center for Critical Korean Studies, UC Irvine), Hyun Seon Park (Korean Studies, Yonsei University, Korea), Emily Jungmin Yoon (East Asian Languages & Civilizations, University of Chicago), Jungsil Lee (Art History, Maryland Institute College of Art) **〈December 2, 2020(현지시간)〉** Keynote Colleen Murphy (College of Law, University of Illinois) Chair & Discussant Chungmoo Choi (East Asian Studies, UC Irvine) Speaker Nedra Kline Weinreich (Weinreich Communications, Jerusalem, Israel), Magdalena Zolkos (Humboldt Research Fellow, Goethe University Frankfurt, Germany), Ather Zia (East Asian Languages and Civilizations, University of Chicago), Grace J. Yoo (Asian American Studies, San Francisco State University)
2020.12.4~5	2000년 일본군성노예전범 여성국제법정 20주년 기념행사 및 국제학술대회	**2000년 여성국제법정의 공공기억과 확산: 식민주의를 넘어서, 미래세대를 넘어서** **〈12월 4일 기념행사〉** 개회사 양현아(일본군'위안부'연구회장) 축사 김윤옥, 지은희, (이하 영상) 윤정옥, 이용수, 크리스틴 친킨(영국), 패트리샤 셀러즈(미국), 우스티나 돌고(호주), 고(故) 마쓰이 야요리, 나카하라 미치코, 요시미 요시아키(이상 일본) **〈12월 5일 국제학술대회〉** **제1부 2000년 여성국제법정의 역사적 맥락** 사회 지은희(아셈 노인인권정책센터 원장) 양미강(전 아시아평화와역사교육연대 상임공동운영위원장) **시대의 화두를 담은 2000년 여성국제법정: 한국위원회의 활동을 중심으로** 시바 요코(일본군'위안부'문제해결전국행동 공동의장) **일본에서의 1990년대의 일본군'위안부'문제 해결운동의 발자취** 정진성(서울대 명예교수) **2000년 여성국제법정을 이끈 국제연대와 국제법적 판단의 축적** **제2부 2000년 여성국제법정의 성과와 과제** 사회 김소라(한국여성인권진흥원 일본군'위안부'문제연구소 소장)

2000년 여성국제법정

2000년 일본군 성노예 전범 여성 국제 법정. 위안부 피해자와 관련단체들이 2000년 12월 7일부터 12일까지 도쿄 구단회관에서 일본군 성노예제와 관련한 법적 책임을 묻기 위해 개최한 민간차원의 국제인권법정이다. 여성 판사단은 12월 8~10일 사흘간의 심리를 바탕으로 12월 12일, 일본군'위안부' 동원의 강제성과 이들에게 가해진 폭력을 인정하고, 히로히토 천황에게 유죄를 선고하는 예비판결을 발표했다. 그리고 1년 뒤인 2001년 12월 4일, 네덜란드 헤이그 뤼첸트 단스 극장에서 히로히토 천황에게 유죄를 선고하고 일본 정부에 진실규명과 사죄, 피해자에 대한 배상 등을 권고한 최종판결을 내렸다. (일본군'위안부'문제연구소 웹진 〈결〉)

일시	형태	내용
		김창록(경북대 법학전문대학원 교수) **2000년 여성국제법정의 맥락: 일본군'위안부' 문제와 '법적 책임'** 양현아(서울대 법학전문대학원 교수) **식민주의 견지에서 본 2000년 여성국제법정: 일본군 성노예제라는 전시 성폭력** 김부자(도쿄외국어대 교수) **남북코리아 공동기소의 의의와 법정 이후 일본** 박정애(동북아역사재단 연구위원) **2000년 여성국제법정에서 '위안부'피해사실 확인과 일본의 식민지 지배 책임 문제** **제3부 2000년 여성국제법정의 유산과 미래** 사회 강성현(성공회대) 발표 신혜수(유엔 경제적, 사회적 및 문화적 권리위원회 위원) **국제법정들과 유엔활동: 젠더 정의의 확립을 위하여** 이나영 (중앙대 사회학과 교수) **2000년 여성국제법정 이후, 한국사회의 도전과 과제** 양징자(일본군'위안부'문제해결전국행동 공동의장) **2000년 여성국제법정 이후 '위안부'운동의 변화와 과제** **종합토론** 사회 김수진(대한민국역사박물관 학예연구관) 타니 바로우(라이스대), 홍윤신(오사카경제법학대), 남기정(서울대 일본연구소), 김선화(수원지방법원 판사), 임재성(법무법인 해마루 변호사)

아시아연구소 일본 관련 학술행사(최근 3년간)

일시	형태	내용
2018.10.29	서울대 통일평화연구원, (사)해외교포문제연구소와 공동주최	**재일동포 조선학교의 민족교육**
2019.10.5	아시아연구소 창립10주년 기념 학술회의, 시마네현립대와 공동개최	**동북아시아의 근대 공간의 형성: 제국과 사상**
2019.11.26	브라운백 세미나	이미숙(인문학연구원) **문화자원으로서의 문학의 가능성: 교토라는 도시와 '겐지모노가타리'**
2020.7.14	아시아의 교류협력 프로그램, 콜로키움	권오영(서울대 국사학과) **해상왕국 류큐를 찾아가는 여정: 동아시아 서지중해의 네트워크**
2020.10.16	아시아의 교류협력 프로그램, 콜로키움	이찬우(데이쿄대) **환동해 교류와 일본의 대응**
2020.11.24	브라운백 세미나	이윤영(전 주방글라데시, 네덜란드 대사) **17세기 네덜란드와 아시아 국가간 관계**

그 밖의 연구 실적을 소개하면 다음과 같다.

2020년도 HK+지원사업의 해외지역분야 사업단 선정

연구소는 2020년 5월 '메가아시아와 아시아들: 정체성, 역동성, 데이터텔링'이라는 어젠다로 HK+지원사업단에 선정돼 7년간 비교지역연구와 융복합 연구의 적용을 통해 아시아 지역학 연구의 새로운 패러다임을 구축하겠다는 비전을 갖고 있다.

단행본(일본 관련)

발행일	도서명	편저자
2013.6.30	동아시아 협력과 공동체-국가주의적 갈등을 넘어서	임현진·임혜란 편저
2013.6.30	동아시아 대중문화소비의 새로운 흐름	임현진·강명구 저
2014.6.20	동아시아 문화권에서의 한류	김익기·임현진 저
2019	한국, 일본, 싱가포르의 행복 감정 소통에 관한 문화횡단적 연구	이성범 저
2019.10.1	근대 동아시아 역사 속의 류큐병합-중화세계질서에서 식민지 제국 일본으로	나미하라 쓰네오 지음, 윤경원·박해순 옮김
2019.12.30	메이지유신과 사대부적 정치문화	박훈 저

이 연구소의 조직은 다음과 같다.

연구소 내 직책	이름	서울대 소속학과
소장	**박수진**	지리학과
부소장, 중앙아시아센터장	**신범식**	정치외교
학술연구부장, 한국사회과학자료원 디렉터	**이재열**	사회학과
국제교류부장, 아시아도시사회센터장	**박배균**	지리교육과
인재개발부장	**박주용**	심리학과
남아시아센터장	**강성용**	인문학연구원
베트남센터장	**김재영**	경제학부
동북아시아센터장	**정근식**	사회학과
동남아시아센터장	**채수홍**	인류학과

아시아지역정보센터 디렉터	**고길곤**	행정대학원
삶의질프로그램 디렉터	**구인회**	사회복지학과
아시아의 교류협력프로그램 디렉터	**권오영**	국사학과
국제개발협력센터 디렉터	**권혁주**	행정학과
미래지구프로그램 디렉터	**김 준**	조경 · 지역시스템공학부
시민사회프로그램 디렉터	**임현진**	사회학과 명예교수
아시아발전모델프로그램 디렉터	**임혜란**	정치외교학부
미중관계프로그램 디렉터	**정재호**	정치외교학부
편집위원장	**오명석**	인류학과 명예교수

선임연구원, HK연구교수는 다음과 같다.

고일홍(고고학), 공석기(사회학), 구기연(인류학), 구혜란(사회학), 김성규(사회학), 김종철(사회학), 김효섭(지리학), 남은영(사회학), 백일순(지리학), 심우진(지리학), 심한별(도시계획학), 엄은희(지리교육학), 육수현(문화인류학), 윤종석(사회학), 이명무(경영학), 이미숙(일본고전문학), 이민용(역사학), 이승원(정치학), 이주현(역사학), 이지혁(국제학), 조민재(고고학), 천진(중국근현대문학), 최경희(정치외교학), 최문희(사회학), 허정원(사회복지학), 황진태(지리학).

서울대 아시아연구소는 (08826) **서울특별시 관악구 관악로** 1 **서울대학교 101동에 있다.**
전화 (02) 880-2692, **팩스** (02) 883-2694, **이메일** snuac@snu.ac.kr,
홈페이지 https://snuac.snu.ac.kr

20. 서울대학교 국제문제연구소

KOREA-JAPAN

서울대 국제문제연구소(Institute of International Studies)는 1972년에 설립했다. 국제정치에 관한 이론, 사상, 문화, 역사 등의 기초적인 연구에서부터 군사와 안보, 정치경제, 환경과 과학기술 등의 기능적인 분야, 주요국의 외교정책, 동아시아 국제관계, 세계질서의 변화와 한반도 등의 지역적인 주제에 이르기까지 다양한 분야를 연구하고 있다.

국제문제연구소는 미래세계정치센터, 복합안보센터, 국제정치사상센터, 비교지역질서센터, 미래전연구센터, 국제정치데이터센터, 북한연구센터를 두고 있다. 센터 이름에서 알 수 있듯 이 연구소는 지역이나 국가보다는 개념이나 트렌드에 주목하고 있다. 따라서 일본만을 테마로 한 학술대회 등은 찾기 어렵다. '미중 충돌' '중견국 외교' '사이버안보' '4차산업혁명' 등을 주제로 열리는 학술대회 안에 일본이 들어있다.

대외행사

개최일시	주 제	일본 관련
2016.10.13	사이버 안보의 국가전략: 국제정치학의 시각	**제2부 사이버 안보의 주변 4망(網)** 사회 신욱희(서울대) 민병원(이화여대) 사이버 안보와 군사전략 패러다임의 변화 신성호(서울대) 미국의 사이버 안보 전략과 외교 신범식(서울대) 러시아의 사이버 안보 전략과 외교 이승주(중앙대) 일본의 사이버 안보 전략과 외교 정종필(경희대) 중국의 사이버 안보 전략과 외교 토론 박민형(국방대), 전재성(서울대), 김웅희(인하대), 이민자(서울디지털대)
2017.12.13	사이버 안보와 한국 외교의 과제	**제1부 사이버안보의 주변 4망(網)과 한국 외교** 사회 손열(연세대) 김상배(서울대) 미중 사이버안보경쟁과 한국 외교 신범식(서울대) 미러 사이버안보경쟁과 한국 외교 이승주(중앙대) 미일 사이버안보협력과 한국 외교 토론 차정미(연세대), 김태환(국립외교원), 채재병(국가안보전략연구원)

2018.3.6	4차 산업혁명 전략의 새로운 지평: 미래 국가전략의 모색	김주희(경희대) 제4차 산업혁명과 독일의 미래 국가전략 유인태(전북대) 제4차 산업혁명과 미국의 미래 국가전략 이승주(중앙대) 제4차 산업혁명과 일본의 미래 국가전략 차정미(연세대) 제4차 산업혁명과 중국의 미래 국가전략 강준모(정보통신정책연구원) 제4차 산업혁명과 한국의 미래 국가전략
2018.9.20	사이버 안보의 국가전략 2.0: 국제규범의 형성과 외교전략의 모색	**제2부 주변 4망(網)의 사이버 안보 외교전략** 사회 채재병(국가안보전략연구원) 차정미(연세대) 미중 사이버안보 경쟁과 남북한 이승주(중앙대) 미일 사이버안보 협력과 아태·아세안 지역협력 윤민우(가천대) 미러 사이버안보 경쟁과 중러협력 양정윤(국가보안기술연구소) 상하이협력기구의 사이버 안보 논의 토론 황지환(서울시립대), 이기태(통일연구원), 신범식(서울대)
2019.10.25	4차산업혁명과 신흥군사안보: 미래전의 진화와 국제정치의 변환	**제3부 포스트휴먼 전쟁과 세계질서의 변환** 사회 홍규덕(숙명여대) 이원경(소피아대) 4차 산업혁명시대 데이터안보와 국가주권/정체성: 한국과 일본의 개인식별번호 체제 비교 장기영(경기대) 킬러로봇 규범을 둘러싼 국제적 갈등: 국제규범 창설자 vs 반대자 조은정(국가안보전략연구원) 포스트휴먼 시대의 국가주권과 시민권의 문제: 이종결합과의 열린 공존을 위하여 토론 유지연(상명대), 유준구(국립외교원), 민병원(이화여대)
2020.1.30	제주평화연구원과의 공동학술회	**1부 동북아 지역질서의 변동과 주권 개념** 사회 한인택(제주평화연구원) 신욱희(서울대) 한국조항의 문제: 한미일 관계 속의 한일관계 이정환(서울대) 주권 문제의 전후 일본의 이중구조와 탈냉전기 일본 혁신세력의 딜레마 신기영(오차노미즈여대) 동북아의 젠더, 안보, 주권 김애경(명지전문대) 중국의 부상, 책임대국과 다층적(multilayered) 주권 인식 김용균(이화여대) 중국의 부상과 베트남의 이중적 태도: 아시아 역사문화적 시각 토론 황지환(서울시립대), 장기영(경기대), 한동균(제주평화연구원)

한국조항

각종 국제 회의나 정상회담 등에서 언급한 한국 관련 조항을 통칭한다. 1969년 11월 '오키나와 통치권 반환'을 위한 사토-닉슨 성명에서 한국조항을 처음으로 언급했다. 두 수뇌는 "한반도에 여전히 긴장 상태가 존재한다는 데 주목했다"며 사토 수상은 "한국의 안전은 일본 자신의 안전에 긴요하다"고 밝혔다. 1975년 8월 미키-포드 성명에서는 "한국의 안전이 한반도의 평화유지에 긴요하며, 한반도의 평화유지는 일본을 포함한 동아시아의 평화와 안전에 필요하다"고 했다. (두산백과)

교내행사

개최일시	주 제	일본 관련
2019.5.2	세계주요국의 사이버 안보전략: 16개국 사례의 비교연구	**제1부 세계주요국의 사이버 안보전략(1)** 사회 조현석(서울과기대) 김상배(서울대) **미국의 사이버 안보전략** 차정미(연세대) **중국, 대만의 사이버 안보전략** 이승주(중앙대) **일본, 싱가포르의 사이버 안보전략** 양정윤(국가보안기술연구소) **러시아, 네덜란드의 사이버 안보전략** 유인태(전북대) **캐나다의 사이버 안보전략** 이해원(목포대) **호주의 사이버 안보전략** 토론 채재병(국가안보전략연구원), 김규동(국가보안기술연구소), 박재적(한국외국어대)
2020.11.18	코로나19의 세계정치와 거버넌스: 팬데믹의 복합지정학과 중견국 외교	**4부: 코로나19와 중국, 일본, 러시아의 거버넌스** 허재철(대외경제연구원) **코로나19와 중국의 거버넌스** 이기태(통일연구원) **코로나19와 일본의 거버넌스** 신범식(서울대) **코로나19와 러시아의 거버넌스** **7부: 코로나19와 세계질서, 동아시아** 이정환(서울대) **코로나19와 동아시아 거버넌스** 조동준(서울대) **코로나19와 동아시아 정치문화**

국제문제연구소 총서

국제문제연구소는 2017년부터 국제문제연구소 총서를 발행해 오고 있다. 2020년 12월 현재 37권을 발행했다. 이 총서도 특정 국가에 관한 것이 아니라 긴 호흡으로 국제문제를 천착한 것이다. 30권부터 37권까지의 책 제목을 보면 〈사이버 안보의 국가전략〉, 〈독일 통합과 한국〉, 〈동북아 국제정치이론 – 불완전 주권국가들의 국제정치〉, 〈북한이 핵보유국이 된다면 어떻게 달라지는가〉, 〈4차 산업혁명과 미중 패권경쟁〉, 〈중견국 외교의 세계정치〉, 〈신흥무대의 중견국 외교〉, 〈주권과 비교지역질서〉 등이다. 이들 책 속에서 일본을 언급했겠지만, 구체적으로 확인하지는 못했다.

불완전 주권국가

전재성 서울대 교수는 통일을 이루지 못한 남한과 북한, 중국과 대만, 그리고 태평양전쟁 패전 이후 군대를 갖지 못한 일본을 불완전 주권국가로 파악한다. 이들 국가는 주권완성의 게임과 국제정치게임을 치열하게 벌이면서 불안 속에서 서로를 주시하고 있다. 동북아의 평화와 안정은 주권게임과 국제정치게임이 협력적이고 보완적으로 진행될 때 가능한데, 현재 미국의 국제주도권이 약화하고, 미중 전략경쟁이 격화하고 있어 그런 상황은 점차 멀어지고 있다. 미국의 쇠퇴로 한중일 3국은 제로섬의 주권게임으로 치달을 것인가, 아니면 미국이 안정자 역할을 계속해서 남북한은 협력 속에 통일을 이루고, 일본은 보통국가가 되며, 중국은 책임 있는 강대국 역할을 하게 될 것인가. 불완전 주권국가들은 기로에 서 있다. 이런 시각은 서구 역사와 강대국 중심의 국제정치이론의 한계를 벗어나 동북아의 경험에 기초한 국제정치이론을 제시하려는 시도이다. (전재성, 동북아국제정치이론 – 불완전 주권국가들의 국제정치, 2020)

워킹페이퍼 · 이슈브리핑 · 뉴스클리핑

2017년 4월 새롭게 시작한 온라인 발신 플랫폼이다. 워킹페이퍼는 2021년 7월 현재 210호를 업로드했고, 이슈브리핑은 1월까지 136호를, 뉴스클리핑은 2월까지 66호를 업로드했다. 그중에서 일본 관련은 다음과 같다.

■ 워킹페이퍼

☑ 동아시아 지역주의와 네트워크 국가(이정환, 2020.7.23.)

☑ 미일 기술패권 경쟁과 미국의 경제적 대응: 민군겸용기술을 둘러싼 안보 논쟁과 통상마찰(최용호, 2020.1.21)

☑ 일본 통상 정책의 변화와 중견국 외교(이승주, 2020.1.13)

☑ 미 · 일 · 중 · 러의 사이버 안보전략(김상배, 2019.4.11)

☑ 미일 사이버 안보 협력: 양자, 소다자, 지역 협력 전략의 결합(이승주, 2018.12.18)

☑ 일본의 사이버 안보 전략과 외교(이승주, 2017.2.1)

■ 이슈브리핑

☑ 일본의 화웨이 사태 대응전략: 전방위 외교와 5G '반격' 모색(이기태, 2021.1.25)

☑ 코로나19의 거버넌스와 중견국 외교(라운드테이블, 2020.6.24)

☑ 2015년 한일 위안부 합의를 넘어서: 피해자 중심 해결의 원칙과 한국 사회의 현주소(이헌미, 2019.12.11)

☑ 한일갈등의 역사적 기원과 정치적 쟁점: 일본 강제징용의 문제(이성우, 2019.11.14)

☑ 일본 상징천황제와 전후민주주의의 딜레마: 생전퇴위문제와 관련하여(원지연, 2019.5.27)

☑ 한일 역대정권의 '위안부'외교와 12 · 28합의의 문제점(이헌미, 2017.5.12)

■ 뉴스클리핑

☑ 세상을 향한 외침, "I Can Speak:"(2019.2.12)

연구소장은 1972년 초대 박봉식 교수에 이어, 노재봉, 김용구, 정종욱, 하영선, 박상섭, 하용출, 장인성, 신욱희, 정재호, 윤영관, 전재성 교수를 거쳐 2016년 이후 김상배 교수가 맡고 있다.

이 연구소의 조직은 다음과 같다.

직 책		이름과 소속
소장		**김상배**(정치외교학부, 이하 모두 외교학전공)
센터장	미래세계정치센터장	**김상배**(정치외교학부)
	복합안보센터장	**신범식**(정치외교학부)

천황의 생전 퇴위

일본 천황은 종신이다. 그런데 헤이세이(平成) 시대를 이끌었던 아키히토(明仁 · 1933년생) 천황이 2016년 8월 8일 생전 퇴위 의사를 밝혀 큰 관심을 끌었다. "전후 70년이라는 큰 이정표를 지나 2년 후에는 헤이세이 30년을 맞이합니다. 저 역시 80세를 넘기면서 체력 면 등으로 여러 가지 제약을 느끼며 최근 들어 천황으로서의 자신의 발자취를 되돌아보는 동시에 앞으로의 자세나 임무에 대해서 생각하게 되었습니다." 그런 생각의 결과가 생전 퇴위였다. 생전 퇴위는 역대 두 번째로 1817년 고가쿠(光格) 천황(재위 1780~1817년) 이후 200년 만이다. 일본 국민은 천황의 의사에 대해 호의적이었고, 정부는 2017년 6월 아키히토 천황에 한해 생전퇴위를 인정하는 '황실전범특례법'을 만들었다. 특례법을 만든 이유는 '황실전범'에는 생전 퇴위에 대한 규정이 없었기 때문. 2019년 5월 1일 나루히토(德仁) 천황이 즉위하고, 아키히토 천황은 상황(上皇)이 됐다.

센터장	국제정치사상센터장	**박성우**(정치외교학부)
	북한연구센터장	**조동준**(정치외교학부)
	국제정치데이터센터장	**박종희**(정치외교학부)
	비교지역질서센터장	**이정환**(정치외교학부)
		전재성(정치외교학부)
선임연구원		**표광민**, **안태현**, **양종민**(이상 국제문제연구소)
객원연구원		이택선(한국외대 Language & Diplomacy 학부 외래교수), 김도승(목포대 법학과 교수), 정재욱, 최진백(국립외교원 연구교수), 장성일(동덕여대, 한85국산업기술대 강사), 유혜영(미국 뉴욕대 조교수), 장기영(경기대 국제관계학과 조교수), 주송하(중국 저장대 정치학과 조교수), 조무형, 손정욱(제주도청 서울본부), 김희찬(합동참모본부 전력기획부)

서울대 국제문제연구소는 (08826) 서울특별시 관악구 관악로1 서울대학교 220동 506호에 있다.

전화 (02) 880-6311, 팩스 (02) 872-4115, 이메일 ciscis@snu.ac.kr,

홈페이지 http://www.snuiis.re.kr

21. 서울대학교 국제학연구소

KOREA-JAPAN

서울대 국제학연구소(Institute of International Affairs · IIA)는 1989년 '지역종합연구센터', 1992 '지역종합연구소', 1996 '국제지역원'을 거쳐 2003년 국제대학원을 만들 때 산하 연구소로 문을 열었다. 연구소는 국제통상, 국제협력, 국제지역학, 한국학 연구 등을 하며 이와 관련한 정보와 자료를 체계적으로 수집해 오고 있다. 2019년 SK㈜의 후원을 얻어 연구소를 재정비하고, 연구소 산하 10개의 연구센터를 중심으로 국제와 지역 이슈에 대한 연구를 심화하고 있다. 10개의 센터는 EU연구센터, 국제개발연구센터, 국제안보센터, 국제이주와포용사회센터, 국제통상전략센터, 국제협력연구센터, 동아시아연구센터, 미주연구센터, 중국연구센터, 한국학연구센터이다.

일본 관련 세미나 (최근 2년)

일 시	형 태	내 용
2020.6.24	제3회 글로벌전략 세미나	주제 **한일갈등과 한국의 전략적 선택** 사회 박철희 국제학연구소장 대담 박영준(국방대) × 남기정(서울대 일본연구소)
2020.7.15	초청강연회	도미타 고지 주한 일본대사 특별강연회 **"변화하는 세계 속의 일한관계"**
2020.11.12	제6회 글로벌전략 세미나	주제 **대선 이후 미국의 동아시아 전략의 전망** 사회 박철희(국제학연구소장) 발표 김준형(국립외교원장), 전재성(서울대 정치외교학부)
2020.11.27	제10회 글로벌 엑셀런스 세미나	주제 **아베 담화의 '국제주의' 인식** 사회 박지환(서울대 국제대학원) 발표 이정환(서울대 정치외교학부)
2021.4.1	제8회 글로벌 전략 세미나	주제 **위안부 문제, 어떻게 풀 것인가** 사회 박철희(국제학연구소장) 대담 심규선(서울대 일본연구소) × 양기호(성공회대 일어일본학과)

이 연구소의 조직은 다음과 같다.

연구소 내 직책		이 름	서울대 내 소속
소장, 운영위원장		**박철희**	국제대학원
운영위원		**김병연**	사회과학대
		김월회	인문대
		김준기	행정대학원
		김태균	국제대학원
		박태균	국제대학원
		신성호	국제대학원
		안덕근	국제대학원
		이재민	법학전문대학원
		정종호	국제대학원
		최인철	사회과학대
센터장	EU센터장	**한정훈**	국제대학원
	국제개발연구센터장	**정 혁**	국제대학원
	국제안보센터장	**신성호**	국제대학원
	국제이주와포용사회센터장	**은기수**	국제대학원
	국제통상전략센터장	**안덕근**	국제대학원
	국제협력연구센터장	**김태균**	국제대학원
	미주연구센터장	**김종섭**	국제대학원
	동아시아연구센터장	**조영남**	국제대학원
	중국연구센터장	**정종호**	국제대학원
	한국학연구센터장	**박태균**	국제대학원

서울대 국제학연구소는 (08826) 서울특별시 관악구 관악로 1 서울대학교 국제대학원 안에 있다. 전화 (02) 880-4041, 팩스 (02) 871-4605, 이메일 iia@snu.ac.kr, 홈페이지 https://iia.snu.ac.kr

22. 서울대학교 비교문화연구소

서울대학교 비교문화연구소(The Institute of Cross-Cultural Studies)는 1990년 11월 사회과학대 부설 연구소(비법정)로 문을 연 뒤 1997년 사회과학연구원(법정) 산하 연구소로 들어갔다. 설립 목적은 여러 사회의 문화적 양상의 다양한 측면을 비교문화적 관점에서 연구함으로써, 인류문화의 보편성과 다양성, 한국 문화를 포함한 개별 문화들의 특수성을 탐구하는 데 있다고 밝혔다.

연구소의 일본 관련 연구활동은 다음과 같다.

학술심포지엄 · 오키나와학술대회

회 차	일 시	주 제
제3회 학술심포지엄	1994.4.23.	주제 일본의 지방자치 인구와 산업(한경구) 교육과 사회(정병호) 지방색과 지역정치(김양주) 주민참여의 자치과정(전경수)
제5회 학술심포지엄	1997.2.16	주제 기업문화에 대한 비교연구 일본의 기업문화에 대한 산업인류학적 접근과 문화론의 레토릭(한경구) 기업의 형태와 사회문화적 특성(김광억) 다인종 사회에서의 영세기업문화(이정덕) 새로운 문화지평으로서의 다국적 기업연구(김현미)
제6회 학술심포지엄	1998.12.2	**류큐(琉球)문화 현지답사 보고 1** 이청규(영남대) 제주에서 본 琉球고고학 김동전(제주대) 屋部 마을 고문서의 종류와 특징 유철인(제주대) 가족과 친족의 개념 김양주(배재대) 屋部村의 종교와 민간신앙 좌혜경(제주도 문화재 전문위원) 八月踊의 節에 나타난 주술과 抒情 전경수(서울대) 전통음식의 종류와 문화적 함의 정광중(제주교대) 토지정비 과정과 농업경영의 질적 변화
제8회 학술심포지엄	1999.11.29	**琉球문화 현지답사보고 2** 이청규(영남대) 아마미오시마(奄美大島) 고고학의 몇 가지 문제 유철인(제주대) 가계계승과 마을의 조상묘 김양주(배재대) 종교양상에 대한 고찰

회차	일시	주제
		김동전(제주대) 小秦촌락의 고문서와 그 성격 좌혜경(제주도 문화재 전문위원) 八月踊 가사의 특성 전경수(서울대) 사탕수수와 소철-식민지배와 음식의 역사인류학 정광중(제주교대) 지역활성화 문제에 대한 탐색과 논의
第9회 학술심포지엄	2000.3.20	琉球문화의 이해 임효재(서울대) 선사시대의 한국과 九州 및 沖繩 문화교류 다카미야 히로에(전 오키나와국제대 총장) 琉球諸島 선사문화의 성격과 변천 우에하라 시즈카(오키나와국제대) 오키나와 출토의 고려기와에 대하여 하우봉(전북대) 조선의 琉球 인식 한상복(서울대) 오키나와의 滿漁民-역사·사회·민속문화 이문웅(서울대) 오키나와 문중 형성의 사회문화적 배경에 관한 시론
第11회 학술심포지엄	2000.11.13.	琉球문화의 이해 3 이청규(영남대) 宮古諸島의 巨石基와 具斧 김동전(제주대) 오키나와 이라부지마(伊良部島)의 문서 유철인(제주대) 이케마 민족의 '오토-리'(술잔돌리기) 김양주(배재대) 이라부지마의 종교와 의례양상에 대한 고찰 전경수(서울대) 일본 오키나와현 이라부지마의 카쓰오 민속어류학 좌혜경(제주도 문화재전문위원) 미야코(宮古) 이라부의 서정민요 '아야구'考 정광중(제주교대) 오미나와 이라부초의 관광지 조성과 지역변화
第12회 학술심포지엄	2001.4.13	주제 친척과 혈통의 通文化論 김성철(인제대) 당내의 성격 김창민(목포대) 흑산도의 친척조직: '큰집'과 '내롱'을 중심으로 주영하(세종대) 중국 한족의 지아(家), 친치(親戚), 쭝쭈(宗族) 조수미(서울대 석사) 오키나와의 문츄화(門中化) 현상 임경택(서울대) 일본의 이에(家)와 도조쿠(同族) 전경수(서울대) 가보(家譜)로 본 베트남의 친척조직 박환영(중앙대) 몽골의 야스(뼈)와 초스(피) 김민정(서울대 박사과정) 필리핀 친척의 양변성과 '집단'만들기 박정석(전남대) 남인도의 친척과 인척, 그리고 혼인 이태주(국제협력단) 피지의 마땅갈리와 야부사 김세건(강원대) 멕시코의 꼼빠드라즈고 한건수(서울대) 요루바 친척에서의 이딜레, 에비, 그리고 컴파운드
第13회 학술심포지엄	2002년 11월 14~16일	주제 일본식민주의와 동아시아 인류학 黃智慧(대만 중앙연구원) 줄 끊어진 연: 식민지 이후 대만인류학의 광경 박현수(영남대) 일제하 일본인 학자에 의한 조선연구활동 전경수(서울대) 식민과 전쟁의 '일제'인류학 권태억(서울대) 일제의 조선동화정책의 특질과 그 역할-1910년대를 중심으로

通文化調査 (cross-cultural survey)

문화횡단적 조사방법이다. 세계 각지의 민족이나 사회는 독자적인 내용과 형태의 문화를 갖고 있다. 이들 문화를 기능적 관점에서 각 문화에 공통으로 보이는 항목을 상호 비교 연구함으로써 그 특질을 밝힐 수 있다. 통문화조사는 문화인류학이 개척했지만 오늘날에는 다른 분야의 조사방법론으로도 중요하다는 평가를 받고 있다. 그러나 문화적 요소를 그 사회의 맥락에서 떼어내게 된다는 점과 데이터로 만든 사회적 단위는 균질하지 않다는 점에 대한 비판도 있다. (일본 브리태니커 국제대백과사전)

싸이사족(賽夏族)

대만 원주민은 보통 9개 족으로 나누는데 싸이사족(새하족)은 신죽현과 묘율현의 촌락에 살고 있으며, 고산족 가운데 인구가 비교적 적은 부족이다.

니토베 이나조와 《무사도》

1862~1933. 교육가이자 농정학자. 1900년 영어로 쓴 《무사도》로 유명하다. 1883년 도쿄대에 입학하지만 만족하지 못하고 자퇴한 뒤 미국으로 유학을 떠난다. 유학 중 삿포로농학교(현 홋카이도대) 조교수가 되자 농정학 연구를 위해 다시 독일로 건너간다. 귀국 후 삿포로농학교 교수. 대만총독부 기사(技師), 제1고등학교 교장(7년간)으로 일한다. 1909년부터 동경제대 교수로서 식민정책을 강의했다. 도쿄여대 초대학장을 거쳐 국제연맹 사무차장, 태평양문제조사회 이사장으로도 일했다. 일본의 농정학, 식민정책학의 선구자라는 평가를 받는다. 1959년에 발행한 5000엔짜리 지폐의 모델이었다. (일본대백과전서 등)

회 차	일 시	주 제
		周婉窈(대만 중앙연구원) **식민통치와 세대개념: 일본통치하의 대만에 있어서의 삼세대에 관한 시론** 林美容(대만 중앙연구원 민족학연구소행위조 주임) **대만사회의 인류학적 발전: 식민주의에 대한 관점** 남근우(민속학자) **'실천적'문화민족주의의 허실: 송석하의 '조선민속학'을 중심으로** 張珣(대만 중앙연구원) **민간신앙 연구를 통해 본 일본학자들의 대만 인류학계에 대한 영향** 임경택(전북대) **식민통치와 아카데미즘의 사이: 조선총독부 촉탁의 연구조사활동-今村를 중심으로** 許進發(대만 정의대) **원주민 교화와 문화에 관한 대만총독부 視學官 요코오 히로스케(橫尾廣輔)의 사고** 야마모토 요시미(대만 중앙연구원) **인류학과 문신-전전의 일본인 인류학자에 의한 연구** 박순영(서울대) **일제하 '조선인'에 대한 체질인류학적 연구의 방향과 성과** 射世忠(대만대) **族群寫生과 실증문화: 일본통치시대의 싸이사족(賽夏族) 촬영** 최석영(국립민속박물관 학예연구사) **일제하 관광과 식민지문화의 표상** 吳密察(대만대) **대북제국대학과 식민지역사** 김용덕(서울대) **경성제대의 교육과 한인학생** 胡家瑜(대만대) **일본식민지배하에 있어서의 대만원주민의 물질문화 수집과 전시** 이성주(경남발전연구원) **일본제국주의 고고학의 형식론과 계통론**
제15회 학술심포지엄	2003.11.7~8	주제 **일본식민주의와 동아시아 인류학** 고토 신페이 **대만에 있어서 식민지와 현대성** 張隆志 **니토베 이나조(新度部稻造)의 일본식민지론의 형성** 임경택 **일제(日帝)의 '국민(國民)'만들기: 민적법에서 창씨개명까지** 林志興 **'남왕'(南王)의 발전: 일본통치하의 비난(卑南)족의 촌락사** 童元昭 **대만대학 인류학계 소장의 표본을 통해 본 제국의 발전** 이문웅 **일본인류학자의 시선을 통해 본 1930년대의 한국사회-아키바 다카시(秋葉隆)의 유리원판사진을 중심으로** 許進發 **전쟁기 타이페이 제국대학의 인류학 연구-남방인문연구소(南方人文硏究所)를 중심으로** 주영하 **동아시아에 있어서 '민족'과 '국가': 20세기 초반 민속학을 중심으로** 林美容 **대만민속에 관한 초기 보고들: '臺灣風俗'을 중심으로** 남근우 **손진태의 '조선민속학'과 '신민족주의'**
제17회 학술심포지엄	2009.10.12.~14	주제 **세계화 시대의 중국 및 동아시아 음식문화**(일본 관련 논문만) 이시게 나오미치 **일본에서의 중국요리의 지방화와 글로벌화** David Y.H. Wu **Japanese Cuisine in Taiwan: Cultural Nostalgia and Global Imagination** 아사쿠라 도시오 **Yakiniku and Bulgogi: Japanese, Korean, and Global Foodways**

회차	일시	주제
		GAO Qi-an 日本における「食の方言」- HINO Midori 「饆饠」, 「餢飳」的東傳日本和變異 Christine R. YANO Becoming Local: Japanese American Delicatessens in Hawaii
제18회 학술심포지엄	2010.11.13	주제 국제개발협력과 국제이해교육(일본 관련 발표만 발췌) 김다원 · 허신혜 한중일 상호이해를 위한 교재개발 나카야마 히로오 · 와카이 지구사 상호이해를 위한 한중일 협동 국제이해 커리큘럼/교재개발 이호현 동경 신주쿠를 거점으로 한 뉴커머 한국인의 라이프히스토리 조사 보고 니시무라 미치코 평화를 만드는 'Crossing Borders' 활동에 참가한 아이들 가자마키 히로시 '대화적 학습 네트워크' 구축에 의한 한일역사토론학습 다다 다카시 국제개발협력과 EIU
제6회 오키나와 국제학술회	2011.9.30	주제 동아시아의 국경문제와 주민들의 삶 이와시타 아키히로(홋카이도대) 국경의 주민들은 내셔널리즘을 믿지 않는다 전충진(매일신문) 울릉도 · 독도 모자(母子)관계의 섬: 체험적 증거들 Hsu Chieh-Lin(국립대만대 일본종합연구소장) 대만의 입장에서 다오위다오 · 센카쿠제도의 분쟁을 바라본다 안케이 유지(야마구치현립대) 야에야마에서 보이는 세계: 대만과의 인적 교류에 대한 구비전승 나카치 기요시(메이오대) 일본복귀 후의 센카쿠열도: 이시가키시의 관심과 미국의 무관심 진필수(서울대) 센카쿠분쟁에 있어 이시가키시 의회의 과잉애국심과 지역 활성화의 논리: 일본, 오키나와, 대만, 중국에 대한 관계성의 인식 이시가키 긴세이(이미오모테섬 지역활동가) 옛날에도 지금에도 대만은 이리오모테섬의 생활권입니다 안케이 다카코(야마구치대) Local alcoholic beverage of Amami and Okinawa: Technological description and their culture histoty 고성만(교토대 사회학과 박사과정) 전후 오키나와 사회에 있어 원호법 정책의 시행과 '전투 참가자'의 탄생
제7회 오키나와 국제학술회	2012.6.11	주제 구로시오(黑潮) 문화의 재검토 - 해류를 통한 동아시아 문명의 이동과 전파 조양기(서울대) 구로시오: 기원, 특성 및 경로의 개관 이케다 요시후미(류큐대) 구로시오문화의 고고학: 타카시마 해저유적에서 발견된 몽고군선과 고려 쓰하 다카시(류큐대) 구로시오문화 연구의 발단과 아마미 · 오키나와 문화론 김창민(전주대) 구로시오문화권의 사회조직: 오키나와와 이키 그리고 제주 안미정(한국해양대) 구로시오와 한일잠수어업의 문화적 다양성 Huang Chih-Huei(대만 중앙연구원) The Culture of the Southern Kuroshio Islands as Depivted by Jeju Islanders Shipwrecked

뉴커머(newcomer)

1965년 한일국교정상화 이전에 일본에 정착한 올드커머(old comer)에 상응하는 그룹으로 1965년 이후 일본에 정착한 대한민국 국적자를 말한다. 그러나 보통은 해외여행 자유화(1989년)를 시행한 1980년대 이후에 일본에 이주한 사람을 지칭한다. 그 숫자는 불법체류자를 포함해서 20만~30만 명으로 추정하고 있으며, 도쿄에 3분의 1 이상이 살면서 신오쿠보 등에서 가게 경영 등으로 코리아타운을 형성하고 있다. 코리아타운에서 가게를 경영하는 뉴커머 중심으로 2001년 재일본한국인연합회(약칭 한인회)를 결성했다. (위키백과) 재일동포 사회는 1965년 이전부터 일본에서 살고있는 민단계와 조총련계 재일동포, 그리고 뉴커머가 3분하고 있다.

구로시오 해류(黑潮海流)

동중국해를 북상해 일본 규슈의 남쪽 해협에서 태평양으로 들어간 다음, 일본의 남안(南岸)을 따라 흘러 동쪽으로 굽어 흐르는 해류. 일본 근해를 흐르는 대표적인 난류로, 일본 해류라고도 한다. 영양가가 별로 없어 플랑크톤이 적으며 투명도는 높다. 그래서 바다색이 청흑색을 띠면서 黑潮(흑조)라는 이름을 얻게 됐다. 남극 환류, 멕시코 만류와 함께 세계 최대 규모의 해류이다. (과학용어사전) 구로시오 해류의 원천은 필리핀 동쪽 해상에서 북쪽으로 이동하며 폭은 약 100km이고 깊이는 약 3000m이다. (두산백과) 이 해류를 따라 문명과 문화의 전파를 논의한다는 발상이 독특하다.

회차	일시	주제
		최인택(동아대) 야에야마 코하마지마의 '다두다'에 대한 사례보고 전경수(서울대) 복장제의 계통론: 구로시오문화의 재검토

연구프로젝트

프로젝트명	연구자	연구기간	지원기관
현대일본의 생활문화연구	전경수	2001.7~12	일본국제교류기금
오키나와 지역사회에서의 미국기지의 사회적 영향	전경수	2002.4~2003.3	대상

집담회

회차	연도	주제
3회	1991.8.31	한경구(강원대) 일본의 정치권력구조를 보는 관점
5회	1991.10.11	정병호(한양대) 일본 탁아제도의 정치화
33회	1998	벳푸 하루미(교토분쿄대, 스탠포드대) 일본인론
34회	1998	오가와 에이지(니이가타 소재 妙光寺 주지) 현대일본의 가족변화와 불교사원
35회	1998	최재석(고려대) 일본고대사의 진실
43회	1999	임경택(서울대 비교문화연구소) 일본 商家의 역사와 現在
52회	2000.5.21	김시덕(국립민속박물관) 일본 양묘제의 변화와 지속
62회	2002.5.1	이문웅(서울대) 총련계 조선인 사회의 생활세계
73회	2002.10.21	이토 아비토(도쿄대) 일본에 있어서의 시민주도 축제와 지역사회 활성화
74회	2002.11.11	나카오 가쓰미(오사카시립대) Japanese Anthropology in Japan and East Asia
81회	2003.9.11	이인자 재일교포 출신 북한 이탈자의 한국과 일본살기
94회	2005.5.27	최석영 근대 일본과 한국의 박물관 '정치학'
95회	2005.6.15	권숙인(서울대 인류학과) '도한(渡韓)의 권유': 1900년대 초두 한국 이민론 속의 한국과 일본 이마마사 하지메 "내선결혼"을 둘러싼 역사와 기억에 관한 일고찰
103회	2006.10.9	벳푸 하루미(교토분쿄대) Human rights, Foreign residents, and hito-no-michi in Japan
129회	2009.5.11	김효진(서울대 일본연구소) 1990년대 이후 교마치야(京町家) 재생운동의 명암: 니시진(西陣)의 사례를 중심으로

교마치야(京町家) 니시진(西陣)

오바 오사마 일본 교토(京都)부립대 교수는 "교토 전통 상가 가옥인 교마치야(京町家)는 현재 2만여 채가 남아있는데, 한 지역에서는 1986년 거주자연합회를 구성하고 2009년 도시개발과 지나친 상업 활동을 규제하는 자발적 선언을 이끌어내 보존에 성공했다"고 소개했다. (동아일보 2010년 10월 25일 입력) 니시진은 니시진오리(西陣織)의 약자로 교토 니시진에서 생산하는 고급 비단의 총칭이다.

135회	2010.5.11	호스위린 **Tokyo at Ten: The After-Work Friendship Networks of Women Executives in Contemporary Japan**
143회	2011.9.21	박지환 **현대 일본사회의 중등교육제도와 계급: 사회적 위치감각의 형성**
145회	2012.3.21	이영진 **전후 일본의 특공 위령과 죽음의 정치**
160회	2014.12.21	스즈키 후미코 **식민이라는 일상: 재조선일본인 담론 속의 풍경과 타자상**

비교문화연구소장은 1990년 초대 한상복 교수에 이어, 이문웅, 김광억(3, 4대), 전경수(5, 6대), 오명석(7, 9대), 왕한석, 황익주, 권숙인, 정향진, 강정원, 박순영 교수를 거쳐 다시 권숙인 교수가 맡고 있다.

이 연구소의 조직은 다음과 같다.

직 책	이름과 소속(소장부터 운영위원까지는 모두 인류학과 교수)
소장	**권숙인**
연구부장	**채수홍**
출판부장	**황익주**
운영위원	**오명석**, **황익주**, **강정원**, **권숙인**, **박순영**, **정향진**, **강윤희**, **이현정**, **채수홍**, **올가 페도렌코**, **김재석**
연구교수	**조숙정**(서울대학교 인류학 박사)
연구원	**김우진**(미국 University of Michigan 인류학 박사) **김현희**(미국 University of Illinois, Urbana-Champaign 문화인류학 박사) **노고운**(미국 University of California, Davis 인류학 박사) **류호철**(명지대 행정학 박사) **임안나**(이스라엘 Tel Aviv University 인류학 박사) **지은숙**(서울대 인류학 박사) **Jonathan Yainishet**(독일 University of Göttingen 사회문화인류학 박사 수료) **문경덕**(미국 University of California, Riverside 인류학 박사 수료) **문우종**(오스트레일리아 University of Melbourne 인류학 박사) **김춘희**(프랑스 Paris-Sorbonne (Paris IV) 비교문학 박사) **Lawrence Monocello**(미국 University of Alabama 인류학 박사 수료) **서대승**(서울대 인류학 박사) **안주영**(서울대 인류학 박사) **조미혜**(독일 University of Bielefeld 사회학 박사) **김지영**(한국학중앙연구원 문학박사) **강지연**(미국 University of Virginia 인류학 박사) **변혜원**(미국 University of Pennsylvania 인류학 박사 수료)
연구간사	**두애린**(서울대 인류학과 석사과정), **이현서**(서울대 인류학과 석사과정)

서울대 비교문화연구소는 (08826) 서울특별시 관악구 관악로 1 서울대 종합교육연구동(220동 521호)에 있다.

전화 (02) 880-6327, 팩스 (02) 874-9821, 이메일 iccs@snu.ac.kr,

홈페이지 http://iccs.snu.ac.kr

23. 성공회대학교 동아시아연구소

KOREA-JAPAN

성공회대 동아연구소(Institute for East Asian Studies)는 2003년 사회문화연구원 산하의 연구소로 문을 열었다.
연구소는 설립 목적을 다음과 같이 밝히고 있다.

동아시아연구소는 아시아 지역 문화의 역사적 형성과 현실적 동학에 대한 포괄적 연구조사 작업을 통해 아제적 지식을 생산하는 것을 일차적인 목적으로 합니다. 우리 연구소는 아시아 지역의 급속하게 변화하는 현실과 괴리된 채 아카데미즘 내부에 머무는 것을 지양하고, 구체적인 현실과의 긴장 속에서 근대 이래 아시아 국민국가들 사이의 불행했던 관계를 극복하는 실천적 운동에 기여하려 합니다. 이를 위해 국민국가를 매개로 하여 이루어지는 문화교류를 넘어, 국민국가에 포섭되지 않는 민간단위의 문화적 잠재력을 발굴하고 이들 사이의 실제적 교통과 연대를 위한 일련의 작업을 수행하고자 합니다.

동아시아연구소의 일본 관련 연구와 행사는 다음과 같다.

서벌턴(subaltern)

여성이나 노동자, 이주민과 같이 권력의 중심에서 배제되고 억압당하는 사람, 또는 그런 무리를 뜻한다. (국어사전) 이탈리아의 사상가 그람시(Antonio Gramsci)는 〈옥중 노트〉에서 '하위자(下位者)'를 의미하는 이 말을 지배계급의 헤게모니(hegemony)에 종속하는 하층민중을 가르키는 말로 사용해 지배계급의 역사를 대신하는 서벌턴계급의 역사서술 가능성을 시사했다. 이 개념을 원용해 1980년대 인도에서 인도사 연구자들이 〈서벌턴 연구〉를 시작해 그동안 엘리트주의 중심의 역사서술 속에서 주변화되고 주체성까지 박탈당했던 인도 하층민중의 역사의식과 주체성 회복을 시도했다. (21세기정치학대사전)

국내학술회의

학술회의명	일 시	주 제
국내학술회의	2011.7.11	주제 **이동하는 코리안들: '다중'인가 '서벌턴'인가?** **2부 발표** 조경희(성공회대) **재일조선인의 재이주와 '탈냉전적 주체'를 둘러싼 경계의 정치** 신현준(성공회대) **이산자의 새로운 형태의 이산: 후(後) 소련공간(post-soviet)에서 고려인들의 이동과 일상의 변환** 토론 김진환(건국대), 김인성(고려대)
국내학술회의	2011.10.21	주제 **식민적 이동의 양상들: 이동을 통한 아시아 경험의 재구성** 유선영(성공회대) **식민지에서 식민지로 이동한 조선인: 제국의 '동양' 만주의 조선인들** 차승기(성공회대) **내지의 외지, 식민 본국의 피식민지인과 아시아** 헬렌 리(연세대) **저주받은 도시에서의 성장** 김성희(성공회대) **식민시기 조선 3대 일간지의 이동관련 기사주제의 분포**

		토론 임성모(연세대), 박광현(동국대)
국내학술회의	2011.11.7	주제 **일본의 전후공간과 한반도 - 사상, 제도, 일상** 사회 김예림(연세대) 총론 권혁태(성공회대) **제1부** 권혁태(성공회대) **사상(捨象)의 사상화(思想化) - 마루야마 마사오의 전후 사상과 조선** 차승기(성공회대) **전후복구와 식민지 경험의 파괴 - 아베 요시시게와 존재/사유의 장소성** 한혜인(건국대) **'강제연행'과 '강제동원' 사이 - 이중적 역사화 과정 속에서 '식민지 조선인'의 배제** **제2부** 이정은(성공회대) **천황의 인간화, 인간의 구획화 - 전후 일본사회에서의 인권과 평화의 정치** 조경희(성공회대) **'조선인 사형수'를 둘러싼 전유의 구도 - 고마츠가와(小松川)사건과 일본, 재일, 한국** 토론 서동주(서울대), 최종길(동의대)
국내학술회의	2012.11.12	**이동하는 아시안, 교차하는 접촉지대와 재편되는 경계들**
국내학술회의	2012.11.19	**아시아 이벤트, (서로 다른) 아시아들의 경합**
국내학술회의	2016.11.5	**'전후'의 형성과 아시아: 1960-70년대 만남의 불/가능**
제1회 영스콜라 포럼	2019.11.8	**제1부** 아시아, 페미니즘, 일본군 '위안부' **제2부** 영화 〈김복동〉 상영회 및 GV 사회 강성현(성공회대) 참석 윤미향(정의기억연대 이사장), 조경희(성공회대)
제2회 영스콜라 포럼	2021.1.22	**국가폭력과 페미니즘: 식민, 냉전, 여성으로 보는 인터아시아**

GV(Guest Visit)
새로운 영화를 개봉할 때 감독이나 영화 관계자들이 관객들과 직접 만나 영화에 대해 설명하고 관객들과 질의응답도 하는 것을 말한다. 배우들이 참석하는 경우도 있다. 관객들에게 인사만 하고 퇴장하는 무대인사랑은 약간 다르다.

국제학술회의

일 시	주 제
2006.4.15	동아시아에 있어서 탈식민적(Post-Colonial) 재편과 문화냉전/냉전문화의 전개
2007.4.20	동아시아 냉전문화의 역학: 1960~70년대 냉전기 동아시아 지역의 문화변동과 국민국가의 문화정치학
2007.12.10	후식민 아시아 사회의 문화 길항과 충돌: 인도와 일본의 사정
2008.6.28	Discourse and Practices of the Regulation of Culture in East Asia(동아시아 문화조절의 담론과 실천) **1세션** 한중일 문화정책의 현주소와 문화산업과의 관계성: 문화산업과 정책담론의 조절

	메커니즘
2009.5.29	동아시아에서의 문화 생산-떠오르는 문화주체들
2012.4.12	주제 이동의 아시아: 식민, 냉전, 분단체제의 경계들과 민족의 공간 **제1부 제국과 식민의 공간 그리고 이동: 아시아 민족들의 이동과 균열의 역선들** 유선영(성공회대) '동아' 트라우마: 민족들의 혼거와 적대의 구성 마이클 김(연세대) 제국의 기반을 구축하라: 식민지 조선의 이주 중국인 노동자 차승기(성공회대) 내지의 조선인, 갈등하는 민족주의와 지방주의
2014.11.21	주제 중첩되는 경계-밀항, 오무라수용소, 재일조선인 사회 김미란(성공회대) 총론 권혁태(성공회대) 왜 밀항-오무라 수용소인가? **제1세션** 권혁태(성공회대) 일본 출입국체제와 사회운동 박사라(교토대) 조선인을 구분한다: 현장에서의 식별을 가능하게 한 것 조경희(성공회대) 불안전한 영토와 비합법적 생활권 토론 차승기(조선대) 마이클 김(연세대) **제2세션** 전갑생(방송대) 오무라 수용소의 재일조선인 연구: 외무 법무성의 비공개 자료를 중심으로 이정은(성공회대) 국경을 넘나든 사람들의 오무라 수용소 경험 현무암(홋카이도대) 한일관계 형성기 부산수용소·오무라수용소를 둘러싼 경계의 정치 토론 한혜인(성균관대) 김만석(부산대)
2015.8.21	인구, 몸, 장소-저출산시대 한·중·일의 인구정책과 젠더

석학초청강연회

일 시	연 사	주 제
2009.9.30	이토 마코토(伊藤誠) 도쿄대 명예교수	서브 프라임 경제 위기의 사회적 비용과 역사적 중요성-일본의 경험을 중심으로
2010.8.23	마크 셀던 미 빙햄턴대 교수	일본과 미국의 전쟁잔혹 행위, 역사적 기억과 화해
2010.9.9	나카노 도시오(中野敏男) 도쿄외대 교수	'역사와 책임'을 둘러싸고
2014.9.29	테사 모리스 스즈키 호주 국립대 교수	잘못 기억된 전쟁-일본, 한국전쟁 그리고 집단적 자위를 다시 생각하기
2016.7.15	나카노 도시오(中野敏男) 도쿄외대 교수	식민주의와 '전쟁 민주주의'
2016.9.5	모리 요시타카(毛利嘉孝) 도쿄예술대 교수	장소를 만들어라!: 아시아에서 대안공간의 승수화

부산수용소

"1953년 11월에 당초 귀국하는 재한일본인 여성의 대기시설로 개설된 부산수용소는 직후에 일본인 어부의 수용을 개시한다. 일본인 어부의 억류를 정리하면, 1953년 11월부터 이듬해 1월까지 송환을 위한 대기시설이 된 제Ⅰ기, 1954년 10월부터 억류가 장기화되어 '상호석방합의'에 따라 1958년 6월까지 순차적으로 송환된 제Ⅱ기, 이어 '상호석방합의' 이후에 나포된 일본 어선 선원이 억류된 채 1960년 3월에 재개된 상호 송환에 따라 전원이 귀국할 때까지의 제Ⅲ기로 나눌 수 있다. 그리고 일본인 어부 수용자가 거의 없어지는 1961년부터는 오무라수용소로부터 강제송환된 '밀항자' 취조를 위한 시설로 활용된다."(현무암 논문) 부산수용소는 1953년 11월 7일 현재의 부산시 사하구 괴정3동에서 문을 열었고, 1980년대 중반 사실상 소임을 마쳤다.

오무라수용소(大村收容所)

종전 후 일본으로 불법 입국한 사람을 강제송환하기 전에 수용했던 장소. 일본 나가사키현(長崎県) 오무라시(大村市) 고가시마정(古賀島町)에 있다. 1952년 일본 법무성이 한국인 410명을 부산으로 강제 송환하자 한국정부는 재일코리안 125명은 인수를 거부하고 일본으로 되돌려 보냈다. 되돌아온 수용자들이 석방을 요구하다 폭동을 일으키기도 했다.

재일조선인 북송

일본 정부와 북한, 조총련이 협조해 일본에 거주하고 있는 조선적이나 북한을 지지하는 사람들을 북한으로 보낸 사업을 말한다. 1959년 12월부터 1984년까지 9만 3340명이 북한으로 갔다. 대규모 산업 인력이 필요했던 북한과 '비국민'을 줄이고 싶었던 일본의 이해관계가 맞아떨어진 결과였다. 북송자들은 그들이 간 곳이 '지상낙원'이 아니었음은 곧바로 알게 됐으나 돌아오지 못했다. 이들을 실어나른 니가타항과 만경봉호는 북송의 상징으로 유명해졌다. (나무위키)

SEALDs

SEALDs는 'Students Emergency Action for Liberal Democracy-s'의 약자로 '자유와 민주주의를 위한 학생긴급행동'을 말한다. SEALDs는 '방패'의 복수형이기도 하다. 이 단체의 뿌리는 2014년 2월 1일 발족한 SASPL(Students Against Secret Protection Law), 즉 '특정비밀보호법에 반대하는 학생들'이다. SEALDs는 정부에 비판적인 시민활동이 드문 일본에서, 학생들이 만든 단체가, 상당한 지지를 받고 있다는 점에서 국내외에서 큰 주목을 받고 있다. 이 단체는 홈페이지에서 "평화헌법을 지키기 위해 입헌주의, 생활보장, 안전보장의 3분야에서 명확한 비전을 표명한다"고 밝히고 있다.

2021.2.9	와카바야시 지요(若林千代) 오키나와대 교수	**포스트냉전과 팬데믹: 오키나와의 코로나 경험과 정동** 대담 조경희 토론 강성현 사회 이기웅(이상 성공회대 동아시아연구소)

정기학술토론회

일 시	주 제
2006.2.22	모리 요시타카(도쿄예술대) **일본의 파퓰러 음악 저널리즘과 아카데미즘: 그 곤란과 가능성에 대해** 토론 염찬희(성공회대) 이선이(성공회대)
2008.6.13	다카하라 모토아키 **전후 일본에서의 문화에 관한 이론들**
2008.11.14	권혁태(성공회대) **일본 전후 사상의 흐름-진보진영을 중심으로**
2008.11.21	권혁태(성공회대) **일본의 시민사회론과 시민사회: 일본의 헌법개정과 한일관계의 비대칭성**
2009.11.27	조경희(성공회대) **한국 사회의 재일 조선인의 인식과 젠더**
2011.5.16	김종헌(동북아평화연대 사무국장) **'동북아 코리안 디아스포라' 이주와 통합**
2012.9.10	권혁태(성공회대) **3·11 이후, 일본의 전후를 생각한다-1990년대라는 전환과 좌절**
2012.9.24	안미정(한국해양대) **경계와 이산-'재일 제주인'의 가족과 친족**
2012.12.27	박정진(서울대 일본연구소) **재일조선인 귀국(북송)문제를 둘러싼 논쟁을 통해서 본 일본학계의 실증연구와 이데올로기성**
2013.11.11	이성(성균관대) **오무라 수용소(大村収容所): 한일회담과 북송이 교착했던 한일 양국의 각축장**
2014.9.22	조경희(성공회대) **영토밖의 일상과 비합법적 생활권: 1950-70년대 제주 출신자·거주자들의 일본 밀항**
2015.4.20	유선영(성공회대) **의심스러운 저항, 식민지 주민의 '일상의 문화적 실천'은 가능한가?: '문화연구'와 식민지 주민의 일상 연구**
2015.10.26	조경희(성공회대) **일본 평화주의의 임계와 정동의 정치: SEALDs를 둘러싼 갈등을 중심으로**
2016.11.21	오영숙(성공회대) **'위안부'의 시선과 재현: 한국·대만·중국의 다큐멘터리 비교하기**

사회화 (연구성과를 시민과 지역사회로 전파하기 위한 활동)

행사 유형	일 시	내 용
오픈클래스	2006.9.26	국가주의 경계를 넘어 공생의 한류를 꿈꾼다
사회토론회	2008.6.2	인디포럼 간담회: 일본독립영화의 현재 주최 (사)인디포럼 작가회의 주관 인디포럼2008 사무국
문화담소	2011.9.19	히로시마-평양 버려진 피폭자 영화상영 해설 권혁태(성공회대)
사회토론회	2011.10.10	주제 후쿠시마 원자력, 핵을 묻는다 이케가미 요시히코(전 〈현대사상〉 편집인) 원자력 발전소 사고의 현단계: 민중의 과학 권혁태(성공회대) 두 개의 아토믹 선샤인 - 피폭국 일본은 어떻게 원전대국이 되었는가
문화담소	2014.4.28	영화 〈후쿠시마의 미래〉 상영, 강혜정 활동가와의 만남 26년이 흘렀지만 아직도 끝나지 않은 체르노빌 사고의 심각한 후유증… 과연 일본은 비상구를 찾을 수 있을까? 후쿠시마는 어디로 가는 것일까? 그리고 우리는?
문화담소	2016.6.16	일본의 젊은이들이 뿔났다. 데모하는 사회 일본, 영화 〈수상 관저 앞에서〉 상영 해설 권혁태(성공회대)
문화담소	2017.3.28	1923 관동대지진 〈감춰진 손톱자국〉 영화상영 및 한일문제 포럼. 참석자 유초하(충북대) 조경희(성공회대), 전갑생(서울대), 강태웅(광운대), 오충공(재일교포 영화감독), 이재갑(사진작가), 박재순(씨알사상연구소장), 양윤모(제주강정영화제 집행위원장)
사회토론회	2019.5.24	평화를 수호하는 천황? 이영채(일본 게이센여학원대)
사회토론회	2020.7.1	주제 코로나 이후 한국사회와 국내체류 재외동포와 이주민 진행 조미수(평화활동가) 조경희(성공회대) 재일동포의 국내체류 상황 김용필(동포세계신문 편집장) 재중동포의 국내체류 상황, 고려인 국내체류 상황 허오영숙(한국이주여성인권센터 대표) 코로나 사태와 이주민들의 현재 토론 이정수(재일동포 3세), 조영관(민변 변호사), 최상구(KIN사무국장)

출판

도서명	저자 · 역자	출판일
언어의 감옥에서 - 재일조선인의 초상	권혁태 옮김	2011.3
동아 트라우마: 식민지 제국의 경계와 탈경계의 경험들	유선영 · 차승기 지음	2013.4.10

전후의 탄생: 일본 그리고 조선이라는 경계	권혁태 · 차승기 엮음	2013.4.10
귀환 혹은 순환: 아주 특별하고 불평등한 동포들	신현준 엮음	2013.4.15
일본 전후의 붕괴: 서브컬쳐 소비사회 그리고 세대	권혁태 지음	2013.8.22
주권의 야만: 밀항, 수용소, 재일조선인	권혁태 · 이정은 · 조경희 엮음	2017.1.20
전후의 탄생: 전후 일본과 조선의 경계	권혁태 · 차승기 지음 나카노 노리코 옮김 · 해설	2017.3.15
두 번째 '전후': 1960~1970년대 아시아와 마주친 일본	권혁태 · 조경희 엮음	2017.6.15
식민지 트라우마: 한국 사회 집단 불안의 기원을 찾아서	유선영 지음	2017.6.30

이 연구소의 조직은 다음과 같다.

직 책	이름과 소속
연구소장	**백원담**(성공회대 중어중국학과)
HK교수	**유선영**(문화연구), **신현준**(대중문화), **김미란**(젠더연구), **윤영도**(중국문화), **조경희**(한일문화), **강성현**(성공회대 열림대학)
HK연구교수	**오영숙**(대중문화), **이기웅**(대중문화), **이임하**(냉전문화)
선임연구원	**전갑생**
공동연구원	권혁태(성공회대 일어일본학과), 장영석(성공회대 중어중국학과), 박노자(노르웨이 오슬로대 한국학과), 차승기(조선대), 김필호(이화여대), 임경화(연세대 국학연구원), 김민환(한신대), 김지윤(성공회대)

성공회대 동아시아연구소는 (08359) 서울특별시 구로구 연동로 320 성공회대학교 내 일민관 4층에 있다.

전화 (02) 2610-4720, 2610-4771, 팩스 (02) 2610-4708, 이메일 master@ieas21.or.kr,

홈페이지 http://ieas21.or.kr

24. 성균관대학교 동아시아역사연구소

KOREA-JAPAN

성균관대 동아시아역사연구소(Center for East Asian History)는 2007년 2월에 설립했다. 역사학을 비롯한 여러 분야의 이론과 실천에 관한 연구를 통해 21세기가 요구하는 새로운 인문학의 창출과 발전에 기여하고, 이를 기반으로 국제 이해와 교류를 촉진하겠다는 목표를 내걸었다.

동아시아역사연구소는 2010년부터 2019년까지 한국연구재단의 지원을 받아 '동아시아, 지성의 계보와 인식'이라는 프로젝트를 수행하기도 했다.

이 연구소의 일본 관련 연구는 다음과 같다.

국내 학술회의

개최일시	주 제
2011.5.20	2011년 일본 중학교 교과서 분석 심포지엄 - 역사, 공민을 중심으로
2012.10.27	일제 강점기 조선인 기자
2013.6.21	한일 근대 네이션(Nation)의식과 역사 인식
2014.3.7	제국주의와 동아시아 근대문학
2016.2.15	한국사회과학의 탈종속화와 식민주의 역사인식
2016.5.16	식민지시기 한국 '사회과학' 연구
2018.3.31	한일청구권 협상에서의 북한 요소와 북일수교 교섭 전망 2016년 고등학교 '국정 한국사' 교과서의 냉전식민주의 역사인식
2018.6.12	군사화된 용산의 풍경들: 일본 제국주의 시기부터 초기 냉전시기 '한국 안의 작은 미국'까지

국제 학술회의

개최일시	주 제
2008.7.26	근대 동아시아에서의 타자 인식과 타자 구축
2008.12.27	동아시아사 교육활성화를 위한 한중일 교사 교류회
2009.11.29	제1차 한중일 공통교재 실현을 위한 전문가 워크숍

2010.8.27~28	한일과거사 청산과 동아시아평화
2010.9.10	제2차 한중일 공통교재 실현을 위한 전문가 워크숍 한일/중일 역사공동연구위원회 활동결과 평가 및 방향 모색
2010.11.5	21세기 동아시아의 역사교육과 교과서
2011.5.19	동아시아 역사방법론의 비판적 성찰
2011.6.10~11	동아시아 인문지성의 전통과 변용
2011.9.24	제3차 한중일 공통교재 실현을 위한 전문가 워크숍 한일/중일 역사공동연구위원회 활동결과 평가 및 방향 모색
2014.2.8~9	일본군 위안부 문제 해결을 위한 공유와 연대
2014.4.26	동아시아 국민국가와 근대학문의 착근
2015.4.24	한일 양국의 식민지 인식과 탈식민주의의 과제
2016.3.11	식민주의와 역사학
2017.3.31	'전쟁과 폭력'을 둘러싼 기억을 읽는 법
2017.8.23~27	동아시아 전쟁 기억과 역사 인식
2018.5.24~25	식민·전쟁 책임과 냉전의 지역 인식

저명인사 초청강연

개최일시	연 사	주 제
2008.5.20	Irmela Hijiya Kirschnereit(베를린 자유대)	일본 거리패션에 나타난 민족주의
2008.10.10	아라이 신이치(荒井信一·이바라기대)	한일관계 과거청산을 위한 미래세대의 역할
2012.9.27	야마구치 쓰요시(山口剛史·류큐대)	일본을 둘러싼 영토문제를 생각한다 - 내셔널리즘을 초월한 대화를 지향하며
2013.3.26	孫歌(중국사회과학원)	지식의 경계 넘어서기: 중국과 일본의 지적 교류
2014.8.12	미쓰이 다카시(三ッ井崇·도쿄대)	식민지시기 한 친일 조선인의 한글운동과 정치운동
2014.10.10	신은주(니가타국제정보대)	일본·일본인·일본사회 - 변화와 그 향방을 생각하며
2018.5.2	정영환(메이지가쿠인대)	재일 조선인 역사

총서(일본 관련 부분만 발췌)

번호	저서명	저 자	발행일
1	**민족주의와 역사교육** 제2부 역사교육 · 국민 · 여성 역사교육과 평화교육의 만남－서독의 사례를 중심으로 독일의 역사문화와 역사교육 일본군 성노예문제와 기억의 현재화 여성과 '국민 만들기'	서중석 · 정현백 지음	2007.12.31
2	**전통사회의 사회질서와 경제발전** 제1부 제1장 일본근세사회의 성립과 봉건질서의 재편 제2장 江戶 幕府의 帶刀統制와 帶刀政策의 전환 제3장 '사'와 '농공상' 사이의 인간존재－직역의 관점에서 살펴본 신분의 주변 제4장 에도시대 무가사회의 신분과 형식 제5장 에도시대 무사와 직분론	구태훈 · 박기수 지음	2007.12.31
3	**전근대 동아시아 국제관계와 대외무역** 국제관계 민덕기: 에도막부의 동아시아 국제사회로의 진입노력 대외무역 김동철: 17세기 일본과의 교역 · 교역품에 관한 연구－밀무역을 중심으로	하원수 · 박기수 지음	2008.1.30
4	**역사의 비교, 차이의 역사** 제1부 과제와 방향 김택현: 비교된 역사 혹은 식민화된 역사－인도, 일본, 한국의 근대 역사학과 비교(사)	김택현 · 이진일 외 지음	2009.2.15
6	**민족운동과 노동** 민족주의와 계급 임경석: 식민지시대 한국의 민족주의와 민족운동 노동력 동원과 여성 김미현: 조선총독부의 농촌여성노동력동원－'屋外노동' 논리를 중심으로 이병례: 일제말기 노동력 동원의 일상화와 민중의 대응방식 이임하: 해방후 국가건설과 여성노동 김정화: 1960년대 여성노동－식모와 버스안내양을 중심으로	김택현 외 지음	2009.6.28
7	**동아시아 지성의 계보와 역사인식 1** 서구문명의 유입과 동아시아 근대성 이규수: 근대 일본의 동아시아 인식체계: 문명과 야만의 역전 서구학문의 전이와 역사학의 대응 오카도 마사카쓰: 일본 역사과학의 세 번의 논쟁: 일본자본주의	이진일 외 지음	2012.6.20

대도통제(帶刀統制)
막부 시절, 칼을 찰 수 있는 사람과 그렇지 못한 사람이 있다. 즉 칼은 신분의 상징이다. 그러므로 칼을 차는지 안 차는지는 통제의 대상이다. 연구자들은 "에도 막부는 신분질서의 일환으로 대도 정책을 실시했다"고 결론지었다. 그래서 서민의 대도를 금지하고 무사 실업자인 로닌(浪人)도 통제했다고 밝혔다.

번호	저서명	저 자	발행일
	논쟁, 쇼와사 논쟁, 역사인식 논쟁		
8	**한국근대 외교사전** 가쓰 가이슈, 가쓰라 다로, 가토 다카아키, 갑신정변, 거문도 사건, 거빈스, 경복궁침입사건(일명 조선왕궁습격사건, 7·23경복궁침입사건), 고네에 아쓰마로, 고무라 주타로, 고영희 …(중략)… 한러은행, 한일신협약, 한일의정서, 한청통상조약, 헌트, 헤이그특사, 홍종우, 화폐재정리사업, 후쿠자와 유키치, 홍선대원군	임경석·김영수·이항준 지음	2012.10.17
9	**근대 전환기 동·서양의 상호인식과 지성의 교류** Ⅰ. 서양의 동양인식과 일본의 조선인식 이규수: 일본의 '동양학'과 '조선학'의 계보 - 근대 일본의 식민정책학에 나타난 조선인식 II. 근대 동아시아의 자의식과 타자인식 구태훈: 일본적 유학의 성립과 그 의미 III. 동아시아의 문명론과 도덕 담론 권석영: 일본의 초기 제국주의론과 도덕 담론 - 국가적 도덕과 세계적 도덕, 또는 국민적 입장과 인류적 입장	구태훈 엮음	2013.6.30
10	**동아시아 지성의 계보와 역사인식 3** Ⅰ. 동아시아 근대 역사학의 탄생 스다 쓰토무: 일본 근세사회에 있었던 '국사'의 맹아 정현백: 일본 근대 역사학의 형성과 서구 역사학의 영향 그리고 개화기 조선 II. 근대 교육제도의 도입과 역사교육 이규수: 근대 일본의 학제 형성과 역사 지식의 제도화	이신철 엮음	2013.6.30
11	**횡단적 역사 담론의 형성** 제1부 시간과 횡단적 역사학 덕천막부(德川幕府)의 '가부키 풍속' 규제와 근세사회의 성립	이찬행 외 지음	2015.4.30
12	**제국의 권력과 식민의 지식** 제1부 '근대'의 지식과 역사 일본의 근대학문과 국사편찬: 수사(修史)사업을 중심으로 제2부 식민정책과 역사인식 [조선사](조선사편수회편)의 편찬체계와 성격: 제1편 제1권(朝鮮史料)을 중심으로 조선총독부의 문화 정책과 한국사 구성 체계: [조선반도사]와 [조선사의 길잡이]를 중심으로 일제시기 '(일본)국사'의 '조선사' 포섭 논리 1930년대 경성제국대학의 역사교과서 비판과 조선총독부의 대응 제3부 식민지식의 파동	최규진 외 지음	2015.6.30

수사(修史)

역사를 편집하여 엮는 것이 수사이고, 조선총독부가 한국사를 편술하기 위해 총독부 부설로 설치한 기관이 조선사편수회이다. 총독부는 한국사의 왜곡과 원활한 식민통치 수행을 위해 식민사관(植民史觀)에 입각한 《조선사》를 편찬 보급했다.

번호	저서명	저 자	발행일
	사상검사 이토 노리오(伊藤憲郎)의 조선 사회주의 연구 신민(新民)의 신민(臣民): 식민지의 여론시시대와 관제매체 대동아공영권론과 '협력적' 지식인의 인식지형 일제하 미국유학생의 자본주의 근대화론과 노동관		
13	**전통과 근대의 역사적 횡단** 제1부 전통사회의 구조와 국가질서의 형성 일본 근세 무사의 직분과 '사농공상'의 사회(구태훈)	한영화 외 지음	2015.8.31
15	**제국주의 체제와 동아시아 대항담론** 제1부 식민과 반식민의 역사인식 일본 식민주의자들의 한국 고대사 인식을 위한 예비적 검토 근대 일본의 동아시아 역사상의 일면: 구와바라 지쓰조(桑原隲藏)의 『동양사요(東洋史要)』를 중심으로 제3부 '대동아공영권' 1940년대 전반 일본의 동북아지역 정치경제인식: 동아광역경제론을 중심으로 왜 '帝國主義下の朝鮮'은 없었는가?: 야나이하라 다다오(矢内原忠雄)의 식민지연구와 대만 · 조선 '생존공간(Lebensraum)과 '대동아공영권' 담론의 상호전이: 칼 하우스호퍼의 지정학적 일본관을 중심으로	구태훈 · 이진일 엮음	2016.12.20
18	**통제와 저항, 인류역사의 변주** 제3부 갈등의 충돌, 억압과 저항의 변주 임경석: 식민지시대 반일 의열투쟁과 사회주의 김택현: (포스트) 식민주의와 문화 혼종	한영화 외 지음	2018.2.28

동아시아역사연구소는 2010년부터 2019년까지 한국연구재단 대학중점연구소 사업도 수행했다. 주제는 '동아시아 지성의 계보와 인식'이었다. 9년을 3년씩 3단계로 나눠 1단계에서는 '전통과 변용'을 축으로 삼아 근대 전환기 동아시아 인문학을, 2단계에서는 제국주의 시기에 동아시아 근대학문이 전개되는 과정을 연구했고, 3단계에서는 전후 냉전시대의 학문과 지성의 궤적을 돌아보면서 인문학의 새로운 미래를 모색했다.

이 연구소의 조직은 다음과 같다.

직 책	이름과 소속
연구소장	**임경백**(사학과)
운영위원	**구태훈**(일본사), **김택현**(한국고대사), **박기수**(동양근대사), **박재우**(한국중세사), **정현백**(독일현대사), **조성산**(한국근세사), **하원수**(동양중세사), **오제연**(한국현대사), **유정애**(외국인교원)
연구교수	**이신철**(한국현대사)

성균관대 동아시아역사연구소는 (03063) 서울특별시 종로구 성균관로 25-2 성균관대학교 다산 경제관 32108에 있다.

전화 (02) 760-0738, **팩스** (02) 760-0302, **이메일** cfeah@daum.net,

홈페이지 http://www.eahistory.or.kr

25. 성균관대학교 동아시아학술원

KOREA-JAPAN

성균관대 동아시아학술원(Academy of East Asian Studies)은 2000년에 문을 열었다. 학술원 산하에 대동문화연구원, 유교문화연구소, 성균중국연구소, 서베이리서치센터, 인문한국사업단 등을 두고 있다.

일본 관련 연구는 다음과 같다.

양명학(陽明學)

송나라 육구연(육상산·1139~1193)의 주장을 명대 중기의 유학자인 왕양명(1472~1528)이 발전시킨 학설이다. '심즉리(心卽理)'라는 절대적 유심론에 바탕을 두고 있다. 인간의 마음에 있는 양심의 절대성과 자율성을 강조하고, 학문의 목적을 지식의 실현에 있다고 했다. 또 참다운 진리는 실천을 통해 완성하는 것이라며 지행합일(知行合一)을 역설했다. 양명학은 주자학을 대신하여 명나라 후반기 사상계의 주류를 이루었고, 한동안 침체했던 중국 유학을 부흥시키는 계기를 마련했다. (Basic 고교생을 위한 세계사 용어사전)

학술회의

개최일시	주 제	공동개최 등
2008.5.19	식민지 관료의 세계	일본 가큐슈인대(學習院大)
2008.9.	동아시아의 양명학	경북대, 중국 복단대, 일본 가쿠슈인대
2008.10.18	제국과 식민지 관료	일본 가쿠슈인대
2009.2.27	식민지 검열과 근대 텍스트	
2009.3.20~21	1919.3.1: 주체, 문화, 기억	
2009.5.15	통치와 정치 사이-조선총독부 관료의 내면과 현실	일본 가쿠슈인대
2010.1.22	근대 검열과 동아시아	
2010.8.20	한일 문학, 문화의 '트랜스내셔널'과 그 전망	
2010.9.11	식민지관료 연구의 현재와 미래	일본 가쿠슈인대
2011.2.18~19	탈식민 냉전 국가의 형성과 검열	
2011.7.23	검열의 전이와 변용	일본 분리대(文理大)
2011.12.18~19	탈식민 냉전 국가의 형성과 검열	
2012.8.24	19세기 말~20세기 초 한국과 일본의 사회와 문화	
2013.1.30	비상시 검열-선전의 시대 1940~1950: 두 개의 전쟁, 제국, 국가 사이	
2013.8.29	독립국가 수립 이후의 식민지 유산과 사회발전(정치·사회·문화 영역)	불가리아 소피아대

2014.8.27	독립국가 형성과정과 정치 · 사회 · 문화적 역사 환경 연구 – 냉전시기 한반도 관련 자료를 중심으로	불가리아 소피아대
2015.2.6	식민지 시기의 출판 자본과 출판문화 – 근대 출판과 〈판매도서목록〉의 문화사	
2015.5.16	일본의 '전후'와 '동아시아'	한국일본사상사학회
2015.6.23	식민지 이후 정치, 경제, 문화의 연속성과 불연속성 – 한국과 불가리아의 사례	불가리아 소피아대
2015.7.3	한국사회와 성/문제: 식민지 자본주의에서 신자유주의까지	국제한국문학문화학회
2018.5.25~26	동아시아 지역 연구의 다양성과 새로운 전망	성균관대 일본연구소, 동아시아일본학회
2019.11.23	3 · 1운동을 둘러싼 기억, 사상의 지형	한국일본사상사학회
2019.12.5	제1회 신진학자 국제학술회의: 동아시아의 기록과 표상	인문한국(HK+)연구소
2020.12.11	제2회 신진학자 국제학술대회: 동아시아의 상상과 시각적 표상	인문한국(HK+)연구소

초청강연

일 시	연 사	주 제
2009.6.2	이시카와 요시히로(石川禎浩 · 교토대)	중국에 있어서의 마르크스 전파와 일본
2010.3.30	아와야 겐타로(粟屋憲太郎 · 릿쿄대)	도쿄재판이란 무엇인가: 동아시아적 관점에서 바라본 도쿄재판
2015.1.22	도미야마 이치로(富山一郎 · 도시샤대)	탈식민지화를 떠맡는 언어의 존재방식에 대하여 – 프란츠 파농과 오키나와로부터 생각한다
2015.3.11	고노시 다카미쓰(神野志隆光 · 도쿄대)	방법으로서의 텍스트 이해: 『일본서기』와 『고사기』 사이의 40년
2015.3.12	사이토 마레시(齋藤稀史 · 도쿄대)	근대 동아시아에 있어서의 한문체: 권위와 통용
2015.4.30	마쓰모토 다케노리(松本武祝 · 도쿄대)	분석틀로서의 '식민지근대론'의 재검토
2015.10.16	다케우치 노부오(竹內信夫 · 도쿄대)	동아시아 근대의 법과 사상, 베르그송 사상과 관련하여

도쿄재판

1945년 7월 26일 발표한 포츠담선언에 따라 제2차 대전 당시 일본의 주요 전쟁범죄자 처리를 위해 열린 재판. 극동국제군사재판이라고도 한다. 승전국인 미국 등 연합국의 11개국이 주도한 재판으로 A급 전범 28명을 대상으로 1946년 5월부터 48년 11월까지 개정했다. 개전 당시 총리였던 도조 히데키 등 7명은 사형, 16명은 종신형, 1명은 금고 20년, 1명은 금고 7년형을 선고했고, 7명에 대한 사형은 1948년 12월 23일 집행했다. 일본은 1978년 A급 전범 14명을 야스쿠니신사에 합사해 한국과 중국 등의 반발을 샀다. (시사상식사전)

2016.1.15	사가와 에이지(佐川英治 · 도쿄대)	고대 동아시아의 도성(都城)의 이념
2016.3.26	고영란(니혼대)	'평민' 행사들의 정보전 – 혁명 시대와 일본어 미디어의 항쟁
〃	고노 겐스케(紅野謙介 · 니혼대)	전후 일본의 좌익운동의 분열과 탐정소설: '50년문제'와 노마 히로시의 〈진공지대〉를 둘러싸고
2016.4.15	허수열(충남대)	식민지 근대화론의 재검토: 식민지 자본주의, 공업화, 시장문제 등을 둘러싸고
2016.6.23	오노 고지(小野耕二 · 나고야대)	정치에 관한 새로운 관점: 정치와 정치학의 현대적 변용을 근거로
2016.7.13	조희경(워싱턴대)	잊혀진 번역의 역사: 러시아, 일본 그리고 한국 근대문학
2017.7.14	권보드래(고려대)	식민지의 민족과 세계: 3.1운동 전후
2019.1.10	류충희(후쿠오카대)	조선 지식인을 통해서 동아시아의 근대를 생각한다: 윤치호를 중심으로
2019.10.18	이현경(캠브리지대)	어려운 문화유산(Difficult heritage): 일제강점기 건축물을 중심으로
2019.11.1	임영상(한국외국어대)	1920~1930년대 연해주 고려인 사회: 언론, 교육, 극단, 문학
2020.7.8	권보드래(고려대) 정종현(인하대)	식민지 근대성 이후의 식민지 연구
2020.9.24	정준영(서울대)	범죄자의 신체, 조선인의 정신: 경성제대 정신의학교실의 서대문형무소 연구

어려운 문화유산

'difficult heritage'는 '어려운 문화유산'보다는 '불편한 문화유산'으로 번역하는 것이 이해가 빠를 것 같다. 이현경 박사(서울대)가 개념화하고 있는 '불편문화유산'은 "아우슈비츠와 같이 고통과 아픔을 준 역사 때문에 국가의 상처와 트라우마를 떠올리게 하는 것으로, 특히 사후에 공동체와 국가가 평가와 관련해 논란과 분쟁을 야기해 그 공동체와 국가의 정체성에 영향을 미치는 문화유산"을 말한다.(서강대 CGSI 트랜스내셔널 인문학연구소 콜로키움) 우리나라의 경우에는 1990년대에 조선총독부 건물 철거 논쟁이 있었다. 총독부 건물은 1995년 철거됐다.

동아시아 인문 산책(일본편)

담당	주제	강의 소주제
이재석(한성대)	고대 한일관계의 허상과 실상	4세기 양국관계의 성립과 전개 / 4-5세기 왜국의 상황 / 5-6세기 백제-왜 관계의 양상 / 7세기 동아시아의 격동과 백제-왜 관계
고은미(성균관대)	13세기 동아시아의 무역과 전쟁	9~14세기의 동아시아 / 송전(宋錢)의 유출과 일본선의 입국제한령-1,2 / 13세기 동아시아의 전쟁과 무역
박삼헌(건국대)	천황의 도시, 도쿄	도쿄 개관 / 막말 유신기 천도론 / 근대천황제의 공간, 도쿄 / 메이지신궁 외원의 형성과정 / 일상의 천황제 상징 공간

김병진(이화여대)	일본 근대 천황제와 생명주의	일본의 전통적 생명관 / 근대적 생명관의 탄생 / 20세기 생명주의의 전개 / 생명주의의 기이한 부활
강해수(일본국제기독대 아시아 연구소)	'신도'와 '일본문화', 그리고 '도의'	신도는 일본의 전통적 종교인가? / 신도의 '국민적 종교'로서의 등장과 이후의 '국가신도' 체제 / 메이지신궁 및 전후 '신도'론에서의 '도의'와 '공공성' / 신사의 '공공성'과 야스쿠니 문제, 그리고 아베 정권과 '일본회의'

일본 도쿄대 동양문화연구소, 교토대 인문과학연구소와 공동학술회의

회수 · 연도	장 소	주 제
1회(2011)	교토	동아시아에 있어서의 '지(知)'의 유통
2회(2012)	서울	동아시아의 근대
3회(2013)	도쿄	동아시아의 기억
4회(2014)	교토	동아시아로부터 세계사를 본다/생각한다
5회(2015)	서울	동아시아를 사유한다 - 공통 · 차이 · 관계
6회(2016)	도쿄	아시아의 전쟁(Asian Wars)
7회(2017)	교토	동방문화연구의 기억과 유산
8회(2019)	서울	아시아의 여성

단행본 (HK, HK+ 성과자료, 동아시아문명총서 등)

발간일	저서명	편저자
2009.10.30	1919년 3월 1일에 묻다	박헌호 · 류준필 지음
2013.3.30	전근대 동아시아 역사상의 사(士)	김경호 · 손병규 책임편집
2015.8.31	아시아의 망령 귀환자 아베 고보와 전후 일본	박이진 지음
2015.11.30	동아시아는 몇 시인가? 동아시아사의 새로운 이해를 찾아서	미야지마 히로시 · 배항섭 엮음
2016.2.15	검열의 제국, 문화의 통제와 재생산	정근식 · 한기형 · 이혜령 · 고노 켄스케 · 고영란 엮음
2016.8.31	근대전환기 동아시아 전통지식인의 대응과 새로운 사상의 형성	배항섭 책임편집
	동아시아 연구, 어떻게 할 것인가	배항섭 · 박소현 · 박이진 책임편집

2017.4.30	동아시아로부터 생각한다	배항섭 · 박소현 · 박이진 지음
2017.5.31	동아시아 역사상 문화교류와 상호인식	김경호 책임편집
	백성성립 일본 근세 농민의 위상과 농가 경영	후카야 가쓰미 지음 배항섭 · 박화진 옮김
2017.6.15	동아시아에서 세계를 보면? 역사의 길목에 선 동아시아 지식인들	미야지마 히로시 · 배항섭 엮음
	19세기 동아시아를 읽는 눈; 지속과 변화 관계와 비교	미야지마 히로시 · 배항섭 · 이경구 엮음
	미친 자의 칼 아래서 1, 식민지 검열 관련 신문기사 자료	한기형 엮음
2020.1.8	여제의 일본사, 여성권력자의 계보를 따라 일본을 다시 읽는다	하라 다케시 지음, 박이진 · 주미애 · 김수용 · 박시언 옮김
2020.2.21	비교와 연동으로 본 19세기 동아시아; 동아시아사의 새로운 발견	배항섭 · 이경구 엮음

이 학술원의 조직은 다음과 같다.

직 책	이름과 소속, 또는 전공
부원장	**김경호**(중국전근대)
교수진	**고연희**(동양회화사), **고은미**(일본중세사), **다니엘 종 스베켄디크**(한국근현대), **박소현**(중국근현대), **박이진**(비교문학, 일본문학), **배항섭**(한국근현대), **손병규**(한국전근대), **이영호**(조선시대경학), **이혜령**(한국현대소설론), **임우경**(중국현대문학), **임태승**(중국전근대), **정승진**(사회경제사), **조민환**(중국사상, 유교경전), **한기형**(한국문학)
겸직교수	김성기, 신정근, 권인한, 정우택, 황호덕, 김영진, 김용태, 안대회, 이희목, 김비환, 김태효, 마인섭, 윤비, 이희옥, 조원빈, 김지범, 진재교
HK+	**조성산**, **천정환**
연구교수	**박은영**, **손성준**, **이승희**, **손혜리**
연구원	**김보국**, **박지영**
박사후연구원	**박진성**

성균관대 동아시아학술원은 (03063) 서울특별시 종로구 성균관로 25-2 성균관대학교 600주년 기념관 4층 403호에 있다. 전화 (02) 760-0777, 홈페이지 https://aeas.skku.edu

26. 성신여자대학교 동아시아연구소

KOREA-JAPAN

성신여대 동아시아연구소는 2002년에 문을 열었다. 동아시아 관련 학술 연구와 교류 협력, 시민을 위한 교양 교육 등을 3대 목표로 삼고 동아시아에 대한 다양한 지식 구축과 동아시아에 대한 대중적 관심 확대에 주력하고 있다. 연구소는 남북한 관계와 한반도 주변 정세, 북한의 변화와 탈북 주민 문제, 한·중·일 관계와 현안 분석, 동아시아 지역 협력과 공동체 건설, 동아시아 지역 거버넌스 구축과 실현 등을 핵심 과제로 삼고 있다.

연구활동 (2016년 이후)

일시	형태	주제
2016.2.5	콜로키움	한의석(성신여대) **아베 정권의 연금 개혁**
2016.12.20	콜로키움	김숙현(국가안보전략연구원) **아베 총리의 리더십 분석**
2017.6.7	콜로키움	오승희(고려대) **인정투쟁의 중일관계**
2017.9.22	콜로키움	임현정(한양대) **한일 초등보육정책에 관한 비교 연구**
2017.11.23	한일국제학술회의	메인주제 **동아시아의 환경문제와 협력의 모색** **제1주제 한국과 동아시아** 사회 한의석(성신여대) 김영근(고려대) **한중일의 재난안전공동체는 가난한가-원자력정책 및 안전규제를 중심으로** 유나영(성신여대) **동아시아의 신냉전과 한미일협력** **제2주제 아시아의 환경협력문제** 사회 후쿠하라 유지(시마네현립대) 요시무라 신타로(히로시마대) **이란의 환경문제에 관한 새로운 시점: 현상과 역사·문화적 과제** 도요다 도모요(시마네현립대) **중국의 발전과 환경적 의미: '환경수용력'의 관점에서** 추장민(한국환경정책평가) **아시아에서의 환경문제: 지속가능성과 네트워킹의 구축을 향하여**
2018.4.21	한국일어일문학회 공동학술회의	주제 **21세기 일본의 소프트 파워-도전과 과제** 사회 박상도(한국일어일문학회 총무이사) 개회사 허영은(한국일어일문학회 회장) 환영사 한의석(성신여대동아시아연구소 소장)

인정투쟁(認定鬪爭)

자기 자신이나 타인에게 인정을 받기 위한 싸움을 말한다. 상대편을 굴복시키려는 것이 아니라 상대편에게서 자신을 확인하려고 한다는 점에서 명예를 위한 싸움이다. 무조건적으로 상대편을 제압하려는 목적보다는 자신의 명예를 확인하려고 하기 때문에 자기의식적이며 정신적인 성격을 지닌다. (국어사전) 현존하는 가장 저명한 철학자 중 한 명인 독일의 악셀 호네트는 《인정투쟁》(1992년)이라는 저서로 유명하다. 호네트는 사회적 투쟁이 발생하는 까닭을 더 나은 '인정 질서'를 만들어내려는 욕구 때문이라고 보고, 이를 분석하기 위해 하버마스의 의사소통이론과 미셸 푸코의 투쟁이론을 원용했다. (출판사 서평)

		심포지엄 사회 김경희(한국외대) 김영근(고려대) **소프트 파워의 진화와 안전혁명** 조아라(한국문화관광연구원) **일본 관광정책 분석과 시사점** 김효진(서울대) **21세기 오타쿠문화의 행방: '코믹마켓 스페셜'의 변모를 중심으로** **종합토론** 사회 이창민(한국외대) 서동주(서울대), 강준수(안양대), 유제상(용인송담대)
2019.12.7	2019 한일국제 학술포럼	주제 **한반도의 비핵화 및 평화 프로세스** 환영사 한의석(성신여대 동아시아연구소장) 사회 이진원(서울시립대) 제1주제 **조선반도의 비핵화와 일본**: 후쿠하라 유지(시마네현립대) 제2주제 **일본의 원자력 정책**: 도요다 도모요(시마네현립대) 제3주제 **한반도 비핵화 및 동북아 평화체제의 전제조건과 한계**: 김영근(고려대) 제4주제 **북핵문제와 한국의 대응-비핵화 과정에서 한미동맹의 역할을 중심으로**: 유나영(성신여대) 토론 이유정(고려대), 한의석(성신여대), 이헌(시마네현립대)

연구소장은 한의석 교수가 맡고 있고, 연구위원으로는 고유정, 박진곤, 연상모, 유나영, 정진화, 현기순 박사가, 운영위원으로는 김영호, 김용직, 박지영, 서현진, 윤진표 교수가 일하고 있다.

성신여대 동아시아연구소는 (02844) 서울특별시 성북구 보문로 34다길 2 성신여대 돈암캠퍼스에 있다.

전화 (02) 920-7089, 홈페이지 https://www.sungshin.ac.kr/eastasia

소프트파워(soft power)
교육·학문·예술 등 인간의 이성과 감성적 능력을 포함하는 문화적 영향력을 말하는 것으로 군사력이나 경제력 같은 하드파워(hard power)에 대응하는 개념이다. 상대를 강제로 순응시키는 것과 달리 설득을 통해 자발적 순응을 유도하는 힘을 말한다. 21세기에 들어서며 세계가 군사력을 바탕으로 한 하드파워에서 소프트파워를 중심으로 한 연성국가(軟性國家)의 시대로 접어들었다는 의미로 하버드대 케네디스쿨의 조지프 나이(Joseph S. Nye)가 1990년 본인의 저서 《Bound to Lead: The Changing Nature of American Power》에서 처음 사용했다. 소프트파워는 대중문화의 전파, 특정 표준의 국제적 채택, 도덕적 우위의 확산 등을 통해 더 커진다. (시사상식사전) 나이는 소프트파워와 하드파워를 적절히 구사하는 것을 스마트파워라고 했다.

27. 숙명여자대학교 숙명인문학연구소

숙명여대 숙명인문학연구소(Sookmyung Research Institute of Humanities)는 2017년 1월에 문을 열었다. 우리나라 인문학 연구를 선도할 새로운 연구 패러다임의 허브를 목표로 분절된 학문체제의 극복을 위하여, 학술적 소통의 장을 위하여, 인문 중심의 통섭과 융합을 위하여, 인간이 중심이 되는 공동체 회복을 위하여 노력하겠다고 밝혔다.

일본 관련 연구활동(2017년 이후)

일시	행사명	내 용
2017.10.18	인문학특강	이지형(숙명여대 일본학과) **불온한 신체, 소외된 문학-한일 한센병문학과 우생학**
2017.12.1	학술대회	주제 **트랜스내셔널리즘과 '사이-존재'** 김한성(숙명여대) **근대 국민문학 이데올로기에 대한 저항-트랜스 문화와 관계성의 시학** 육성희(숙명여대) **초국가주의와 한국계 미국소설** 유수정(숙명인문학연구소) **푸른 눈의 일본인-아동문학으로 쓰인 만주 귀환 서사** 최윤영(서울대) **다와다 요코의 탈경계적, 탈민족적, 탈문화적 글쓰기** 토론 김진규(홍익대), 방인식(성결대), 박이진(성균관대), 이지형(숙명여대) **종합토론** 좌장 박인찬(숙명여대)
2018.6.8	학술대회	**노인을 위한 나라는 없다-'나이듦'의 인문학**
2018.10.12	학술대회	주제 **한센병문학과 제국의 마이너리티** 사회 신하경(숙명여대) 한순미(조선대) **점점 사라져가는 얼굴들 곁에서: 한센병문학 연구의 특수한 시점** 니시무라 미네타쓰(나고야대) **한센병문학과 오키나와** 김귀분(일본국립한센병자료관) **재일한국인 한센병자의 생활과 문학** 이지형(숙명여대) **마이너리티연구에 있어서의 당사자성 문제-한센병문학 연구를 중심으로** 토론 이한정(상명대), 심정명(건국대)
2019.12.6	학술대회	주제 **경계를 넘어, 한일 LGBT 서사의 가능성** 김건형 **한국 퀴어서사의 '리얼리즘'과 자기재현 전략**

LGBT와 퀴어(Queer)

LGBT는 레즈비언(Lesbian), 게이(Gay), 양성애자(Bisexual), 트랜스젠더(Transgender)의 앞 글자를 딴 것으로 성적소수자를 의미한다. 여기에 인터섹스(Intersex·간성)를 포함한 LGBTI, 무성애자(Asexual), 인터섹스(Intersex), 자신의 성 정체성에 의문을 가지고 있는 사람들(Questioner)을 더한 LGBTAIQ 등도 있다. 퀴어는 성소수자를 가리키는 포괄적인 단어이다. 2000년부터 서울에서 열리는 서울퀴어문화축제(Seoul Queer Culture Festival, SQCF)는 매년 6월에서 9월 사이 여름에 열리는 성소수자 축제이다. 약칭으로 '서퀴'라고도 한다. 기독교단체 등에서는 이 행사를 강하게 반대하고 있다.

		안지나 **일본 LGBT문학의 정체성과 가족 표상** 김경태 **동시대 한국 퀴어영화 서사의 어떤 경향** 김효진 **NHK드라마 '아우의 남편'을 통해 본 동성혼 이슈의 재현과 그 한계**
2020.10.24	학술심포지엄	주제 **노인, 혐오, 교차－노년 서사와 그 주변** 사회 안지나(숙명여대) 기조강연 김영옥(생애문화연구소 상임대표) **할매들의 정치학교: 사드반대 투쟁 다큐를 중심으로** 발표 엄미옥(서강대) **박완서 노년소설에 나타난 노년의 의미: 리쾨르의 이야기 정체성을 중심으로** 편용우(전주대) **일본 근세문예의 노인 묘사 특징** 이지형(숙명여대) **일본 현대소설의 소수자성과 노인 혐오** 토론 김윤정(이화여대), 김학순(충남대), 유수정(숙명여대)

폴 리쾨르(Paul Ricœur)
1913~2005. 프랑스 출신의 철학자. 생존 시 자크 데리다, 위르겐 하버마스와 함께 20세기에 살아 있는 최고의 학자 세 사람 중 한 사람으로 평가받았다. 현상학적 해석학자로 유명하며 독일관념론, 구조주의, 정신분석학, 종교현상학, 신학, 역사학까지 폭넓은 주제를 다뤘다. (나무 위키)

이 연구소의 조직은 다음과 같다.

직 책	이 름
연구소장	**박인찬**
편집위원장	**이지형**(편집 총무 이진아)
운영위원	**강혜경**, **김세준**, **박인찬**, **송기창**, **이재준**, **이지형**, **이진아**, **이혜은**, **장영은**, **정상현**, **정현규**, **차미경**
연구교수	**안지나**, **전경숙**, **유수정**, **이재준**, **김경옥**, **표시연**, **은수희**, **이정희**, **윤영해**, **함승경**

숙명여대 숙명인문학연구소는 (04310) 서울특별시 용산구 청파로47길 100 숙명여대 순헌관 810호, 815호, 817호에 있다.

전화 (02) 710-9432, 2077-7910, 7889, 팩스 (02) 710-9536,

이메일 srihuman@sookmyung.ac.kr, 홈페이지 http://www.srih.kr

KOREA-JAPAN

28. 아주대학교 일본정책연구센터

아주대 일본정책연구센터는 한일 국교정상화 50주년이 되는 2015년 4월에 문을 열었다. 연구센터는 기존의 국내 일본 관련 연구소가 외교안보, 정치 분야에 집중하고 있는 것과는 달리 주로 경제, 복지, 저출산고령화, 격차문제 등 한일 양국이 공통적으로 직면한 사회현안에 대한 해결방안에 관심을 가지고 있다. 이러한 문제의식에 입각해 2015년 10월 28일 한일국교정상화 50주년 및 센터 개소기념 국제학술회의에서 발표자와 토론자들은 한일 양국이 저출산 고령화, 저성장이라는 공통의 과제에 직면하고 있음을 지적하고, 이러한 현안을 해결하기 위해서는 양국의 경험을 공유하는 등 한일 양국의 상호이해와 협력을 증진시키는 것이 필요하다는 데 의견을 같이 했다.

2016년 국제컨퍼런스(11월 2일)

주제: 저출산 고령화, 글로벌화 시대의 지역경제 활성화 – 한일 사례와 교훈

구 분	내 용
개회식	사회 김종식(아주대) 개회사 김동연(아주대 총장)
1부 지역경제 활성화를 위한 방안(한국의 시각)	좌장 김용진(아주대) 김영수(산업연구원 지역발전연구센터장) **지역경제의 현황과 활성화 과제** 임성일(한국지방행정연구원 지방투자사업관리센터소장) **지역경제활성화 관점에서 본 중앙-지방간 재정 관계의 재구축** 토론 최희갑(아주대)
2부 지역경제 활성화를 위한 방안(일본의 시각)	좌장 진창수(세종연구소장) 마루야 도요지로(후쿠이현립대 지역경제연구소장) **일본의 호쿠리쿠 '지방창생'과 국제화 · 이노베이션** 아베 마코토(아시아경제연구소 동아시아연구그룹장) **중화학공업의 구조조정과 지방경제** 기타무라 와타루(오사카대) **일본 '지방소멸'에 대한 행정적 대응** 토론 기도 히데키(교토여자대)
3부 종합토론	좌장 정성춘(대외경제정책연구원 국제거시금융본부장) 토론 1부와 2부의 발표자 및 토론자, 이정환(국민대), 박성빈(아주대)

지방소멸

'지방소멸'이라는 말은 '마스다 보고서'가 나오면서 널리 퍼졌다. 마스다 히로야(增田寬也)는 건설성 소속 공무원으로 이와테현(岩手縣) 지사를 3선하고 총무상을 역임한 인물이다. 그는 2014년 5월 '마스다 보고서'를 통해 현재의 저출산이 계속되면 1억2천만 명인 일본 인구가 2110년에는 4280여만 명으로 줄고, 2040년 경에는 일본 지자체의 절반에 달하는 896개 지자체가 소멸할 것이라고 전망했다. 그의 보고서는 큰 반향을 불러일으켜 일본 정부는 총리 직속으로 지방창생본부를 설치하고 담당 대신도 임명했다.

연구센터는 센터장에 박성빈 행정학과 교수, 연구부장에 김종식 사학과 교수, 운영위원에 이왕휘(정치외교학과), 최희갑(경제학과), 김용기(경영학과) 교수 등 5명으로 출범했다.

아주대 일본정책연구센터는 (16499) **경기도 수원시 영통구 월드컵로** 206 **아주대학교에 있다.**
전화 (031) 219-2187, **홈페이지** http://cjp.ajou.ac.kr

29. 연세대학교 동서문제연구원 일본연구센터

KOREA-JAPAN

연세대 동서문제연구원(Institute of East and West Studies)은 1972년 3월에 문을 열었다. 설립 목적은 세계의 주요 지역 및 국가의 정치, 경제, 사회, 문화에 관한 종합적 학술연구를 통해 연세 교육의 국제화에 기여하고, 우리나라 학계의 위상을 국제 사회에 고양시키는 것이라고 밝히고 있다.

동서문제연구원은 지역별 · 주제별연구센터, 연세-EU 장모네 센터(EU연구소), 리더십센터를 두고 있다. 지역별 · 주제별 연구센터에는 동아시아 지역협력 및 통합연구센터, 동남아연구센터, 미국연구센터, 유럽연구센터, 캐나다연구센터, 러시아 및 중앙아시아연구센터, 중남미연구센터, 중동 및 아프리카연구센터, 호주연구센터, 중국연구센터, 일본연구센터, 인도 및 서남아시아연구센터, 정부 · 기업연구센터, 연세RCE연구센터, NPO연구센터, 해양문제연구센터, 평화안보연구센터, 비교문화연구센터, 환경 · 에너지-인력자원 개발연구센터 등 19개 센터를 두고 있다.

연구원은 일본연구센터(센터장 김상준 교수)에 대해 이렇게 설명하고 있다.

일본연구센터는 일본에 대한 전문 지식을 축적하고 이를 전파하기 위해 일본 관련 연구프로젝트와 국내 및 국제학술회의, 그리고 전문가 및 학자 초청 학술세미나 등의 학술활동을 수행하고 있다. 설립 이래 센터는 지금까지 "전후 일본의 정치,경제,과학,기술 및 군사정책에 관한 연구(1982)," "한일 자원 및 에너지정책협력에 대한 3단계 연구(1984-1985)," "US-Japanese Reflations in Emerging Asia-Pacific Regimes (1994-1995)," "일본의 헌법 논의 전재에 관한 연구(1997-1998)," "1990년대 일본이 국정개혁 전개와 한국의 발전방향(2000-2001)," "정보화시대에 있어서 문화: 한국과 일본의 비교연구(2001-2002)" 등의 연구를 축적하여 일본연구의 지평을 넓히는 데 공헌해 왔다. 또한, 1989년 이후 게이오대학교 지역연구소와 연세대-게이오대 학술회의를 개최해오고 있다. 이외에도 일본에 대한 전문가 및 학자를 조청하여 세미나를 정례적으로 개최함으로써 학술 및 인적교류의 폭을 넓혀오고 있다.

이 연구원의 일본 관련 연구 결과는 다음과 같다.

연구프로젝트

☑ 한·일 자유무역지대에 관한 연구(1999~2001)

☑ 1990년대 일본의 국정개혁 전개와 한국의 발전방향(2000~2001)

☑ 정보화시대에 있어서 문화: 한국과 일본의 비교 연구(2001)

☑ 동북아의 경제협력과 지역질서(2001~2002)

☑ 동북아 지역의 정치와 시민사회(2001~2002)

☑ 정보화시대에 있어서 문화: 한국과 일본의 비교 연구(2002)

☑ 동북아 지역의 교류 협력과 전망(2003~2005)

☑ 동북아 지역공동체 인식 및 제도화의 과제(2003~2005)

☑ 동북아시아 인구변화와 노년사회의 지속가능개발 연구(2005)

☑ 동북아 문화공동체에 대한 한중일 시각 비교와 협력방안연구

☑ 이시바 시게루의 대한국정책: 합리적 리더십에 기반한 한일관계의 구축 가능성(2013)

☑ 제26회 연세대학교 일본학 포럼(교토대 야마무라 신이치교수)(2013)

☑ 새로운 변화 일본군 비군사적위협 대응태세 변화 연구(2015)

동서문제연구원장은 초대 박대선 교수에 이어, 한기춘, 박기혁, 이종하, 김달중, 정구현, 신명순, 정갑영, 박태규, 김우상, 김기정, 박영렬, 이연호, 박용석 교수가 맡아왔으며 현재는 우미성 영문학과 교수가 원장으로 일하고 있다.

이 연구원의 조직은 다음과 같다.

직 책	이름과 소속 등
원장	**우미성**(연세대 영어영문학과)
리더십센터 소장	**우병원**(연세대 정치외교학과)
연구교수	**김인춘**, **성정희**, **우병국**, **최정원**, **홍지영**
객원교수	**김중순**(전 고려사이버대총장) **김학렬**(전 한국은행 경제교육센터 원장) **이중우**(전 인제대 부총장) **조재국**(전 연세대 연합신학대학원 교수) **이종태**(전 한국폴리텍5대학 학장) **김득갑**(삼성경제연구소 글로벌연구실 연구전문위원)

지속가능한 개발

(Sustainable Development)

'지속가능한 개발'은 환경과 경제개발을 조화시켜 환경을 파괴하지 않으면서 경제개발을 한다는 개념이다. 1987년 이 용어를 처음 사용한 유엔환경개발회의(UNCED)는 "미래 세대의 욕구를 충족시킬 능력을 손상시키지 않으면서 우리 세대의 욕구를 충족시키는 개발"을 지속가능한 개발이라고 정의했다. 이 개념은 1992년 세계 178개국 정부 대표가 모인 브라질 리우 유엔환경개발회의에서 세계환경정책의 기본규범으로 정식 채택했다. 환경과 개발은 불가분의 관계이고, 자연환경과 자원의 피폐를 초래하지 않는 개발을 추진함으로써 환경문제를 해결하려는 것이다. 지속가능한 개발의 발상은 '환경과 개발에 관한 세계위원회'가 1987년 작성한 브룬트란트 보고서 '우리가 공유하는 미래(Our Common Future)'에 명확하게 나와 있다. (국제개발협력용어집)

	박장호(전 국무총리실 정책협력관) **안미향**(동서문제연구원 연구교수)	
겸임교수	**양상우**(전 한겨레신문사 사장)	
연세-EU Jean Monnet Centre	소장	**이연호**
	겸임교수	**백근욱**
	연구교수	**고주현**
	연구원	**이상훈**

연세대 동서문제연구원은 (03722) 서울특별시 서대문구 연세로 50 연세대 새천년관 7층에 있다.
전화 (02) 393-9027, 2123-3508, 이메일 iews@yonsei.ac.kr, 홈페이지 https://iews.or.kr

30. 우석대학교 동아시아평화연구소

KOREA-JAPAN

우석대의 동아시아평연구소는 2018년 10월 개소했으나 홈페이지를 찾지 못해 관련 기사를 소개한다.

우석대가 한반도 통일과 동아시아 공존을 모색하는 싱크탱크인 '동아시아평화연구소'를 만들고 (2018년 10월) 17일 개소식을 했다.

연구소는 한반도의 평화 통일과 한·중·일의 평화적 공존을 위한 학술연구와 교류사업을 하며 전문인력도 양성한다.

우석대 석좌교수인 서승 전 일본 리쓰메이칸대 명예교수가 소장을 맡았다.

서 소장은 1971년 '재일교포 학생 학원침투간첩단사건'에 연루돼 19년간 수감생활을 한 뒤 반인간적인 사상전향 공작과 고문에 맞서 싸워온 인물이다.

개소식 이후에는 '한반도 평화에서 통일을 향하여'를 주제로 한 학술 심포지엄이 열렸으며, '헤노코의 지금' 특별 사진전도 마련됐다. (연합뉴스 2018년 10월 17일 입력)

우석대학교 동아시아평화연구소는 19일 국회서 한반도 통일과 동아시아 평화의 싱크탱크로 발돋움하기 위한 정책세미나를 개최했다.

특히 이번 정책세미나는 김근태연구소와 동아시아평화연구소를 보유하고 있는 우석대가 한반도 화해와 동아시아 평화를 모색키 위해 시동을 건 점이 크게 부각되고 있다.

'제재와 주권: 한반도 평화와 남북의 민족화해 - 대단결을 위한 이니셔티브'라는 주제로 열린 이날 세미나에서 이부영 몽양여운형선생기념사업회 이사장이 '한반도 평화와 화해 · 대단결을 위한 모색'을 주제로 기조 강연을 펼쳤다. (중략)

또한, 홍현익 세종연구소 연구실장과 장창준 한신대 연구교수가 '독일 통일의 예에서 본 국제관계의 갈등과 자국적 이니시어티브의 과제'와 '2019년 한반도 평화실현의 조건 - 대북제재, 어떻게 풀 것인가?'라는 주제로 각각 발제했으며, 김영호 의원과 김성걸 한국국방연구원 연구원, 이상기 한중지역경제협회장이 토론에 나섰다.(중략)

한편, 이날 세미나는 우석대 동아시아평화연구소(소장 서승 석좌교수)와 김근태연구소(소장 최상명 교수), 민주주의와 복지국가 연구회(공동대표 강창일 · 인재근 의원)가 공동으로 주최했다. (전북중앙, 2019년 2월 19일 입력)

재일동포유학생 간첩사건

"1970년대 한국 유학길에 오른 재일동포 중 중앙정보부에 의해 억울하게 간첩 누명을 쓰고 옥살이를 하였던 사람들이 있었다. 대표적인 사건으로 1975년 11월 22일에 대대적으로 발표된 '학원 침투 간첩단 사건'이 있다. 21명의 간첩이 검거되었는데, 그중 10여 명이 재일동포였다. 이 밖에도 크고 작은 조작 사건들이 있었는데, 이런 간첩 사건에 연루된 재일동포의 수가 100여 명에 이른다. 재일동포 유학생 간첩 조작 사건의 피해자들은 '재일한국 양심수 동우회'를 만들고, 2015년에 재심운동을 벌였다. 이들 중 30명 넘게 재심을 신청하여, 40년 만에 재심 법정에서 속속 무죄를 선고받았다. 40년간의 누명이 벗겨지는 순간이었다." (한겨레신문 2021년 8월 20일 입력)

북미 하노이 정상회담 이후 남북한을 비롯해 동아시아 주변국의 국제지형은 어떻게 변화될 것인가.

우석대 동아시아평화연구소(소장 서승)는 9일 서울시청 바스락홀에서 이 같은 논제의 해법을 찾기 위한 '한반도 평화의 시대와 동아시아의 변모' 주제의 국제심포지엄을 개최했다.

논의의 자리에는 정세현 전 통일부 장관과 진징이 북경대 교수, 김성민 건국대 교수, 키무라 가고시마대 교수, 린저 위앤 화동사범대 교수 등 한·중·일 석학들이 참석, 한반도 평화체제 구축에 대한 국가별 시각과 해법을 제시했다.

심포지엄은 '한반도 평화시대의 국제적 조건'이란 주제의 1세션과 '한반도 평화시대와 남북한의 변화' 주제의 2세션, '한반도 평화시대와 동아시아의 가능성'의 3세션으로 나뉘어 진행됐다.

서승 소장은 개회사에서 "분단시대에서 통일시대로 가기 위한 점진적인 발전 과정을 '한반도의 평화시대'라 규정한다"면서 "이번 심포지엄은 한반도 평화의 시대를 천명하는 심포지엄이 될 것"이라고 말했다(중략).

우석대 동아시아평화연구소는 지난해 10월 개소해 서승 석좌교수를 중심으로 한반도 통일과 동아시아의 평화와 관련된 학술연구 활동과 시민강좌, 평화체험 답사, 남북교류사업 등을 활발히 펼치고 있다. (전북일보, 2019년 5월 9일 입력)

우석대 동아시아평화연구소가 '한일 역사문제 해결을 통한 동아시아 평화 구축'을 위한 국제학술회의를 연다.

이 대학은 오는 (2019년 11월) 29일 동북아역사재단 대회의실에서 '한일 역사문제 해결을 통한 동아시아 평화 구축'이라는 주제로 국제학술회의를 개최한다고 밝혔다.

이날 국제학술회의는 서승 동아시아평화연구소장의 기조발제를 시작으로 박한용 동아시아평화연구소 연구원과 신효승 동북아역사재단 연구원, 박태균 서울대 교수, 우치다 마사토시 변호사, 치우스제 샤먼대학 교수가 각각 발제를, 호리야마 아키코 마이니치신문 서울지국장과 이경미 동북아역사재단 연구원 등이 토론에 나선다.(하략) (충북일보, 2019년 11월 26일 입력)

이 연구소는 2020년 8월 《누구를 위한 역사인가 - 뉴라이트 역사학의 반일종족주의론 비판》이라는 책을 기획했다(푸른역사 간). 저자는 이철우, 박한용, 전재호, 홍종욱, 강성은, 김창록, 이송순, 정태헌, 박찬승, 김상규, 강성현, 변은진, 조시현, 허영란, 김정인, 김현주, 서승 씨 등 17명이다.

《반일종족주의》

이영훈 서울대 명예교수와 김낙년, 김용삼, 주익종, 정안기, 이우연 씨 등이 2019년 7월에 발간한 책 이름이다. 이 책은 "친일은 악(惡)이고 반일은 선(善)이며 이웃 나라 중 일본만 악의 종족으로 감각하는 종족주의, 이 반일종족주의의 기원, 형성, 확산, 맹위의 전 과정을 국민에게 고발하고 그 위험성을 경계하기 위한 바른 역사서"라고 주장한다. 그러면서 "한국의 반일주의란 거짓으로 쌓아 올린 바벨탑이다. 그래서 이 책은 한국인들에게 매우 불편하며 심지어 거부감을 줄 수도 있다. 그러나 이영훈 교수 등 저자 일동은 어디까지나 연구에 의해 검증된 사실에 입각해서 기존 통념을 비판하고 자신의 주장을 폈다. 이 책에 불만을 품는 사람들은 이 책의 주장이 결과적으로 현 한일 대립 상황에서 일본을 편드는 것이라 비난할지 모르나 …이 책에 대한 학술적 비판을 환영하며 이 책에 대한 한국 지식사회의 진지한 검토를 바라고 있다"고 했다. (출판사 서평) 이 책에 대한 비판적인 의견이나 논평, 저술들도 많이 나오고 있다.

31. 이화여자대학교 아시아여성학센터

이화여대 아시아여성학센터는 1995년 5월 이화여대 부설 연구기관으로 문을 열었다. 센터는 아시아, 아프리카, 라틴아메리카 등 비서구 · 포스트식민세계의 관점에서 젠더, 인종, 계급의 역학 등 여성 관련 전반의 영역을 학술적으로 연구함으로써 역사성 및 지역성에 기반한 지식의 장을 열어가겠다고 밝히고 있다.
여성학센터는 1997년부터 아시아 8개국의 여성학자들과 함께 아시아 여성 이슈에 대한 이론화 작업과 실천 방안 등을 모색했으며, 2005년에 그 결과물로 아시아 8개국—한국, 중국, 일본, 대만, 태국, 인도, 인도네시아, 필리핀, 일본—과 〈아시아여성학교과서〉(Women's Studies in Asia Series)를 영문으로 출간했다.
2005년에는 제9차 세계여성학대회(International Interdisciplinary Congress on Women)를 주관했으며(장소 이화여대), 2011년부터 2019년까지 아시아-아프리카 지역 비정부 공익부문 여성인재 교육 사업인 EGEP(Ewha Global Empowerment Program)를 운영했다. 이 프로그램은 1년에 두 차례, 2주씩의 집중 국제교육 프로그램으로서, 총 14차례에 걸쳐 아시아-아프리카 지역 여성인재 45개국 313명이 참가했다. 여성학센터는 영어로 진행하는 아시아여성학(석사) 협동과정에도 주도적으로 참여하고 있다.

이 센터의 조직은 다음과 같다.

직 책	이름 및 소속, 전공
소장	**정지영**(여성학과)
특임교수	**박아일린**(교육인류학), **정지수**(퍼포먼스학)
연구원	**박부영**(여성학)
객원연구위원	**최금영**(여성사)
운영위원	권경미(글로벌한국학, 문화연구), 김선혜(여성학, 섹슈얼리티, 성과 재생산), 노경덕(러시아사, 서양현대사), 정은경(문헌정보학, 디지털도서관, 이미지검색), 조혜란(국어국문학, 고전문학, 고전여성문학)

이화여대 아시아여성학센터는 (03760) 서울특별시 서대문구 이화여대길 52 이화여대 내에 있다.
대표전화 (02) 3277-4244, 이메일 acwsewha@ewha.ac.kr, 홈페이지 http://acws.ewha.ac.kr

32. 인천대학교 일본문화연구소

KOREA-JAPAN

인천대 일본문화연구소(Institute for Japanese Cultural Studies)는 2008년 7월에 문을 열었다. 체계적이고 종합적인 '일본' 연구와 학술교류를 통해 가까운 장래 일본을 포함한 '동북아 문화공동체' 형성을 위한 학문적 토대 구축, 인문학에 기초한 문화, 사회, 예술 등의 다양한 학제 간 공동연구 및 연계 사업 추진, 학문분과 간 협력과 대화를 통한 통섭 효과 극대화를 설립 목적으로 내걸었다.

연구과제 (2016년 이후)

연 도	주 제	지원기관
2016	인천의 원도심 골목길에서 인문학을 만나다 - 개항장과 산업단지를 넘어 인문도시로	한국연구재단
	도시재생에 있어서 근대 문화유산 활용에 관한 고찰: 한일 양국의 개항도시의 비교를 중심으로	한국연구재단
2017	일본의 지방위기와 장소 자산의 재발견 - 시코쿠(四國)의 지역사례 연구	한국연구재단
	일제강점기 지방풍경 연구: 지역 사회발간 안내서의 수집, 유형, 분류, 분석을 통해(박사후연수 지원사업)	한국연구재단
	일제강점기 관광안내서와 그림엽서를 통해 살펴본 인천의 관광도시 전략과 실제	인천대 인천학연구원
	왕인박사 현창사업의 현황과 과제	(사)왕인박사현창협회
	일본군 위안부 기록물 발굴정리 해제	한국여성정책연구원
	일제하 서울과 타이베이의 식민근대화도시화과정에 관한 연구: 일본인 거주지와의 연관관계를 중심으로	한국연구재단
2018	인천 개항장의 경관은 어떻게 만들어졌는가	인천대 인천학연구원
	메이지유신의 침략성과 재인식의 문제	동북아역사재단.
	이상적 여성상의 형성: 한일 여성 훈육서의 비교	일본 시마네현립대

학술대회와 전문가 초청강연(2017년 이후)

일시	내용
2017.12.2	**제1회 전문가 초청강연** '신 고질라'와 일본의 상상력
2018.3.17	**제19회 동아시아일본어 일본문화 FORUM** 동아시아에서 '일본'을 생각하다
2019.1.24	**제3회 전문가 초청강연** 일본 서브컬쳐 연구의 현재와 과제 개회사 남상욱(인천대 일본문화연구소장) 이석, 김민섭(인천대) 이세계물(異世界物) 라이트노벨의 범람과 그 이유 박진한, 현영민(인천대) 시뮬라크르 개념을 통해선 본 키즈나 아이-키즈나 아이의 등장배경과 인기에 대한 고찰 남상욱, 진예은(인천대) 게임 〈페르소나5〉에 나타나는 젠더의 문제 손지연, 손주성, 홍강일(경희대) '부상'하는 서브컬쳐와 '박제'화되는 순문학, 그리고 다자이 오사무라는 환상 **종합토론** 좌장 신하경(숙명여대), 참가자 전원
2019.10.4	**일반공동연구 심포지엄** 일본의 지방위기와 장소자산의 재발견 개회사 남상욱(인천대 일본문화연구소장) 이석(인천대) 일본 영화의 세토내해(瀨戶內海)표상: 『세상의 중심에서 사랑을 외치다』(2004)에 주목하여 남상욱(인천대) 서브컬처 속의 장소 표상: 만화 『うどんの國 金色蹴鞠』이 그리는 가가와현 박진한(인천대) 일본 근세 성곽의 장소성과 장소 자산화에 대한 비교 연구: 시코쿠(四國)의 현존 천수각 4성을 소재로 이호상(인천대) 지역자산을 활용한 과소지역의 장소만들기 전략: 에히메현(愛媛縣)의 미치노에키(道の驛)를 사례로 이강원(인천대) 지역에너지 생존자산: 포스트 후쿠시마 시코쿠의 장소 **종합토론** 문순희(연세대) 정원욱(건국대)
2019.12.20	전후 동아시아 여성서사는 어떻게 만날까-한국, 중국, 일본, 오키나와, 재일
2020.9.22	**제5회 전문가 초청강연** 日本語教育の「かかわり」と「つながり」

정례 세미나(2017년 이후)

일시·회차	주제
2017.3.27(28회)	김일림(한국예술종합학교 애니메이션학과) 일본 대중문화의 상징공간 '아키하바라'의 성립 방식
2017.4.6(29회)	주제 초고령화, 일본도심의 노인들 **1차 세미나** 박승현(한림대 생사학연구소 HK연구교수) 1DK에서의 고독과 죽음, 그리고 존엄-도쿄 기타구 기리가오카 공영단지의 고령화와 재건축에 대한 인류학적 연구
2017.4.13(30회)	주제 초고령화, 일본도심의 노인들 **2차 세미나** 김희경(서울대 인류학과 BK21플러스사업단) '내가 죽는다면': 엔딩 노트의 유행과 노인들의 딜레마

라이트노벨

일본의 서브컬처에서 태어난 소설 종류의 하나로 주로 청소년을 타겟으로 삼는 소설이다. 약어로는 라노베(ラノベ), 라이노베(ライノベ), 라노벨(한국), 경소설(軽小説·중국) 등으로 부른다. 장르로는 연애, SF, 판타지, 미스터리, 호러 등 기존의 소설 장르를 포괄한다. 비디오 게임과 영화, 만화, 애니메이션 등을 소설로 바꾸거나, 반대로 라이트노벨을 애니메이션, 만화, 비디오게임, 영화로 만드는 경우도 있다. (위키백과)

시뮬라크르(simulacre)

순간적으로 생성되었다가 사라지는 우주의 모든 사건이나 자기 동일성이 없는 복제를 가리키는 철학 개념이다. 플라톤은 완전한 복제란 불가능하므로 시뮬라크르는 전혀 가치가 없다고 보았다. 그러나 철학자 들뢰즈는 시뮬라크르가 모델을 뛰어넘어 새로운 역동성과 자기 정체성을 가지고 있다고 보았다. 들뢰즈가 시뮬라크르를 통해 현실과 허구의 상관관계를 밝힌 이후, 시뮬라크르는 현대철학의 중요한 개념으로 자리 잡았다. (두산백과)

엔딩 노트

《엔딩 노트》라는 책을 쓴 유선종 건국대 교수는 엔딩 노트는 내 인생의 비망록이자, 내 인생의 재고 조사이자, 가족에게 주는 마지막 선물이라고 말한다. 살아가면서 당연히 누려야 할 '평화롭고 존엄한 삶을 위한 준비 과정'이라는 것이다. 2012년 〈엔딩 노트〉라는 일본 영화가 관심을 끌기도 했다. 갑자기 암 선고를 받은 아버지가 담담하지만 열정적으로 남은 시간을 살아가는 영화다.

2017.6.1(31회)	남상욱(인천대 일어일문학과)×이석(인천대 일본문화연구소) 토크콘서트: **우리는 왜 하필 대학에서 서브컬처에 대해서 이야기하고자 하는가?**
2018.5.1(33회)	홍수경(싱가포르국립대 아시아연구소) **일상의 과학화, 식생활의 합리화 1910~20년대 일본 근대영양학의 탄생**
2018.6.26(35회)	**왜 지금 서브컬처 잡지인가?–서브컬처 비평의 필요성** 발표 이석(인천대) 토론 신하경(숙명여대), 남상욱(인천대)
2019.9.20(37회)	윤은호(인하대 문화콘텐츠문화경영학과 초빙교수) **일본지방철도의 활성화: 콘텐츠관광이론과 사례를 중심으로**
2020.4.17(41회)	**일본어학연구의 실제와 일본어 교육의 실천**
2020.9.23(42회)	**시티팝 & 시부야케이: 도쿄 사운드 회고–도쿄다반사**
2020.9.28(43회)	김효진(서울대 일본연구소) **'당자됨'을 구성하기: 대중문화와 현실·표상·판타지**
2020.10.15(44회)	윤은호(인천대 일본문화연구소) **콘텐츠 투어리즘 2.0**

서브컬처(subculture)
어떤 사회의 전체 문화(total culture), 또는 주요 문화(main culture)에 대비되는 개념이다. 하위문화(下位文化), 부차적 문화(副次的文化)라고도 한다. 전체 문화의 내부에 존재하면서 독자적 특질을 나타내는 부분적 문화, 즉 '문화 속의 문화'가 서브컬처이다. 상류계층의 문화, 농민의 문화, 도시의 문화, 청소년문화, 군사문화(軍事文化), 불량배 집단의 문화 등이 서브컬처에 해당한다. 서브컬처는 이에 참여하는 사람들에게 전체문화로는 채울 수 없는 욕구를 충족시켜주는 역할을 할 때가 많다. 즉 서브컬처와 전체문화는 대개 상호보완적이다. 그러나 지배적 문화의 변화를 추동하는 대항문화(counter culture)로 작용하는 일도 있다. (두산백과)

기획총서 · 번역총서

도서명	저 자	역 자	발행일
쇼군 천황 국민: 에도시대부터 현재까지 일본의 역사	후지이 조지, 이와사키 나오코, 미즈모토 구니히코, 야스쿠니 료이치, 히가시타니 사토시	박진한·이계황·박수철	2012.8.5
일본의 언어와 문화속의 여성상	황미옥		2012.8.6
가미카제 특공대에서 우주전함 야마토까지	박진한·강태웅·한정선·이택광·신하경		2013.1.15
제국 일본과 식민지 조선의 근대도시 형성	김백영·김창수·박삼헌·박세훈·박진한·염복규		2013.8.31
우리가 몰랐던 한자의 역사	사사하라 히로유키	이건상	2016
일본어와 일본문화(개정판)	황미옥 엮음		2019.1.28

연구소장은 남상욱 교수가 맡고 있으며, 부장으로 이강원, 이석, 이가혜 교수가, 연구교수로 김태희, 윤은호, 김선희, 신민정 박사가 일하고 있다.

인천대 비교문화연구소는 (22012) 인천광역시 연수구 아카데미로 119(송도동) 인천대학교 인문대학 316호에 있다.

전화 (032) 835-4253, 팩스 (032) 835-0757, 홈페이지 http://japan.incheon.ac.kr

33. 전남대학교 일본문화연구센터

전남대 일본문화연구센터는 2004년 6월에 문을 열었다. 연구센터는 호남지방이 고대에는 일본과 교류하는 중심지였음에도 불구하고 일본을 연구하는 전담기관이 하나도 없다는 오랜 안타까움과 반성이 설립 배경으로 작용했다고 밝혔다.

국제학술포럼 (발췌)

일 시	주제와 내용
2004.10.8 제1회 창립기념 국제학술심포지엄	주제 **한일 문화교류의 과거와 현재, 그리고 미래** 기조강연 김윤식(서울대) **한국근대문학사의 시선에서 본 이중어–글쓰기공간에서의 글쓰기유형론** 고마쓰 가즈히코(小松和彦 · 국제일본문화연구센터 소장) **21세기 한일 민속문화비교연구의 전망** 발표 하우봉(전북대) **한일양국의 상호인식–역사와 전망** 최관(고려대) **문화구조로 본 한중일 삼국의 관련양상** 가와무라 미나토(川村湊 · 호세이대) **한일문학자 교류 12년–한일작가협의회의 발자취** 요모타 이누히코(四方田犬彦 · 메이지학원대) **한일영화연구의 전망** 김순전(전남대) **수신하는 제국-동서양의 경계에 선 일본의 선택** 토론 권오엽(충남대), 허석(목포대), 김용의(전남대)
2008.10, 24 제5회 국제학술심포지엄	주제 **한국인은 일본을 어떻게 보아왔는가** 사회 김순전(전남대) 개회사 정승운(전남대 일본문화연구센터 소장), 김윤수(전남대 총장), 혼다 오사무(本田修 · 일본국제교류기금 서울문화센터 소장) **기조강연** 사회 김현석(광주대) 기조강연1 오무라 마스오(와세다대) **김용제가 걸어온 길** 기조강연2 김용덕(동북아역사재단이사장) **일본의 '과거사' 인식의 형태** **발표** 사회 김선화(목포대) 세리카와 데쓰요(芹川哲世 · 니쇼가쿠샤대) **한국인의 일본관 그 변화의 궤적–고대에서 근세에 이르기까지** 김환기(동국대) **일제강점기 재일 조선인 문학자의 일본관** 호사카 유지(세종대) **김옥균의 일본관** 임용택(인하대) **김소운이 본 일본** **종합토론** 좌장 남이숙(군산대)

김용제(金龍濟)

1909~1994. 충북 음성 출신으로 일제 강점기에 친일 공산주의 계열의 시인이자 문학평론가로 활동했다. 일본 주오(中央)대 영문학과를 졸업했다. 1931년 일본어로 쓴 항일시 〈사랑하는 대륙아〉를 전일본무산자예술연맹 기관지 〈나프〉에 발표하면서 등단했다. 일본에서 치안유지법 위반 혐의 등으로 서너 차례에 걸쳐 약 4년간 복역한 뒤 한국으로 강제 추방되면서 적극적인 친일문학가가 됐다. 해방 후 친일문학인 명단과 친일파 명단에도 올랐다. 한국 전쟁과 함께 반공주의 작가로 활동을 재개하며 서정시집인 《산무정(山無情)》과 소설 《김삿갓 방랑기》를 발표했다. 《김삿갓 방랑기》는 1950년대를 대표하는 베스트셀러가 됐다. 오무라 마스오(大村益夫) 와세다대 교수는 그와 200통 이상의 서신을 주고받으며 그의 생애를 연구해 《사랑하는 대륙이여》라는 책을 펴냈다. (위키백과 등)

일 시	주제와 내용
	토론 이병달(서남대) 서은혜(전주대) 표세만(군산대)
2015.9.12 제10회 국제학술심포지엄	**개회식과 기조강연** 사회 이이다 사오리(전남대) 개회사 김용의(전남대 일본문화연구센터 소장) 환영사 이주노(전남대 인문대학장) 기조강연1 고마쓰 가즈히코(국제일본문화연구센터 소장) **전환기에 선 일본 연구** 기조강연2 박전열(중앙대 명예교수) **일본 문화의 조용한 다이너미즘: 현실과 꿈을 융합하는 힘** **제1부 일본 연구의 현황과 전망** 사회 고마쓰 아사미(울산대) 김희영(전남대) **오키나와 용궁설화 속 이류 간 성적 교섭의 의미** 무라카미 가즈히로(에히메대) **'국경의 섬 쓰시마'와 '한일교류'** 송수환(대만 용화과학기술대) **권력의 성쇠와 엘리트 정책: 일제통치시대의 원주민사회와 관련하여** 가와무라 기요시(일본국립역사민속박물관) **민속문화 연구노트: 생활실천과 역사의식, 협동작업으로서의 필드워크** 무라야마 고타로(교토외국어대) **교토의 제례와 관련한 여러 문제** 주혜정(전남대) **최양일 영화에 나타난 에스닉 마이너리티: '돼지의 보은'을 중심으로** **제2부 일본의 괴이 · 요괴 연구** 사회 문현일(전남대) 노성환(서울대) **월경하는 한국의 요괴(신)** 도쿠나가 세이코(국제일본문화연구센터) **괴이 · 요괴 화상(画像) 데이터베이스의 개요와 현상** 야스이 마나미(덴리대) **출산과 요괴: 우부메(うぶめ)의 도상(圖像)을 중심으로** 마쓰무라 가오루코(국제일본문화연구센터) **괴이 전승 속의 의복: '소매'의 의미와 관련하여** 최가진(전남대) **메이지 시대 괴담집 『하쿠모노가타리』에 나타난 괴이관** **종합토론** 좌장 정형(단국대) 토론 기조강연 및 발표자 전원
2020.1.13 제15회 국제학술심포지엄	주제 **동아시아 속에서 생각하는 한일관계** 사회 강정균(전남대 일본문화연구센터 연구원) 개회사 정승운(전남대 일본문화연구센터 소장) 축사 류재한(전남대 인문대학장) **기조강연** 박규태(한양대) **한일비교문화의 방향-화(和)의 인식론적 성찰을 중심으로** **발표** 사회 정승운(전남대) 마나베 유코(도쿄대) **한일관계와 타자 이해 - '한'에 대한 오해와 왜곡을 실마리로** 오세종(류큐대) **오키나와 문학과 재일조선인 문학으로 연동하는 '위안부'표상 - 사키야마 다미(崎山多美)와 金在南을 중심으로** 하시모토 교코(쓰다주쿠대) **변용하는 레즈비언문학의 지평 - 타이완 · 한국 · 일본의 경우** 사노 마사토(도호쿠대) **포스트콜로니얼 시각에서 본 한일관계 - 1990년대를 중심으로**

일시	주제와 내용
	김정례(전남대) '가장 예뻤던 때'의 '그녀들'에게 - 이바라기 노리코와 문정희의 시를 중심으로 **종합토론** 좌장 사노 마사토(도호쿠대)
2021.1.19 국제학술심포지엄	주제 동아시아 속에서 생각하는 한일관계 2 **주제발표** 박수철(서울대) 역사에서 본 한일관계 - 「해동제국기」와 「간양록」의 시각에서 **발표** 히라바야시 가오리(소카대) '어부바'문화를 생각하다 - 한류 드라마와 「이세 모노가타리(伊勢物語)」의 미오(水脈) 고영란(니혼대) 문학자의 반핵성명과 한국 민주화지원의 시대 - 히로시마 · 냉전 · 광주 정승운(전남대) 무라카미 하루키(村上春樹)의 동아시아 토론 사노 마사토(도호쿠대) 박규태(한양대)

일본연구포럼

회차	일시	강사	주제
1	2010.9.9	김용덕 광주과학기술원 석좌교수	메이지 원로 - 일본근대화의 선도자
2	2010.10.18~19	재일동포 3세 만담가 쇼후쿠테이 긴페이(笑福亭銀瓶)	일본의 웃음과 해학 - 긴페이(銀瓶) 씨의 라쿠고(落語) 공연 18일 '시간우동'(한국어)과 일본어 작품 하나 19일 '총알 인력거'(한국어)와 일본어 작품 하나
3	2011.3.10	케네스 루오프(Kenneth Ruoff) 포틀랜드주립대 역사학부 교수	1940년 경 일본인의 조선관광 - 관광촉진과 동화정책의 긴장
4	2011.6.30	가리마타 게이치(狩俣恵一) 오키나와국제대 교수	다케토미지마의 마쓰리와 전승(竹富島の祭りと伝承)
5	2011.9.15	서경식 도쿄경제대 현대법학부 교수 토론 신경호 전남대 예술대 교수	일본 근대미술의 증언 - 마루키 부부의 '원폭의 그림', 하마다 도모아키의 '초년병 애가'를 중심으로
6	2013.1.4	후지노 요헤이(藤野陽平) 일본학술진흥회 특별연구원	가톨릭 신앙인가? 토착신앙인가? - 규슈 북부 마리아신앙에 보이는 글로컬리제이션(Glocalization)
7	2014.4.18	미야지마 히로시(宮島博史) 성균관대 교수	일본인으로서 한국사를 연구한다는 것: 내 연구의 여정

마루키(丸木) 부부

마루키 부부는 화가다. 남편 마루키 이리(丸木位里 · 1901~1995)의 고향은 히로시마다. 원폭이 투하된 사흘 뒤 도쿄에 있던 이리는 부모, 형제가 있던 히로시마로 달려갔다. 아내 마루키 도시(丸木俊 · 1912~2000)도 일주일 뒤 합류한다. 부부는 폐허가 된 히로시마에서 구호활동을 하며 참상을 보고, 듣고, 기록했다. 5년 뒤인 1950년 〈원폭도〉의 첫 작품인 '유령'이 발표됐다. 이 시리즈는 32년 동안 계속 이어졌고 15점의 그림이 그려졌다. 가로 7.2m, 세로 1.8m의 거대한 그림이 파32년 동안 계속 이어졌고 15점의 그림이 그려졌다. 가로 7.2m, 세로 1.8m의 거대한 그림이 파노라마처럼 연결돼 있다. 마치 원폭이 투하된 히로시마 한가운데 있는 듯했다. (김소연 한겨레신문 도쿄특파원, 2020년 8월 13일 입력)
※ 한자 이름은 필자가 넣었음.

회차	일 시	강 사	주 제
8	2014.5.20	쓰하 다카시(津波高志) 류큐대학 명예교수	류큐의 역사와 문화(琉球弧の歴史と文化)
9	2014.6.5	강연자1 아니야 사네아키(安仁屋真昭) 나하시 문화협회 류큐왕조 예악부(禮樂部) 회장 강연자2 사토 후미히코(佐藤文彦) 오키나와현립예술대 강사	오키나와의 고대가요와 왕의 초상화(沖縄のおもろと御後絵)
10	2014.11.13	이시이 마사미(石井正己) 도쿄학예대 교수	야나기타 구니오(柳田国男) 『도노 모노가타리(遠野物語)』의 현대적 의의
11	2014.11.18	야마모토 미치에(山本美千枝) 바이카(梅花)여대 대학원	미즈키 시게루(水木しげる) 로드의 성립과 관광화
12	2016.8.25	후지노 요헤이(藤野陽平) 홋카이도 대학 교수	포스트 콜로니얼 대만에서의 일본어와 기독교 – 일본어족 대만인, 일본인 부인의 사례로부터
13	2016.8.31	이시이 마사미(石井正己) 도쿄가쿠게이대(學藝大) 교수	다카하마 교시(高浜虚子)의 『조선』에 묘사된 세계
14	2016.12.6	박천환(법명 종걸) 대한불교조계종 동국사 주지	오쿠무라 이오코(奥村五百子)를 통해 본 일제강점기 광주
15	2017.2.10	노무라 신이치(野村伸一) 게이오대 명예교수	동방지중해의 민속세계(원제: 1976년부터 한국·중국·대만을 걸었던 40년을 말하다)
16	2017.8.28	이시이 마사미(石井正己) 도쿄가쿠게이대 교수	이사벨라 버드의 〈조선오지기행(朝鮮奥地紀行)〉
17	2018.2.2	스기타 도모미(杉田智美) 국제일본문화연구센터 연구원 네가와 사치오(根川幸男) 국제일본문화연구센터 연구원 이시카와 하지메(石川肇) 국제일본문화연구센터 조교	대중문화로 보는 한일 근대(大衆文化にみる韓日の近代)
18	2018.3.28	아라키 히로시(荒木浩) 국제일본문화연구센터 교수	편재하는 영험 – 중세의 관음설화로 비추어 본 일본문학의 세계
19	2018.6.15	이시이 마사미(石井正巳) 도쿄가쿠게이대 교수	설화 속 야생 동물의 메시지(說話の中の野生動物のメッセージ)
20	2019.1.24	마쓰모토 노리오(松本宣郎) 도호쿠가쿠인대 총장	3·11 동일본 대지진 이후 일본과 기독교 일본 근대 초기 한일 민간 교류사: 오시가와

이사벨라 버드 비숍 (Isabella Bird Bishop)

1832~1904. 영국의 여행가, 작가, 지리학자. 캐나다, 미국, 오스트레일리아, 일본, 중국, 베트남, 싱가포르, 중동 등 세계 각지를 여행했으며 흑인과 인디언들의 인권운동에 헌신했다. 1892년 왕실지리학협회 최초의 여성회원이 되었고, 1894년 2월 65세 때 한국에 왔다. 이후 4년 동안 중국과 조선을 오갔으며 4차례에 걸쳐 한국을 현지답사하면서 100년 전의 한국사회를 속속들이 체험했다. 그때의 체험을 기술한 책이 여행서 《한국(조선)과 그 이웃 나라들 Korea and Her Neighbours》(1898, 한국어판은 1994년 간행)이다. 명성왕후와의 회견기, 고종의 인상과 인간상, 각계 각층 사람들과의 접촉·교류 등이 들어 있다. 이 책은 영국에서 베스트셀러가 되었으며 이 책을 통해 그는 동아시아 문제의 권위자가 되었다. (두산백과)

회차	일시	강사	주제
		마쓰타니 모토카즈(松谷基和) 도호쿠가쿠인대 교수	마사요시(押川方義)와 조선전도(伝道)를 중심으로
21	2019.10.25	하종문 한신대 교수 토론 강은영 전남대 사학과 교수	한일의 역사 갈등 어떻게 볼 것인가

전남대 일본문화연구센터는 (61186) 광주광역시 북구 용봉로 77 전남대학교 인문대학 1호관 2층 218호에 있다.

전화 (062) 530-3288, 팩스 (062) 530-3219, 홈페이지 http://jjss.jnu.ac.kr

34. 전북대학교 일본 · 동아시아연구소

KOREA-JAPAN

전북대 일본 · 동아시아연구소는 2016년에 문을 열었다. 설립목적으로 다음과 같은 비전을 제시했다.

- 동아시아 시아에서 일본에 관한 통합적 연구의 정립과 연구 인력 양성
- 일본지역학 중심의 학제적이고 체계적인 연구를 통해 일본연구 선도
- 학술 연구와 연구인력 교류를 통한 일본 지역 전문가 양성
- 국내외의 다양한 연구소와의 교류를 통해 일본 및 동아시아 지역 연구 토대 마련
- 종합적 지식의 생산과 축적을 통한 일본 · 동아시아 지역 거점 연구소 구축

학술활동으로는 2016년 12월 연구소 창립기념 학술대회(동아시아 속의 일본지역학)를 연데 이어 2017년 2월(글로벌 시대의 지역학), 2018년 5월(4차 산업혁명시대의 일본학 연구), 같은 해 8월 31일(주제: 전환시대의 인문학과 일본연구) 등 꾸준히 학술대회를 열고 있다.

소장과 부장은 모두 일본학과 교수가 맡는다. 개소 당시의 초대 소장은 박창기 교수였고, 2017년 설근수 교수를 거쳐 2019년 3월부터는 최준호 교수가 소장직을 맡고 있다. 소장 밑에는 4개의 부가 있다. 기획총괄부장은 신충균, 지역학부장은 고영란, 언어사상부장은 설근수, 문학문화부장은 최준호 교수가 맡고 있다.

35. 중앙대학교 일본연구소

KOREA-JAPAN

중앙대 일본연구소는 1980년 문을 열었다. 일본어학, 일본문학, 일본역사문화학, 일어교육학, 일본교육학, 일본민속학, 기타 일본학 관련분야에 관한 객관적이고 심층적인 연구를 축적하여 국내 일본연구의 수준을 끌어올리고, 연구성과를 유용하게 활용하는 길을 모색한다는 비전을 제시했다.

국제학술대회 (최근 10년)

일 시	주제와 발표자
2011.4.29	주제 **일본인은 이미지를 어떻게 표현하는가?** 발표 임찬수(중앙대), 다치바나 미치코(일본 다도자료관 학예원), 손순옥(중앙대), 이미림(성결대), 김화영(동양미래대), 김용의(전남대), 최유경(서울대 인문학연구원)
2011.10.28	주제 **한·중·일 3국의 이문화 커뮤니케이션에 관한 보편성과 특수성** 발표 이길용(중앙대), 박양순(숙명여대), 이소노 히데하루(일본 슈토대), 장서우시앙(슈토대), 아에프 사에풀 바하리(인도네시아교육대), 니시고오리 지로(슈토대), 다니엘 롱(슈토대), 순 아이윙(중국 북경북방공업대), 오고시 마리코(아오야마학원대), 임영철(중앙대), 오고시 나오키(도쿄대)
2012.8.24	주제 **3.11 이후 한국의 일본연구** 발표 김도형 외 46명 (국외 16명, 국내 31명)
2012.10.27	주제 **소통과 불통의 사회언어학** 기조강연 김하수(연세대), 오고시 나오키(도쿄대) 외 강연자 22명
2013.1.29	주제 **일본의 문화와 예능** 발표 박전열(중앙대), 나카자토 료헤이(나가노대), 김화영(수원과학대), 고야 준코(일본민속박물관), 이미림(성결대), 이시준(숭실대), 조용란(동양미래대, 다실체험)
2013.9.12~13	주제 **문화는 누구의 것인가?** 발표 데라니시 가오루(메이지대 대학원생), 김윤희(중앙대 대학원생), 사이 세쓰바이(메이지대 대학원생), 임유희(중앙대 대학원생), 가나야마 아키오(메이지대), 임찬수(중앙대), 스즈키 데쓰야(메이지대), 유길동(한양여대), 나카자토 료헤이(중앙대), 야마모토 이쿠오(국제구마노학회 상임위원)
2013.11.7	주제 **차의 미와 그 마음** 발표 센겐시쓰(千玄室), 이용구(중앙대), 쉬이핑(북경 일본학연구센터), 이기철(경

	북대), 꿔리엔유우(북경 일본학연구센터), 세키네 히데지(일본 헤이안여학원대 전통문화연구센터 소장), 임찬수(중앙대)
2013.11.23	주제 **일본문화에 관한 국제심포지엄** 발표 박전열(중앙대), 최정은(중앙대), 후쿠다 마사토(福田眞人 · 이하 나고야대), 하타 유키(畑有紀), 김삼숙, 오가와 마이코(小川麻衣子), 季超, 스에마쓰 미사키(末松美咲), 모치다 유미코(持田祐美子), 다지마 아키코(田島昭子), 와쿠이 다카시(涌井隆), 와타나베 미키(渡辺美樹), 胡潔, 디란 미기, 우키바 마사치카(浮葉正親), 이토 노부히로(伊藤信博), 이병진(이하 세종대), 박소미, 송미지, 김유비, 다지마 아키코, 이응수, 김효숙
2014.8.29	주제 **고도(古都)에서 노래를 만나다** 발표 구정호(중앙대), 무라타 미기후미(오사카부립대), 오다 요시히사(일본 불교대), 히로카와 아키테루(廣川晶輝 · 일본 고난대)
2014.11.1~2	주제 **'일본학'의 구축을 향하여** 발표 박전열(중앙대), 하야시 마사히코(메이지대) 등 12명
2015.11.27	주제 **7~8세기의 일본의 언어 – 히라가나 · 가타카나가 만들어지기까지** 발표 무라타 미기후미(村田右富実 · 오사카부립대), 사카우에 노조미(阪上望 · 오사카부립대), 히로카와 아키테루(일본 고난대)
2018.1.25	주제 **해외 학자 초청 강연회 및 한일 학술교류회** 발표 오가와 마이코(나고야대), 난바 에미(難波えみ · 나고야대), 최유미(한국외대), 서경원(중앙대), 조용란(중앙대), 김효숙(세종대), 김태희(중앙대) 외 8명.
2018.12.1	주제 **일본문화 속의 연회** 발표 구정호(중앙대), 이강범(중앙대), 히로카와 아키테루(일본 고난대), 무라타 미기후미(간사이대), 이미자(중앙대), 최정은(중앙대), 최중락(한국방송예술원)
2019.2.16~17	**한일학술교류회** **발표** 오시다미 아야카(大志民彩加 · 나고야대), 하타 유키(畑有紀 · 나고야대), 조항래(한국외대), 김다흰(이하 중앙대), 임찬수, 김태희 등 28명
2019.12.14	주제 **동아시아 문화 속 슬픔의 표상** 발표 이강범(중앙대), 히로카와 아키테루(일본 고난대), 무라타 미기후미(간사이대), 이미림(성결대), 정성욱(중앙대), 조용란(상지대), 최중락(한국방송예술원)

국내 세미나와 학술대회

일시	내 용
2016년 1월 ~2017년 9월	시사일본어학원 문화 특강 다도 문화특강(조용란) **일본의 과거와 현재 그리고 미래**(이길용) 《도요타에서 배운 종이 한 장으로 요약하는 기술》 출간 기념 특강(서경원) **일본영화특강 일본영화의 과거와 현재**(최중락)

	무사도, 일본의 정신 – 일본정신의 뿌리(최정은, 이길용) 일본에는 천황이 있다 vs 없다(고선윤) 우리가 몰랐던 근대 한일 관계에 대해(김병헌) 독도, 반드시 알아야 할 세 가지 진실(이길용) 일본은 어떻게 문화강국이 되었는가? – 한일의 감성 비교하기(고영란) 에도(江戶)의 패스트푸드 음식을 통하여 일본문화를 들여다보자!!(구정호) 일본어란 어떤 언어인가? – 사회언어학적인 관점에서(임영철)
2017.6.10	주제 **요괴문화와 일본문화 콘텐츠** 발표 고영란(고려대), 김진영(고려대), 김학순(한국교통대), 류정훈(고려대), 박희영(대진대), 서경원(중앙대), 이충호(부산외국어대), 최정은(중앙대), 편용우(고려대)
2017.11.4	주제 **한국에서의 일본어학 연구의 다양성 모색** 발표 곽은심(경기대), 권성(한밭대), 김영아(원광대), 김종완(전주대), 박강훈(전주대), 박성희(고려대), 서경원(중앙대), 송숙정(중원대), 신의식(한국외대), 안지영(대구대), 이성규(인하대)
2019.8.12	**제11회 한국 언어유형론 학회 전국 학술대회** 발표 강병규(서강대), 신현규(서울대), 이순욱(서울대), 이윤복(서울대) 등 4명
2020.8.20	주제 **그림과 문학과 놀이** 발표 박전열(다도대학원), 최정은(중앙대), 박수정(성결대), 송숙정(중원대), 김현철(영국 에든버러대), 임찬수(중앙대)
2020.10.22	**대학원생들을 위한 국내 학술대회** 발표 홍민희(중앙대), 서진호(중앙대), 이선화(중앙대), 유은지(성신여대), 이즈미 지하루(서경대)

연구원의 연구자지원사업 참여

지원기관	분 야	연구 주제	연구 기간
한국연구재단	신진연구자지원	한국인과 일본인의 사고방식 차이를 보여주는 학습항목 제안 – 감사인사장면을 중심으로	2020.5.1~2021,4.30
한국연구재단	신진연구자지원	일제강점기 간이학교의 일본어교육	2020.5.1~2022.4.30
한국학중앙연구원	한국학기초자료	근대교과서(독본류) 해제 및 데이터베이스 구축	2019.6.1~2021.5.31
한국연구재단	학문후속세대 양성	해방 전후 한국과 대만 국어교과서의 이데올로기적 내용 분석	2017.6.1~2020.5.31
한국연구재단	시간강사연구 지원	조선 후기 일본의 주문 다도구의 양상 – '대마도종가문서'를 중심으로	2019.9.1~2020.8.31
한국연구재단	학문후속세대 양성	'대마도종가문서'를 통해 본 조선 후기의 왜관요(倭館窯)	2020.9.1~2021.8.31

왜관요(倭館窯)

조선 후기 부산 지역의 왜관에 만든 쓰시마번(對馬藩)의 가마를 말한다. 주문을 받아 자기를 만들었다. 조선의 흙, 사기장 그리고 쓰시마번의 자본으로 운영했다. 처음 만든 시기는 알 수 없으나 가장 빠른 기록은 1639년이며 1718년까지 운영했다. 왜관요를 만든 이후 쓰시마번을 통해 주문을 받아 받은 자기를 고혼(御本)이라고 불렀다. 쓰시마번에서는 자기제작을 감독하는 도공두를 비롯해 화공왜, 조각왜 등을 파견해 제작에 참여했다. (허현정, '조선후기 倭館窯의 運營 硏究', 2019. 고려대 대학원 석사논문 초록)

이 연구소의 조직은 다음과 같다.

직 책	이름 및 소속
소장	**임찬수**(아시아문화학부)
운영위원	(전원 중앙대) **권익호**, **임장혁**, **구정호**, **이길용**, **이강범**, **이경수**, **박명진**
간사	**김광성**(아시아문화학부)
선임연구원	**김태희**, **송숙정**, **양내윤**, **정성욱**, **조용란**
상임연구원	**이선희**

중앙대 일본연구소는 (06974) 서울특별시 동작구 흑석로 84 중앙대학교 서라벌홀 203관 517호에 있다.

홈페이지 https://cajjso.jams.or.kr

36. 한국외국어대학교 일본연구소

KOREA-JAPAN

한국외대 일본연구소(Institute of Japanese Studies)는 1985년에 만든 '일본문화연구회', 1990년 이를 발전시킨 '일본문화연구소'를 거쳐 1993년 8월 지금의 일본연구소로 이름을 바꿨다. 1990년 '일본문화연구소' 시절부터 산하에 '일본어학분과', '일본문학분과', '일본학분과'를 설치했다. 이 책의 발간 취지에 맞춰 주로 '일본학분과'의 활동을 소개한다.

한국외대가 일본문학과 일본어학에 중점을 두고 있는 만큼, 정치외교 분야의 활동은 상대적으로 적다.

학술대회

일 시	주 제
2014.6.23~25	다고 게이치(多胡圭一 · 오사카대 대학원 국제공공정책연구과 특임교수) **국제환경 속의 근현대 한일 · 일한 관계**
2015.5.28	노가미 야스오(野上泰生 · NPO법인 하트 온파쿠 운영실장) **온파쿠(벳푸지역 8개 온천 박람회): 지역의 자원과 사람을 활용하는 소규모 분산형 지역체험 이벤트** 김용련(한국외국어대) **교육공동체에 대한 생태학적 접근: 일본의 커뮤니티 스쿨과 한국의 마을교육공동체** 서만식(한국외대 국제지역대학원 박사과정) **일본의 지역만들기 활성화 모델로서의 '재팬 온파쿠' 연구**
2018.9.14	**일본연구의 성찰과 비전**
2018.12.8	**'위안부' 문제의 국제화**
2019.12.14	**일본의 국가권력과 성폭력－'문화'로서의 재현**

콜로키움

일 시	주 제
2018.3.23	하루나 노부오(도쿄외국어대) **좁은 국토와 인구과잉: 통설적 일본관의 형성과 전개**
2018.4.12	노병호 **일본 보수파의 헌법 개정안**
2018.5.24	강소영 **일본의 국가권력에 의한 성폭력 합리화 매커니즘**
2018.6.18	박용구 **이문화(한중일) 커뮤니케이션**
2018.10.19	**일본군 '위안부'문제의 국제화와 새로운 담론의 구축**

2019.3.9	이철원(한국교통대) **위안부 문제에 대한 중국의 공식입장과 사회적 연구 동향**
2019.4.20	마쓰노 아키히사(오사카대 대학원) **일본의 인도네시아 · 동티모르 점령과 군성노예제**
2019.9.21	고니시 마코토(군사평론가) **자위대의 성희롱 · 권력희롱(Power Harassment) · 폭력의 실태**
2019.11.23	사회 이경화(한국외국어대) 스즈키 아키라(릿쿄대) **전쟁被擄人 '僞善'의 발자취와 주변 환경: 17세기 사쓰마번에서 전개된 인간과 지식의 교류** 토론 금영진(한국외국어대), 김영주(한국외국어대)
2020.8.5	사회 김경희(한국외국어대) **일본사회의 서벌턴 연구: 동아시아의 소통과 상생** 박상도(서울여대) **일본 근현대시에 나타난 서벌턴적 시각 고찰** 토론 하야시 요코(인덕대), 오성숙(한국외국어대) 김종욱(사진작가) **기억 속에서 사라지고 있는 '재한일본인 처'** 토론 이권희(한국외국어대), 강소영(한국외국어대)

한국외국어대학교 일본연구소 우수논문상

이 연구소는 일본문화연구회 발족 30년, 연구소의 학술지인 〈일본문화연구〉 창간 30주년을 맞은 2015년에 신진연구자에게 주는 우수논문상을 제정키로 하고 2016년 첫 수상자를 배출했다.

최서영(사역표현과 수동표현의 접근에 대하여), 오승희(아베 내각의 아시아 정책 - 강한 일본을 위한 아시아의 타자화), 이상민(돈아가의 여정 - 조동사(らむ)와 혼카토리의 관계를 중심으로 · 頓阿歌の余情 - 助動詞「らむ」と本歌取りの関係を中心に) 씨 등이 이 상을 받았다.

일본사회의 서벌턴(subaltern) 연구

이 연구소는 한국연구재단의 지원을 받아 '일본사회의 서벌턴 연구'라는 프로젝트를 운영 중이다. 연구소는 '서벌턴(subaltern)'을 다음과 같이 설명하고 있다.

"서벌턴이란 원래 포스트식민주의이론에서 주로 제3세계 국가에서 헤게모니를 장악한 권력구조로부터 사회적 · 정치적 · 경제적 · 문화적으로 소외된 사람들을 가리키는 용어다. 그것이 1980년대에 포스트식민주의를 분석하는 이론의 하나로 도입되었고, 오늘날에는 분과적, 지역적 경계를 넘어 역사학 · 인류학 · 사회학 · 인문지리학 · 문학 등의 분야에서 종속 및 '주변화'된 사회집단, 또는 하층계급 등 행위의 주체자로서 사회적 지위를 얻지 못하고 있는 사람 혹은 집단을 가리키는 용어로 범용되고 있다. 그리하여 오늘날 서벌턴 연구는 탈민족주의, 탈식민주의, 탈구조주의 이론과 문화연구가 교차함으로써 새롭게 생성된 학제적, 융복합적 영역에서 역동적으로 논의되는 언어로 자리잡았다."

일본연구소는 서벌턴 연구의 방향을 다음과 같이 밝혔다.

"여성, 일본군 '위안부', 부락민, 노동자, 장애인, 노인 등 다양한 사회적 약자들에 관한 현재 진행형의 문제들에 주목해 일본사회에서 형성된 서벌턴 담론을 분석한다. 또 일본사회의 서벌턴이 주변부 혹은 하류사회에 자리매김 된 '말하지 못하는 약자'에서 정치 · 사회 · 문화적으로 '말할 수 있는' 주체자로 전환되어 가는 역동적 과정을 다각도로 분석함으로써 일본사회의 소외된 마이너리티로서의 서벌턴의 '예속성(Subalternity)'을 재해석하고 공적 주체자로 복원시킬 수 있는 길을 모색한다."

부락민(部落民)
한국어로 '부락민' 하면 '부락에 거주하는 사람'이라는 뜻으로 별다른 의미가 없다. 그러나 일본어로 '부라쿠민'이라고 하면 의미가 완전히 달라진다. 일본의 '부라쿠민'은 예전 한국의 백정처럼 사농공상 밖의 천민집단이다. 부라쿠민은 더러운 일을 한다는 '에타(穢多)'와 사람이 아니라는 뜻의 '히닌(非人)'으로 불렸다. 이들은 가축의 도살, 육류 납품, 사형집행인, 피혁 가공, 시체 매장, 광대 등에 종사했다. 메이지 정부는 이들에 대한 해방령을 내리고 부락쿠민 스스로도 1920년대 '스이헤이샤(水平社)'라는 단체를 만들어 차별에 반기를 들기도 했다. 또 패전 이후 정부는 이들의 주거지역에 대한 환경개선 사업을 벌이는 등 동화정책을 추진했다. 그러나 사회적 차별과 편견이 남아있어 지금도 취직과 결혼 등에서 암암리에 불이익을 받고 있다고 한다. (위키백과)

이 연구소의 조직은 다음과 같다.

직 책	이름(전원 한국외대 소속)		
연구소장	**서재곤**(한국외대 일반대학원 일어일문학과)		
운영위원	**문명재**, **정상철**, **박용구**, **김동규**, **권경애**, **이상훈**, **박민영**, **문창학**, **이창민**		
연구위원	어문분과	어학	**권경애**, **정상철**, **박민영**, **문창학**, **김동규**, **오기하라 사에코(荻原佐江子)**
		문학	**서재곤**, **문명재**
		교육	**쓰보이 아키히로(筒井昭博)**, **데루야마 노리모토(照山法元)**, **이토 사치코(伊藤沙智子)**
	정경분과	**김춘식**(저널리즘이론), **이상훈**(현대일본정치), **이창민**(일본경제), **사토 다이사쿠(佐東大作)**(정치사상)	
	역사문화분과	**박용구**(일본문화론), **고자와 야스노리(小澤康則)**(일본사회학), **나카무라 야에(中村八重)**(문화인류)	
책임연구원	**김경옥**(일본교육사상)		
초빙연구위원	어문학	일본고전문학	이형주, 배경아, 윤승민, 김병숙, 김영주, 이경화, 김인혜, 이상민, 이윤옥, 피석희
		일본근대문학	김경화, 심종숙, 최윤정, 정인영
		일본근현대문학	오성숙
		비교문학	류리수, 강소영
		일본어학	전자연, 김경수, 최성곤, 고은숙, 손경호, 장희주, 홍영주, 최서영

정치경제	허광무(일본경제), 하승빈(정치학)
역사문화	김지연(일본사회), 양익모(일본역사), 노병호(일본사상), 김빈나(음악문화학), 우기홍(일본사회문화)

1985년부터 1990년까지 일본문화연구회 시절의 회장은 정재인, 이윤경, 박희태 교수였고, 1990년 일본연구소로 이름을 바꾼 뒤의 소장은 김태정, 임팔용, 최재철, 한미경, 이인영, 최충희, 김종덕, 한미경, 문명재, 임팔용, 정상철, 권경애, 이상훈, 박용구 교수에 이어 2020년 8월부터 서재곤 교수가 맡고 있다.

한국외국어대 일본연구소는 (02450) 서울특별시 동대문구 이문로 107 한국외국어대학교 본관 1005호에 있다.

전화 (02) 2173-3935, 팩스 (02) 2173-3936, 홈페이지 http://hufsjapan.hufs.ac.kr

37. 한림대학교 일본학연구소

KOREA-JAPAN

한림대 일본학연구소는 1994년 3월에 문을 열었다. 개소 이후의 주요활동을 소개하면 다음과 같다.

연 월	내 용
1994년 3월	연구소 규정공포 · 시행, 연구소 개소
1994년 4월	초대 소장 **지명관**(池明觀) 교수 취임
1995년 6월	일본 국제교류기금 국제심포지엄 개최 사업 선정
1995년 11월	제1회 국제심포지엄
1996년 8월	일본 만국박람회기념협회 사업 선정
1996년 10월	일본 도요타재단(豊田財團) 과제연구지원사업 선정
1996년 12월	교육부 해외지역연구 중점연구소 선정(1997.3~2000.2)
1997년 8월	일본 가나자와(金澤)지역 현지조사(14명)
1998년 5월	제2회 국제심포지엄
1998년 6월	일본 야마가타 지역 현지조사(11명)
1999년 6월	일본 오이타 지역 현지조사(14명)
1999년 9월	일본 세이가쿠인대(日本聖學院大) 일본문화학과 한국연수단 내방(제1회)
2000년 8월	일본 오키나와 지역 현지조사(7명)
2000년 9월	일본 세이가쿠인대 일본문화학과 한국연수단(제2회)
2001년 7월	일본 홋카이도 지역 현지조사(8명)
2001년 9월	일본 세이가쿠인대 일본문화학과 한국연수단(제3회)
2002년 1월	연구소 평촌 이전, 일본학도서관 개관
2002년 7월	일한문화교류기금 기부금(500만엔)
2002년 9월	일본 세이가쿠인대 일본문화학과 한국연수단 내방(제4회)
2003년 3월	일본 국제교류기금 출판조성사업 선정

연 월	내 용
2003년 9월	일본 세이가쿠인대(日本聖學院大) 일본문화학과 한국연수단(제5회)
2004년 3월	제2대 **공로명 소장(전 외무부 장관)** 취임
2004년 3월	**서정완**(徐禎完) 부소장 취임
2004년 10월	제3회 국제심포지엄
2005년 11월	제4회 국제심포지엄
2006년 9월	제5회 국제학술심포지엄 개최 (근현대 일본의 사회구조와 변동)
2006년 11월	제1회 학술집담회 (일본의 비정규직 노동)
2006년 12월	제2회 학술집담회 (야나기 무네요시(柳宗悅)와 조선)
2007년 1월	제3회 학술집담회 (오키나와의 지역문화와 아이덴티티)
2007년 3월	제3대 **서정완 소장(한림대 교수)** 취임
2007년 5월	제4회 학술집담회 (식민지 위안방송론을 통해 본 경성방송국 연구)
2007년 8월	연구소 춘천 이전
2007년 9월	한림대 일본어스피치콘테스트
2008년 1월	제5회 학술집담회 (식민지 한일 대중문화지 비교연구)
2008년 4월	일본 만국박람회기념기금 일본학도서 출판조성사업 선정
2008년 5월	제6회 학술집담회 (식민주의와 번역: 안서 김억을 중심으로)
2008년 6월	제7회 학술집담회 (일본 제국문화의 전파자들: 조선, 만주, 상해의 일본극단 연구 등)
2008년 7월	제8회 학술집담회 ('제국의 은막' 연구를 어떻게 할 것인가)
2008년 8월	제9회 학술집담회 (동아시아 민속학: 야나기타 구니오(柳田国男)의 학문체계를 중심으로 등)
2008년 8월	제10회 학술집담회 (東アジアにおける思想連環)
2008년 9월	학술진흥재단 2008년 학문후속세대양성사업 선정(학술연구교수)
2008년 12월	학술진흥재단 2008년도 중점연구소사업 선정 (제국일본의 문화권력: 학지(學知)와 문화매체)
2009년 1월	근대문헌 자료강독회 시작(대일본팽창론)
2009년 3월	제1차 워크숍 (일본이동연극연맹과 '국민문화'운동 등)
2009년 3월	제1회 전문가초청 간담회 (번역과 창조 그리고 강제)

번역가 김억

안서(岸曙) 김억(金億·1896~?)은 한국 최초의 현대 창작시집 《해파리의 노래》(1923)를 발간하는 등 광복 전까지 20여 권의 시집을 낸 유명 시인이다. 또 〈창조〉 〈폐허〉 〈개벽〉 〈동광〉 등에 동인 등으로 참여하고, 〈동아일보〉 〈매일신보〉 기자로도 활동한 저널리스트였다. 그런데 그를 논하며 빼놓을 수 없는 공적이 '번역가'로서의 김억이다. 그는 1921년 1월 《오뇌(懊惱)의 무도(舞蹈)》라는 한국 최초의 현대 번역시집을 출간하는 등 서양 시인들의 작품과 시론을 번역해 소개했다. 또 여러 권의 한시 번역집도 내놓았다. 한시 번역집 《동심초》(1943)에는 '만날 날은 아득타 기약이 없네/무어라 맘과 맘은 맺지 못하고…'라는 시(동심초)가 실려있는데 이 시는 1945년 같은 이름의 가곡으로 만들어져 지금도 사랑을 받고 있다. 이 시는 7세기 중국 당나라 시인인 설도(薛濤)의 작품인데 1955년 《한국가곡집》에 처음 소개할 때는 작자를 신사임당(申師任堂)으로 잘못 소개하기도 했다. (한국민족문화대백과) 김욱동 한국외대 교수는 저서 《근대의 세 번역가》에서 "서재필은 한국에 번역의 씨앗을 뿌렸고, 최남선은 싹을 틔워 나무를 자라게 했고, 김억은 그 나무에 꽃을 피웠다"고 평가했다. (동아일보 2010년 7월 19일 자)

연월	내용
2009년 4월	일본국제교류기금 일본연구기관 지원 사업 선정 (도서기증 및 사서 방일연수)
2009년 5월	춘천 JAPAN WEEK JET, 유학, 워킹비자 설명회
2009년 5월	제2차 워크숍(야나기타 민속학 학지의 제국주의적 전개에 관한 일고찰: 민간학에서 관학으로)
2009년 5월	제2회 전문가초청 간담회(식민지 조선의 음반산업과 권력·자본·대중의 관계)
2009년 5월	제11회 학술집담회 (한국에서의 일본문학 연구에 대한 단상: 비전문가의 시점에서)
2009년 5월	한국일본학회 일본문학회 정기 학술대회 공동 주최
2009년 5월	주한일본대사관 공보문화원장 강연회 및 유학 등 설명회
2009년 5월	춘천 JAPAN WEEK 주대한민국일본대사관 공보문화원장 강연회 '일한문화교류의 현상과 과제' 개최
2009년 7월	제3차 워크숍 개최(제국일본의 문화권력과 식민지 도시의 '극장': 경성의 일본인극장을 중심으로 등)
2009년 7월	일본국제교류기금 일본연구기관 지원사업 사서 방일연수 선정(메이지대 연수)
2009년 7월	제3회 전문가초청 간담회 (경성방송국의 음악 방송 프로그램 편성과 음악매체로서 라디오의 특성)
2009년 8월	일본국제교류기금 일본연구기관 지원사업 선정(도서지원)
2009년 9월	제4회 전문가초청 간담회('민족문화학'의 流産)
2009년 9월	제4차 워크숍(만주국의 사상전과 라디오 방송)
2009년 10월	2009 학술 심포지엄(제국 일본의 문화권력)
2009년 11월	제5회 전문가초청 간담회(경성제국대학과 재조 일본인 지식사회)
2009년 11월	제5차 워크숍 개최 (상호부조론과 문화론의 접점 야나기 무네요시의 경우 등)
2009년 12월	〈翰林日本學〉 한국연구재단 등재후보지 선정
2010년 4월	제6차 워크숍(일본의 제국 지배와 식민정책학의 탄생 등)
2010년 4월	제6회 전문가초청 간담회 (구가 가쓰난(陸羯南)의 제국주의 인식과 동아시아정책론)
2010년 5월	제7회 전문가초청 간담회 (개최 문화권력으로서의 번역: 20세기 전반 동아시아의 경우)

야나기타 구니오 (柳田国男)

1875~1962. 일본 민속학의 개척자이다. 메이지 헌법하에서 농무관료, 귀족원 서기장관 등을 지냈고, 2차대전 종전 이후부터 폐지될 때까지 최후의 추밀고문관으로 재직했다. 1949년 일본학사원 회원이 됐다. '일본인이란 무엇인가'라는 질문에 답을 구하기 위해 일본열도 곳곳과 일본령 외지를 조사하며 여행했다. (위키백과) "야나기타 구니오는 민속학이란 일본인과 일본문화라는 것이 무엇인가를 과학적으로 묻는 것이며, 인간의 행복을 실현하기 위한 경세제민의 학문이라고 했다. 1930년대에 야나기타 민속학은 형태를 갖추게 된다. …전후 민속학은 야나기타 민속학과 결별해 독립과학으로서 일본 민속학의 정립화로 특징지을 수 있지만, 오늘날까지 일본 민속학은 야나기타 민속학의 틀을 초극하는 데는 이르지 못하고 있다." (사노 겐지, 2008)

연 월	내 용
2010년 5월	제7차 워크숍(일본 우생학과 표상 등)
2010년 6월	제8회 전문가초청 간담회 (식민권력의 통치성과 도시문제의 가시화: 담론과 현실의 간극)
2010년 6월	제8차 워크숍(청일전쟁과 '대일본팽창론' 등)
2010년 9월	제10차 워크숍 (제국 표상으로서의 '일본영화' - 國策과 藝術의 만남)
2010년 9월	한국일본학회 한림대 일본학연구소 공동주최 (한국일본학회 2010 산하학회 연합학술대회)
2010년 9월	제9차 워크숍 개최(기쿠치 간(菊池寬)과 조선예술상: '제국'의 예술제도와 문화적 히에라르키 창출)
2010년 9월	제9회 전문가초청 간담회 (전시체제하 일본 사회학의 전환: '일본, 아시아, 민족'의 발견)
2010년 9월	2010 한국일본학회 연합학술대회 공동주최(한국일본학회)
2010년 9월	제3회 한림대 일본어스피치 콘테스트 공동주최(일본학과)
2010년 10월	2010 학술심포지엄 (제국일본의 문화권력: 지식인 네트워크와 제국신민의 창출)
2010년 11월	제11차 워크숍(한일병합 직전 이주일본인이 바라본 한국인 등)
2010년 11월	제10회 전문가초청 간담회(제국 일본 미술 권력의 만주국 출장)
2011년 3월	제11회 전문가초청 간담회(제국일본이 이용한 단국과 스사노오의 신화)
2011년 3월	제12차 워크숍(경성제대 귀환 지식인의 활동과 학계 편입 양상 등)
2011년 4월	제12회 전문가초청 간담회(등록, 구원, 네이션 - 국가)
2011년 4월	제13차 워크숍 (1910년대 일본 아나키즘과 개인주의: 오스기 사카에(大杉榮)를 중심으로)
2011년 5월	제13회 전문가초청 간담회(식민 권력의 국민 혹은 신민 만들기)
2011년 5월	제14차 워크숍(제국의 문화영유와 외지순행)
2011년 6월	제15차 워크숍(문화와 권력의 교차: 매체와 장치를 통해 본 제국 일본 등)
2011년 9월	제14회 전문가초청간담회(이미지, 이야기, 그리고 권력)
2011년 9월	제16차 워크숍 (조선을 하이쿠(俳句)로 읽다: 호토토기스계 하이쿠의 확장/향토주의와 그 해체)
2011년 10월	2011 국제학술심포지엄

조선예술상

1939년 기구치 간(菊池寬)이 경영하는 잡지 〈모던 일본〉을 통해 제정 경위가 알려졌고 기구치 간이 자금을 지원했다. 1940년 제1회부터 1945년까지 6회 시상했다(1942년은 수상자 없음). 일본에 많던 문학상과는 달리 이 상은 선정대상을 문학, 연극, 영화, 무용, 음악, 미술 등 조선의 전 예술분야를 망라했다. 1회 수상자는 춘원 이광수였고, 2회는 이태준(문학), 고희동(미술), 한성준(무용)이, 4회는 이무영(문학), 노수현(미술), 아동극단 제1대(연극), 함화진(음악)이, 5회는 주요한(문학), 이상범(미술)이, 6회는 박종화(문학), 후생악단(단장 현제명)이 수상했다. 수상자는 조선인이었지만, 심사는 일본에서 일본인이 했다. 이 상은 조선예술 전체를 일본문화의 밑으로 자리매김함으로써 제국문화의 다양성을 보완하기 이용했다는 부정적인 평가를 받는다. (홍선영, 기구치 간과 조선예술상, 2012)

연월	내용
	(제국일본의 문화권력: 학지(學知)와 문화매체 연구의 현황과 과제)
2011년 11월	제17차 워크숍(제국일본의 '문화정치'와 1920년대 '조선미'-'조선민족미술관'을 둘러싼 담론의 장을 중심으로)
2011년 11월	제15회 전문가초청간담회(反强權운동으로서의 '아나키즘')
2011년 11월	제18차 워크숍(식민주의와 소수자-식민지기 '맹인'의 직업세계 변화)
2011년 12월	학술진흥재단 중점연구소사업 2단계 진입 (제국일본의 문화권력: 학지(學知)와 문화매체)
2012년 4월	제19차 워크숍(오키나와전에 대한 해석과 공간적 재현 등)
2012년 4월	일본국제교류기금 일본연구기관지원사업 선정
2012년 5월	2012 국내학술심포지엄 (제국 일본의 문화권력: 거류, 시장, 언어를 통해 본 제국일본의 중심과 주변)
2012년 8월	한국일본연구기단체 제1회 국제학술대회 공동개최(3·11 이후 한국의 일본연구)
2012년 10월	2012 국제학술심포지엄(총력전의 시대: 주변부에서 본 제국일본의 문화권력)
2013년 4월	일본국제교류기금 일본연구기관지원 사업 선정
2013년 5월	2013 국내학술심포지엄 (제국 속의 '로컬': 식민지 조선의 문화 장과 매체변동)
2013년 6월	한국일본문학회 2013 춘계국제학술대회 공동개최
2013년 8월	제2회 한국일본연구단체 국제학술대회 공동개최 (동아시아의 변화와 새로운 일본연구 모색)
2013년 8월	2013 국제학술심포지엄 개최 ('제국과 식민지': 식민주의의 분열과 제국의 균열)
2013년 8월	2013 한일공동학술대회(한국과 일본의 역사인식)
2013년 11월	미래·창조·통합을 위한 중점연구소 합동성과 발표회 공동개최
2014년 4월	일본국제교류기금 일본연구기관지원 사업 선정
2014년 5월	2014 국내학술심포지엄(제국-주변부-향토-학지와 문화의 이동·변용)
2014년 8월	2014 국제학술심포지엄(종교를 통해 본 제국일본과 식민지)
2015년 5월	2014 국내학술심포지엄(제국문화의 전파와 전유: 식민학과 문화매체)
2015년 8월	제4회 한국일본연구단체 국제학술대회 공동개최 (포스트 20세기의 한일관계와 일본연구: 경계를 넘어서)

연 월	내 용
2015년 8월	2015 한일역사공동학술대회(되돌아본 한일 양국의 상호인식)
2015년 8월	2015 국제학술심포지엄(제국의 예술과 문화장치: 시각과 문자로 보는 문화권력)
2016년 5월	2016 국내학술심포지엄(제국과 민족, 상상과 경합)
2016년 6월	2016 국제학술심포지엄(제국 일본의 식민주의와 지의 연쇄)
2016년 10월	2016 국제학술심포지엄(동아시아 공간과 이동의 사회사: 제국, 탈식민, 냉전)
2017년 3월	2017 국제학술심포지엄(제국 일본의 공간과 이동)
2017년 5월	동북아역사재단 학술회의 개최지원 사업 선정
2017년 6월	2016 국내학술심포지엄(팽창하는 제국, 환류하는 知와 문화)
2017년 8월	2017 한일역사공동학술대회(한일 양국에서의 유가 사상의 공유와 변용)
2017년 8월	제6회 한국일본연구단체 국제학술대회(지식정보화 시대의 일본연구)
2017년 11월	포스트제국의 문화권력과 동아시아 연구 개시 (2017 교육부 한국연구재단 HK+지원사업)
2017년 11월	지역인문학센터설립(HK+)
2018년 7월	제1회 국제지역인문학포럼(포스트올림픽 포럼 in 강릉)
2019년 4월	제1회 세계석학초청 원탁회의 (도래할 사회, 그 새로운 주체와 복수성-포스트제국과 공공성)
2019년 7월	제2회 국제지역인문학포럼(재해복구에서 재해관광으로)
2020년 11월	제1회 동아시아 문화권력연구 학술포럼(전통과 정통성, 그 창조와 통제·은멸)
2020년 12월	지역인문학센터 교육부장관상 표창
2020년 2월	제2회 동아시아 문화권력연구 학술포럼 개최

연구소의 주요사업은 다음과 같다.

팀공동 연구사업

장기 연구주제 '근대 조선 지식인의 민족아(民族我) 형성에 관한 연구'는 한국의 근대 지식인이 일본의 학자나 예술 등 이른바 지식인이나 문화인과 개인적으로 관계를 가지면서, 또는 그 저작이나 작품에 접촉하면서 어떻게 자기의 독자적인 세계를 이룩하였는지를 알아보는 학제적 공동연구이다. 7년간의 장기 프로젝트이며 1995년부터 2001년까지 사상, 역사, 종교학, 민속학, 사회학, 무용 분야에 대해 매년 4~8명이 공동연구를 통해 우리나라 근현대 지식인 총 30명에 관한 논문을 집필했다. 이 연구의 결과물은 매년 일본학저널 〈翰林日本學研究〉에 발표했다. 2008년부터는 '제국일본의 문화권력: 학지(學知)와 문화매체' 연구를 통해 19세기 말부터 1945년까지 근대적 학문지식체계로서의 '학지'와 대중적 표현양식으로서의 '문화매체' 연구를 통해 제국일본이 문화권력을 만들고 실현하는 과정과 동태를 탐구하고 있다. 3+3+3년의 3단계 9년간의 장기 프로젝트이며, 참여 연구자의 개별 논문 외에 각 단계마다 한림일본학연구총서 〈제국일본의 문화권력〉 시리즈로 2018년 4월 현재 3권을 간행했다. 한림대 일본학연구소가 '제국일본의 문화권력' 연구를 시작한 이후 국내 학계에서 제국 연구가 활발해진 것은 매우 고무적인 현상으로 평가받고 있다.

2017년 11월에는 인문한국플러스지원사업에 선정돼 '포스트제국의 문화권력과 동아시아' 연구를 수행하고 있다. 이 프로젝트는 연구자 간의 교류와 협력을 넘어 인문학 대중화사업의 일환으로서 지역인문학센터를 운영하고 있다. 중학교 자유학년제를 비롯, 고등학교 고교학점제 등 생애주기별로 필요한 인문학의 니드를 조사해서 생애주기별로 필요한 인문교육을 체계적으로 제공하고 있다.

국제심포지엄

1995년 11월 3, 4일 이틀간 일본학연구소 개소 및 광복 50주년을 기념해, 동아일보사와 공동으로 제1회 국제심포지엄 '동북아시아의 평화와 한일협력제체의 모색 – 새로운 세기를 향하여'라는 국제심포지엄을 개최했다. 제2회는 1998년 5월 29, 30일 '동북아시아에서의 시장경제와 전통 – 새로운 세기를 향하여'라는 주제로, 제3회는 연구소 개소 10주년을 기념해 2004년 10월 30일 '제일동포 1세 학자에게 듣는다'는 주제로 개최했다. 제5회는 한일국교정상화 40주년을 기념해 '21세기 동아시아공동체를 향하여 – 한일양국의 과제'라는 주제로 이듬해인 2005년 11월 5일 개최했다. 2006년 9월에는 한림대 국제회의실에서 '근현대 일본의 사회구조와 변동'이라는 주제로 한일 전문가들을 초빙해 심포지엄을 개최했다.

2008년 이후에는 '제국일보의 문화권력: 학지(學知)와 문화매체' 연구 수행을 위해 매년 국제심포지엄 1회와 국내심포지엄 1회를 주기적으로 개최했다. 2012년부터는 한국일본연구단체멤버로서 매해 8월 국제학술대회를 공동으로 개최하고 있으며, 2015년에는 이 국제학술대회를 한림대 일본학연구소의 주도로 개최했다. 2013년, 2015년, 2017년은 한일역사공동연구회와 공동으로 일본 측 일한역사공동연구회를 맞이해서 학술대회를 개최했으며, 이 중 2013년 대회는 한림대 일본학연구소가 개최했다.

일본학총서 발간

한일 비교를 통한 학문적 · 문화적 교류를 모색하고, 일본에 대한 바른 이해를 위해 일본 관련 입문서를 엄선해서 〈일본학총서〉로 발간했다. 주로 일본인 연구자가 집필한 일본론, 일본문화론, 일본인론에 관한 책이다. 1995년 제1권 간행을 시작으로 2016년 100권째를 내며 시리즈를 완결했다. 2021년 현재도 독자의 요구에 따라, 연구소의 판단에 따라 꾸준히 증쇄와 증보를 이어가고 있다. 도서 선정 기준은 권위 있는 저자가 일반독자를 위해 쓴 것을 우선했다.

일본현대문학 대표작선 발간

일본문학은 노벨문학상을 수상할 정도로 세계적인 문학으로 평가받고 있다. 일본학총서 발간이 어느 정도 궤도에 오른 1997년부터 제2기 지식 전달 사업의 하나로 〈일본현대문학 대표작선〉 시리즈를 발간하고 있다. 이 시리즈는 시장성보다는 19세기 말 이래의 일본 현대문학의 대표작을 소개하는 것이 목적이다. 즉 상업성을 추구하는 민간출판사는 관심을 두지 않지만, 일본 문학과 일본을 이해하는 데 꼭 필요하거나 유익한 작품을 연구소가 사회적 책임을 지고 간행한다는 취지이다. 40권을 계획하고 있으며 39권까지 출판했다.

테마연구 한국일본

2004년부터 간행한 제1권 『한일 관계사 연구 – 갈점에서 공존까지』, 제2권 『일본 지역연구(上) – 오키나와, 오이타, 가나자와 지방을 중심으로』, 제3권 『일본 지역연구(下) – 야마가타, 홋카이도 지방을 중심으로』, 제4권 『한국 근대 지식인의 민족적 자아형성 – 일제 식민지 체험을 넘어서』를 말한다. 연구소가 수행한 조사 활동이나 연구프로젝트 성과를 간행한 것이며, 초기에는 이 시리즈를 '연구총서'라고 불렀다.

국제공동 연구사업

교육부 학술진흥재단(한국연구재단)의 해외지역 중점연구소 지원사업에 선정돼 97년부터 99년까지 3년 동안 일본지역을 연구했다. '일본의 지방과 지방도시에 대한 종합적 조사연구'라는 프로젝트로 97년 8월 가나자와(金澤)지역, 98년 6, 7월 야마가타(山形)지역, 99년 6, 7월 오이타(大分)지역을 조사했다. 이러한 연구실적으로 토대로 2000년 8월 일본의 남방인 오키나와현과 나하(那覇)시, 2001년 7월 북방인 홋카이도와 삿포로시를 조사 연구했다.

지(知)의 공유와 확산

■ **학술집담회**

일본학관련 각 분야의 전문가를 초빙해 학술집담회를 수시로 개최함으로써 일본학분야의 새로운 연구성과를 공유하고, 연계학문 간의 네트워크를 구성하며, 신진연구자들에게는 발표 및 토론의 장을 제공하고 있다.

■ **전문가초청 간담회**

'제국일본의 문화권력: 학지(學知)와 문화매체'라는 연구주제를 수행하면서, 각 분야의 전문가를 초청해 최근 연구동향과 연구방향에 대한 의견을 교환한다. 오후 1시부터 6시까지(휴식시간 포함) 초청자와 연구소 연구진 사이에 깊은 논의가 오가는 흥미롭고 자극적인 공부모임이다.

■ **워크숍**

한국연구재단 2008 중점연구소 지원사업과 관련해 연구참여자를 중심으로 각자의 연구성과에 대한 토의와 토론을 통해 참여자간의 정보교환과 연구수행 상의 문제점 등을 보완하고 있다.

■ **아시아를 생각하는 시리즈**

일본과 한국, 한국과 일본이라는 2항 대립적인 시점만으로는 보지 못하는 부분, 안 보이는 부분이 많다는 문제의식에서 아시아 속의 한국, 아시아 속의 일본이라는 시점이나 동아시아라는 시점을 통해 일본과 아시아의 전체상을 찾기 위해 새로 간행하고 있는 시리즈이다.

■ **일본학자료총서, 일본학연구총서**

일본학자료총서는 현재 〈아사히신문외지판〉에 대한 기사명 색인작업을 말한다. 2009년부터 작업에 착수해 2012년부터 매년 봄에 2년치 기사명을 수록한 색인집을 1권씩 간행하고 있으며, 2017년 9월 현재 총 7권을 간행했다. 이 작업은 앞으로도 계속해서 1915년부터 1945년분까지 완간하면 로 데이터(raw date)를 가공해 온라인에서 문자열검색이 가능한 데이터베이스를 구축한 뒤 연구소 홈페이지를 통해 공개할 예정이다.

일본학연구총서는 연구소가 대학중점연구소 사업을 수행하면서 도출한 연구 성과를 매 단계인 3년이 끝날 때마다 1권씩 『제국일본의 문화권력』 시리즈로 간행하고 있다.

자료강독회

일본학 연구의 기초인 일본근대문헌에 대한 자료 강독을 통해, 신진연구자육성과 연구역량 강화를 도모하고 있다.

목요회 (차세대연구자 육성)

연구소장과 연구원, 그리고 주로 학부생인 연구보조원을 중심으로 일본학 관련 텍스트를 읽고 토론함으로써 전공에 대한 지식의 폭을 넓히고 있다. 한 달에 2번 정도로 개최하고 있다.

지역인문학센터 설립

대학연구소의 사회적 의의와 가치를 지역주민과 공유하고 정신문화의 소중한 가치를 확산하기 위해 인문한국플러스지원사업 선정을 계기로 지역인문학센터를 설립해서 운영하고 있다. 이 센터는 연구소가 소재한 강원도의 특성에 인문정신의 가치를 더하여 미래통일한국, 나아가 동아시아의 화해와 협력을 위한 인문학적 공감대를 형성하기 위해 생애주기별로 필요한 체계적 인문교육, 인문행사, 인문교육공동체의 설립과 운영 등에 노력하고 있다. 3년간의 공적을 인정받아 2020년 12월 교육부장관상을 받았다.

일본학도서관 운영

한림대 일본학연구소 일본학도서관은 연구소 개소와 함께 일본학도서관 설립을 지지하는 일본의 많은 단체와 개인 등으로부터 기증받은 자료를 바탕으로 문을 열었다. 이후 연구소 예산을 통한 구입과 지명관 초대 소장, 공로명 2대 소장, 서정완 현 소장 등 다수의 기관과 단체 등의 꾸준한 기증으로 현재 6만여 점이 넘는 일본 관련 자료를 소장하고 있다. 또 소장하고 있는 자료의 이용 편의를 위해 일본국립정보학연구소에서 운영하고 있는 온라인종합목록 프로그램(NACSIS)과 일본어에 익숙하지 않은 국내 이용자를 위한 TG-XMLAS 프로그램을 통해 전 인터넷을 통해 세계 어디에서라도 24시간 검색이 가능하다. 일본학을 전공한 전문 사서가 상주하고 있으며, 2007년부터 바코드시스템을 도입해 자동 대출과 반납 서비스를 제공하고 있다. 2017년에는 일본 전문기관에 의한 도서관 제3자 평가를 통해 국내 유일의 일본학전문도서관으로서 내실을 기하고 있다. 주요 소장 자료는 일제강점기 1차 자료와 일본 요미우리신문의 데이터베이스, 일본 주요신문의 외지판, 한국에서 발행한 일본신문 영인본 등 신문자료이다.

한림대 일본학연구소는 현재 서정완 소장을 중심으로 김웅기 전성곤 HK교수, 권연이, 김경옥, 김현아, 엄태봉, 임성숙 HK연구교수, 심재현, 최선경 연구원, 김화영 장유리 씨 등이 일하고 있다.

38. 한양대학교 일본학국제비교연구소

KOREA-JAPAN

한양대 일본학국제비교연구소(Global Center for Japanese Studies)는 2008년 3월에 문을 열었다. 설립목적으로 "국제적인 시각 속에서 일본연구의 역량을 제고하고 해외의 일본연구소와 네트워크 구축을 통한 공동연구를 활성화함과 동시에 일본연구의 학문적, 사회적 기대에 부응함을 목적으로 한다"고 밝혔다.

연구소가 제시한 7가지 사업 중 앞의 4개는 1. 외국문화로서의 일본문화의 심도있는 이해를 위한 학술 활동, 2. 국내외 학계 및 연구기관과의 공동연구 및 협력관계 증진, 3. 관련 조직체와의 공동연구 및 연구성과 교류, 4. 관련 연구발표, 세미나, 국내외 학술회의 개최 및 지원, 관련 간행물의 발간이다. 1번을 보면 일본학 중에서도 정치 외교 안보 등 시사적인 이슈가 아니라 '일본문화연구'에 중점을 두고 있음을 알 수 있다. 2번 사업의 일환으로 일본의 대표적인 고등연구소인 니치분켄(日文硏 · 일본국제일본문화연구센터)과 2018년에 학술교류협정을 체결하고 매년 공동심포지엄을 개최하고 있다.

이 연구소의 주요 활동을 보면 다음과 같다.

토대연구

테 마	연구기간	연구개요와 목적	연구자
근세 및 근대일본의 한국어 학습자료 집대성:출판 및 DB화	2017.9.1. ~2022.8.31 (5년)	한국연구재단의 지원을 받아 5년 동안 총 102종의 근세 및 근대 일본(230년간)의 한국어 학습자료에 대한 해제, 서문 및 목차의 번역, 본문의 DB화와 함께 영인자료집 발간	연구책임자 이강민(한양대) 공동연구원 송영빈(이화여대), 이상혁(한성대), 오재혁(건국대), 이길용(중앙대), 한정연, 김정선, 김태환, 권도영, 지호순(이상 한양대)

비교일본학 총서 간행

☑ 비교일본학 총서 01 《일본 신사의 역사와 신앙》(2017.6)

☑ 비교일본학 총서 02 《요괴-또 하나의 일본의 문화코드》(2019.2)

☑ 비교일본학 총서 03 《일본자본주의 정신사》(2020.2)

일본학국제비교연구소 자료총서 간행

11번까지는 2018년 10월에, 22번까지는 2019년 10월에 간행

연 번	책 이름
자료총서1	韓語入門 · 日韓善隣通語
자료총서2	交隣須知
자료총서3	訂正隣語大方 · 和韓會話獨學
자료총서4	再刊交隣須知
자료총서5	交隣須知(白石本)
자료총서6	日韓英三國會話
자료총서7	日韓通話
자료총서8	朝鮮醫語類集 · 朝鮮國海上用語集 · 朝鮮俗語早學 · 兵要朝鮮語 · 實用朝鮮語
자료총서9	速成獨學 朝鮮日本會話篇 · 日韓會話
자료총서10	新撰朝鮮會話 · 日淸韓對話便覽 · 日淸韓三國對照會話篇
자료총서11	獨習速成 日韓淸會話 · 日韓淸對話自在 · 日淸韓三國會話
자료총서12	朝鮮通語獨案內 · 日韓對譯 善隣通語 · 日淸韓三國通語 · 朝鮮語學獨案內
자료총서13	日淸韓語獨稽古 · 大日本國民必要三國語大略 · 朝鮮語 · 實地應用 朝鮮語獨學書
자료총서14	日淸韓三國千字文 · 朝鮮語獨習
자료총서15	實用韓語學 · 日韓通話捷徑
자료총서16	日韓會話
자료총서17	韓語會話
자료총서18	校訂交隣須知
자료총서19	日露淸韓會話自在法 · 出征必携日露淸韓會話 · 韓語獨り卒業(一週間速成) · 實地應用 日韓會話獨習
자료총서20	日露淸韓會話早まなび
자료총서21	日露淸韓會話自在
자료총서22	日韓會話獨習

국제학술심포지엄 (2011년 첫 심포지엄과 2016년 이후)

일시	테 마	참가자
2011년 11월	에도(江戶)학 연구의 국제비교	기조강연 다나카 유코(호세이대) **글로벌리즘으로 본 에도 문화** **세션1 에도사상의 비교연구** 사회 이희복(강원대) 궈롄유(郭連友 · 북경일본학연구센터) **에도말기 맹자의 민본사상의 수용 - 요시다 쇼인(吉田松陰)의 민정론을 중심으로** Willy Vande Walle (Catholic University of Leuven) **마쓰오 바쇼(松尾芭蕉)와 젠린(禪林)의 한학(漢學)** 박규태(한양대) **모토오리 노리나가(本居宣長)의 '모노노아와레'에 대하여** 토론 고희탁(연세대), 김선희(고려대), 김필동(세명대) **세션2 에도문화의 비교연구** 사회 김영철(한양대) 미야자키 후미코(게이센여학원대) **지진과 나마즈에(鯰繪 · 메기그림)** Gary James Hickey(호주 퀸즐랜드대) **Near-and-far in Hokusai's Landscapes** 정하미(한양대) **명소 에도 백경(百景)과 에도 지진의 관련에 대하여** 토론 고바야시 후미코(호세이대), 이미림(성결대), 김시덕(고려대)
2016년 9월	동아시아 정신사의 재조명: 유학의 계승과 변용	사회 이기원(강원대) 왕티에챠오(王鐵橋 · 중국 허난대) **한중일의 유교문화의 전파와 변용** 고지마 야스노리(일본 IPU) **일본 유학과 국학: 심법(心法)론에서 예악(禮樂)론으로, 그리고 국학으로** 최재목(영남대) **동아시아 사상사에서 디아스포라** 토론 김석근(아산정책연구원), 김도형(성균관대), 신현승(상지대), 박규태(한양대)
2018년 6월	한국의 일본연구와 일본의 한국연구	기조강연 하우봉(전북대) **통신사 연구의 현황과 과제** **세션1 역사** 사회 김유은(한양대 · 현대한국연구소장) 박진한(인천대) **2000년대 이후 한국의 일본근대사 연구 성과와 과제** 나가모리 미쓰노부(덴리대) **일본의 한국 전근대사 연구의 현황과 조선시대를 중심으로** 김종식(아주대) **한국의 일본 근현대사 연구의 이해** 마쓰다 도시히코(국제일본문화연구센터) **일본의 제국사(帝國史) 연구** 토론 이세연(한양대), 홍성덕(전주대), 이형식(고려대), 윤해동(한양대) **세션2 언어** 사회 이경철(동국대 · 한일언어학회장) 이길용(중앙대) **한국의 일본어학 연구: 어용론 · 사회언어학 분야** 기시다 후미타카(오사카대) **에도시대 조일(朝日) 왕복 한글문서의 분포** 진남택(오카야마대) **메이지기(明治期) 한국어 학습서의 연구 현황**

일시	테 마	참가자
		이가라시 고이치(도쿄외대) **일본의 현대 한국어 문법 연구의 과제** 토론 박강훈(전주대), 이상혁(한성대), 신충균(전북대), 오재혁(건국대) **세션3 언어교육** 사회 오현정(건국대 · 한국일어교육학회장) 채경희(배화여대) **한국의 일본어 교육현황과 전망** 모리야 미치요(소카대) **지금 한국어 · 중국어를 모어(母語)로 하는 일본어 학습자에게 요구되는 것 - 인지언어학에 입각하여** 쉬이핑(徐一平 · 북경외대) **중국의 일본어 교육 현황과 과제, 전망** 이길원(동아대) **동아시아에서의 한국어 교육의 현황과 전망** 토론 이미숙(명지대), 아이자와 유카(성결대), 이경규(동의대), 유예진(삼육대)
2018년 8월	요괴: 또하나의 일본의 문화코드	**제1부** 사회 박전열(중앙대 명예교수) 기바 다카토시(국제일본문화연구센터) **에도 문화 속의 요괴** 김지영(한양대) **화가의 상상력이 뛰노는 놀이터 - 가와나베 교사이(河鍋曉齋)의 요괴 그림** 곤도 미즈키(수도대학도쿄) **요괴를 어떻게 그릴 것인가 - 도리야마 세키엔(鳥山石燕)의 방법** 토론 이세연(한양대), 편용우(전주대), 박규태(한양대) **제2부** 사회 고마쓰 가즈히코(국제일본문화연구센터 소장) 한경자(경희대) **한국 · 일본에서의 인면수(人面獸)의 전개** 마쓰무라 가오루코(오사카대) **아이들 그림책으로 본 요괴관의 변천** 이시준(숭실대) **일본 고대 문학에서의 '영귀(靈鬼)'를 한국어로 어떻게 번역해야 하는가** 토론 김경희(한국외대), 최태화(광운대), 김효숙(세종대)
2019년 6월	한국어와 일본어 연구의 방법과 교육	발제1 김남길(미국 서던캘리포니아대) **한국어의 비현실 문법 요소 - 을/ㄹ과 이 요소를 포함한 양상 구조들에 대하여** 토론 이상혁(한성대) 발제2 신기현(호주 뉴사우스웨일즈대) **링구아 프랑카로서의 영어 연구가 호주의 대학 한국어 교육에 주는 시사점** 토론 이경수(방송대) **세션1 한국어와 일본어의 연구방법** 사회 이경철(동국대) 발표1 목정수(서울시립대) **한국어 '이중 주어 구문'에 대한 연구 - 한국어의 '서술절 논쟁'을 일본어의 '주어 유무 논쟁'과 관련지어** 토론 오재혁(건국대) 발표2 장원재(계명대) **코퍼스 활용과 한일 어휘대조연구 방법의 확장** 토론 송영빈(이화여대) 발표3 장근수(상명대) **일본어 교과서의 변천사를 통해 본 동사활용표의 타당성 고찰** 토론 오현정(건국대) **세션2 한국어와 일본어의 교육 방법** 사회 이길원(동아대) 발표1 강남욱(경인교대) **동포 아동 대상 단기 한국어교육 프로그**

링구아 프랑카(lingua franca)

모국어를 달리하는 사람들이 상호이해를 위하여 습관적으로 사용하는 언어를 말한다. 그 언어는 어느 한쪽 사람의 모국어이거나 또는 제3의 언어이거나 상관이 없다. 좁은 뜻에서는 어느 한쪽의 모국어도 아니지만, 대개의 경우 양쪽 국어가 혼합되고, 문법이 간략하다. 이런 언어를 피진어(pidgin)라고도 하며, 피진잉글리시가 그 대표적인 예이다. 식민지시대 이후 세계 각지에서 많이 생겼다. (두산백과)

코퍼스(corpus)

코퍼스는 '말뭉치'로 번역한다. 말뭉치란 "일정 규모 이상의 크기를 갖추고 내용적으로 다양성과 균형성이 확보된 자료의 집합체"를 가리킨다. 말뭉치언어학(Corpus Linguistics)은 '실제 언어' 혹은 '실제 언어의 샘플'을 이용해서 언어를 공부하는 응용언어학의 한 분야이다. 초기에는 말뭉치 연구를 수작업으로 했으나 컴퓨터의 발달로 지금은 전산언어학의 도움을 많이 받고 있다. 촘스키의 관점에서는 실제 언어는 오류로 가득하기 때문에 언어학 연구를 제대로 하려면 잘 제어된 환경에서 쓰는 언어를 다뤄야 한다고 주장한다. 그러나 말뭉치언어학은 이런 관점을 정면으로 부인한다. 촘스키가 말하는 정제된 환경에서는 화자(話者)에 대한 정보를 아무것도 찾아낼 수 없다고 반박한다. (위키백과)

일시	테 마	참가자
		램의 설계와 운영 토론 문희진(아이치학원대) 발표2 노주현(덕성여대) 한일사회언어학적 연구 성과의 교육적용과 향후 과제 - 한일 이문화커뮤니케이션 수업사례를 중심으로 토론 이길용(중앙대) 발표3 조선영(인천대) 일본어학개론 내용에 따른 다양한 강의 진행 시도 - 학생중심수업 실천 보고 토론 방극철(순천대) 발표4 김경호(메지로대) 일본 내 한국어 관련 연구와 교육에 관한 고찰 토론 이경규(동의대)
2019년 8월	일본 자본주의의 정신사	발제 이소마에 준이치(일본국제문화연구센터) 신내림 · 통속도덕 · 자본주의 정신: 야스마루 요시오의 민중사상사로 본 일본의 근대와 현대 **발표** 사회 김석근(아산정책연구원) 발표1 최재목(영남대) 일본 양명학의 시(時) · 처(處) · 위(位)론 과 일본 자본주의의 특수성 토론 조성환(원광대) 발표2 히라노 가쓰야(UCLA) 근대의 차질과 계몽이라는 이야기-근세 '실학'의 해석을 중심으로 토론 장석만(한국종교문화연구소) 발표3 이희복(강원대) 성리학에서 부감한 석문심학(石文心學)의 자본주의 맹아론 토론 김필동(세명대) 발표4 오다 료스케(小田龍哉 · 일본국제문화연구센터) 불교계율과 일본의 근대화 - '국민'이라는 비유적 주체 토론 박규태(한양대) 발표5 조관자(서울대) '지적자본'으로서의 기업가 정신 및 '노동' - 시부사와 에이이치를 중심으로 토론 조용래(광주대 · 전 국민일보 편집인) 발표6 기바 다카토시(일본국제문화연구센터) 일본 근세의 '괴이'와 자본주의 정신 토론 고영란(전북대)

석문심학
(石文心学 · 石門心学)
일본 에도 시대 중기의 사상가 이시다 바이간(石田梅岩 · 1685~1744)을 시조로 하는 윤리학의 하나로 평민을 위한 평이하고 실천적인 도덕, 생활철학이다. 다양한 종교와 사상을 섞었으나 친숙한 사례를 통해 알기 쉽게 충효신의를 설명했다. (위키백과) 그를 일본식 자본주의 시조로 보는 연구도 있다. 당시 천하게 여기던 상인을 시정(市井)의 신하라고 칭하고 사회적 직분 수행상으로는 무사에 뒤지지 않는다고 주장했다. 또 상인의 반성을 촉구하고 악덕상인을 비난하며 상업도덕의 확립을 주창했다. 한 달에 세 번, 상가 주인들을 모아 세미나를 열고 제자 양성에 노력했다. 그때의 문답을 발췌한 것이 그의 주저 《도비문답(都鄙問答)》(1739)이다. (종교학대사전)

Japan Study 콜로키움

횟수	일 시	발표 내용
1	2017년 4월	박유하(세종대) 《제국의 위안부》 소송을 생각한다
2	2017년 5월	이의규(직업능력개발원) 일본의 직업능력개발에 관하여 배준호(한신대) 외척정치의 한일 비교
3	2017년 6월	유의상(동북아역사재단, 외교부파견 국제표기명칭대사) 외교현장에서 바라본 한일관계
4	2017년 9월	무라카미 마나부(주한 일본대사관 정치부 참사관) 일한 문제에 대해 생각한다 - 최근의 움직임과 앞으로의 과제
5	2017년 10월	김승배(국민대) 전쟁과 평화 그리고 식민지의 국제정치학: 한 · 일관계를 중심으로 김남은(고려대) 일본에게 중국의 부상은 무엇인가

횟수	일 시	발표 내용
6	2017년 11월	윤석정(국민대) **이승만 정권의 대일외교 – 일본의 시점에서** 다나카 유키(한양대) **스톡홀름 합의 파기 결정의 국내외 요인**
7	2018년 3월	서인원(일제강제동원피해자지원재단) **일본 고유영토론의 모순점에 대한 고찰** 엄태봉(국민대) **한일회담의 문화재 반환 문제에 관한 연구 – 문화재 반환 문제의 구조와 한계**
8	2018년 4월	정충실(한림대) **식민지조선과 제국일본의 관객과 관람 양상** 최은미(국립외교원) **네트워크이론을 통해 본 한일관계**
9	2018년 5월	아미모토 다케시(국제기독교대) **도시의 기호화와 그 문제점들 – 기타큐슈시 모지항 레트로(門司港レトロ)를 중심으로** 야마모토 아쓰히사(세이조대) **포스트 올림픽과 지방도시 – 나가노시 사례를 중심으로**
10	2018년 6월	이승희(동덕여대) **GHQ 점령기 재일조선인에 대한 일본의 치안정책** 황혜경(강남대) **재일동포의 민족정체성 변화고찰 – 2000년, 2015년 오사카시를 중심으로**
11	2018년 9월	고선규(도호쿠대) **과제선진국 일본의 문제해결 수단으로서의 AI – Robot 활용사례**
12	2018년 10월	주제 **동아시아의 지정학적 변동과 한일관계** 윤석정(국민대) **제4차 한일회담 재개과정: 청구권 문제와 유태하 – 야쓰기(矢次)의 비공식 접촉을 중심으로** 김숭배(연세대) **명칭의 국제정치: 전쟁과 평화 그리고 한일 관계** 김영근(고려대) **한일간 리스크 관리의 정치: 화해학을 시작하자** 엄태봉(국민대) **한일회담 중단기의 문화재 반환에 관한 연구** 김준섭(국방대) **일본의 안보정책에 관한 규범의 변화: 신안보법제의 성립을 중심으로** 박선영(국민대) **'박근혜 사태'를 보는 일본 언론의 시각: 논단의 분석을 중심으로** 임현정(한양대) **한일 교육복지정책의 현황과 과제** 박창건(국민대) **한일관계에서 영토교육의 현재적 의미: 경상북도와 시마네현의 독도교육을 중심으로** 최은미(국립외교원) **한일 국가정체성과 한일협력** 송석원(경희대) **재일동포 민족교육은 다문화공생과의 병존이 가능한가?: 관서지역 민족학습 사례를 중심으로**
13	2018년 12월	발표1 허동한(후쿠오카현립대) **일본의 완전고용 실태 – 실업율과 유효구인배율 데이터를 이용한 검증** 토론 송정현(동국대) 발표2 쓰쓰미 게이시로(堤圭史郎 · 후쿠오카현립대) **생활곤궁자 자립지원과 마을부흥 – 배제와 차별에 대항하는 지역사회의 가능성** 토론 김영근(고려대) 발표3 사노 마유코(후쿠오카현립대) **전후 일본이 행한 개발의 그늘: 옛 탄광지의 '개발' 경험에서 얻는 교훈** 토론 이진원(서울시립대)
14	2019년 9월	양기호(성공회대) **한일관계의 위기: 쟁점과 해법** 송정현(동국대) **한일 무역마찰에 관한 한국의 대안 모색: 일본의 한국 수출규제**

스톡홀름합의

송일호 북한 북일국교정상화교섭 담당대사와 이하라 준이치(伊原純一) 일본 외무성 아시아대양주국장이 2014년 5월 29일 스웨덴 스톡홀름에서 만나 합의한 내용을 말한다. 골격은 북한이 일본인 피랍자나 그 유골 확인을 위해 행동에 나선다면 일본은 독자적으로 시행하고 있는 대북제재를 풀어주겠다는 것이다. 그러나 북한의 핵개발로 이 합의는 무산됐다.

과제선진국 일본

'과제 선진국'이란 일본이 소자고령화(少子高齢化 · 저출산 고령화), 에너지와 자원의 제약, 환경문제 등 언젠가는 서방 선진국을 포함한 전 세계가 직면하게 될 과제들을 가장 먼저, 그리고 심각하게 직면하고 있다는 것이다. 이는 바꿔 말하면 일본이 이를 극복함으로써 세계의 선두에 서자는 의미도 있다. (후카가와 유키코, 중앙시평)

유태하 – 야쓰기

유태하는 1958년 10월부터 1960년 4월까지 제8, 9대 주일 대표부 공사를 지냈다. 국교정상화 이전이어서 대표부 공사는 대사나 마찬가지였다. 그는 기시 노부스케(岸信介)의 측근인 야쓰기 가즈오(矢次一夫)와 친했다. 야쓰기는 일본 정계에서 '쇼와 최대의 괴물'이라는 별명으로 불릴 정도의 막후 실력자였다. 그는 기시 노부스케 총리 시절 총리 개인특사 자격으로 1958년 이승만 대통령을 방문한 적도 있었다. 그렇기 때문에 한일협상 과정에서 두 사람의 비공식 접촉은 자연스럽다.

횟수	일 시	발표 내용
		와 CPTPP 간 양면성 분석을 중심으로 김영근(고려대) **재난에 빠진 한일관계: 화해와 협력으로 가는 제3의 길** 토론 오현석(서울신학대), 김지영(한양대), 호사카 유지(세종대)

한일 상생을 위한 인문사회포럼

일 시		장 소	참가자
2016년	1회(2월)	성신여대	발표 이진원(서울시립대), 박경수(강릉원주대) 토론 곽진오(동북아역사재단), 박삼헌(건국대), 세키네 히데유키(関根英行 · 가천대)
	2회(6월)	국회 의원회관	이주영 새누리당 의원, 이진복 새누리당 의원, 윤호중 더불어민주당 의원, 오세정 국민의당 의원, 정민근 한국연구재단 이사장, 벳쇼 고로(別所浩郎) 주한 일본대사, 신각수 전 주일대사, 무토 마사토시(武藤政敏) 전 주한대사, 이길용 중앙대 일본연구소장, 최재목 한국일본사상사학회장(영남대), 신경호 한국일본근대학회장(고쿠시칸대 교수), 이케하타 슈헤이(池畑修平) NHK 서울지국장, 이강민 한양대 일본학국제비교연구소장
	3회(8월)	가천대	한국일본연구단체 제5회 국제학술대회의 한 세션으로 개최 곽진오(동북아역사재단) **시마네현의 독도홍보와 현황** 토론 박삼헌(건국대) 한혜인(성균관대) **일본군'위안부' 문제에 대한 역사적 관점에서의 고찰** 토론 김준섭(국방대)
2017년 9월		국회 의원회관	주제 **한일관계의 미래를 위한 제언** 윤호중, 노웅래, 오영훈 더불어민주당 의원, 아라이 히로유키(荒井広幸) 전 일본 신당개혁 대표, 아카바 가즈요시(赤羽一嘉) 공명당 의원, 마쓰시타 신페이(松下新平) 자민당 의원, 김종걸 한국일본정경사회학회장(한양대), 신경호 한국일본근대학회장(고쿠시칸대 교수), 이원덕 국민대 일본학연구소장, 조용래(국민일보 편집인)
2019년 8월		부산관광공사 아르피나	주제 **한일관계 - 미래세대와의 대화** 발표 김영근(고려대), 하코다 데쓰야(箱田哲也 · 아사히신문 논설위원) 토론 정혜원(고려대), 최수빈(고려대), 서해든(연세대), 쓰쿠바 마리모(筑波まりも · 릿쿄대), 고하마 쇼헤이(小濱蒼平 · 와세다대), 김유미(주오대)

초청강연회 (한양대 백남학술정보관)

☑ 나가미네 야스마사(長嶺安政) 주한일본대사 '아시아 속의 일본'(2017.10.17)

☑ 고마쓰 가즈히코(小松和彦) 국제일본문화연구센터 소장 '동아시아의 문화사를 다시 생각함'(2018.10.5.)

☑ 가와시마 신(川島眞) 도쿄대 교수 '미중 대립 속의 미일 및 중일관계 – 역사와 현재'(2019.9.20.)

이 연구소는 한국일본연구단체가 '한국일본학회 학술대회'와 겸해서 개최하는 국제학술대회에 공동주최기관으로 참여하면서 한 세션을 맡아 운영하기도 한다. 예를 들어 2017년 8월 25일 서울시립대에서 개최한 '한국일본연구단체 제6회(한국일본학회 제95회) 국제학술대회'에서는 한국일본정경사회학회와 함께 '지식정보화시대의 일본연구'라는 테마로 일본정경사회분과 심포지엄Ⅱ를 기획했다.

지식정보화시대의 일본연구 (한국일본정경사회학회와 공동개최, 2017년 8월 25일)

발표자	주 제	토론
곽진오(동북아역사재단)	참여(노무현)정부의 독도정책: 일본 국회 속기록을 중심으로	김영근(고려대)
이혜진(울산여성가족개발원)	일본의 고령화와 이주민 공동체의 역할	박순애(호남대)
김혜숙(한양대)	일본 마을만들기에서 혁신주체의 역할	전영수(한양대)
야마구치 마사야(山口雅矢, 리쓰메이칸대)	1964년 도쿄올림픽 성화 릴레이의 정치성과 일장기	이지영(한국외대)

이상의 활동에서 보듯 이 연구소는 주로 일본문화, 일본사상, 일본어문학 등에 치중하면서, 콜로키움이나 인문사회포럼, 일부 외부 학술대회를 통해 시사적인 일본 문제를 다루고 있다.

이 연구소의 운영위원은 다음과 같다.

직 책	이 름	소 속
연구소장	**이강민**	일본학과
운영위원	**정하미**	일본학과
	박규태	일본학과
	김지영	일본학과
	박용일	일본학과
	김정선	소프트웨어융합학부
	고광철	공학부
	김동규	공학부
	송도영	문화인류학과

한양대 일본학국제비교연구소는 서울캠퍼스 (04763) 서울특별시 성동구 왕십리로 222 국제관 616호와 ERICA캠퍼스 (15588) 경기도 안산시 상록구 사3동 한양대학로 55 국제문화대학 319호에 있다.

전화 (02) 2220-1727, 팩스 (031) 436-8149, 이메일 y5eapx@hanmail.net,

홈페이지 http://gcjs.hanyang.ac.kr

8장. 학술지

1. 현대일본학회 〈日本研究論叢〉
2. 한국일본학회 〈日本學報〉
3. 한일민족문제학회 〈한일민족문제연구〉
4. 한일관계사학회 〈韓日關係史研究〉
5. 일본사학회 〈日本歷史研究〉
6. 한국일본사상사학회 〈日本思想〉
7. 한국일본근대학회 〈일본근대학연구〉
8. 한국일본문화학회 〈日本文化學報〉
9. 한국국제정치학회 〈국제정치논총〉〈The Korean Journal of International Studies(KJIS)〉
10. 한국정치외교사학회 〈한국정치외교사논총〉
11. 재외한인학회 〈재외한인연구〉
12. 세종연구소 〈국가전략〉
13. 통일연구원 〈통일정책연구〉〈International Journal of Korean Unification Studies〉
14. 한국국방연구원 〈국방정책연구〉〈The Korean Journal of Defense Analysis〉〈국방논단〉
15. 국가안보전략연구원 〈국가안보와 전략〉〈신안보연구〉〈The Journal of East Asian Affairs〉
16. 국방대학교 안보문제연구소 〈국방연구〉〈The Korean Journal Security Affairs(KJSA)〉
17. 아산정책연구원 〈이슈브리프〉〈리포트〉
18. 동아시아연구원 〈Journal of East Asian Studies · JEAS〉
19. 제주평화연구원 〈Jeju Forum Journal〉〈Jeju, Island of World Peace〉
20. 동아시아재단 〈Global Asia〉
21. 한국국가전략연구원 〈국가안보전략〉〈한국국가전략〉
22. 신아시아연구소 〈신아세아〉
23. 동북아역사재단 〈동북아역사논총〉〈Journal of North-east Asian History〉〈영토해양연구〉〈Journal of Territorial and Maritime Studies〉
24. 가천대학교 〈아시아문화연구〉
25. 경남대학교 극동문제연구소 〈Asian Perspective〉〈한국과 국제정치〉〈현대북한연구〉
26. 계명대학교 국제학연구소 〈국제학논총〉
27. 고려대학교 글로벌일본연구원 〈日本研究〉〈跨境 日本語文學研究〉
28. 고려대학교 아세아문제연구원 〈亞細亞研究〉
29. 고려대학교 일민국제관계연구원 〈국제관계연구〉
30. 국민대학교 일본학연구소 〈일본공간〉
31. 단국대학교 〈日本學研究〉
32. 동국대학교 〈日本學〉
33. 동서대학교 〈次世代 人文社會研究〉
34. 서강대학교 〈동아연구〉
35. 서울대학교 일본연구소 〈일본비평〉〈Seoul Journal of Japanese Studies〉
36. 서울대학교 아시아연구소 〈아시아리뷰〉
37. 서울대학교 국제문제연구소 〈세계정치〉
38. 서울대학교 국제학연구소 〈국제지역연구〉〈Journal of International and Area Studies (JIAS)〉
39. 서울대학교 비교문화연구소 〈비교문화연구〉
40. 성균관대학교 동아시아학술원 〈Sungkyun Journal of East Asian Studeies · SJEAS)〉
41. 성신여자대학교 동아시아연구소 〈국가와 정치〉
42. 숙명여자대학교 아시아여성연구원 〈아시아연성연구〉〈Asian Women〉
43. 연세대학교 동서문제연구원 〈東西研究〉〈Global Economic Review〉
44. 이화여자대학교 아시아여성학센터 〈Asian Journal of Women's Studies(AJWS)〉
45. 인천대학교 일본문화연구소 〈동아시아일본어 · 일본문화연구〉
46. 중앙대학교 일본연구소 〈日本研究〉
47. 한국외국어대학교 일본연구소 〈일본연구〉
48. 한림대학교 일본학연구소 〈한림일본학〉
49. 한양대학교 일본학국제비교연구소 〈비교일본학〉

1. 현대일본학회 〈日本硏究論叢〉

KOREA-JAPAN

〈日本硏究論叢〉(The Korea Journal of Japanese Studies)은 1979년 창간했다. 매년 6월과 12월 두 차례 발간한다. 게재하는 논문은 일본의 정치, 외교, 사회, 문화, 역사, 경제, 한일 관계 등 일본지역 연구와 관련된 다양한 주제를 포괄하고 있다. 2006년부터 2015년까지 등재지학술지였고, 2019년 다시 등재학술지가 됐다.
다음은 창간사이다.

創刊辭

「가깝고도 먼 나라」라는 말은 日本人들이 韓國을 가리켜 흔히 써온 表現이다. 우리에게 日本은 「가깝고도 먼 나라」일 뿐만 아니라 過去에 植民支配의 쓰라린 經驗을 겪게 했던 나라이며 現在에도 政治・經濟・軍事的으로 우리와 密接한 關係를 갖고 있는 나라이다. 敗戰後의 經濟復興을 거쳐 西方世界에서 第2位의 經濟大國으로 成長하여 이제는 아시아全域, 특히 東北亞에 있어서 無視할 수 없는 位置를 차지하게 된 나라이다.

근래에 와서 우리의 周邊國家로서 韓半島의 平和・安全과 直接 關係를 맺고 있는 소련이나 中共에 對한 一般人이나 政府 및 學界의 關心은 날로 높아 가고 있다. 앞으로도 兩大共産國에 대한 學問的, 政策的 硏究는 深度와 幅을 깊이하고 넓혀 갈 것으로 想像된다. 이것은 매우 고무적인 경향이라 생각된다.

1年前 現代日本硏究에 從事하는 學者들이 現代日本硏究會라는 모임을 갖게 된 動機로 日本이 우리의 周邊國家로서 우리 現實속에 깊숙이 關係되고 있음을 直視하고 現代日本社會의 政治・經濟狀況을 正確히 파악해야 하겠다는 必要性을 切感했기 때문이었다. 「日本은 다 아는 것」으로 되어 있는 우리의 知的 風土에 警覺心을 불러 일으키고 日本硏究에 關心을 갖는 非旣成世代에게 眞摯하고 客觀的인 姿勢를 取하도록 引導하기 위해서 비록 小數이지만 日本硏究者들의 共同對話와 意見交換을 위한 모임이 必要하다고 느꼈던 것이다.

현대일본연구회는 첫 사업으로 일본연구논총을 발행하기로 했으며 이제 창간호를 세상에 내놓게 되었다. 여기에 실린 논문들은 국내외에서 다년간 일본연구에 종사해온 학자들의 연구논문으로 현대일본연구를 위한 방향과 방법만 아니라 장차 한국에 있어서 일본연구가 지향할 지침을 제시하는 것들로 자부한다.

이 創刊號를 내면서 바쁜 가운데도 論文準備에 精誠을 다해준 筆者들에게 衷心으로 感謝하며 本論文의 出判補助를 기꺼이 承諾해 주신 外交安保研究院의 姜英勳 院長과 金世珍 研究室長에게 아울러 謝意를 表하는 바이다.

1979年 12月

現代日本研究會 會長 韓培浩

2021년 6월에 발간한 53권의 내용은 다음과 같다.

☑ 人的交流は国際認識を変えるのか: 日中韓大学間交流プログラム「キャンパス・アジア」の試み(杉村豪一, 米沢竜也, 최은미)
☑ 한반도 평화프로세스와 북일관계: 재팬패싱의 분석(김기석)
☑ 한일국교정상화와 중일국교정상화의 외교전략: 미뤄두기, 쌓아가기, 경계짓기, 다중해석(오승희)

2020년 12월에 발간한 52권의 내용은 다음과 같다.

☑ 일본의 코로나19 대응과 그 평가: 보건의료 분야의 협력적 거버넌스를 중심으로(김성조)
☑ 코로나19가 한일관계 변화에 주는 함의: 국제정치에 미치는 문명사적 영향에 주목하여(남기정)
☑ 한일대륙붕공동개발을 둘러싼 일본의 정책결정과정: 외교사적 추적(박창건)
☑ 중국의 해양회색지대 전략에 대한 일본의 대응: 법적 기반정비와 해상안보 · 보안체제 강화를 중심으로(이상현)
☑ 슬럼에서 요세바로: 현대 일본에서의 주변적 남성성의 공간적 생산과 구성(박지환)
☑ 일본연구논총 52권 편집후기(김웅희)

회색지대전략 (gray zone strategy)
미국의 국제전략문제연구소(CSIS)는 회색지대 전략을 "직접적이고 상당한 규모의 무력 사용에 의존하지 않고 자신의 안보 목표를 달성하려는 꾸준한 억제와 보장을 넘어서는 노력 또는 일련의 노력"이라고 정의한다. 전쟁에 이르지 않으면서 국가의 안보목표를 달성하는 것이 '회색지대전략'의 본질이며 이 전략의 특성은 점진주의(gradualism)와 애매모호함(ambiguity)이다. 이 전략을 쓰는 측은 의제 또는 어젠다(agenda)를 가능한 한 잘게 '썰어'(slicing) 상대가 전략의 의도와 동기를 모르게 하고, 선제적 '기정사실화'(fait accompli)로 상대가 적절한 반응이나 대응을 못하도록 한다. (박윤일 전 경북대 교수 등)

〈日本研究論叢〉의 편집위원회는 다음과 같다.

직 책	이 름	소 속
편집위원장	**박성빈**	아주대
편집이사	**김남은**	국방대
	김성조	순천대
	최은미	아산정책연구원
편집위원	**김경묵**	와세다대
	김기석	강원대
	박나라	제주대
	유지아	원광대
	이주경	부산대
	임은정	공주대
	전진호	광운대

2. 한국일본학회 〈日本學報〉

KOREA-JAPAN

〈日本學報〉(The Korean Journal of Japanology)는 1973년에 창간했고, 1년에 4차례 — 2월 28일, 5월 31일, 8월 31일, 11월 30일 — 에 발간하고 있다. 2002년에 등재학술지가 됐다.

2021년 5월에 발간한 127호의 내용은 다음과 같다.

☑ 1965年日韓国交正常化と日韓関係における相互認識(桂島宣弘)
☑ 한일관계 65년 체제의 성격과 한일 신시대의 과제(이원덕)
☑ 한일 1965년 체제 극복의 구조 - 민주화-역사화해-평화구축의 트릴레마(남기정)
☑ Utsunomiya Tokuma (MP, 1906-2000) and the Abduction Case of Kim Tae-jung (1973): Pushing Toward Policy Change in Japanese-Korean Relations(Biontino Juljan)
☑ Japan and Two Koreas in the Changing East Asia: Contests with the Foe and the Friend(산딥 쿠마르 미쉬라)
☑ 日本語の省略現象にみられる間主観性の一考察 - 主語の言語形態を中心として(권근령)
☑ 韓国人日本語学習者の日本語の「格助詞」の誤用分析 - 「が」「を」「で」「に」を中心に(김소희, 강준하, 鈴江友香里, 윤선용)
☑ 「V-はじめている」의 아스펙트적 의미(김희성)
☑ 韓日論文の序論に見られる研究正当化ストラテジー - 社会科学分野の学術論文を中心に(임정아)
☑ The Change in the Meaning of the Word 'Kokuji(国字)' in Japan During the Meiji Era(장웅선)
☑ 자타 대응의 비대칭성과 '가능'의 의미 - 한국어와 일본어 동사의 경우(한정연)
☑ 시호쓰치노오지(塩土老翁)의 '오지(ヲチ)' 고찰(조유미)
☑ 일본의 독도영유 주장과 근대논리의 한계(곽진오)
☑ 『계간 삼천리』에 나타난 재일코리안 교육에 대한 일본인 교사의 인식과 실천(김웅기)

2021년 2월에 발행한 제126호의 내용은 다음과 같다.

☑ 번역적 신체의 탄생과 마이너리티의 목소리 - 제주와 오키나와를 중심으로 _ 金東炫(경희대 글로벌류큐오키나와연구소 연구교수)

☑ 翻訳と連帯 - 金碩禧『地鳴り』について _ 佐藤泉(사토 이즈미 · 아오야마가쿠인대 일본문학과 교수)

☑ 翻訳されるレイプと男性セクシュアリティ - 大島渚『絞死刑』と大城立裕『カクテル・パーティー』のあいだから _ 高榮蘭(니혼대 교수)

☑ 국가폭력의 전후적 기억, 국가폭력을 내파하는 문학적 상상력 - 메도루마 슌과 오시로 다쓰히로의 대비를 통해 _ 손지연(경희대 일본어학과 부교수)

☑ '전후'의 폭력에 맞서는 마이너리티의 기억과 투쟁 - 오키나와문학과 재일조선인문학을 중심으로 _ 곽형덕(명지대 일어일문학과 조교수)

☑ 『和字便覧』における『和字正濫鈔』と『古言梯』の影響ついて _ 姜盛文(오사카대 문학연구과 박사후기과정)

☑ テキストマイニングを活用した「X {まで}」構文の語彙分析 - 「X {さえ}」「X {も}」との比較・対照を中心に _ 金昭喜(고려대 중일어문학과 박사과정)

☑ 애정표현행동 양상에 관한 한 · 일 대조연구 - 영상매체에 나타난 연인 간 담화를 중심으로 _ 김지원(고려대 중일어문학과 박사수료)

☑ 山田詠美論 - 「ベッドタイムアイズ」以前の女性像の特徴と変遷を中心に _ 杉本章吾(스기모토 쇼고 · 고려대 일어일문학과 조교수)

☑ 오다 마코토(小田実) 『HIROSHIMA』가 '히로시마'를 문학화하는 방법 _ 심정명(조선대 인문학연구원 HK교수)

☑ 일본의 NPO세제우대제도의 제정 · 개정 과정 - '지체된' 정책의 제도화 _ 권연이(한림대 HK연구 교수)

☑ 전시기 일본의 종교통제정책과 그 실효성에 관한 연구 - 일본기독교단과 교회를 중심으로 _ 방경희(고려대 중일어문학과 박사과정)

☑ 일본의 지방창생 정책을 통한 지역균형발전의 현황과 과제 _ 송정현(동국대 일본학과 조교수)

☑ Regional Revitalization and Circular-Economy: The Abe Administration's Experimentations and Evaluations _ Jeon, Youngsoo (한양대 국제대학원 교수)

2020년 11월에 발간한 제125호의 내용은 다음과 같다.

- ☑ 環境と身体をめぐるポスト・ヒューマンな想像力－環境批評としての多和田葉子の震災後文学 _ 日比嘉高(히비 요시타카 · 나고야대 대학원 인문학연구과 준교수)
- ☑ 도래하는 포스트휴먼, 격변하는 휴먼－토비 히로타카(飛浩隆)『래기드 걸(ラギッド・ガール)』로 보는 「포스트휴먼」의 욕망과 윤리 _ 신하경(숙명여대 일본학과 교수)
- ☑ 〈ポスト・ヒューマン〉から抵抗の現場を構想する－許南麒「火縄銃のうた」を例に _ 逆井聡人(사카사이 아키토 · 도쿄외국어대 세계언어사회교육센터 강사)
- ☑ 테크노애니미즘－일본 기술과학 실천 속 사물의 생기 _ 이강원(인천대 일어일문학과 조교수)
- ☑ 한일 기도문에서 하나님을 지칭하는 'あなた'에 관한 연구 _ 김보애(한국외국어대 통번역대학원 강사)
- ☑ 唐宋音에 걸친 效攝韻의 字音形에 대하여 _ 吳采賢(동국대 대학원 박사과정 수료) 李京哲(동국대 일본학과 교수)
- ☑ 日本語作文の協同推敲過程におけるコメントの役割 _ 小松奈々(고마쓰 나나 · 고려대 일어일문학과 조교수)
- ☑ CEFR Companion Volumeに対応した _ 宮崎佳典(미야자키 요시노리 · 시즈오카대 학술원 정보학영역 정보과학계열 교수), Vuong Hong Duc(시즈오카대 정보학부 정보과학과 학부생), 谷誠司(다니 세이지 · 常葉大 외국어학부 글로벌커뮤니케이션학과 교수), 安志英(군산대 동아시아학부 일어일문학전공 조교수), 元裕璟(고려대 대학원 중일어문학과 일본어학전공 박사과정)
- ☑ Representation of 'violence' in "Astro Boy" _ NAM, Sang-wook(인천대 일어일문학과 조교수)
- ☑ '발전'에 대한 의문－나카노 시게하루 「플러크라스티네이션」을 둘러싸고 _ 히로세 요이치(일본학술진흥회 특별연구원PD)
- ☑ 고문헌에 나타나는 한국 · 일본의 독도 인식 _ 곽진오(동북아역사재단 책임연구위원)
- ☑ 長崎「海軍」伝習における幕臣随行者の学習実態 _ 金蓮玉(육군사관학교 군사사학과 조교수)
- ☑ 한국과 일본의 안전문화에 관한 실증적 비교 연구－후쿠시마 원전 사고 이후 원자력발전을 중심으로 _ 박성하(포스코 안전전략사무국 재직)
- ☑ 在宅療養者に対する訪問看護サービスの変遷と現状分析－適用される保険の違いに着目して _ 角田由佳(쓰노다 유카 · 야마구치대 경제학부 교수)

래기드 걸

래기드 걸(ラギッド・ガール · Ragged-Skin Girl)은 SF작가 도비(토비) 히로타카의 작품이다. "토비 히로타카 《래기드 걸》은 '수치해안'이라는 가상 어트랙션을 배경으로 설정하는데, 이는 신경과학, 인지과학, AI, VR 등의 과학기술의 발달로 인해 구현된 것이며, 그 포스트휴먼 사회는 철저히 과학기술 발전의 현재적 방향에 근거하는 것으로서 묘사한다. 《래기드 걸》이 묘사하는 가상현실은 현실사회의 다양한 욕망이 투사되어 증폭된다는 의미에서 현실적이다. 과학기술적 욕망은 대중의 자기향상욕이나 현시욕에 근거하여 추동되는 것이다. 이러한 가상현실은 역으로 인간(사회)에도 심대한 영향을 미친다는 점에서 현실과 가상의 관계는 쌍방향적이다. 또한 물리적 현실과 가상세계는 동일한 지평에서 연속되지 않으며, 질적인 차이를 동반한다는 의미에서는 다층적이다." (신하경 논문 초록)

테크노애니미즘

현대 인간이 고도의 기술로 만든 기계에 대해서 흡사 생물체에서 존재하는 '영혼'을 느끼고 서로 교감하는 심성을 뜻한다. 애니미즘은 자연적으로 존재하는 모든 것에 신과 영혼, 정령 등이 깃들어 있다고 보는 것인데, 테크노애니미즘은 자연이 만든 것이 아니라 인간이 만든 것도 그렇다고 보는 것이다.

〈日本學報〉의 편집위원회는 다음과 같다.

직 책	이 름
편집위원장	**이진원**(서울시립대)
편집총괄	**남상욱**(인천대)
어학	상임이사 **박용일**(한양대)
	김한식(한국외대), **노주현**(덕성여대), **방극철**(순천대), **손영석**(제주대), **오현정**(건국대), **이자호**(경북대), **조영남**(고려대), **채성식**(고려대)
문학	상임이사 **김지영**(서울대)
	강우원용(가톨릭관동대), **고영란**(전북대), **김효순**(고려대), **남상욱**(인천대), **엄인경**(고려대), **이예안**(제주대), **이한정**(상명대), **한정선**(부산대)
일본학	상임이사 **이세연**(한국교원대)
	김보경(방송대), **신하경**(숙명여대), **오가타 요시히로**(홍익대), **오현석**(서울신학대), **이기태**(통일연구원), **이승희**(동덕여대), **임현정**(한양대), **전영수**(한양대)

3. 한일민족문제학회 〈한일민족문제연구〉

〈韓日民族問題硏究〉(The Journal of Korean-Japanese National Studies)는 2001년에 창간했고, 매년 6, 12월 두 차례 발행한다. 2007년 등재학술지가 됐다.

2021년 6월에 발간한 제30호의 내용은 다음과 같다.

☑ 일제 경찰기구의 위생 선전(최재성)

☑ 시정오년기념조선물산공진회와 1910년대 식민지 조선－공진회 개최 과정과 일본인사회의 협찬활동(이동훈)

☑ 역사 속 재일조선인 의료와 복지의 한계－현재의 코로나19 속 상황에서 1920년대 전반 오사카방면위원회의 존재적 한계 보기(김인덕)

☑ 1980년대 한일 지식인 교류와 역사인식－요미우리신문사 주최 '일한좌담회'를 중심으로(박삼헌)

☑ 재일본 조선학교 사회과 교과서의 연도별 비교분석－1970년대 이후 중급 3학년 과정을 중심으로(김명희)

☑ 근대일본의 스포츠를 둘러싼 정치학과 식민지 조선－스포츠담론의 행방과 '국민의 신체'(황익구)

☑ 당사자의 증언과 기억을 전승하는 서사 전략－김석범의 「남겨진 기억」을 중심으로(조수일)

☑ 2000년대 일본사회 저항적 목소리의 '재생'과 문예지 전야(前夜)－재일사회와 일본사회 사상적 문화 교류의 맥락에서(이승진)

2020년 12월에 발간한 제39호의 내용은 다음과 같다.

☑ 국제국가 일본의 국제적 역할 모색 연구－1980년대와 1990년대를 중심으로(조진구)

☑ 1980년대 일본 보수운동의 형성과 나카소네 교육개혁－'전후 정치 총결산'의 역사정치적 함의(최은봉)

☑ 야스쿠니 문제의 국제화와 일본의 보수운동－나카소네 총리의 공식참배 문제를 중심으

나카소네 야스쿠니 참배

나카소네 야스히로(中曾根康弘)는 1982년 11월 총리에 취임했고 1985년 8월 15일 일본 총리로서는 처음으로 A급 전범을 합사한 야스쿠니신사를 공식 참배했다. 요시다 시게루(吉田茂 · 1878~1967) 총리도 재직 중 야스쿠니신사를 참배한 적이 있으나 A급 전범을 몰래 합사하기 전이었다. 나카소네 총리는 한국과 중국 등이 강력하게 반발하자 이후에는 참배하지 않았다. 그러나 하시모토 류타로(橋本龍太郎), 고이즈미 준이치로(小泉純一郎), 아베 신조(安倍晋三) 등 후임 총리가 참배할 빌미를 제공했다. (연합뉴스)

로(유지아)

☑ 포로신문보고서를 통해 본 일본군 출신의 북한군 활동과 북한의 친일파 숙청(이상호)

☑ 해방 후 재일조선인의 생활공간 변용-오사카 츠루하시(大阪 鶴橋) 일대 '시장화'를 중심으로(박미아)

☑ 재일조선인과 고려인의 초국가적 연대와 코리안 디아스포라의 가능성-재일조선인 잡지 『민도(民涛)』와 문화활동을 중심으로(이영호)

〈**韓日民族問題研究**〉의 편집위원회는 다음과 같다.

직 책	이름과 소속
편집위원장	**최영호**(영산대)
편집위원	**김광열**(광운대)
	김민영(군산대)
	김웅기(홍익대)
	정혜경(강제동원평화연구회)
	미즈노 나오키(水野直樹)(리쓰메이칸대)
	양기호(성공회대)
	황익구(경남대)

4. 한일관계사학회 〈韓日關係史硏究〉

KOREA-JAPAN

〈韓日關係史硏究〉(The Korea-Japan Historical Review)는 1993년에 창간했고, 매년 2, 5, 8, 11월 네 차례 발간하고 있다. 2006년 등재학술지가 됐다.

2021년 5월에 발간한 제72집의 내용은 다음과 같다.

☑ 도요토미(豊臣)정권의 의료정책 – 임진전쟁과 의료문제(김문자)
☑ 조선후기 월송만호와 울릉도 수토제(신태훈)
☑ 8세기 초 倭館 開市貿易의 거래 양상 – 1721년 사례를 중심으로(김영록)
☑ 조선 후기 통신사행 준비 단계 문서를 통해 본 1811년 사행 준비(임영현)
☑ 조·일 간 무역 통계의 비교(1874년, 1880년)(정성일)
☑ 개항 초기 조일 간 교역 양상과 구포 사건(박한민)
☑ 유길준의 일본 망명과 귀국 과정(양진아)
☑ '韓國併合'에 대한 일본의 정책적 일관성 검토 – 「對韓施設綱領」과 「對韓施設大綱」의 비교를 중심으로(한성민)
☑ 식민지 군항도시 진해의 위생행정과 지역유력자 네트워크 – 1910년대 '진해위생조합'을 중심으로(류나래)
☑ 국가총동원법의 실시와 휘발유 배급통제 실태 – 1939년 조선총독부 법무국 사례를 중심으로(최종길)

2021년 2월에 발간한 제71집의 내용은 다음과 같다.

☑ 가야사의 듀얼리즘과 연구사의 스펙트럼(정효운)
☑ 7세기 일본 견수 학문승의 활동과 역할 – 승의 다양한 기능과 양태(나행주)
☑ 제주 『地誌』의 왜구 관련 기사 – 그 사료적 가치와 활용에 대하여(윤성익)
☑ 壬辰倭亂期 조선과 일본의 豊臣氏 활용과 그 인식(임현채)
☑ 16세기 동아시아해역의 군수물자 유통 – 일본열도와 왜구(이수열)
☑ 17~19세기 조선 관련 오라이모노(往來物)와 정보의 유통(허지은)

울릉도 수토제(搜討制)

수토(搜討)란 '수색하고 토벌한다'는 의미로 일본인과 왜구가 그 대상이었다. 1693년 안용복 사건 이후 조선 조정은 울릉도와 독도를 보존하기 위한 수토의 필요성을 깨닫고, 1694년 장한상(張漢相)을 최초의 수토사(搜討使)로 파견했다. 그 후 삼척영장과 월송만호를 2~3년에 한 번씩 교대로 1894년까지 2백 년간 파견했다. 이 제도가 수토제이다. 울진에는 수토사가 좋은 바람을 기다리며 머물던 대풍헌(待風軒)과 수토문화전시관이, 울릉도에는 수토역사전시관이 있다.

개시무역(開市貿易)

국가 대 국가의 공무역이 아니라 조선과 왜의 상인들이 하는 민간 사무역(私貿易)이다. 사무역이긴 하나 정부의 허가는 받았기 때문에 합법적이다. 왜관의 개시대청(開市大廳)에서 했기 때문에 개시무역이라는 이름이 붙었다. 개시무역은 처음에는 한 달에 세 번 열다가 광해군 2년(1610)부터는 매월 3, 8일장으로 매월 6회 열었다. 대일 주력 수출품은 조선산 인삼과 중국산 비단류였다. 수입품은 금, 은, 구리, 유황, 납 등 광산물과 후추, 무소뿔, 단목과 같은 남방 물산인데 은이 가장 많았다. 중국에서 들여와 일본에 파는 백사(白絲)는 수출가가 수입가의 2배가 넘었기 때문에 일본뿐 아니라 조선에서도 인기가 높았다. (문화콘텐츠진흥원)

두 왜변(倭變)과 신축금조(辛丑禁條)

조선전기 제포왜관은 삼포왜관(부산의 부산포, 울산의 염포, 진해의 제포) 중 일본인이 가장 많이 거주하던 곳이었다. 제포왜관은 1544년 사량진왜변을 계기로 영구 폐쇄했다. 제포왜관을 폐쇄하려는 구상은 1541년 6월에 일어난 두 '왜변'에서 비롯됐다. 첫 번째 왜변은 제포왜관에 체류하던 일본인이 왜관 담장을 불법적으로 넘다가 이를 저지하는 조선 군인 3명을 살해한 사건이다. 두 번째 왜변은 영등포 만호의 전선(戰船)이 제포로 돌아오는 도중 왜선을 만나 20여 명의 군인과 만호의 인신(印信) 및 무기를 잃어버린 사건이다. 두 왜변은 '신축금조'를 만드는 계기가 되었다. 신축금조는 두 왜변을 수습하는 과정에서 대마도주가 만들어 조선에 보낸 8개 조항으로, 1541년 이후 왜관에 체류하는 일본인들의 '기본 생활 규칙'이라고 할 수 있다. 조선에서는 '신축금조'를 확인한 후 더 구체적으로 '신축약속(辛丑約束)'도 만들었다. '신축약속'은 전문(全文)이 남아있지 않지만 왜관통제책으로서, 조선에서 범죄를 일으킨 일본인에 대한 처벌 규정을 명시하고 있다. (양흥숙 교수 논문 초록)

☑ 1541년 두 '倭變'과 '辛丑禁條'(양흥숙)

☑ 1894~1910년 진남포 일본군병참기지 건설과 도시 형성의 특성(김경남)

☑ 식민지기 酒造業 관련 잡지를 통해 본 朝鮮酒造協會의 활동 양상과 성격 - 기관잡지 발행 활동을 중심으로(김영미)

☑ 전후 전범재판에서의 난징대학살 심판 - 아시아 부재론을 중심으로(유지아)

☑ 서평《조선의 통신사외교와 동아시아》이훈 지음(경인문화사, 2019년, 342쪽)(장순순)

〈韓日關係史硏究〉의 편집위원회는 다음과 같다.

직 책	이 름	소 속
편집이사 (논문 수집 및 심사의뢰, 학술지 편집)	**나행주**	건국대
	남상구	동북아역사재단
	송완범	고려대
	유지아	원광대
편집위원 (논문게재여부 최종 결정, 학술지 편집)	**김동명**	국민대
	김문자	상명대
	나행주	건국대
	서보경	부경대
	이승민	동국대
	정성일	광주여대
	한문종	전북대
	한성주	강원대
	홍성화	건국대

5. 일본사학회〈日本歷史研究〉

KOREA-JAPAN

〈日本歷史研究〉(Journal of Japanese History)는 1995년에 창간했으며 매년 4월 30일, 8월 30일, 12월 30일 3회 간행하는 것을 원칙으로 하고 있다. 2008년 등재학술지가 됐다.

2021년 4월에 발간한 통권 54호의 내용은 다음과 같다.

☑ 백제부흥전쟁과 부여풍장(夫餘豊璋) · 왜국 多臣氏(이재석)
☑ 도쿠가와 후기 일본의 유학교육－창평횡(昌平黌)의 설립 취지와 그 특징(이새봄)
☑ 『일본서기』를 둘러싼 국학의 방법론과 역사관－『고사기전』의 『일본서기』 활용을 중심으로(배관문)
☑ 막말유신기 사가번(佐賀藩)의 '난학 붐' 실태(김연옥)
☑ 근세성곽의 근대적 변용과 성터 공원의 장소기억－일본 시코쿠(四国)의 사례를 중심으로(박진한)
☑ 근대일본의 노동자와 농민의 공동재산으로서의 무산자탁아소(김경옥)
☑ 전전 일본의 한센병 환자 격리정책과 국책영화 〈작은 섬의 봄(小島の春)〉(강태웅)
☑ 냉전 체제 고착과 GHQ의 정책 변화－군국주의자 공직추방에서 레드 퍼지로의 전환을 중심으로(유지아)
☑ [書評] 백제왕의 후예, 백제왕씨로 본 동아시아세계 속의 일본율령국가(최은영)

레드 퍼지(Red purge)
일본을 점령한 연합군최고사령부(GHQ)가 1950년 일본공산당 소속 당원이나 동조자들을 공공기관이나 민간기업에서 무더기로 추방한 것을 말한다. 1950년 12월까지 민간기업에서 1만9702명, 공공기관에서 1196명을 몰아냈다. 같은 해 미국에서도 상원의원 조지프 매카시의 선동으로 공산주의자 추방운동을 벌였는데, 이를 '매카시즘'이라고 한다.

2020년 12월에 발간한 통권 53호의 내용은 다음과 같다.

☑ 일본 보수정치의 역사인식과 국가주의 강화: 1979년~1998년(이종국)
☑ 현실 정치와 번역, 그 일례: 메이지 초기 군제사와 니시 아마네(허지향)
☑ 근세 일본 사원 대부업의 존립 구조(조승미)
☑ 입송승 조넨(奝然) 사제와 우전왕사모상(優塡王思慕像): 여러 의미의 청래(請来)를 둘러싸고(Teshima Takahiro)
☑ "カイザー訴追問題"と日本国内の諸動向: ドイツの戦争責任と君主の裁きに対する民間の

言説を中心として(横島公司 · 요코시마 고지)

☑ 豊臣정권의 神格化와 명예(功名) 추구: '개인' 히데요시의 관점에서(박수철)

☑ 역병의 대유행과 조정의 대응책: 天平 9(737)年 역병 사례를 중심으로(정기웅)

〈**日本歷史研究**〉의 편집위원회는 다음과 같다.

직 책		이름과 소속
편집위원장		**김선희**(건국대), **박완**(강릉원주대)
편집위원	고대	**김은정**(충남대)
	중근세	**박수철**(서울대), **박진한**(인천대), **이세연**(교원대)
	근현대	**류미나**(국민대), **박삼헌**(건국대), **김종식**(아주대), **원지연**(전남대), **유지아**(원광대), **이승희**(동덕여대), **정지희**(서울대)
	해외	**김범성**(히로시마공업대), **이석원**(Rhodes College), **최덕효**(Sheffield University)

6. 한국일본사상사학회 〈日本思想〉

KOREA-JAPAN

〈日本思想〉은 1999년에 창간했으며 6월과 12월, 1년에 두 차례 발간하고 있다. 2008년 등재학술지가 됐다.

2021년 6월에 발간한 통권 40호의 내용은 다음과 같다.

☑ 근대일본의 건강담론과 자양강장제 폴리타민－1925~1945 요미우리신문광고를 중심으로(김경리)
☑ 다이쇼기 여성 대중의 탄생－대중 여성잡지와 소비주의(김병진)
☑ 인삼에서 'Ginseng'으로－Made in Choseon의 '해피 드러그'(김선희)
☑ 천황의 세 신체－메이지 천황은 어떻게 재현되는가(김태진)
☑ 懐風藻に見られる神仙思想(무라마츠 마사아키)
☑ 하치오지센닌도신(八王子千人同心)을 통해 본 에도시대 신분제의 모순(양익모)
☑ 만주국 시기 노가와 다카시와 합작사 운동(유수정)
☑ 서벌턴으로서의 '재한 일본인처'에 관한 고찰(이권희)
☑ 욕망과 과학의 근대적 만남, 발모제(發毛劑)(이영섭)
☑ 『니시 아마네 철학 저작집(西周哲学著作集)』 편찬 배경－아소 요시테루(麻生義輝)의 전회와 메이지 일본(허지향)

2020년 12월에 발간한 통권 39호의 내용은 다음과 같다.

☑ 오카쿠라 덴신(岡倉天心)의 일본미의식 탐구(김용철)
☑ 냉전기 미일 친선과 '미국' 표상의 수사학－점령자에서 친밀한 '이웃'으로(김지영)
☑ 야나기 무네요시의 비애미와 '모노'－모노노아와레와 한(恨)의 미학 서설(박규태)
☑ 조선적인 것과 '모노노아와레'－식민지에서 상징계 구축하기(심희찬)
☑ 일본 오키군 아마초의 지역 활성화 사례 고찰(김선희)
☑ 나카하라 츄야 문학의 종교성(박상도)
☑ 15년전쟁 하 일본 기독교의 전쟁 협력－전후 '전쟁책임' 문제와 관련하여(박은영)

15년 전쟁

1931년 만주사변에서 시작해 1937년 중일전쟁을 거처 1941년 태평양전쟁을 시작해 패전하는 1945년까지 15년간에 걸친 전쟁을 말한다.

☑ 한일 역사화해의 전개 과정–'책임론적 화해'에서 '포용론적 화해'로(박홍규)

☑ 패전 · 점령의 여성해방과 가스토리(カストリ)잡지 시대–'성(性)', '폭력', '팡팡'을 중심으로(오성숙)

☑ 대중 문화에 나타난 일본 내셔널리즘 표현 구조–미야자키 하야오의 〈바람이 분다〉 재고(이지현)

☑ 세계주의의 편승이라는 '식민주의'와 도립적(倒立的) 내셔널리즘–『계간삼천리』와 내재성 문제를 중심으로(전성곤)

☑ 아리가 나가오의 국체론–메이지기 사회진화론에 대한 연구(최민혁)

☑ 전후의 시작과 진보진영의 전쟁책임 문제–'정치와 문학' 논쟁을 중심으로(최종길)

가스토리(カストリ · 粕取)

가스토리의 '가스'(粕)는 '술지게미'로서, 가스토리는 패전 후 술지게미로 만든 싸구려 막소주를 가리킨다. 이 말이 패전 후 출판자유화를 기회로 마구 쏟아져 나온 대중용 통속잡지를 가리키는 말로 의미가 확장됐다. 가스토리 잡지는 조악한 용지로 만들어 싸게 팔았는데, 내용은 흥미본위의 에로(성, 성풍속)와 구로(그로테스크, 엽기나 범죄) 기사가 많았다. 구체적으로 홍등가 탐방, 엽기사건, 성생활 고백, 포르노 소설 등과 성적 흥분을 일으키는 여자 사진이나 삽화를 게재했다. 전전에 언론탄압으로 사라진 '에로-구로-넌센스(1929~1936)' 잡지의 뒤를 잇는 것으로서 전후 서브컬처 형성에 큰 영향을 미쳤다. (위키백과)

〈**日本思想**〉의 편집위원회는 다음과 같다.

직 책	이 름	소 속	전공분야
편집위원장	**최재목**	영남대	일본사상(근세)
편집위원	**박삼헌**	건국대	일본사(근대)
	박진우	숙명여대	일본사(근 · 현대)
	성해준	동명대	일본사상(근세)
	이희복	강원대	일본사상(근세)
	임경택	전북대	일본사상(근세 · 근대)
	하우봉	전북대	일본사(근세)
	한예원	조선대	일본사상(근세)
	가쓰무라 마코토(勝村誠)	리쓰메이칸대	일본정치사상(근대)

7. 한국일본근대학회 〈일본근대학연구〉

KOREA-JAPAN

〈日本近代學硏究〉는 2000년에 창간했고, 일 년에 2, 5, 8, 11월 네 번 발간한다. 2009년 등재학술지가 됐다.

2021년 5월에 발간한 72호의 내용은 다음과 같다.

☑ 일본어 표현 문형의 단문(短文) 작성에서 나타나는 오용에 대해서(조남성)
☑ 비대면 액션러닝 적용 교양수업 사례 연구 – 일본문화와 언어수업 수강생의 성찰일지 및 사후설문 분석을 중심으로(김정헌)
☑ 오에 겐자부로의 『치료탑』과 『치료탑 혹성』론 – 핵시대의 상상력의 출발점과 '새로운 사람'에 대한 희구(소명선)
☑ 재난 이후의 문학적 상상력과 길항(拮抗)하는 디스토피아 – 다와다 요코(多和田葉子)의 「헌등사(献灯使)」를 중심으로(최가형)
☑ 재일간행물과 해양서사 – 『민주조선』과 『조선평론』을 중심으로(김옥지)
☑ 梁山 法基里 窯址와 高麗茶碗(최연주)
☑ 근세 류큐사절 · 조선사절의 일본 · 중국 파견과 교류(이호윤)
☑ 1990~1999년 일본 일간지의 혐한 담론 표상 방식(노윤선)
☑ 화태 이주 조선인에 관한 신문기사의 정량적 분석(이준영)
☑ 한일 근대 신도(神道)사상 비교 – 신도의 출현배경과 목적을 중심으로(고남식)
☑ 福沢健全期(1882~1898)『時事新報』社説における陸軍論(平山洋)
☑ 포스트코로나 시대의 일본취업 동향에 관한 연구(이현승, 송정현)
☑ 外国人留学生の留学におけるソーシャルキャピタルに関する研究 – ネパール人留学生及びベトナム人留学生の事例より(秋谷公博)
☑ 国際通商政策の変化と日本の対外通商戦略 – CPTPP · RCEP協定を中心に(양광수)
☑ 戦略マップを用いた補完的生産者とのシナジー創出–ケース・スタディによる顧客価値提案の視点からの分析(梅田充, 田坂公)
☑ 地域活性化活動に有効なメディア活用の考察(II) – 巨大モザイクアート展を事例として(竹内裕二, 松井督治)

☑ 일본의 개호보험제도 변용에 관한 고찰(정기룡)

2021년 2월에 발간한 71호의 내용은 다음과 같다.

☑ 断り場面における言いさし表現に関する考察－言い切り表現との比較を通して(오코노기 에리나)

☑ 「モノダ」文の意味と構文構造－「形容詞＋モノダ」文を中心に(황윤실)

☑ 「に行く」목적 구문－공기 가능한 명사의 분류와 특징(이정옥한)

☑ 談話マーカーの新たなアプローチ－Face行為から見た「それで」ㄴㅁ(조영호)

☑ 日本語話者の韓国語カタカナ表記に関する一考察(쿠로야나기 시게오)

☑ オンライン授業における漢字授業の実践－釜山外国語大学の「実用日本漢字」授業を事例に(조은영)

☑ 인공지능(AI) 번역기를 활용한 한일 한자어 비교의 가능성 모색(신민철)

☑ 문학도시 '하이토(俳都)' 마쓰야마(松山)의 형성 과정에 관한 고찰(문순희)

☑ 오키나와 반환을 통해 살펴보는 오키나와 문학－『떠도는 류큐인』과 『칵테일 파티』를 중심으로 (조경식)

☑ 韓国国立中央図書館所蔵『鷹鶻方』(貴159 古朝68-41(朝68-41))全文紹介－前近代・近代においての朝鮮と日本の放鷹文化交流(二本松泰子)

☑ 일제강점기 여성교육과 가정개량 담론에 관한 일고찰(이경규)

☑ 건축을 매개로 한 상상의 문화적 기억공간－탈식민시대 대한민국의 일제 식민지 근대 건축문화 유산(이홍렬)

☑ 近代 일본 식민도시의 遊廓 형성과 娼妓業(김형열)

☑ 영주귀국 과정에서 드러난 사할린 한인 1세대의 고국지향성 연구－〈귀향 그리고 또 다른 이별〉의 촬영자료를 중심으로(김연식)

☑ 한일 양국 1인 가구의 증가요인이 무연사회에 미치는 영향(정희순)

☑ 소셜미디어의 과도한 이용과 문제적 이용 관계에서 이용 동기의 매개효과에 관한 연구－일본대학생을 중심으로(박현지, 박영배)

☑ 韓国IT産業の対日質的貿易競争力の研究(한기조)

☑ 독도 「고유영토론」에 관한 일본의 국제법적 연구 논거 비판(송휘영)

사할린 한인

1930년대 말에서 1940년대 초까지 사할린으로 강제징용했다가 해방 이후에도 돌아오지 못한 한인을 말한다. 일제는 사할린으로 끌고 간 이들 중 일부를 전쟁 말기 일손이 달리던 일본으로 다시 징용했다. 이를 '이중징용'이라고 한다. 제2차 세계대전이 끝난 후 일본은 이들을 일본인이 아니라는 이유로 방치했다. 사할린 한인들은 1988년 이후에야 고향방문을 하게 됐으며 3500여 명은 한국에 영구귀국했다. 김연식의 논문은 강한 고국지향성을 보이는 사할린 한인 1세대를 대상으로 이들의 고국지향성이 어디에서 비롯되는지를 분석한 것이다. "사할린 한인 1세대 생존 시에 녹화된 촬영자료를 분석한 결과, 고국지향성의 연원은 첫째, 타의에 의한 강제이주, 둘째, 공동체 정체성으로서의 일본에 대한 증오 감정, 셋째, 유형지로부터의 탈출 인식과 귀소본능의 실현 등으로 파악되었다. 사할린 한인들은 자신들의 의지로 영주귀국을 선택했지만 마지막까지 고통과 비극의 운명에서 벗어나기는 어려웠다. 한국을 떠날 때 혼자였듯이 사할린을 떠나올 때도 또 한 번의 가족상실을 경험해야 했다. 이 과정에서 그들이 가지고 있던 고국지향은 다시 가족지향으로 바뀌게 된다." (김연식 논문 초록)

〈**日本近代學研究**〉의 편집위원회는 다음과 같다.

직 책	이 름	소 속
편집위원장	**이경규**	동의대
편집위원	**소명선**	제주대
	추석민	신라대
	이상복	삼육대
	박희영	대진대
	김용균	중앙대
	조남성	한밭대
	방극철	순천대
	나공수	영남대
	세키네 히데유키	가천대
	최장근	대구대
	조규현	상명대

8. 한국일본문화학회 〈日本文化學報〉

〈日本文化學報〉는 1996년에 창간했으며 2001년까지는 매년 2, 8월 두 차례를 발간하다가 2002년부터 2, 5, 8, 11월에 네 차례를 발간하고 있다. 2004년부터 2015년까지 등재학술지였고, 2017년 다시 등재학술지가 됐다.

2021년 5월에 발간한 89집의 내용은 다음과 같다.

☑ 행위를 중심으로 한 언어 · 문화의 통합적 수업활동 – 초급 일본어 수업의 시도(김태희)

☑ CLIL型日本語会話授業の実践報告 – アンケート調査およびルーブリック評価の分析から(이이호시 카즈야)

☑ 일본의 근대 후기인상파 수용 – 『시라카바(白樺)』를 통한 세잔, 고흐 수용을 중심으로(문형자)

☑ 日本映画にみる沖縄戦の集合的記憶と歴史認識 – 映画「ひめゆりの塔」(1953)と「沖縄スパイ戦史」(2018)を中心に(박동호)

☑ 일본의 고마가쿠(高麗楽) 연구 – 〈다이소토쿠(退宿徳)〉를 중심으로(박태규)

☑ 초고령사회 속 '하류노인' 현상 – NHK 『노인표류사회』 시리즈를 통해 본 노후빈곤 실태(이윤주)

☑ 미야베 미유키의 『이유(理由)』에 나타난 도쿄(東京) 표상(강지연)

☑ 『다와레구사(たはれ草)』의 '훈언(訓言)'소고 – 위정자에 대한 기대와 경계를 중심으로(金錦善)

☑ 미키 로후(三木露風) 시 연구 – 상징주의 시를 중심으로(노윤지)

☑ 본격 미스터리의 장르적 변용이 가져온 새로운 추리 공간의 탄생 – 〈12명의 죽고 싶은 아이들〉의 영화적 표상을 중심으로(조헌구)

☑ 일본어 수동태에 관한 일본어 학습교재의 실러버스 변화에 관한 연구(신은정)

☑ 謝罪場面における言いさし表現 – 責任所在に着目して(小此木江利菜)

☑ 事実上の広告文をつくることばとその解釈 – 雑誌記事見出しにみられる「噂の~」の質的調査より(오타니 텟페이)

☑ 영어 타동구문의 한국어와 일본어에서의 번역 양상에 관한 연구(최서영)

히메유리탑

오키나와 전투 당시 여고생으로 만든 간호부대인 '히메유리부대'의 전몰자를 추모하기 위한 탑이다. '히메유리'는 백합의 한 종류다. 히메유리부대는 15세부터 19세까지의 오키나와사범학교 여학생과 오키나와현립제일여자고등학교의 학생 약 300명으로 구성했다. 전투 당시 미군에게 포위당하자 야전병원으로 이용하던 동굴에서 여학생과 교사 모두가 일본군의 강요로 자결했고, 바로 그 곳에 히메유리탑을 세웠다.(두산백과)

2021년 2월에 발간한 88집의 내용은 다음과 같다.

☑ Z의 기호학적 의미와 이데올로기 – 전후의 미디어 콘텐츠를 중심으로(이유희)

☑ 야구선수 장훈과 본명 호명 운동 – 1970~1980년대 재일조선인 잡지를 중심으로(임상민)

☑ 다다 난레이(多田南嶺) 작품에 보이는 직업에 관한 소고(小考) – 『가마쿠라 쇼게이 소데닛키(鎌倉諸芸袖日記)』를 중심으로(고영란)

☑ '편의점 인간'과 '로스제네' 표상 – 버블 붕괴 이후의 세대론을 통해 본 『편의점 인간』(박유미)

☑ 일본의 기독교에 대한 전래와 수용 양상 – 초기 기독교를 중심으로(육근화)

☑ 韓国人留学生に対するソーシャルサポートと文化変容ストレスとの関係に関する研究 – 語学能力の媒介効果の検証(이선영)

☑ 三島由紀夫が残したもの – 小池真理子『欲望』論(박수정)

☑ 「パラレル・ワールド」と「穴」の水脈 – 安部公房『砂の女』とポール・オースター『闇の中の男』(大場健司)

☑ 円地文子「二世の縁拾遺」における 性のモチーフ研究 – 性への執念の重層化をめぐって(張亜璐)

☑ 온라인 강의와 오프라인 강의의 만족도 및 효과 비교 – 일본문화예술콘텐츠 강의 사례를 중심으로(강연화)

☑ 流行歌の歌詞に見られる語彙の特徴と日本人の心情 – 年代別の変遷を中心に(곽은심)

☑ 婉曲表現としての「カナト思ウ」 – 「カト思ウ」と比較して(國澤里美)

☑ 한국인일본어학습자의 일본어 양순파열음에 관한 연구 – 발성위치와 발성화자를 중심으로(김윤영)

☑ 植民地期の国語教科書にみられる言語教育 – 『国定一』・『台湾一』・『朝一』の国語教科書の漢字教育を通して(박영숙)

☑ 問いかけのコミュニケーション機能に関する日韓対照研究(志田原由美子, 정인경, 滝浦真人)

☑ 複合動詞「V+つく」に関する考察 – 意味拡張の程度と構成比および出現頻度の関係を中心に(OTANI YUKA)

☑ 음성언어와 문자언어 번역 비교 분석 – 한국어 연설문의 일본어 번역을 중심으로(이선화)

☑ 日本語教育のための日韓語対照研究 – 教育現場での活用を視野に入れて(이충규)

☑ 日韓一型アクセントに関する対照考察 – 都城方言と高城方言を対象に(최현진)

편의점인간(コンビニ人間)

일본의 소설가 무라타 사야카(村田沙耶香)의 중편소설이다. 문학계 2016년 6월호에 처음 실렸으며, 같은 해 7월 분게이슌주(文藝春秋)에서 단행본으로 출간했다. 소설은 오랜 시간 편의점 아르바이트를 해온 여자 주인공 후루쿠라 게이코가 겪은 사건들을 다루고 있다. 실제로 18년간 편의점에서 아르바이트를 해온 작가 자신의 경험이 녹아 있다. 2016년 일본 최고의 신인상인 아쿠타가와상(제155회)을 수상했다. (위키백과)

로스제네(lost generation)

"1990년대 초반 일본에서는 버블 경기가 갑자기 붕괴하면서 취업난에 몰린 세대가 있었다. 1970~1982년생, 사회에 첫발을 디딜 때 취직빙하기(1993~2005년)를 겪은 소위 '로스트 제너레이션'(로스제네)이다. 기업들이 너도나도 채용을 줄여 1991년 90%에 육박하던 대졸 취업률은 3, 4년 만에 50%대로 내려앉았다. …결국 이 세대 상당수가 프리터나 파견직으로 사회생활을 시작했다. 은둔형 외톨이(히키코모리), 취업도 공부도 하지 않는 젊은이를 뜻하는 니트, 아르바이트로 생계를 꾸리는 프리터, 부모에게 얹혀사는 캥거루족 등이 시대를 반영하는 용어로 태어났다. …지금 30대 중반~40대 후반이 돼서도 프리터를 전전하는 로스제네의 표준형은 이렇다. 수입은 최대 월 30만 엔(약 300만 원) 수준, 대부분 독신. 의식주에 쓰고 남은 몇만 엔 정도의 여윳돈으로 플라모델을 사거나 아이돌을 쫓아다니는 등의 '작은 사치'를 누린다. 소속도 수입도 불안정하니 연금, 세금은 가급적 납부하지 않는다. 연애, 결혼, 출산은 사치일 뿐이다.…"(서영아 동아일보 도쿄특파원, 2018년 7월 18일 자)

〈**日本文化學報**〉의 편집위원회는 다음과 같다.

직책	이 름	소 속
편집위원장	**권오엽**	충남대
간사	**윤혜영**	충남대
편집위원	**고영란**	전북대
	김계자	한신대
	김정민	亞細亞大
	민승희	중원대
	박강훈	전주대
	박상현	경희사이버대
	서기재	건국대
	소명선	제주대
	이은미	명지대
	이충규	서원대
	조선영	인천대
	조은영	부산외대
	최장근	대구대

9. 한국국제정치학회 〈국제정치논총〉 〈The Korean Journal of International Studies(KJIS)〉

〈국제정치논총〉(Korean Journal of International Relations)은 1963년 8월에 창간했으며 매년 3, 6, 9, 12월 네 차례 발간하고 있다. 2004년 등재지가 됐고, 2018년 우수등재지로 선정됐다.

제목에 '일본'이 들어간 논문 중 일부를 소개하면 다음과 같다.

☑ 일본의 대중 혼합전략: 전략적 관여와 헤징(양기웅 · 안정화, 2017년 3월)
☑ 근대 일본에서의 홉스의 번역과 변용: 인공 신체로서의 리바이어던은 어떻게 괴물이 되었는가(김태진, 2017년 6월)
☑ 21세기 일본의 국가안보전략(한의석, 2017년 9월)
☑ 안보위협이 과거사 인식에 미치는 영향: 한일 일본군 위안부 협상 타결에 관한 국내여론 분석(장기영, 2017년 12월)
☑ 냉전 지역주의와 일본의 아시아외교: 일본은 한국주도의 지역협의체 ASPAC에 어떻게 관여하였나?(이상현, 2018년 3월)
☑ 일본민주당과 렌고 간 연계 형성과 지속의 정치과정(정혜윤, 2018년 6월)
☑ 일본 보수지식인의 전후/탈전후의식과 '아메리카': 에토 준, 니시베 스스무의 아메리카니즘 비판과 보수적 주체화(장인성, 2019년 6월)

〈The Korean Journal of International Studies(KJIS)〉는 2003년에 창간한 영문학술지로, 1년에 4, 8, 12월 세 차례 발간한다. 2011년 등재학술지가 됐다.

제목에 'Japan(Japanese)'이 들어간 논문 중 일부를 소개하면 다음과 같다.

☑ Separating Economy from Politics? Japan's Coexistence Strategy with Two Chinas in the 1960s (오승희 · 최은봉, 2015년 8월)
☑ Japan's Changing Defense Posture and Security Relations in East Asia (Andrew R. Capistrano · Shuhei Kurizaki, 2016년 4월)

☑ Growing Activism as Cooperation Facilitator: China-Japan-Korea Trilateralism and Korea's Middle Power Diplomacy (ZHANG MUHUI, 2016년 8월)

☑ A Triad of Normative, Pragmatic, and Science-Oriented Approaches: The Development of International Relations Theory in Japan Revisited (Kazuya Yamamoto, 2018년 4월)

☑ Post-War Korean Conservatism, Japanese Statism, and the Legacy of President Park Chung-hee in South Korea (정민지 · 신유섭, 2018년 4월)

☑ What Brought Them Together? Comparative Analysis of the Normalization Processes of North Korea-Japan and South Korea-Japan (이예찬, 2018년 12월)

☑ India's Extended "Act East" Outreach to Northeast Asia: Its Economic and Security Interactions with China, Japan, and South Korea (백우열, 2019년 4월)

☑ Assessing Motives in Northeast Asian Aid Allocations: China, Japan, and Korea as a Collective Group and as Individual Donors (손혁상 · 김석우 · 우창빈, 2020년 8월)

한국국제정치학회가 발행하는 두 저널의 편집위원은 일본 전공자가 아닌 학자가 더 많기에 생략한다.

10. 한국정치외교사학회 〈한국정치외교사논총〉

〈한국정치외교사논총〉(Journal of Korean Political and Diplomatic History)은 1985년에 창간했으며 매년 2, 8월 두 차례 발간한다. 2006년부터 2018년까지 등재학술지였고, 2020년 등재후보지가 됐다.

2021년 2월호(42집 2호) 중 일본 관련 논문은 다음과 같다.

☑ 한미일 3각 안보협력체제 형성의 기원: 냉전기 북한의 무력도발과 한국 안보외교를 중심으로, 1967-68(박영준)

☑ 1952년 한국과 대만의 대일(對日) 협상 비교 연구: 청구권 및 제반 현안을 중심으로(김주희)

☑ 스가(菅義偉)내각의 독도정책의 가능성과 한계에 관한 고찰: 유식자간담회를 중심으로(곽진오)

☑ 최서면의 안중근 연구 및 기념활동(박현우)

2020년 8월호(42집 1호) 중 일본 관련 논문은 다음과 같다.

☑ 죽도 고유명칭'설에 대한 비판적 검토(유미림)

☑ 임진왜란 이후 명군철수 협상에 대한 고찰(김영진)

☑ 러일전쟁의 한 단면(신복룡)

☑ 한반도의 분단과 모스크바 외상회의(박명수)

☑ 정전협정 직후 유해교환 성과와 한계 재조명(조성훈)

모스크바 3상회의(三相會議)

1945년 12월 미·영·소 3국의 외상이 모여 한반도 신탁통치안을 결정한 회의. 미국 국무장관 번즈, 영국 외상 베번, 소련 외상 몰로토프가 참석했다. 한반도에 대한 신탁통치 방침은 이미 전쟁 중 미국이 구상해서 카이로, 테헤란, 얄타회담에서 제안한 바 있다. 미국은 외상회의에서 한국인 참여를 극히 제한한 '통일시정(施政)기구'를 설치하고 '미·영·중·소 4개국 대표로 구성하는 집행위원회에서 권한을 수행할 것'과 '신탁통치기간은 5년을 넘지 않을 것' 등을 골자로 하는 안을 제시했다. 소련은 '한국의 독립을 부여하기 위한 임시정부 수립과 그 전제로서 미·소 공동위원회의 설치' 등 4개 항의 수정안을 냈다. 회의는 소련의 수정안을 약간 손질해서 최종 선택했다. (한국근현대사사전) 이 회의에 따라 만든 미소공동위원회는 신탁통치를 반대하는 정당과 사회단체도 임시정부에 참여시켜야 한다는 미국과 이에 반대하는 소련의 입장이 맞서 결국 1947년 7월 아무런 성과도 내지 못하고 해산했다.

〈**한국정치외교사논총**〉의 출판위원회는 다음과 같다.

직 책	이 름	소 속	이 름	소 속
출판위원장	**우승지**	경희대		
출판이사	**김권정**	대한민국역사박물관	**박주원**	영남대
	김동현	중앙대	**안두환**	서울대
	김재관	전남대	**안외순**	한서대
	김태완	동의대	**양준석**	서울신학대(간사)
	문경연	전북대	**홍태영**	국방대

11. 재외한인학회 〈재외한인연구〉

〈재외한인연구〉(Studies of Koreans Abroad)는 1990년에 창간했고 연 3회 — 2월 28일, 6월 31일, 10월 31일 — 에 발간하고 있다. 2018년에 등재후보지가 됐다.

2021년 6월에 발간한 54호의 내용은 다음과 같다.

☑ 특집 항일 독립전쟁의 전개와 역사성
☑ 대한민국임시정부의 소비에트러시아 외교관계의 형성과 독립외교 전개 그리고 '비밀군사협정'(심헌용)
☑ 1920년 봉오동전투와 청산리 독립전쟁의 주요 쟁점 검토(장세윤)
☑ 한인의 서간도, 북간도 이주와 정착: 1910년대를 중심으로(김주용)

논문

☑ 일본 수출규제조치에 대한 한일 갈등요인과 대응방안 고찰(임영언 · 허성태)
☑ 중국 고등학교 개정 사상정치 교육과정 연구(리문철 · 안병삼)

2021년 2월에 발간한 53호의 내용은 다음과 같다.

☑ 특집 한경구 이사장 정년 기념 특별호
☑ 한경구 이사장님 정년 기념 특별호를 마련하며(이진영)
☑ 한경구 이사장님 연보

논문

☑ 이민 동포의 〈양의사 합전〉과 〈대동위인 안중근전〉(이덕희)
☑ 탈북 유튜버와 그들이 재현하는 탈북민 이미지(시미즈 켄타 · 윤인진)
☑ 러시아 극동 소련 한인의 중앙아시아 강제이주 계획과 이주과정 - 1937년 이주문서를 중심으로(김영술)

재외동포 차세대

☑ 중국 동포의 인구 이동과 차세대의 성장 - 중국, 한국, 일본의 차세대 단체를 중심으로(김판준)

〈양의사합전(兩義士合傳)〉

조선 말기 이상설(李相卨)이 장인환(張仁煥)과 전명운(田明雲)의 의거 전말을 포함한 약전(略傳)과 의거의 의의를 논술한 글이다. 이상설이 헤이그특사 의거 이후 샌프란시스코의 공립관(共立館)에 머물 때 지은 것으로 〈신한민보〉 1909년 4월 7일 자에 게재했다. 서론격으로 장인환과 전명운의 약전과 성품을 기술하고, 본론격으로 1908년 3월 스티븐스(Stevens, D.W.) 암살의거 전말을 논한다. 마지막으로 두 의사의 공적을 민영환(閔泳煥)과 최익현(崔益鉉)의 순절과 동등하게 평가했다. (한국민족문화대백과)

☑ 변화하는 '차세대' 재일코리안의 인식과 새로운 지원 방안의 모색(김웅기)
☑ 마르틴 현 텍스트에서 나타난 독일 차세대의 生(최영미)
☑ 차세대 재미동포단체의 탐색적 유형화 및 분석(이승은)
☑ 독립국가연합 고려인 청년세대의 형성과 특징 연구 - 청년세대 단체를 중심으로(성동기)

마르틴 현(Martin Hyun)
1979년생. 한국명 현종범. 한국계 독일인으로 파독 광부와 간호사 사이에서 태어났다. 5세부터 아이스하키를 시작해 독일 아이스하키 청소년 대표를 거쳐 아시아인 최초로 독일 아이스하키 리그에서 뛰었다. 2006년에는 강원랜드 아이스하키팀에 입단하려 했으나 불발되면서 선수 생활을 접었다. 선수 은퇴 후에는 작가와 정치인으로 활동하고 있다.

〈**재외한인연구**〉의 편집위원회는 다음과 같다

직 책	이름 및 소속	이름 및 소속
편집위원	**김혜련**(한성대)	**안병삼**(삼육대)
	박우(한성대)	**예동근**(부경대)
	박준규(한양대)	**최서리**(이민정책연구원)
	배진숙(한국외대)	**허성태**(조선대)
	선봉규(전남대)	

12. 세종연구소 〈국가전략〉

〈**국가전략**〉(National Strategy)은 1995년에 창간했으며 연 4회(2.28, 5.30, 8.30, 11.30) 발간하고 있다. 통일 · 외교 · 안보 전략과 정책, 국가전략 수립을 위한 국제정세 분석, 주요 국가 연구 등의 주제로 공모한 논문을 게재한다. 2002년부터 2018년까지 등재학술지였고, 2019년 다시 등재학술지가 됐다.

〈**국가전략**〉 2021년 여름호(제27권 2호)의 내용은 다음과 같다.

☑ 인공지능을 활용한 미래 항공우주 지휘통제체계 발전방안 연구: 공역통제, 지휘결심지원, 사이버 보안 기능을 중심으로(김영수, 조관행)
☑ 핵전략의 내재적 딜레마와 북핵 대응전략의 선택(김정섭)
☑ 독재체제 안정화 경로와 북한의 가산제(家産制) 권력집중 전략(김진하)
☑ INF 조약과 한반도 군비통제: 조약체결의 성공 요인과 한반도에의 함의(박철균)
☑ 국제안보 차원의 데이터 주권 논의의 이중성과 시사점(유준구)
☑ 트럼프 행정부의 북핵외교 평가와 바이든 행정부의 북핵협상 과제(전봉근)
☑ 동북아플러스 책임공동체 형성의 한계와 가능성: 신북방정책을 중심으로(최영미)

〈**국가전략**〉 2021년 봄호(제27권 1호)의 내용은 다음과 같다.

☑ 소 · 중 · 대 혼합선거구제의 비례성과 정당 규모별 공천 전략: 일본 도쿄도의회 의원선거를 중심으로(경제희)
☑ 코로나 19 사태와 정부신뢰(김태심, 조영호)
☑ 남북교류협력 변화 추이 및 영향요인: 대북 제재 · 코로나 19 중심으로(박성열)
☑ 나토 "핵공유(nuclear sharing)" 체제의 현황과 동북아시아 도입에 관한 시론적 분석(박휘락)
☑ 국가안보전략과 전시작전통제권 전환 정책 변화: 노무현, 이명박, 박근혜 정부의 비교연구(이소연, 황지환)
☑ 텍스트 마이닝을 통한 김정은 시대 경제정책 분석(이해정, 신훈식, 이혜진)

텍스트 마이닝 (text mining)
텍스트 데이터에서 가치와 의미가 있는 정보를 찾아내는 기법. 많은 정보가 온라인 뉴스 기사, 기술문서, 도서, 전자 우편(이메일) 메시지, 마이크로 블로그(micro-blog), 소셜 네트워킹 서비스(SNS) 및 웹페이지와 같은 텍스트 형식으로 저장된다. 이렇게 공개된 다양하고 풍부한 텍스트 정보에서 특정 주제와 관련한 부분을 뽑아 의미를 분석하고 사회 현상이나 여론의 경향 등 고품질의 정보를 도출하기 위해 텍스트 마이닝 기법을 활용한다. (IT용어사전)

☑ 미국 예비선거과정 상 코커스 제도의 퇴조와 그 함의(임성호)

세종연구소는 〈**세종정책총서**〉와 〈**세종정책연구**〉도 발행하고 있다.

〈**세종정책총서**〉에 실렸던 일본 관련 논문은 다음과 같다.

☑ 일본의 외교정책(김성철 편, 2000)
☑ 한국과 일본이 금융개혁(진창수 편, 2001)
☑ 정치 엘리트 연구, 2002: 중국, 일본, 러시아를 중심으로(이면우 편, 2002)
☑ 일본형 복지사회 개혁(이면우 편, 2007)
☑ 일본 외교와 동북아(김성철, 2007)
☑ 동북아 영토분쟁과 일본의 외교정책(진창수 편, 2008)
☑ 동북아 영토분쟁과 일본의 외교정책(진창수, 2009)
☑ 일본 민주당 정권의 정책성향과 대외관계(이면우 편, 2010)
☑ 현대 일본 외교의 변용과 한일협력(이면우, 2011)
☑ 일본 보수주의 분석: 아베 재등장의 배경과 일본 정치의 향방(이면우, 2018)
☑ 일본 자민당의 위기대응 연구: 일본 보수주의 분석(II)(이면우, 2020)

〈**세종정책연구**〉에 실렸던 일본 관련 논문은 다음과 같다.

☑ 유엔안보리의 개혁과 일본외교(김성철, 2007)
☑ 일본의 동아시아 지역주의(진창수, 2007)
☑ 북핵문제와 일본의 안보정책: 북일관계와 6자회담의 전개(김성철, 2007)
☑ 일본의 에너지 자원 외교(김성철, 2007)
☑ 일본의 헌법개정 논의와 외교안보정책의 변화 - 집단적 자위권을 중심으로(김성철, 2008)
☑ 고이즈미 이후 일본의 동아시아 외교(김성철, 2009)
☑ 일본 민주당 정부의 외교안보정책: 원칙과 과제(김성철, 2010)
☑ 일본 민주당 정권 교체의 의미와 전망(진창수, 2010)
☑ 일본은 왜 과거사를 반성하지 않는가: 독일과의 역사비교연구(강명세, 2010)
☑ 일본의 '동아시아공동체 구상': 전개, 쟁점 그리고 한국의 대응(진창수, 2011)
☑ 후진타오 시기 중국의 대일본정책(유현정, 2011)
☑ 중국 · 일본관계의 정치경제, 역사와 전망(김성철, 2011)

일본의 '동아시아공동체 구상'

진창수의 논문에서 말하는 '동아시아공동체 구상'은 하토야마 유키오(鳩山由紀夫) 총리가 '우애(友愛) 외교'를 키워드로 주장하기 시작해서, 2009년 11월 싱가포르 연설을 통해 비교적 구체적으로 밝힌 구상을 의미한다. 하토야마 총리는 '아시아에의 새로운 공약: 동아시아공동체구상 실현을 위해'라는 연설에서 5가지 분야의 협력을 주창했다. 5가지는 번영을 위한 협력, 녹색 아시아를 지키기 위한 협력, 생명을 지키기 위한 협력, '우애의 바다'를 만들기 위한 협력, 인적 교류를 위한 협력이다.

☑ 일본 국내정치가 한일관계에 미친 영향: 민주당 정권을 중심으로(진창수, 2011)
☑ 대지진이후 일본의 에너지 정책 변화: 원자력 발전의 정치적인 동학(진창수, 2013)
☑ 일본의 대북정책: 민주당 정권과 자민당 정권은 차이점이 있는가?(진창수, 2014)
☑ 일본 정계의 '우익'성향 강화와 동북아: 보수세력 확산의 배경과 의미, 그리고 대외적 파급효과에 대한 연구(이면우, 2014)

〈**국가전략**〉의 편집위원회는 다음과 같다.

직책	이름	소속	이름	소속
편집인	**우정엽**	세종연구소		
편집위원	**김기석**	강원대	**이면우**	세종연구소
	김명섭	연세대	**이승근**	계명대
	김소영	한국과학기술원	**이철호**	부산대
	김치욱	울산대	**조동준**	서울대
	민 기	제주대	**조정관**	전남대
	박경미	전북대		

13. 통일연구원 〈통일정책연구〉〈International Journal of Korean Unification Studies〉

KOREA-JAPAN

〈**통일정책연구**〉(Unification Policy Studies · UPS)는 1992년 창간했으며 6월 30일과 12월 31일 두 차례 발간하고 있다. 2007년 등재지가 됐다가 2021년 1월 등재후보지가 됐다.

2021년 6월에 발간한 30권 제1호(통권 59호)의 내용은 다음과 같다.

☑ 1954년 제네바 정치회담과 한반도 국제관계: 전후 분단체제의 형성(오정현)
☑ 북한의 사상과 인민대중제일주의 연구(김효은)
☑ 6자회담 실패에 대한 제도주의적 분석(이재준)

1954년 제네바 정치회담

1954년 4월 26일부터 6월 15일까지 스위스 제네바에서 남북한을 비롯해 미국, 소련, 중국 등 한국전쟁의 당사국들이 모두 참가한 회의이다. 1년 전에 맺은 정전협정에 따른 것이다. 이 회담은 정전을 일시적 전투 중지에서 항구적인 평화 체제로 전환하기 위한 회담이자, 남북한과 주변국이 한국의 통일문제를 처음이자 마지막으로 논의한 국제회의였다. 한국 정부는 1954년 5월에 유엔 감시하에 남북한 자유 선거를 치러 통일정부를 구성하자고 제안하면서 선거 전에 이북의 중국군 철수를 요구했다. 북한은 전쟁 당사자인 유엔을 배제하고 중립국감시위원회를 만들어 남북의 외국군을 모두 철수시킨 다음 선거를 통해 통일정부를 구성하자고 제안했다. 쌍방이 의견 차이를 좁히지 못함으로써 회담은 성과 없이 끝났다. (살아있는 한국 근현대사 교과서)

2020년 12월에 발간한 29권 제2호(통권 58호)의 내용은 다음과 같다.

☑ 김정은 시대의 인민반에 관한 연구(배영애)
☑ 한국의 대통령 지지도에 영향을 미치는 요인 분석: 북한 관련 이벤트 발생 요인을 중심으로(박지연 · 문소연 · 박태경 · 윤선민)
☑ 남북한 국가승인과 국가연합-공존형 통일방안의 실현가능성 모색(윤영상)
☑ 발트해 환경협력의 성공 요인: 탈국경적 인식공동체의 역할(고상두)

영문학술지 〈International Journal of Korean Unification Studies〉도 1992년에 창간했다. 1992년부터 2000년까지는 매년 1번씩 발간했으나, 2001년부터 2005년까지는 12월에 2호를 한꺼번에 발간하다가 2006년부터는 6월과 12월에 두 차례 발간하고 있다. 등재지이다.

2020년 6월에 발간한 29권 제1호(통권 49호)의 내용은 다음과 같다.

☑ Peace in Korea: A Way Forward (Leon V. Sigal)
☑ Beyond 70 Years of Armed Peace-Korea Peace Now (Yeonhee Sophie Kim)

☑ The Korean Peace System after the Korean War: International Factors and the Current Significance (Ihn-hwi Park)

☑ Socialization on a Second Track? European Track 1.5 Initiatives with North Korea (Eric J. Ballbach)

☑ When the Lights Went Out: Electricity in North Korea and Dependency on Moscow (Benjamin R. Young)

☑ India's Policy towards the North Korean Nuclear Weapons Program (Ranjit Kumar Dhawan)

☑ Joseonhakgyo, Learning under North Korean Leadership: Transitioning from 1970 to Present (Min Hye Cho)

☑ Toward a (Sub)-Regionalization of South Korea's Unification Policy-the Proposal of a Romantic Road for Gangwon Province (Bernhard Seliger, Hyun-Ah Choi)

☑ How will Changes in North Korean Legislation Affect Inter-Korean Exchanges and Cooperation? (Sunhye Moon)

☑ Shifting Soviet Attitudes towards Collective Security and Its Impact on the Korean War (David Alenga)

☑ Bridging the Divide Between Armistice and Peace Treaty: Using Just War Theory to End the Korean War (David S. Lee)

통일연구원은 매달 한차례 〈KINU한반도동향〉이라는 보고서도 내고 있다. 체제는 다음과 같다.

Ⅰ. 주요 정세	
Ⅱ. 주요국 연구동향	1. 한국
	2. 미국
	3. 중국
	4. 일본
	5. 러시아
Ⅲ. 북한 관련 동향	1. 북한 주요 일지
	2. 북한언론 주요 사설 및 논평

〈**통일정책연구**〉의 편집위원회는 다음과 같다.

직책		이름	소속
편집위원장		**이상신**	통일연구원 / 통일정책연구실장
편집위원	원내	**김갑식**	통일정책연구실 연구위원
		오경섭	북한연구실 연구위원
		이우태	인도협력연구실장
		최지영	북한연구실 연구위원
		장철운	통일정책연구실 부연구위원
	원외	**김영재**	청주대
		김재기	전남대
		이호철	인천대
		진희관	인제대
		김기석	강원대
		이종원	와세다대
		박수인	제주대
		박지연	전북대
		이정철	숭실대
		정영철	서강대

14. 한국국방연구원 〈국방정책연구〉〈The Korean Journal of Defense Analysis〉〈국방논단〉

KOREA-JAPAN

〈**국방정책연구**〉(The Quarterly Journal of Defense Policy Studies)는 1985년 창간해 연 4회 발간하고 있다(1, 4, 7, 10월의 15일). 국내 유일의 국방학술전문지로 2008년 등재학술지가 됐다. 논문은 한국국방연구원 연구진을 포함해 국내 전문가들의 자유기고와 청탁을 통해 받고 있다.

2021년 7월에 발간한 제37권 2호의 내용은 다음과 같다.

☑ 포괄안보 시대 한국의 해외파병 발전방안 연구(지효근)
☑ 보건안보 위협에 따른 군 대응방안 연구: 감염병을 중심으로(심윤섭, 박만수, 김병직, 박교식).
☑ 한국군의 부수적 피해 관리 발전 방안(김봉주)
☑ 한국형 RMF 체계구축을 위한 위험 우선순위 식별 방법론 제언(주예나, 김범수, 권혁진)
☑ 변혁적 리더십이 현역병의 직업군인 지원의사에 미치는 영향: 군 생활 만족의 매개효과를 중심으로(신다윗, 김영곤)
☑ 재난대응부대의 장비 · 물자 보유 실태 및 발전방향(김경곤, 최수빈, 손윤진)
☑ 군사용 소형위성 발사체 소요결정 방법론 연구: 미사일 추진체 활용을 중심으로(이현무, 박배선, 서원익, 강지수, 최기영)

2021년 4월에 발간한 37권 1호의 내용은 다음과 같다.

☑ 북한의 우주개발 위협 현황 분석과 한국군의 대응 방안에 대한 제언 연구(송근호)
☑ 미국과 중국의 우주 경쟁과 우주안보 딜레마(정헌주)
☑ 필리핀 두테르테 행정부의 방문군지위협정(VFA) 파기문제 연구(박광섭)
☑ 한국군 군사전략의 새로운 구상: 제한전쟁 개념 적용(류인석)
☑ 중국군 전략지원부대의 사이버전 능력이 한국에 주는 안보적 함의(박남태, 백승조)
☑ 군 장비의 창 정비와 성능개량 결정요소 실증분석(장준근)
☑ 실험계획법을 적용한 표적 유형별 탄약 효과분석 연구(김창규, 김익현, 이창원, 이용복,

RMF

미 국방부가 미군에 적용하고 있는 위험 관리 프레임워크(Risk Management Framework)를 말한다. RMF는 무기체계 소프트웨어 제품 개발부터 평가 및 유지관리에 이르기까지 제품 라이프 사이클 전반에 걸쳐 보안 보증 활동을 고려한 모델이다.

필리핀과 미국의 방문군지위협정(VFA)

필리핀과 미국의 안보협력 3대 축은 상호방위조약, 방문군지위협정, 방위협력확대협정이다. 방문군지위협정은 상호방위조약을 보완하는 것으로 '필리핀을 방문하는 미군의 지위에 관한 협정'을 의미한다. 미군에 대한 비자와 여권 정책 완화, 필리핀으로 수입한 미국의 장비 · 자재 · 물자 등에 대한 면세, 미군 항공기와 선박의 필리핀 자유 입항, 미군 범죄에 대한 관할권 등을 규정하고 있다. (박광섭 교수 논문 요약)

창 정비(廠整備)

정비 개념 중 최상위의 정비 단계. 대규모 정비 시설과 장비를 운영하며, 하위 정비 단계의 능력을 초과하는 완전 복구 및 재생 정비의 단계이다. 주로 군의 창에서 실시하나 지정된 민영 방산 업체가 담당하기도 한다. 주 작업은 상태 판단, 분해, 수리, 개조, 재생, 추려쓰기, 부품 제작, 기술 지원 등이다. (국방과학기술용어사전)

장봉익, 민승희)

☑ 주한미군기지 반환 후 개발에 따른 지역사회 변화(강소영, 이남석, 오승익)

〈The Korean Journal of Defense Analysis · KJDA〉은 1989년 창간했으며 3, 6, 9, 12월 네 차례 발간한다. 2003년 SSCI에 등재됐고, 현재 등재학술지를 유지하고 있다.

2020년 12월에 발행한 32권 제4호의 내용은 다음과 같다.

☑ Strengthening Multi-Domain Deterrence and Defense in the Asia-Pacific Region (Richard Weitz)

☑ U.S. Coercive Diplomacy toward Pyongyang: Obama vs. Trump (Seong-ho Sheen)

☑ Changes in U.S. Security and Defense Strategy toward China: Assessment and Policy Implications (Kijoo Kim)

☑ Whither North Korea? Competing Historical Analogies and the Lessons of the Soviet Case (Taesuh Cha)

☑ The Spurious Nuclear Learning: Why Nixon Used Nuclear Coercion during the Vietnam War (Myung Chul Kim)

☑ Trilateral Trade and Taking a Side Between the U.S. and China (Wonjae Hwang, Randy Willemain, and Sang-Hwan Lee)

☑ Sino-DPRK Relations and Chinese Perception toward North Korea's Nuclear Issue: Meta-Analysis on Chinese Literature since 2012 (Haofan Fang)

2020년 9월에 발행한 32권 제3호의 내용은 다음과 같다.

☑ Title Author Year Date Hits Trump Administration's Korean Nuclear Crisis Manage- ment and Prospects for Solution (Huizhi Zhang and Xiaotong Zhang)

☑ From Confrontation to Conflict between China and Taiwan: Major Challenges for Taiwan's Counter Strategy (Sukjoon Yoon and Junho Yun)

☑ The Impact of the Reinforced Sanctions on the North Korean Economy: Focused on the Ripple Effects from Trade Shock (Ji Young Choi)

☑ Analysis of the Positions Held by Countries on Legal Issues of Lethal Autonomous

Weapons Systems and Proper Domestic Policy Direction of South Korea (Sehoon Park)

☑ South Korea's Policy towards China's "Belt and Road Initiative": Implications for India (Ranjit Kumar Dhawan)

☑ Two-Level Game and Politics of the United States-North Korea Negotiation (Ihn-hwi Park)

☑ Framing Cyber Security in Taiwan: A Perspective of Discursive Knowledge Production (Hon-min Yau)

☑ Why Nuclear Non-proliferation Disputes Cannot Be Settled through Judicial or Adjudication Arrangements (Wenfu Mou)

〈**국방논단**〉은 1983년에 〈**주간국방**〉으로 시작했고, 〈**주간국방논단**〉을 거쳐 2018년 8월 1726호부터 〈**국방논단**〉으로 이름을 바꿨다. 매주 또는 격주로 발간한다. 국방 정책 결정자, 실무 종사자, 학자들에게 필요한 최신의 정보와 지식, 그리고 아이디어를 신속하게 전파하는 것이 발간 목적이다. 자유 기고가 원칙이다.

2011년 이후 〈**국방논단**〉에 실렸던 일본 관련 논문은 다음과 같다.

☑ 일본 방위계획 대강 개정과 함의(송화섭, 2011)

☑ 최근 국방예산 동향으로 본 일본 국방예산제도의 특징(안병성, 2011)

☑ 일본은 소위 '군사대국화'의 길로 나아가고자 하는가? – 최근 일본 '재무장' 논란과 우리의 대응방향(안보전략연구센터 일본연구, 2012)

☑ 아베 정권의 재등장과 일본의 우경화 가능성 전망(안보전략연구센터 일본연구, 2013)

☑ 일본의 독도 영유권 주장의 허구성 분석과 향후 대비방향(김수지, 고성윤, 2013)

☑ 최근 일본의 방위력 증강동향과 안보적 시사점(허성필, 2014)

☑ 중국과 일본의 항공모함 확보 현황 및 전망(허성필, 장진오, 2015)

☑ 일본 안보법제 개정 동향과 주요 논점(송화섭, 장혜진, 2015)

☑ 영국과 일본의 사례를 통한 우리 해군의 병력소요 충원 방안에 대한 제언(김푸름, 김종탁, 2016)

☑ 일본 방위계획 대강의 2018년 개정 배경과 주요 내용(조은일, 2019)

☑ 일본의 이지스 어쇼어 배치 철회, 배경과 전망(조은일, 2020)

☑ 대만해협 유사시 일본의 역할에 대한 일본 내 평가 및 논리 분석(장혜진, 2021)

이지스 어쇼어 (Aegis Ashore)
해상의 이지스 구축함에서 운용하는 레이다와 미사일 발사대 등의 미사일 요격 체계(이지스 BMD)를 지상에 적용한 것이다. 2018년 일본은 이를 도입하겠다고 밝혔다가 성능에 대한 의혹과 기술적 결함 등을 이유로 2020년 도입을 중단하겠다고 밝혀 관심을 끌었다.

15. 국가안보전략연구원 〈국가안보와 전략〉〈신안보연구〉〈The Journal of East Asian Affairs〉

〈국가안보와 전략〉(National Security and Strategy)은 2001년에 **〈국제문제연구〉**라는 이름으로 창간했고 2016년 봄호부터 **〈국가안보와 전략〉**으로 이름을 바꾸었다. 3월 31일, 6월 30일, 9월 30일, 12월 31일 매년 네 차례 발간하고 있다. 2011년부터 2018년까지 등재학술지였고, 2019년 다시 등재학술지가 됐다.

2021년 6월에 발간한 21권 2호(통권 82호)의 내용은 다음과 같다.

☑ 1960년대 유럽 3국의 선택과 한국의 '맞춤형 억제전략'(황일도)
☑ 국제금융기구의 '이행조건' 분석과 북한 개발협력 시사점(최창용, 문경연)
☑ 일본과 유럽의 '자유롭고 열린 인도태평양' 안보협력(이기태)
☑ EU의 사이버제한 조치에 대한 국제법적 평가와 한국의 사이버위협 대응(박주희)
☑ 북한의 '우리 국가제일주의'와 국기(國旗) 콘텐츠를 활용한 문화예술(전영선)

2021년 3월에 발간한 21권 1호(통권 81호)의 내용은 다음과 같다.

☑ 냉전과 신냉전 역학비교: 미·중 패권경쟁의 내재적 역학에 대한 고찰을 중심으로(반길주)
☑ 프랜차이즈 이론을 통해 본 알카에다와 ISIS의 확산전략 비교 연구(전창범, 석재왕)
☑ 동남아시아의 분절적 다자주의: 위기인가 기회인가?(배기현)
☑ 해외 정보기관들의 정보체계 개선 동향과 정책적 의미(허태회)
☑ DMZ 국제평화지대 추진방향 연구(정한범)
☑ 북한 김정은 시대 위기와 대응: '인간의 얼굴을 한 수령'과 '인민대중제일주의'의 소환·발전(김종수, 김상범)

이전에 나온 **〈국가안보와 전략〉**에 실린 일본 관련 논문은 다음과 같다.

☑ 2003년 가을호, 일본 정계개편의 방향과 한국의 대응 _ 정정숙(세종연구소)

☑ 2003년 겨울호, 일본의 유사법제 내용과 정책적 파급영향 _ 신경식(한서대)

☑ 2004년 봄호, 일본의 과거사문제 인식 평가와 외교적 대응방향 _ 조성렬(국제문제조사연구소)

☑ 2004년 가을호, 일본의 대북정책 전환과 한국의 정책과제 _ 신지호(서강대 겸임교수)

☑ 2004년 가을호, 일본의 안보체제 강화방향 및 대응방안 _ 박철희(서울대)

☑ 2005년 봄호, 주일미군의 재배치와 동북아 정세 변화 _ 최운도(연세대 동서문제연구원)

☑ 2005년 봄호, 한·일 역사주권 논쟁에 따른 대응방안 _ 송석원(경희대)

☑ 2005년 봄호, 중국과 일본의 대아세안 FTA 추진현황과 시사점 _ 정인교(인하대)

☑ 2006년 겨울호, 일본의 동아시아경제공동체 추진전략과 시사점 _ 박재욱(국제문제조사연구소)

☑ 2007년 겨울호, (특집 참여정부 5년 회고와 전망) 한·일관계의 회고와 전망 _ 송주명(한신대)

☑ 2007년 겨울호, 일본과 중국의 FTA정책 비교연구 _ 박재욱(국가안보전략연구소)

☑ 2008년 가을호, 최근 일본의 우주개발 확대 동향과 특징 고찰 _ 전완주(국가안보전략연구소)

☑ 2009년 봄호, 북일관계 변화의 특성과 전망 _ 정순원(일본 게이오대)

☑ 2009년 봄호, 일본 공공외교가 한국에 주는 함의: 일본국제교류기금과 일본국제협력기구를 중심으로 _ 정기웅·윤석상(한국외국어대·단국대)

☑ 2011년 봄호, EPA 전략과 동아시아공동체에 대한 일본의 시각 _ 강철구(배재대)

☑ 2011년 여름호, 2010년 9월 일·중간 센카쿠 열도 분쟁과 독도 _ 이명찬(동북아역사재단)

☑ 2011년 가을호, 일본의 지역안보전략과 한일군사협정: 동북아 안보공동체와의 상관성을 중심으로 _ 조재욱(경남대)

☑ 2011년 가을호, '東亞共同體'와 한중일 FTA _ 곽덕환(한남대)

☑ 2012년 여름호, 중국의 부상과 일본 안보전략의 변화 _ 신정화(동서대)

☑ 2012년 겨울호, 일본 FTA 정책의 변화 _ 송준헌(도쿄국제대)

☑ 2013년 겨울호, 일본 '무기수출 3원칙' 완화 과정의 배경과 전망 _ 정재욱(숙명여대)

☑ 2016년 가을호, 21세기 일본의 대외정보기구 창설 관련 논의동향과 그 함의 _ 이상현(한양대)

☑ 2016년 가을호, 호주와 일본의 대아세안 지원 협력 비교: 다자 효용성을 중심으로 _ 배기현(서강대 동아연구소)

☑ 2017년 봄호, 푸틴-아베 재집권(2012) 이후 러·일 관계변화 동인과 전략적 함의 _ 김

무기수출 3원칙

1967년 사토 에이사쿠(佐藤榮作) 총리가 만든 원칙으로 공산권 국가, UN결의로 무기수출을 금지한 국가, 국제분쟁의 당사국이나 분쟁이 발생할 우려가 있는 국가에는 무기를 수출하지 않는다는 것이다. 일본 정부는 47년 만인 2014년 이 원칙을 '방위장비 해외이전 3원칙'으로 바꾸면서 무기수출의 길을 넓혔다. 새로운 3원칙은 ▷분쟁 당사국과 유엔결의 위반국에는 수출하지 않고 ▷평화 공헌과 일본 안보에 기여하는 경우에 한해 수출하며 ▷수출 상대국에 의한 목적 외 사용 및 제3국 이전은 적정한 관리가 확보되는 경우에 한해 인정한다는 것이다.

정기(한양대)

☑ 2017년 봄호, 일본 사이버안보 전략의 변화: 사이버 안보의 전통 안보화와 전통 안보의 사이버 안보화 _ 이승주(중앙대)

☑ 2017년 가을호, 문재인 정부의 대일정책: 한국 외교의 '대전략'과 한일관계 _ 남기정(서울대)

☑ 2019년 봄호, 일본의 사이버안보 수행체계와 전략 _ 이상현(한양대)

〈**국가안보와 전략**〉의 편집위원회는 다음과 같다.

직 책	이름과 소속	이름과 소속
편집위원장	**채재병**(국가안보전략연구원)	
편집위원	**김일기**(국가안보전략연구원)	**손병권**(중앙대)
	유현정(국가안보전략연구원)	**정구연**(강원대)
	김영호(국방대)	**조동준**(서울대)
	문경연(전북대)	**조한승**(단국대)
	박원곤(한동대)	**한인택**(제주평화연구원)

〈The Journal of East Asian Affairs · JOEAA〉는 매년 봄 · 여름호, 가을 · 겨울호 두 차례 발간하고 있다.

2020년 가을 · 겨울호(Vol.33 No.1)의 내용은 다음과 같다.

☑ China Policy towards North Korea and the Nuclear Question (Miguel Santos Neves)

☑ North Korea's Nuclear Strategy and the Direction of WMD Development (Edward Kwon)

☑ Europe-North Korea Relations: Essentials of the European 'Smart Power' Focusing on Capacity Building (Sung-Jo Park)

☑ South Korean Economy and the Free Trade Agreement with China (Celal Bayari)

☑ Small is Beautiful: Environmental Cooperation and Peace on the Korean Peninsula (Bernhard Seliger)

☑ U.S. Strategy and Role in Cross-Strait Relations: Focusing on U.S.-Taiwan Relations

(Kwang Kyu Nam)

〈JOEAA〉의 편집장은 Su Seok Lee, 편집위원은 Sangkul Kim, S.J.D., Bora Park 이다.

〈신안보연구〉(The studies of New Security Challenges)는 1978년에 창간했고, 매년 6월 30일, 12월 30일에 두 차례 발간하고 있다.

2018년 겨울호(통권193호)의 내용은 다음과 같다.

☑ 기획주제: 평화시대의 신안보
☑ 북한의 에너지수급 및 환경 과제와 남북협력방안(정우진)
☑ 신안보 분야 남북협력 추진전략(김호홍 · 오일석)
☑ 연구논문: 우주공간의 탐사 및 이용에 있어서의 사이버 안보의 중요성(홍종현)
☑ 서평: 마이너리티 리포트 1, 우리 곁의 난민(한국의 난민 여성 이야기)(김도우)
☑ 연구동향: 「테러단체의 ICT 악용방지를 위한 아시아대화 제3차회의」 참석(박보라)

〈신안보연구〉에 실린 일본 관련 논문으로는 다음과 같은 것이 있다.

☑ 2006년 여름호, 공공사업에 대한 우리나라와 일본의 주민투표 적용사례 비교분석 _ 신은성(국제문제조사연구소)
☑ 2013년 가을호, 일본의 TPP 참여전략에 대한 비판적 접근과 제언: 동아시아 통합 논의의 관점을 중심으로 _ 조재욱(경남대)

국가안보전략연구원은 매년 **〈정세전망〉**도 발행하고 있다.
2021년 6월 30일까지의 정세를 반영한 〈2021하반기 정세포커스〉의 내용은 다음과 같다.

■ 총론
2021년 한반도를 둘러싼 환경 개관 - 지속성과 변화요인을 중심으로(박병광, 이상근)
■ Ⅰ. 한국을 둘러싼 대외 환경 변화 추세
한미관계: 심화되는 미중 전략경쟁, 강화된 한미관계(홍건식)

한중관계: '협력'과 '혐오'의 공존(양갑용)

한일관계: 투트랙과 원트랙 사이에서의 교착(김숙현)

한러관계: '한러 상호교류의 해' 성과 도출을 위한 양국의 묵묵한 발걸음(장세호)

한-유럽관계: 인도・태평양에서 군사・경제적 관여의 확대(조은정)

한-아세안관계: 협력 공간의 확장과 한국외교의 희망(유현정)

■ **Ⅱ. 남북관계 전망(최용환)**

■ **Ⅲ. 북한을 둘러싼 대내외 환경 변화와 정세 포커스**

북한정치: 장기집권체제의 구축, 성과창출을 위한 기강잡기(김일기)

북한경제: 삼중고가 만들어낸 회생과 퇴행의 갈림길(임수호)

북한군사: '군기' 확립 속에서 조용한 역할 증대(김보미)

북미관계: 대화하자는 미국, 머뭇거리는 북한(성기영)

북중관계: '사회주의 이념'을 앞세운 관계 긴밀화(양갑용)

북일관계: 돌파구 모색조차 어려운 북일관계(김숙현)

북러관계: 코로나19 위기에 따른 교류 여건 악화 속 친선관계 유지 도모(장세호)

■ **Ⅳ. 신안보환경 변화와 정세 포커스**

총론: 2021년 신안보환경 개관(권택광)

보건: 변이 바이러스 확산으로 인한 위기 지속(김경숙)

기후변화: 안보문제화된 기후변화: 협력과 갈등의 공존(김호홍)

식량: 높아질 세계 식량 시장 변동성(홍건식)

이민・테러: 테러, 공간과 컨텐츠의 확산(박보라)

사이버・신기술: 기술패권 경쟁 격화와 사이버공간의 진영화(오일석)

〈2020년 정세전망 보고서〉의 내용은 다음과 같다.

■ **북한**

개관: 축제와 위기의 공존, 우상화를 통한 체제결속(김일기)

정치: 체제기반 강화와 정치적 열의 제고(김인태)

군사: 인민군의 경제적 역할 강화와 군사력 과시의 갈림길(김보미)

경제: 추락하는 실물경제, 내연하는 경제위기(임수호)

대외: 고립과 대화의 기로에서 선 북한(이수석)

■ **비핵화와 남북관계**

개관: 낙관과 비관의 공존(안제노)

비핵화: '새로운 길'과 '새로운 해법'의 갈림길에 선 핵협상(최용환)

남북관계: 높았던 기대감, 꽉 막힌 통로(성기영)

■ 국제

개관: 갈등의 분출과 변화의 시작(이수형)

미국: 2020년 대선 전야, 트럼프의 수성전과 트럼프 흔들기(강인선)

중국: 미중 갈등 극복하고 '결정적 성과' 총력 투쟁(양갑용)

일본: '적극적 평화주의'와 '헌법 개정' 추진을 통한 강한 일본 만들기 매진(김숙현)

러시아: 크림 컨센서스 침식 속 체제안정 유지와 열악한 대외 환경 속 영향력 확대 모색 (장세호)

유럽: 유럽주의의 강화와 독자적 외연의 확대(조은정)

아세안: 아세안 중심성 강화와 지속가능한 개발(유현정)

■ 신안보

개관: 지구촌 신안보 위협의 다변화, 협력 필요성 증대(김호홍)

사이버: 사이버 공격에 대한 억지와 책임 강화(오일석)

테러: ISIS 이후, 폭력적 극단주의 확산에 따른 테러 위협의 다양화와 테러목적의 ICT 악용문제(박보라)

이민 · 난민: 불법이민과 난민으로 인한 국제분쟁(한승완)

국가안보전략연구원은 매주 〈INSS Global Focus Weekly〉를 발간한다. 이 주간지는 주요국의 주간 현황 및 쟁점 등을 요약해 소개하고 있다.

국가안보전략연구원은 북한 〈로동신문〉 사설을 분석해 두 달에 한 번씩 〈북한『로동신문』 사설 분석〉이라는 보고서도 내고 있다.

16. 국방대학교 안보문제연구소 〈국방연구〉 〈The Korean Journal Security Affairs(KJSA)〉

〈**국방연구**〉(Journal of National Defence Studies · JNDS)는 매년 3, 6, 9, 12월 네 차례 발간한다. 2008년 등재학술지가 됐다.

2021년 6월에 발간한 64권 제2호의 내용은 다음과 같다.

☑ 우주전장시대 해군력 발전방향(배학영)

☑ 독일 국방감독관 제도의 운영실태와 그 함의: 국방감독관 연례 보고서 분석을 중심으로(김태산)

☑ 국방문민화의 본질에 관한 소고: 문민통제 vs 국방의 효율성(전제국)

☑ 하이브리드 전쟁(Hybrid war)으로 살펴본 제2차 나고르노-카르바흐(Nagorno-Karabakh) 전쟁(신성균, 반기현)

〈**국방연구**〉에 실린 그 밖의 일본 관련 논문은 다음과 같다.

☑ 국제 핵질서와 일본의 군축 및 비확산 정책(박영준, 2009년 12월)

☑ 탈냉전기의 한일관계의 구조전환과 상호의존(손기섭, 2010년 9월)

☑ 일본의 안보형사법제에 대한 검토(김현우, 2012년 3월)

☑ 미일안보협력 강화와 일본의 안보정책(김준섭, 2013년 12월)

☑ 일본의 집단적 자위권: 개념, 해석 그리고 헌법개정(최운도, 2013년 12월)

☑ 탈냉전 이후 일본 방위산업의 발전전략에 관한 연구(김진기, 2013년 12월)

☑ 한일 전투기 획득 유형 비교 연구(최종건, 표승진, 2013년 12월)

☑ 일본의 국가안전보장회의(NSC) 강화와 한국에 대한 시사점(전권천, 2014년 6월)

☑ 중국과 일본의 항공우주정보력 변화 연구(최종건, 고경윤, 2015년 3월)

☑ 일본 아베 정부의 미일동맹 정책과 지구본 외교: "국제협조주의"와 "전략적 자율성"의 사이(박영준, 2018년 9월)

☑ '보통국가' 일본의 군사적 함의: 집단적 자위권, 적 기지 공격론을 중심으로(김재엽, 2019년 6월)

지구본 외교

아베 신조 일본 총리가 '지구본을 부감하는 외교'라고 한 데서 나온 말이다. 일본이 아시아를 넘어 세계적인 문제나 분쟁 등에 적극적으로 참여하겠다는 의미이다.

〈**국방연구**〉의 편집위원회는 다음과 같다.

직 책	이름과 소속	이름과 소속
편집위원장	국방대 총장	
편집위원	**기광서**(조선대)	**윤광일**(숙명여대)
	김기석(강원대)	**이근욱**(서강대)
	김성진(덕성여대)	**이동민**(단국대)
	김용현(동국대)	**차창훈**(부산대)
	김학성(충남대)	**최아진**(연세대)
	안경모(국방대)	**최준영**(인하대)
	양기호(성공회대)	
편집간사	**장광열**(안보문제연구소)	

〈**The Korean Journal Security Affairs · KJSA**〉는 6과 12월 연 2회 발간하는 영문학술지이다. 2003년부터 2017년까지 등재학술지였고, 2018년 다시 등재학술지가 됐다.

논문 제목에 'Japan'이 들어간 논문은 다음과 같다.

☑ The Struggle for Possession of the Symbolic Islands: The Dynamic Interaction of Nationalism and Power Politics in East Asia (Tae-hyung Kim, 2012년 12월)

☑ The Escort Mission against Somali Piracy in the Gulf of Aden and Possible Trilateral Naval Cooperation among South Korea, China, and Japan (Young-Dahl Oh, 2013년 6월)

☑ Japan's Reinterpretation of Its Right to Collective Self-Defense in the East Asian Power Transition (Manhee Lee, 2015년 12월)

☑ Japan's Alliance Dilemma and Self-Reliant Way in Trump's Isolationism (Man-Hee Lee, 2017년 6월)

☑ Synchronizing Two Asymmetrical Deals: The Panmunjeom Declaration and the US-DPRK Joint Statement from Japan's Perspective (Hideya Kurata, 2018년 12월)

☑ Characterizing Japan's Current Diplomacy under Abe (Eunjung Lim, 2019년 12월)

17. 아산정책연구원 〈이슈브리프〉〈리포트〉

KOREA-JAPAN

아산정책연구원이 정기적으로 발행하는 학술지는 없다. **〈이슈브리프〉**(Issue Brief)와 **〈리포트〉**(Report)라는 이름으로 연구성과를 발표하고 있다.

〈이슈브리프〉 중 일본 관련 브리핑은 다음과 같다.

- ☑ 미일정상회담 평가 및 한국에의 시사점(최은미 연구위원, 2021년 5월 17일, 영상)
- ☑ 미일정상회담 평가 및 한국에의 시사점(최은미 연구위원, 2021년 4월 27일)
- ☑ 후쿠시마 원전 오염수 방출과 대응(박지영 선임연구위원, 2021년 2월 3일, 영상)
- ☑ 후쿠시마 원전 오염수 방출과 대응(박지영 선임연구위원, 임정희 연구원, 2021년 1월 18일)
- ☑ 최근 한일관계 동향과 향후 전망(최은미 연구위원, 2020년 11월 27일, 영상)
- ☑ 신(新)안보시대의 한국외교 - 동북아지역협력질서 구축을 위한 제언(최은미 부연구위원, 2020년 8월 28일)
- ☑ 아베 총리의 「시정방침연설」을 통해 본 일본의 對한국외교 방침과 2020년 한일관계 전망(최은미 부연구위원, 2020년 2월 13일)

〈리포트〉 중 일본 관련 리포트는 다음과 같다.

- ☑ 스가(菅義偉) 내각 출범을 통해 본 일본의 정치변동과 향후 전망(최은미 연구위원, 2021년 2월 5일)
- ☑ 한일관계와 국제법 - 한일청구권협정의 해석 차이를 해결하기 위한 방법 모색(이기범 연구위원, 2019년 11월 29일)

18. 동아시아연구원 〈Journal of East Asian Studies · JEAS〉

KOREA-JAPAN

〈Journal of East Asian Studies · JEAS〉는 2001년 창간한 영문학술지로 매년 3, 7, 11월 3차례 발간한다. 2007년 등재학술지가 됐고, 2023년 해외DB학술지 평가 대상이다. 이 학술지는 동아시아 연구가 '지역' 차원이 아니라 '국가' 단위에서만 이뤄지고 있다는 문제의식에서 출발했다. 즉 한국을 연구하는 '한국학', 중국을 공부하는 '중국학', 일본을 이해하려는 '일본학' 등 개별 국가를 중시하는 소단위 연구를 뛰어넘어 역내 국가들의 특수성과 보편성을 함께 살펴보겠다는 것이다. JEAS는 2016년부터는 캠브리지대 출판사에서 발행하고 있다.

2021년 7월에 발간한 Vol.21 No.1의 내용은 다음과 같다.

ARTICLES

☑ Ethnic and Religious Sentiments in Indonesian Politics: Evidence from the 2017 Jakarta Gubernatorial Election (Nathanael Gratias Sumaktoyo)

☑ Opposition Repertoires under Authoritarian Rule: Vietnam's 2016 Self-Nomination Movement (Nhu Truong)

☑ Is Trading with China Different? Self-interest, National Pride, and Trade Preferences (Wei-Ting Yen, Kristine Kay, Fang-Yu Chen)

☑ Does Money Buy Friends? Evidence from China's Belt and Road Initiative (Yuleng Zeng)

☑ Embedded and Autonomous Markets in North Korea's Fishing Industry: Resource Scarcity, Monitoring Costs, and Evolving Institutions (Peter Ward, Andrei Lankov, Jiyoung Kim)

☑ Leviathan for Sale: Maritime Police Privatization, Bureaucratic Corruption, and the Sewol Disaster (Kyong Jun Choi, Jonson N. Porteux)

☑ Why Divide Migrants by Their Types?: Contacts and Perceptions of Migrants in Japan (Yujin Woo)

2021년 2월에 발행한 Vol.20 No.3의 내용은 다음과 같다.

☑ Strong Fans, Weak Campaigns: Social Media and Duterte in the 2016 Philippine Election (Aim Sinpeng, Dimitar Gueorguiev, and Aries A. Arugay)

☑ The Long-Term Impact of Social Movements and Repression on Democratic Attitudes (Scott Desposato and Gang Wang)

☑ De-Thaksinizing Thailand: The Limits of Institutional Design (Teri L. Caraway)

☑ Liberal Taiwan Versus Illiberal South Korea: The Divergent Paths of Election Campaign Regulation (Jong-sung You, Jiun-Da Lin)

☑ American Diplomacy and Export-Oriented Industrialization on Taiwan (James Lee)

☑ Missile Defenses and Strategic Stability in Asia: Evidence from Simulations (Jaganath Sankaran)

〈JEAS〉의 총괄 주간은 Stephan Haggard(University of California, San Diego), 서평주간은 Yves Tiberghien(University of British Columbia), 운영주간은 서주원(동아시아연구원) 씨가 맡고 있다.

19. 제주평화연구원 〈Jeju Forum Journal〉 〈Jeju, Island of World Peace〉

KOREA-JAPAN

두 잡지 모두 영문으로 발행한다.
〈Jeju Forum Journal〉은 2020년에 처음으로 발행했으며 'After COVID-19'를 특집으로 다뤘다.

〈Jeju, Island of World Peace〉는 매달 발행하는데 한 사람의 글만 싣는다.

20. 동아시아재단 〈Global Asia〉

KOREA-JAPAN

Global Asia Volume4, Number1, Spring 2009
2009년 봄에 출간한 제4권 1호는 일본을 대주제로 다루었다.

〈Global Asia〉는 2006년 창간해 1년에 4차례 발행하는 영문계간지이다. 아시아의 관점에서 국제적 이슈와 아시아의 현안을 세계로 전파하겠다는 목적을 가지고 있다. 미국외교협회에서 발간하는 포린 어페어스(Foreign Affairs)나 카네기평화재단이 발행하는 포린 폴리시(Foreign Policy)의 아시아판으로 볼 수 있다. 인쇄판, 태블릿, 온라인 버전으로 발행하며, 온라인 버전은 글로벌아시아 홈페이지(https://www.globalasia.org)에서 확인할 수 있다. 동아시아와 관련한 다양한 주제를 다루는 만큼 일본을 주제로 한 논문도 자주 게재한다.

다음은 〈Global Asia〉에 수록했던 일본 주제의 논문 목록이다. 글로벌아시아 홈페이지(https://www.globalasia.org)에서 전문을 확인할 수 있다.

일본 관련 논문

권호수	저 자	제 목
Vol.2 No.1 (2007년)	Masaru Tamamoto	Japan's Politics of Cultural Shame
Vol.3 No.4 (2008년)	Yuko Kawamoto	Japan's Economic Woes: It's About Politics
Vol.4 No.1 (2009년)	Margarita Estevez-Abe	Voters(Finally) in Comman: The Changing Japanese Welfare State
Vol.4 No.1	Sawako Shirahase	Age, Change and Poverty: Coping with Social Transformation
Vol.4 No.1	Sota Kato	Caught Between Two Worlds: Political Change in Japan
Vol.4 No.1	Paul Sheard	Japan and the Global Financial Crisis

권호수	저 자	제 목
Vol.4 No.1	Heizo Takenaka	Activism Tempered by Reason: Lessons from Tokyo
Vol.4 No.1	Takako Hikotani	Japan's Changing Civil-Military Relations: From Containmentto Re-engagement?
Vol.4 No.1	Richard J. Samuels	Wing Walking: The US-Japan Alliance
Vol.4 No.1	Hitoshi Tanaka	A New Leadership Role for Japan
Vol.4 No.1	Gerald L. Curtis	Reinventing Japan: A Note From the Guest Editor
Vol.4 No.2	Mikyoung Kim	Waiting for Japan's Barack Obama
Vol.4 No.4	Cheol Hee Park	Bloodless Revolution: How the DPJ's Win Will Change Japan
Vol.4 No.4	Peter Van Ness	Japan, the Indispensable Power in Northeast Asia
Vol.5 No.1 (2010년)	Jeff Kingston	Toyota's Fall from Grace, Japan's Moment of Truth
Vol.5 No.1	Ulrike Schaede	Choose and Focus: Japan's New Strengths
Vol.5 No.2	Kazuhiko Toyama	The Real Story of The Problems at Japan Airlines
Vol.5 No.3	Ming Hwa Ting	New Spice Wars: China, the US and Japan Compete For Rare Metals
Vol.5 No.3	Mikyoung Kim	Obamajority or Realpolitik? Japan's Nuclear Double Standards
Vol.5 No.3	Ban Ki-moon	The Atomic Bomb's Legacy
Vol.5 No.3	Mika Shimizu	Managing Global Health Disaster Risks in Asia: Lessons from the H1N1 Case in Japan
Vol.5 No.4	Asger Røjle Christensen	Cool Japan, Soft Power
Vol.7 No.1 (2012년)	Daniel P. Aldrich	Future Fission: Why Japan Won't Abandon Nuclear Power
Vol.7 No.1	Peter Hayes	Nuclear Safety and Security After 3/11
Vol.7 No.2	J. Berkshire Miller	It's Time for a 'Grand Bargain' Between Japan and Russia
Vol.7 No.2	Mel Gurtov	A 'Village' Undaunted: The Making of Japan's Fourth Disaster
Vol.7 No.3	Kazuo Ogoura	From Ikebana to Manga And Beyond: Japan's

권호수	저 자	제 목
		Cultural and Public Diplomacy Is Evolving
Vol.7 No.3	Mikyoung Kim	A War of Memories: Dissecting The Dokdo/Takeshima Dispute
Vol.7 No.4	Noboru Yamaguchi	Facilitating the US Pivot: A Japanese Perspective
Vol.7 No.4	Asger Røjle Christensen	Japan: Abducted by Its Abductions Saga
Vol.8 No.1 (2013년)	J. Berkshire Miller	Japan's Adjustment to New Geopolitical Realities in East Asia
Vol.8 No.1	Andy Yee	When Will Japan Tap Its Internet Potential?
Vol.8 No.1	Jennifer Lind	Beware the Tomb of the Known Soldier
Vol.8 No.2	Gongpil Choi	Japan's Dangerous Gamble: 'Abenomics' and Its Implications
Vol.8 No.2	Cheol Hee Park	The Double Life of Shinzo Abe
Vol.8 No.3	Yoshihide Soeya	A View from the Inside on Japan's Perpetual Trust Gap
Vol.8 No.4	Aki Tonami	Arctic Newcomers: The View from Japan, South Korea and Singapore
Vol.8 No.4	J. Berkshire Miller	Still Frosty After All These Years: Politics Cast a Chill Over Japan-South Korea Relations
Vol.8 No.4	Yuichi Hosoya	Japan's Plans for Collective Self-Defense Will Contribute to Peace
Vol.8 No.4	Gui Yongtao	Abe's Push Toward Collective Self-Defense Is Alarming
Vol.9 No.1 (2014년)	Mel Gurtov	Rotting at the Core: Why There Is No End to Japan's Nuclear Crisis
Vol.9 No.1	Kay Kitazawa	Bungled Crisis Management: Fukushima's Painful Lessons
Vol.9 No.1	Ayumi	A Letter from Fukushima
Vol.9 No.2	J. Berkshire Miller	Loud for Their Size: Japan's Right Wing and Social Media
Vol.9 No.2	Shin Mizukoshi	Is Japan the 'Galapagos Islands' of Social Media?
Vol.9 No.3	Thomas Fingar	China's Rise, Japan's Quest and South Korea-US Co-operation

권호수	저 자	제 목
Vol.9 No.3	Takashi Inoguchi	The Rise of 'Abegeopolitics': Japan's New Engagement with the World
Vol.9 No.4	David McNeill	Blowing Up Japan's Economy to Save it: Abenomics Two Years On
Vol.10 No.1 (2015년)	Warren A. Stanislaus	Seeking an Independent Voice: Japanese Think Tanks
Vol.10 No.2	Alexis Dudden	Straight out of Orwell? History Teaching in Japan Today
Vol.10 No.2	J. Berkshire Miller	Abe's Washington Visit Shows US-Japan Relationship Evolving
Vol.10 No.2	Takehiko Kariya	Japan's Faltering Universities Face Challenging Times
Vol.10 No.3	Tsuneo Akaha	'Comfort Women': A Lasting Barrier to Japan-South Korea Reconciliation
Vol.10 No.3	Elbridge Colby	Terrible, But Justified
Vol.10 No.3	Peter Hayes	Hiroshima and Nagasaki: There Were Other Choices
Vol.10 No.4	Kent E. Calder	Asian Public Diplomacy in the US: China, Japan and South Korea
Vol.11 No.2 (2016년)	Toshiaki Tachibanaki	Achieving Both Efficiency and Equity in Japan
Vol.11 No.3	Tsuneo Akaha, Anna Vassilieva	Putin's Russia and Today's Japan: Attitudes and Challenges
Vol.11 No.3	J. Berkshire Miller	Abe's Difficult Road to Constitutional Change in Japan
Vol.12 No.1 (2017년)	Daniel Bob	A US Perspective: Japan and South Korea Grapple with Trump's Foreign-Policy Uncertainty
Vol.12 No.1	Yuichi Hosoya	A Japanese Perspective: The Korean Public and Limits of Trilateral Co-operation
Vol.12 No.1	Kazuhiko Togo	A Japanese Perspective: US Example Might Help Japan Confront History
Vol.12 No.1	Akihiko Tanaka	A Japanese Perspective: Rules Matter Over Geopolitical Risks
Vol.12 No.1	Stephan Haggard	US-Japan-Korea Co-operation: Where Next?

권호수	저 자	제 목
Vol.12 No.2	Titli Basu	Contest for Influence: Japan's Agenda in Southeast Asia
Vol.12 No.4	J. Berkshire Miller	Signs are Positive, but China and Japan Aren't Yet Ready for Détente
Vol.12 No.4	Sugio Takahashi	How Japan Can Manage the US Alliance at a Critical Juncture
Vol.13 No.1 (2018년)	Noboru Yamaguchi	Changing Threat Perceptions and Japan's Evolving National Security Policy
Vol.13 No.2	Yorizumi Watanabe	Tariff Wars and the TPP: The Japan-US Trade Face-off under Trump
Vol.13 No.3	Ellis Krauss	Abe's More Assertive Japan: Will He Defy Expectations Again?
Vol.13 No.3	Zhang Muhui	Fraught but Promising: The China-Japan-South Korea Trilateral Summit
Vol.13 No.4	Rupakjyoti Borah	Why Tokyo and New Delhi Are Reaching Out to Beijing and Vice Versa
Vol.13 No.4	Ellis Krauss	Sound and Fury: Does Abe's Constitutional Revision Really Matter?
Vol.13 No.4	Yoshihide Soeya	Can Abe Get Japan Back on the Korea Bus?
Vol.14 No.1 (2019년)	J. Berkshire Miller	Japan's Changing Vision of a Free and Open Indo-Pacific
Vol.14 No.1	Christopher W. Hughes	From Abe to Outer Space, Can Japan's Military Techno- Nationalism Survive?
Vol.14 No.3	J. Berkshire Miller	Japan's 5G Challenge: Strategic Ambiguity
Vol.15 No.1 (2020년)	Titli Basu	US-Japan-India: Risks and Rewards In the Indo-Pacific
Vol.15 No.3	Kazuto Suzuki	Japan's Enigmatic Covid-19 Response
Vol.15 No.4	Ellis Krauss, Brad Glosserman	Japan's New Prime Minister: Reform or Return to Past Form?
Vol.16 No.1 (2021년)	Yuichi Hosoya	Helping the US Lead Again: Japan's Vision of a Free and Open Indo-Pacific
Vol.16. No.2	J. Berkshire Miller	Anchoring the US-Japan Alliance in the Suga-Biden Era

〈Global Asia〉의 편집위원회는 다음과 같다.

직 책	이 름
Publisher	Sung-Hwan Kim
Editor-in-Chief	Chung-in Moon
Managing Editor	David Plott
Associate Managing Editor	John Delury
Regional Editors	John Nilsson-Wright, Park Cheol Hee, Satu Limaye, Wang Yong
Book Review Editors	Taehwan Kim
Editorial Board	Arne Westad, Barry Eichengreen, Choong Yong Ahn, G. John Ikenberry, Mohamed Jawhar Hassan, Nayan Chanda. Nodari Simoniam, Peter Hayes, Stein Tønnesson, Wang Jisi, W. Lee Howell, Wonhyuk Lim, Yoichi Funabashi, Yoshihide Soeya
International Advisory Board	Gareth Evans, Lee Hong-koo, N.K. Singh, Yoriko Kawaguchi

21. 한국국가전략연구원 〈국가안보전략〉〈한국국가전략〉

〈**국가안보전략**〉은 2001년 창간해 매년 3, 6, 9, 12월에 발간하며 2021년 등재학술지가 됐다.

2021년 6월호의 내용은 다음과 같다.

☑ 현충원과 알링턴 _ 원태재(한국국가전략연구원 수석연구위원)

☑ 중국의 초한전(超限戰)과 한국의 안보 _ 이지용(계명대 교수)

☑ 오바마-트럼프-바이든 행정부의 대북정책 비교 분석 _ 송승종(대전대 교수)

☑ 북한은 대남 적대적 행위를 즉각 중단하라! (KRINS 논평/칼럼)

☑ 바이든 표 대북정책 분석과 실효성 제고 방안 _ 조한범(통일연구원 선임연구위원)

☑ 군집위성과 케슬러 증후군 _ 신영순(한국국가전략연구원 전력개발센터장)

☑ KF-21보라매 이어 국산 군용수송기 개발 서두르는 한국항공우주산업 _ 김대영(한국국가전략연구원 연구위원)

☑ 5 · 12 한미정상회담 개최 의의 및 평가 _ 이인배(협력안보연구원장)

다음은 〈**국가안보전략**〉에 실린 일본 관련 논문이다.

☑ 최근 일본의 우주개발 확대 동향과 특징 고찰(전완주, 2008년 9월)

☑ 북일관계 변화의 특성과 전망(정순원, 2009년 3월)

☑ 하토야마 정권의 대외정책과 한일관계 전망(송석원, 2009년 12월)

☑ 북한 미사일문제에 대한 일본의 관점 - 노동1호, 대포동1 · 2호, 광명성2호 발사에 대한 반응과 조치(박홍영, 2011년 6월)

☑ 일본 공공외교가 한국에 주는 함의: 일본국제교류기금과 일본 국제협력기구를 중심으로(정기웅, 윤석상, 2009년 3월)

☑ 북한 미사일문제에 대한 일본의 관점 - 노동1호, 대포동1 · 2호, 광명성2호 발사에 대한 반응과 조치(박홍영, 2011년 6월)

☑ 2010년 9월 일 · 중간 센카쿠 열도 분쟁과 독도(이명찬, 2011년 6월)

초한전(超限戰)

'한계를 뛰어넘는 전쟁'이라는 뜻으로, 1999년 중국 공군대령 차오량(喬良 · 현 공군소장 겸 국방대학 교수)과 왕샹수이(王湘穗 · 현 북경항공항천대학 교수)가 공동집필한 책이다. '중국과 같은 나라가 한계를 뛰어넘어 어떻게 기술적으로 우수한 상대(예, 미국)를 이길 수 있는가'를 연구한 책이다. 출간 2년 뒤의 9 · 11테러를 정확히 예견해 화제를 불렀다. 미국에서는 '미국 파괴를 위한 중국의 마스터플랜'이란 부제로 해적판을 출간할 정도로 관심을 보였으며 미 해군대학 교재로도 사용했다. 한국에서는 2021년 3월에 번역출판됐다.

케슬러 증후군

인공위성 등 우주 쓰레기에 맞아 파괴된 위성에서 파편이 발생해 또 다른 위성을 위협하는 연쇄폭발의 악순환을 이르는 용어. 1978년 미국항공우주국(NASA)의 과학자 도널드 케슬러가 논문을 통해 주장했다. 지구궤도상의 우주 쓰레기 규모가 일정 수준에 이르게 되면 인공위성이 서로 연쇄적으로 부딪히면서 파편이 기하급수적으로 늘고, 이로 인해 위성이 연달아 파괴된다는 것이다. (시사상식사전)

☑ 일본의 지역안보전략과 한일군사협정: 동북아 안보공동체와의 상관성을 중심으로(조재욱, 2011년 9월)
☑ 중국의 부상과 일본 안보전략의 변화(신정화, 2012년 6월)
☑ 일본 FTA 정책의 변화(송준헌, 2012년 12월)
☑ 일본 '무기수출 3원칙' 완화 과정의 배경과 전망(정재욱, 2013년 12월)
☑ 한미동맹과 미일동맹의 실태 비교: 동맹 구성요소를 중심으로(박휘락, 2015년 9월)
☑ 호주와 일본의 대 아세안 지원 협력 비교: 다자 효용성을 중심으로(배기현, 2016년 9월)
☑ 21세기 일본의 대외정보기구 창설 관련 논의동향과 그 함의(이상현, 2016년 9월)
☑ 일본 사이버안보 전략의 변화: 사이버 안보의 전통 안보화와 전통 안보의 사이버 안보화(이승주, 2017년 3월)
☑ 아베 정부의 글로벌 외교: 국제공헌 확대 외교의 모순성(이기태, 2018년 3월)
☑ '인도-태평양' 구상: 배경과 현황, 그리고 함의(김재엽, 2018년 12월)
☑ 21세기 일본의 대중국 견제정책의 원인(김태중, 2019년 3월)
☑ 일본의 사이버안보 수행체계와 전략(이상현, 2019년 3월)
☑ 인도 · 태평양 지역 '해양상황인지' 현황과 '쿼드(Quad)'국가의 기여: 쟁점 및 전망(이정훈 · 박재적, 2020년 3월)
☑ 미국 트럼프 행정부의 「인도 · 태평양 전략」과 한국에 대한 시사점(이인호, 2020년 12월)

〈**국가안보전략**〉의 편집위원회는 다음과 같다.

직 책	이 름
편집장	**문성묵**
편집부장	**백승훈**
편집위원	**김경덕, 김대영, 김복수, 김성걸, 김왕구, 김정기, 김창수, 류제승, 박남수, 박진호, 박창희, 송승종, 신성환, 신영순, 원태재, 윤지원, 이근욱, 이호령, 전경만, 한주성**
자료수집	**이상규, 강우진, 임미향**

〈한국국가전략〉(KRINS QUARTERLY)은 2016년에 창간해 매년 3. 7, 11월 세 차례 발간한다. 2020년 등재학술지가 됐다.

2021년 3월에 발간한 제6권 1호의 내용은 다음과 같다.

☑ 특집: 바이든 행정부 출범 계기, 미국의 동아시아 정책과 한미동맹의 진취적 접근전략
☑ 국내정책, 외교정책, 그리고 안보전략: 바이든은 어디를 향해 가고 있고, 어디로 가야 하는가? _ 마이클 오핸런(브루킹스연구소 선임연구원)
☑ 바이든 행정부의 동아시아 외교정책 _ 패트리샤 킴(우드로우윌슨센터 글로벌펠로우)
☑ 지정학적 환상을 넘어선 한미동맹의 동기화 전략 _ 박철희(서울대 국제대학원 교수)
☑ 비핵화에 저항하는 북한이라는 도전: 바이든 행정부를 위한 제언 _ 브루스 클링너(헤리티지재단 선임연구원)
☑ 북핵 위협에 대응하기 위한 한미의 억제정책 방향 _ 신범철(한국국가전략연구원 외교안보센터장)
☑ 가장 힘든 한 해: 북한은 현재의 고난에서 살아남을 것인가? _ 에반스 리비어(브루킹스연구소 선임연구원)

양면게임이론 (Two-Level Theory)
국제정치를 국내정치 상황과 함께 고려해야 한다는 국제정치이론. 국제정치학자 퍼트남(R. Putnam)이 주창한 이론으로, 냉전 종식 이후 시민들이 국가차원의 안보문제보다 경제문제 등 개인차원 문제의 정책결정에 적극적으로 참여하면서 빚어진 현상이다. 1면 게임은 국가 대 국가의 게임이고, 2면 게임은 국가와 국내 이익집단간의 게임인데 국가 대 국가의 게임 결과는 국내 이익집단의 '비준'을 받아야 하므로 2면 게임이 1면 게임에 영향을 주게 된다는 것이다. 한국 정부가 일본 정부와 위안부 문제에 대해 합의를 했으나 국민의 반대로 파기를 하거나, 미국 정부와 쇠고기 합의를 했으나 광우병 파동으로 수정을 요구한 사례가 대표적이다.

기획연구

☑ 러시아의 對한반도 정책과 함의: 지정학적 안보환경과 수단 _ 강정일(육군 교육사령부)
☑ 중국의 '초한전(超限戰)' 전략과 실제: 해외통전 전개 사례를 중심으로 _ 이지용(계명대 조교수)

2020년 11월에 발간한 제5권 3호의 내용은 다음과 같다.

☑ 김정은 체제의 실상과 우리의 전략적 접근(류제승 · 한국국가전략연구원)
☑ 제한 · 국지전쟁에서 우위확보를 위한 군 구조 발전방향(안광수 · 한국국방연구원)
☑ 주변국의 해양안보역량 강화에 따른 대비방향(정안호 · 독립연구자)
☑ 유엔사의 과거와 미래의 충돌: 평화공헌론과 주권위축론의 마찰과 윈윈(win-win)전략 모색(반길주 · 한국해양전략연구소)
☑ 양면게임이론을 통해 본 한국의 대미협상전략: 방위비 분담금 협상을 중심으로(박민형 · 독립연구자)
☑ 국가재난 위기시 군(軍) 지원 강화 방안에 관한 연구(정찬권 · 독립연구자)
☑ 지정학적 중간국의 외교전략: 아르메니아와 아제르바이잔 사례비교(윤민우 · 가천대)

☑ 4차산업혁명과 국방분야 과학기술 적용(류태규 · 국방과학연구소)

다음은 〈**한국국가전략**〉에 실린 일본 관련 논문이다.

☑ 미국이 보는 동아시아 안보 질서 구조의 변화와 전망(조나단 폴락, 2016년 3월)
☑ 미국이 보는 통일과정 및 통일이후의 한미일 관계 발전방향(브루스 클링너, 2016년 3월)
☑ 한반도 통일이 동북아 지역질서에 주는 함의 - 미중관계와 한중, 한미관계 속의 한반도 (김진호, 2016년 10월)
☑ 북한의 임박한 공격에 대한 선제적 대비(브루스 클링너, 2017년 3월)
☑ 2017: 한반도 결단의 해(에반스 리비어, 2017년 3월)
☑ 북핵에 대한 중국과 일본의 인식 및 대응 - 북한 핵 위협 현실화에 대한 평가 및 자국 이익 확대 노력(조양현, 2017년 3월)
☑ 영원한 친구: 왜 미국의 동맹은 미국을 더 안전하게 만드는가?(리처드 부시, 2017년 3월)
☑ 동아시아에서의 민족주의와 안보경쟁 가능성: '하나의 중국 원칙', 해양영토, 그리고 일본 과거사 문제를 중심으로(이근욱, 2017년 7월)
☑ 북핵위협 대응을 위한 제한적 핵확산 방안 검토(송승종, 2017년 11월)
☑ 북한의 핵위협에 대하여 한미동맹에게 가용한 군사적 옵션은 무엇인가: 가능성과 한계 (브루스 클링너, 2018년 3월)
☑ 최근 일본의 안보정책 변화와 향후 전망: 미중 대립과 북한 비핵화를 중심으로(권태환, 2018년 11월)
☑ 한일 갈등의 심화와 한일안보협력의 미래(박철희, 2019년 7월)
☑ 전환기 한미동맹의 갈등과 진로(류제승, 2020년 3월)
☑ 미국의 동맹 네트워크와 한일 갈등: 미국은 방관자로 남을 수 있는가?(박철희, 2020년 3월)
☑ 주변국의 해양안보역량 강화에 따른 대비 방향(정안호, 2020년 11월)

〈**한국국가전략**〉의 편집위원회는 다음과 같다.

직 책	이 름	소 속	이 름	소 속
편집위원장	**박창희**	국방대		
편집위원	**김열수**	한국군사문제연구원	**박원곤**	한동대
	독고순	한국국방연구원	**송영훈**	강원대
	박성용	전북대	**이근욱**	서강대
	박요한	인천대		

22. 신아시아연구소 〈신아세아〉

KOREA-JAPAN

〈新亞細亞〉는 1994년에 창간했으며 매년 3, 6, 9, 12월 네 차례 발간한다. 2005년부터 2020년까지 등재학술지였다.

20201년 6월에 발간한 28권 제2호의 내용은 다음과 같다.

☑ 미-중 신냉전 시대 한국의 국가전략(김태효)
☑ 미·중 패권전쟁과 한국의 생존전략(현인택)
☑ 미국 바이든 행정부의 대(對) 중국 전략: 봉쇄에서 변환으로(김성한)
☑ 바이든 정부의 출범과 중국의 대미전략(한석희)

2021년 6월에 발간한 28권 제1호의 내용은 다음과 같다.

☑ 중국 국력 성장과 동아시아 해양 분쟁의 격화 가능성: 남중국해, 대만해협, 동중국해를 중심으로 _ 김인한(이화여대 정치외교학과 부교수)
☑ 항모정치: 한국형 항공모함 전력기획과 군사적 효용성 - 정치적 기회 교환모델 _ 반길주(한국해양전략연구소 선임연구위원)
☑ 트럼프 행정부의 신형 3종 저위력 핵무기와 미국의 핵전략 동향 _ 조비연(한국국방연구원 선임연구원)

신형 3종 저위력 핵무기

트럼부 행정부가 개발을 선언한 신형 3종 저위력 핵무기는 저위력 잠수함 발사탄도 미사일(SLBM), 저위력 중력폭탄(gravity bomb), 저위력 핵순항미사일(SLCM)이다. SLBM은 이미 2019년 말부터 실전 배치해 대서양에서 억제 작전을 수행하고 있다. 저위력 중력폭탄은 현재 수명과 관련된 부품 문제 때문에 실전배치는 2022년까지 연기한 상황이나, 이미 F-15, F-16 전투기로 투하하는 실험에는 성공했다. SLCM은 향후 7년, 10년 이후에 배치가 가능한 장기 프로그램이다. 조비연 선임연구원은 논문에서 트럼프 대통령의 신형 3종 저위력 핵무기 개발을 미국의 '예외적 선택'으로 보고 바이든 정부가 이를 뒤집을 것이라는 시각에 의문을 제기한다. 트럼프 행정부가 개발-배치한 저위력 핵무기는 2000년대부터 누적된 세계적 안보 우려 때문에 등장했다는 것이다. 국제적 안보환경이 미국의 적극적 역할을 기대하는 쪽으로 급변하는 상황에서 전 정권의 정책이라고 해서 이 정책을 완전히 폐기하기는 어렵지 않겠느냐는 것이 조비연 선임연구원의 분석이다.

23. 동북아역사재단 〈동북아역사논총〉〈Journal of Northeast Asian History〉〈영토해양연구〉〈Journal of Territorial and Maritime Studies〉

〈동북아역사논총〉(Dongbuga Yeoksa Nonchong)은 2007년 6월에 창간해 매년 3, 6, 9, 12월에 발간한다. 2010년 등재학술지가 됐다. '논총 간행 및 논문 심사 규정'에 따르면 **〈동북아역사논총〉**에는 "1. 논총에는 다음과 관련된 특집, 논문, 자료소개, 서평 등의 글을 게재한다. 1) 한국사(문화) 및 동아시아사(문화)와 관련된 문제, 2) 독도 및 영토 관련 문제, 3) 본 재단의 목적에 부합하는 논문"을 게재하도록 되어 있다.

2021년 6월호(통권 72호)의 내용은 다음과 같다.

☑ 하남둔고성(河南屯古城)의 재인식(再認識) – 평지성(平地城)에서 능원(陵園)으로(최정범)
☑ 크라스키노성 출토 발해 와당의 종류와 상대편년 문제(정석배)
☑ 청대(淸代) 지방지(地方志)를 활용한 이방익(李邦翼) 『표해록』의 노정고증(路程考證)(남호현)
☑ '민족차별'의 프리즘을 통한 식민지 교육의 치밀한 해부 – 『식민지 민족차별의 일상사』(정연태, 푸른역사, 2021) (염복규)

2021년 3월호(통권 71호)의 내용은 다음과 같다.

☑ 만발발자 유적으로 본 후기 고조선의 교역 네트워크와 고구려의 발흥(강인욱)
☑ 통화 만발발자 유적을 통해 본 고구려 토기의 기원과 형성(양시은)
☑ 통화(通化) 만발발자(萬發撥子) 유적 철기를 통해 본 후기 고조선~초기 고구려 철기문화의 상호관계(김상민)
☑ 만발발자 유적 분묘로 본 고구려 적석총의 출현에 대한 논의(강현숙)
☑ 통화 만발발자 유적 집장묘의 계통과 성격(이종수)
☑ 부여계 · 한(漢)식계 유물과 중서부지역의 세력(박장호)
☑ 『광서주판이무시말(光緒籌辦夷務 始末)』 · 『청계외교사료(淸季外交 史料)』의 해제(解

題)와 조선 관련 문건(김봉준)

☑ 일본군'위안부' 문제의 탈진실 정치 – 아베 정권을 중심으로(백시진)

☑ 북한의 경계 · 국경 인식과 북 · 중 접경지역 경비(1945~1947) – 국경경비대를 중심으로(김선호)

☑ 최근 대만 역사교과서의 한국사 인식 변화 – 101과강 『선수역사(選修歷史)』와 108과강 『역사(歷史)2』 비교 분석(김유리)

☑ 선택과 적응 – 6세기 후반 상장 미술을 통해 본 중국 소그드인의 정체성(심영신)

☑ 구미 학계의 '청조(淸朝)' 인식과 서 – 『케임브리지 중국사 9권, 제2부 1800년까지의 청조』를 중심으로(박민수)

☑ 동아시아 여러 나라의 성씨제 정비와 일본의 『신찬성씨록』 – 역주 『신찬성씨록』(동북아역사재단, 2020) 상 · 중 · 하 출간에 부쳐(노중국)

소그드인(Sogd人)
중앙아시아의 이란계 민족. 사마르칸트를 중심으로 한 제라프샨 강 유역의 소그디아나(Soghdiana)에 거주하면서 일찍부터 동서교역에 종사했다. 소그드인들은 고대로부터 페르시아, 알렉산더, 박트리아(대하 · 大夏), 돌궐(突厥), 이슬람, 칭기즈칸 등의 침입을 받아 황폐해졌으나 1370년 티무르가 사마르칸트를 수도로 제국을 건설하면서 다시 번영했다. 소그드인들은 기구한 역사 속에서도 실크로드의 요지에서 교역 활동을 계속하면서 동서 문명교류에 크게 기여했다. 이들은 페르시아를 비롯한 서아시아 일원에서 유리기구, 모직, 보석세공품, 향로, 약재, 악기 등을 수입해 캐라반(隊商)으로 파미르 고원을 넘어 당의 수도 장안(長安)으로 들여갔고, 중국에서는 견직물을 비롯한 당의 특산품을 서역에 전했다. (실크로드사전)

〈**동북아역사논총**〉의 편집위원회는 다음과 같다.

직 책	이 름	소 속
편집위원장	**김현숙**	동북아역사재단 연구위원
편집위원	**김재홍**	국민대 한국역사학과
	김한권	국립외교원 외교안보연구소
	남상구	동북아역사재단 연구정책실장
	박정애	동북아역사재단 연구위원
	백종오	한국교통대 교양학부
	신주백	독립기념관 한국독립운동사연구소장
	이영옥	전남대 역사교육학과
	이유표	동북아역사재단 연구위원
	이익주	서울시립대 국사학과
	차혜원	연세대 사학과
	홍성근	동북아역사재단 연구위원
편집간사	**이준호**	동북아역사재단 연구지원팀

〈**동북아역사논총**〉의 영문저널이 〈JNAH(Journal of Northeast Asian History)〉이다. 2004년 12월에 창간했다. 여름호와 겨울호, 1년에 두 번 발행한다.

2020년 겨울호(Vol 17-1)의 내용은 다음과 같다.

☑ Where are the Victims? Remembrances of the Massacre of Koreans during the 1923 Great Kantō Earthquake (Ryoko OKAMURA, Hosok O)
☑ Troublesome Brotherhood: The Korean Volunteer Army and the CPC (Tomer NISIMOV)

Articles (Translated)
☑ Recovery of the Travel Route between Joseon Korea and the Jianzhou Jurchens during the Imjin War: Drawing on the Geonju gijeong dogi 建州紀程圖記 (Illustrated Account of a Trip to the Jianzhou) (Jungmin PARK)
☑ The Politics of Rituals in Early Qing: Manchu-Mongol Relations through Rituals (Sun-ae LEE)
☑ Debates over Military Use of Koreans before and after the March First Independence Movement (Wan PARK)
☑ Conference Report; The Afrasiab Palatial Murals and Korea-Uzbekistan Relations
☑ The Digital Restoration of the Afrasiab Palatial Mural (Kwangeui KO)
☑ The Relations between the Sogdians and Gokturks Manifest in the Afrasiab Palatial Murals (Ah-Rim PARK)
☑ Ancient Koreans in the Afrasiab Palatial Mural in Samarkand (Hosub JUNG)
☑ Turkic Northern Tribes and Koguryo in the Early 650s: Reflection on the Circumstances of Koguryo Envoys in the Afrasiab Murals (Seong-Je LEE)

〈JNAH〉의 편집위원회는 다음과 같다.

직 책	이름과 소속
CHIEF EDITORS	Patricia Ebrey, University of Washington
	Edward Shultz, University of Hawaii
	Dong Taek Kim, Sogang University
	Chang Wook Lee, Northeast Asian Foundation
EDITORIAL BOARD	Jong Chol An, Ca'Foscari University of Venice
	Byung-Yool Ban, Hankuk University of Foreign Studies

EDITORIAL BOARD	John P. DiMoia, Seoul National University
	Tze-ki Hon, State Unversity of New York at Geneseo
	David Howell, Harvard University
	Hyun-sook Kim, Northeast Asian Foundation
	Byongtaek Lee, Northeast Asian Foundation
	Jeong-il Lee, Northeast Asian Foundation
	James I. Matray, California State University at Chico
	Richard D. McBride II, Brigham Young University
	Simei Qing, State University of Michigan
	Maurizio Riotto, University of Naples
	Michael D. Shin, Robinson College, Cambridge
	Odd Arne Westad, Harvard University

〈영토해양연구〉는 2012년에 창간해 매년 6, 12월에 발간한다. **〈영토해양연구〉**의 '발행 및 심사규정'에는 "제1조 『영토해양연구』에는 다음과 관련된 특집, 논문, 연구노트, 자료소개, 서평 등의 글을 게재한다. 1. 독도와 관련된 주제. 2. 영토 및 해양과 관련된 주제"를 싣도록 하고 있다. 2018년 등재후보지가 됐다.

〈영토해양연구〉 2021년 6월호(통권 21호)의 내용은 다음과 같다.

☑ 1883년 태정관의 울릉도 도항금지 전후 조·일 교섭과 울릉도 도항 일본인의 법적 처리(유미림, 박배근)

☑ 영토해양 공유의 법경제학적 이해(김재한)

☑ 일본 학습지도요령 개정 후 검정통과 교과서의 독도 기술 현황과 문제점 – 초·중학교 사회과 교과서를 중심으로(홍성근)

☑ 1849년 울릉도의 이양선에 관한 홍해군의 첩보(牒報) 및 영좌병영의 장계(狀啓)에 대한 해제 및 번역(이원택)

☑ FRUS 1952-1954, Vol. XIV: China and Japan: 자료 소개 및 학술적 활용도에 관하여(조규현)

서평

☑ 안용복 '진술'에 대한 새로운 검증 – 『안용복 '진술'에 대한 새로운 검증』: 정영미 저, 2020, 동북아역사재단(김병렬)

태정관지령(太政官指令)

1877년 3월 일본의 최고 국가기관인 태정관(太政官)이 울릉도와 독도가 일본의 영토가 아니라고 확인한 공식 문서. 근대적 지적(地籍) 편찬 작업을 추진 중이던 일본 내무성은 태정관에게 울릉도와 독도를 지적(地籍)에 포함시킬지를 물었고, 태정관은 과거 외교문서를 검토한 결과를 토대로 울릉도와 독도는 일본과 관계없는 땅이라고 내무성에 하달했다. 태정관지령은 그 공문이다. 태정관지령은 조선과 직접 교섭한 내용을 다룬 외교문서나 조약은 아니지만, 독도가 일본 고유의 영토가 아니라는 점을 확실하게 입증해주는 결정적이고 최종적인 자료라 할 수 있다. (한국민족문화대백과)

영토 · 해양일지

☑ 영토 · 해양일지(엄태일)

〈**영토해양연구**〉 2020년 12월호(통권 20호)의 내용은 다음과 같다.

'韓國領 한국령' 암각문
독도의 동도 부두에서 정상으로 올라가는 산비탈에 새긴 '韓國領 한국령' 암각문은 1984년에 촬영한 사진만 하더라도 선명했으나 최근에는 마모돼 위치조차 특정할 수 없었다. 그런데 독도 암각문을 연구하는 안동립 동아지도 대표가 2020년 7월에 이 암각문을 다시 찾아냈다. 그러나 글씨 상태는 매우 좋지 않다고 한다. 이 암각문을 누가 언제 새겼는지는 확인하지 못했다.

☑ 독도에 새겨진 '한국', '한국령' 암각문의 주권적 의미와 보존방안(안동립 · 이상균)

☑ 일본 막부 편찬 국회도(國繪圖)에 표현된 국경과 독도영유권 인식(서인원)

☑ 효과적인 독도 교육을 위한 사회 교과의 융합 교재 제작과 수업 적용 방안 연구 - 고등학교 체험 중심 독도 교재 제작과 한국사 학습에서의 적용을 중심으로(안운호)

☑ 대일강화조약(1951년)과 조약해석의 보충적 수단 - 역사학적 연구의 중요성(오시진)

서평

☑ 국제 해양질서의 변화와 섬 문제 - 『국제법상 도서제도와 독도』 이석웅 저, 2017, 세창(김병렬)

영토 · 해양일지

☑ 영토 · 해양일지(엄태일)

〈**영토해양연구**〉의 편집위원회는 다음과 같다.

직 책	이 름	소 속
편집위원장	**김관원**	동북아역사재단 책임연구위원
편집위원	**김병렬**	국방대 안보대학원 안보정책학과
	김봉룡	목포대 사학과
	김영수	동북아역사재단 연구위원
	김재한	한림대 정치행정학과
	도시환	동북아역사재단 연구위원
	심정보	서원대 지리교육학과
	오상학	제주대 사회교육학과
	이상균	동북아역사재단 연구위원
	이석용	한남대 법학과
	이성환	계명대 일본학과
	이종원	와세다대 대학원 아시아태평양연구과
	정병준	이화여대 인문과학부
	허영란	울산대 역사문화학과

〈영토해양연구〉의 영문저널이 〈JTMS(Journal of Territorial and Maritime Studies)〉이다. '2013년 겨울 - 2014년 봄호'가 처음으로 나왔다. 1년에 '겨울 - 봄호'와 '여름 - 가을호' 두 번 발행한다.

2020년 겨울에 나온 8권 1호의 내용은 다음과 같다.

☑ Kalu Kingsley Anele, "The Potential Impact of Piracy on the ACFTA: A Nigerian Perspective"
☑ Yu Long, "The Role of the International Seabed Authority in the Implementation of "Due Regard" Obligation Under the LOSC: Addressing Conflicting Activities"
☑ Julia Cirne Lima Weston, "The Possibility of Litigation regarding Liability of Flag States in the Case of Vessel-Based Pollution: Where We Stand in the Law of the Sea"
☑ David Scott, "Small Island Strategies in the Indo-Pacific by Large Powers"
☑ Fred Jérémie Medou Ngoa, "Cross-Border Exchanges and Political identity Cleavages in Kyé-ossi, Cameroon"

〈JTMS〉의 편집위원회는 다음과 같다.

직 책	이름과 소속
EDITOR	Jongyun Bae, Yonsei Unversity
MANAGING EDITOR	Lonnie Edge, Hankuk University of Foreign Studies
BOOK REVIEW EDITOR	Alexander Hynd
EDITORIAL BOARD	Pablo Ferrara, Universidad del Salvador (Argentina)
	John Galtung, Transcend International (Norway)
	Yong-Chool Ha, University of Washinton (Seattle, USA)
	Doo-young Kim, Korea University (Korea)
	Marcelo Kohen, Graduate Institute (Geneva, Switzerland)
	Sung-Yoon Lee, Tufts University (USA)
	James Lewis, Oxford University (UK)
	Martin Pratt, Bordermap Consulting (Canada)
	Edgardo Sobenes, ESILA (Netherlands)

EDITORIAL BOARD	Harvey Starr, University of South Carolina (USA)
	Kazuhiko Togo, Kyoto University (Japan)
	Krista Wiegand, University of Tennessee (USA)
	Xuetong Yan, Tsinghua University (China)
	Keyuan Zou, University of Central Lancashire (UK)

24. 가천대학교 〈아시아문화연구〉

KOREA-JAPAN

〈아시아문화연구〉(The Journal of Asian Cultural Studies)는 1996년에 창간했으며 4, 8, 12월 연 3회 발간한다. 2011년 등재학술지가 됐다.

2021년 4월에 발간한 제55집의 내용은 다음과 같다.

☑ 누가 조국을 두 개로 나누었는가-남북일의 영화 〈박치기!〉(김계자)
☑ 한국의 고대 악무 연구를 위한 일본의 궁중 악무 고찰-고마가쿠(高麗楽)의 고구려계 악무와 그 성격을 중심으로(박태규)
☑ 헤이안 시대 문학작품에 나타난 발해에 대한 인식과 그 영향(김정희)
☑ 1930년대 후반 조선 영화의 해외 진출 시도에 대한 일고찰-안철영의 〈어화(漁火)〉(1938)를 중심으로(임다함)
☑ 일제강점기 일본과 조선의 여성과학자-쓰지무라 미치요와 김삼순의 비교연구(선유정)
☑ 전통적 지배 담론에 대한 저항과 텍스트의 완성을 위한 독자의 참여-차의 『딕테』(Dictee)를 중심으로(신만철)
☑ 한일 한센병문학 비교 연구(안지나)
☑ 김정은 시대 북한시에 나타난 '어머니'의 이미지-『조선문학』(2012-2019)를 중심으로(이상숙)

제목에 '일본'이 들어간 논문에는 다음과 같은 것들이 있다.

☑ 재중 일본인 반전동맹의 조선 항일서사(류진, 뉴린제, 2020년 4월호)
☑ 제국 일본의 엽서-강제늑약 및 천황과 전쟁을 중심으로(양동국, 2019년 12월호)
☑ 전근대 일본의 서적에 의한 광고-출판물과 상품 선전을 중심으로(김학순, 2019년 8월호)
☑ 일본 한센병문학과 젠더(안지나, 2019년 8월호)
☑ 포스트 점령기의 일본, '착한 민주주의로'의 이행: 1960년대 미제 '근대화'론의 냉전 지형(知形)(이경희, 2019년 4월호)

차의 《딕테》

차학경의 창작집 《딕테(DICTEE)》를 말한다. 차학경은 1951년 부산에서 태어나 1961년 가족과 함께 하와이로 이주했다. 1964년 샌프란시스코, 1980년 뉴욕으로 옮겨 버클리대에서 비교문학과 미술 학사, 석사 학위를 취득했다. 짧은 생애 동안 제작자, 감독, 연기자, 영화작가 등으로 활동하며 주목을 받았다. 1982년 11월 뉴욕에서 31세의 나이로 요절했다. 《딕테》는 1982년 출간 직후 뉴욕 서점가 베스트셀러에, 버클리대 신입생 권장도서에 올랐다. 특히 한인 이민 여성의 작품으로서, 또 포스트모더니즘 문학으로서 각광을 받으며 많은 학자의 연구 대상이 되고 있다. (어문각 책 소개)

☑ 9세기 일본의 당물(唐物)에 관한 기초적 검토(정순일, 2019년 4월호)

☑ 일본 발전국가 체제와 담론의 전개: 만주국에서 전시 및 전후 일본으로(이동준, 2018년 12월호)

☑ 일본 외교 50년의 정체성과 냉전 '문제'(박홍영, 2018년 12월호)

☑ 한국어 대중가요의 일본어 번역: 제1차 한류와 '이별' 텍스트의 언어횡단(박진수, 2018년 12월호)

☑ 근대 일본의 가가쿠(雅楽) 연구: 아악국(雅楽局) 내 악가(楽家) 별 계보 및 악인들의 활동상을 중심으로(박태규, 2018년 12월호)

☑ 일본 '엔카'와 한국 '트로트' 비교를 위한 기초적 관점(고바야시 다카유키, 2018년 8월호)

☑ 우리나라의 공유민박업 도입에 관한 연구: 일본의 주택숙박사업법과의 비교분석을 중심으로(유민석, 2018년 4월호)

☑ 재조 일본인의 가정담론 형성과 식민지주의: 조선에서 개최된 가정박람회(1915)를 중심으로(송혜경, 2018년 4월호)

☑ 한국어 근대 대중가요와 번역: 일본어 텍스트와의 문화적 상호작용(박진수, 2017년 12월호)

☑ 사학 와세다 인맥을 통해 본 일본 · 식민지 조선에서의 식민정책론(박양신, 2015년 8월호)

〈**아시아문화연구**〉의 편집위원회는 다음과 같다.

직 책	이름과 소속	이름과 소속
편집위원장	**오미영**(가천대 언론영상광고학과)	
편집위원	**김정아**(가천대 관광경영학과)	**이상숙**(가천대 글로벌교양대학)
	박삼헌(건국대 일어교육과)	**이상혁**(한성대 언어교육원)
	박홍영(충북대 정치외교학과)	**정문상**(가천대 글로벌교양대학),
	이병인(전남대 역사교육과)	**최범순**(영남대 교육대학원),
	이보경(강원대 중어중문학과)	**표세만**(군산대 일어일문학과)

25. 경남대학교 극동문제연구소 〈Asian Perspective〉 〈한국과 국제정치〉 〈현대북한연구〉

〈Asian Perspective〉는 동북아시아의 정치, 경제, 사회, 문화에 대한 전문학술지를 지향하며 1977년에 창간했다. 3, 6, 9, 12월 네 차례 발간한다. 1995년 해외의 선진적 학문의 국내 수입과 국내 연구의 해외전파를 위해 미국의 포틀랜드 주립대와 출판협정을 맺었다. 1998년 학술진흥재단 사회과학분야 최우수 학술지로 선정됐으며 2002년 등재학술지가 됐다. 2008년에는 사회과학논문인용색인(Social Science Citation Index, SSCI)의 등재지가 됐다.

2021년 6월에 발행한 45권 2호의 내용은 다음과 같다.

☑ Asymmetry and Authority: Theorizing Southeast Asian Responses to China's Belt and Road Initiative (Cheng-Chwee Kuik)

☑ The Philippines' Shifting Engagement with China's Belt and Road Initiative: The Politics of Duterte's Legitimation (Aileen S. P. Baviera, Aries A. Arugay)

☑ Explaining Myanmar's Response to China's Belt and Road Initiative: From Disengagement to Embrace (Lee Jones, Khin Ma Ma Myo)

☑ Explaining Indonesia's Constrained Engagement with the Belt and Road Initiative: Balancing Developmentalism against Nationalism and Islamism (Ardhitya Eduard Yeremia)

☑ Thailand's Engagement with China's Belt and Road Initiative: Strong Will, Slow Implementation (Pongkwan Sawasdipakdi)

☑ Cambodia's Embrace of China's Belt and Road Initiative: Managing Asymmetries, Maximizing Authority (Vannarith Chheang)

☑ Brunei's Response to China's Belt and Road Initiative: Embracing Asymmetry, Enhancing Authority (Ithrana Lawrence)

☑ Malaysia's Fluctuating Engagement with China's Belt and Road Initiative: Leveraging Asymmetry, Legitimizing Authority (Cheng-Chwee Kuik)

☑ Understanding Success and Failure in Establishing New Multilateral Development

Banks: The SCO Development Bank, the NDB, and the AIIB (Bas Hooijmaaijers)

☑ Will China Lead Humanity into an "Asian" Future? (Walter C. Clemens Jr.)

2021년 3월에 발행한 45권 1호의 내용은 다음과 같다.

☑ Introduction to the Special Issue (Mel Gurtov)

☑ The COVID-19 Pandemic and the Estrangement of US-China Relations (Dali L. Yang)

☑ The Crisis in US-China Bilateral Security Relations (Christopher Yung)

☑ The Economic Security Dilemma in US-China Relations (David J. Bulman)

☑ Non-Traditional Security and China-US Relations (Zha Daojiong)

☑ US-China Relations and Human Rights: The Xinjiang Case (Mel Gurtov)

☑ US-China Relations and Remaking Global Governance: From Stalemate and Progress to Crisis to Resolutions (Gregory T. Chin)

☑ Homework for Beijing: Five Hurdles on China's Path to Becoming a "Responsible Great Power" (Jae Ho Chung)

☑ The Trump Administration's Policy Changes on China and Their Destructive Ramificationss for US-China Relations (Zhu Feng)

☑ US-China Geoeconomic Tensions: Implications for the African Continental Free Trade Area (Garth L. le Pere)

☑ The Twin Chessboards of US-China Rivalry: Impact on the Geostrategic Supply and Demand in Post-Pandemic Asia (Cheng-Chwee Kuik)

☑ Divided but Not Poles Apart: Europe, the United States, and the Rise of China (Shaun Breslin)

☑ The Risks to Latin America from the Breakdown of US-China Relations (Claudia Trevisan)

☑ The Rise and Fall of the US-China Health Relationship (Deborah Seligsohn)

☑ US-China Higher Education Links in Crisis: Behind the Curtain of Suspicion (Madelyn Ross)

☑ Ethical Operational Codes and Dealing with China (David M. Lampton)

〈Asian Perspective〉의 편집위원회는 다음과 같다.

직 책	이름과 소속
EDITOR-IN-CHIEF	Carla P. Freeman, Johns Hopkins SAIS
SENIOR EDITOR	Melvin Gurtov, Portland State University
MANAGING EDITOR	Dean J. Ouellette, Kyungnam University, Korea
BOOK REVIEW EDITOR	Walter C. Clemens Jr., Boston University
ASSISTANT EDITOR	Naomi Garcia, St. Mary's College of Maryland
ASSISTANTS TO THE EDITOR	Bridgette Brunk, Johns Hopkins SAIS/ Spencer Steinbach, University of North Korean Studies

〈한국과 국제정치〉는 1985년 창간해 3, 6, 9, 12월 네 차례 발간한다. 남북한의 대내외 정치와 한반도의 주변 정세 및 통일전략, 미 · 중 · 러 · 일 및 아시아 국가들의 정치경제와 외교안보 정책을 다루는 전문학술지이다. 2004년 등재학술지가 됐다.

2021년 6월에 발간된 37권 제2호의 내용은 다음과 같다.

☑ 미국패권 변화의 동학과 세계체계분석의 경계들: 이론적 대안 모색을 위한 시론(공민석)
☑ 신냉전 시대 북극해 딜레마: 국제체제적 분석과 전망(반길주)
☑ 김정일의 권력 승계 과정에 대한 연구: '216'의 정치상징화 지속과 북베트남의 교훈을 중심으로(김상범)
☑ 아베 정권기 개헌 실패의 분석: 개헌과정의 합의제적 특성과 개헌 프레임의 모순을 중심으로(김성조)
☑ 바이든 행정부의 동아태 전략과 한미관계: 관여-헤징의 전략모순(윤대엽)
☑ 중국의 데이터 자원화와 미중 전략경쟁의 성격 변화(이인우, 이희옥)
☑ 한반도 평화체제 만들기의 국제정치적 기원: 북한자료를 통해서 본 정전협정 4조 60항의 합의과정(구갑우)

'216'
김정일의 생일인 2월 16일을 의미한다. 김상범 경남대 교수는 "김정일은 1968년 2월 16일 자신의 생일에 김일성을 최초로 태양으로 묘사하였으며, 북한 사회가 미래의 태양이자 후계자로서 자신의 지위와 역할을 거부할 수 없는 정치적 환경을 조성하였다"고 분석한다.

2021년 3월에 발간한 37권 제1호의 내용은 다음과 같다.

☑ 코로나19 위기 대응과 정부-시민 관계: 정치신뢰를 중심으로(오현진)

☑ 코로나 바이러스 시대의 국가 자긍심: 방역 주체의 코로나 대응 평가와 유권자의 정당 선호를 중심으로(길정아)
☑ 당파적 태도가 코로나19 관련 대응 평가에 미치는 영향(배진석)
☑ 코로나19 위기 속 돌봄의 공공성과 국가 역할에 대한 인식(박선경 · 김희강)
☑ 코로나19와 국가역할 확대에 대한 국민 인식: 이념성향, 재난피해, 정부대응, 재난지원금의 영향(박선경 · 신진욱)
☑ 코로나19 방역 정책의 성공 조건: 한국 사례의 비교연구(김정)

〈**한국과 국제정치**〉의 편집위원회는 다음과 같다.

직 책	이름과 소속, 전공	이름과 소속, 전공
편집주간	**신종대**(북한대학원대, 정치학)	
편집위원	**강원택**(서울대, 정치학)	**박수인**(제주대, 정치학)
	김근식(경남대, 정치학)	**양길현**(제주대, 정치학)
	김명섭(연세대, 정치학)	**유현석**(경희대, 정치학)
	김 정(북한대학원대, 정치학)	**이호철**(인천대, 정치학)
	김태현(중앙대, 정치학)	**이희옥**(성균관대, 정치학)
	김학성(충남대, 정치학)	**조대엽**(고려대, 정치사회학)
	김홍수(부산대, 정치학)	**조정관**(전남대, 정치학)
편집간사	**서아림**(경남대)	

〈**현대북한연구**〉는 북한대학원대학교 심연북한연구소가 1998년에 창간해 4, 8, 12월 3회 발행하고 있다. 북한의 정치, 경제, 사회문화, 역사, 철학, 과학사 등 인문사회과학을 아우르는 북한관련 종합학술지로 2013년 등재학술지가 됐다.

2021년 4월에 발간한 24권 1호의 내용은 다음과 같다.

☑ 북한 주민의 휴대폰 사용과 시장 활동에서의 '신뢰' 네트워크(최선경)
☑ 88서울올림픽 남북 공동주최 논쟁에 관한 연구(최진환)
☑ 북한 산림학술지에 나타난 산림연구 특성 분석과 이를 기초한 산림협력 방안(최현아, 임철희)
☑ 북한의 외교적 친소(親疏)와 인권개선 권고의 관계 분석: 유엔 보편적정례검토를 중심으

로(황준호)

☑ 북한 민족제일주의 담론의 변화: 조선민족제일주의에서 우리 국가제일주의로(김보민)

2020년 12월에 발간한 23권 3호의 내용은 다음과 같다.

☑ 길재와 나와 북한(이대근)

☑ 25년을 사이에 둔 대화: 고(故) 류길재 교수와 '인민위원회'(강응천)

☑ 김일성의 '가치법칙의 형태적 작용' 테제의 스탈린주의적 기원과 정치경제학적 성격(윤철기)

☑ Forecasting the Demand for Primary and Secondary School Teachers in a Unified Korea(김현철 · 이우영)

☑ '고난의 행군' 이후 북한 권력의 담론 분석: 마이클 만의 '경제적 권력'을 중심으로(정호근)

☑ 김정은 시대 당정책 구호와 중학교 민족음악 교육(배인교)

고난의 행군

1994년 김일성 사망 이후 북한의 경제 사정이 극히 어려워지자 이를 극복하기 위해 주민의 희생을 강요하고 사회적 이탈을 막기 위해 김정일이 내놓은 구호이다. 이 시기 북한에서는 최소 수십만 명의 아사자가 발생한 것으로 알려졌다. 원래 '고난의 행군'이란 1938년 말~1939년, 김일성이 이끄는 항일 빨치산이 만주에서 일본군의 토벌작전을 피해 혹한과 굶주림을 겪으며 100여 일간 행군한 데서 유래한다. 고난의 행군 정신은 1996년 〈노동신문〉〈조선인민군〉〈노동청년〉 등 북한 3대 신문의 신년 공동 사설에서 나왔다. 북한은 매년 3대 신문 신년사를 통해 그해의 가장 중요한 목표와 기본사상을 제시한다. 이해 신년사는 "전체 당원들과 인민군 장병들과 인민들은 사회주의 3대 진지를 튼튼히 다지며 백두밀림에서 창조된 고난의 행군정신으로 살며 싸워나가야 한다"고 했다. (시사상식사전)

26. 계명대학교 국제학연구소 〈국제학논총〉

KOREA-JAPAN

〈**국제학논총**〉은 1996년 창간했으며 매년 6월과 12월 두 차례 발간하고 있다(예전에는 발간 월이 달랐다), 2019년 등재후보지가 됐다.

공유경제 (sharing economy)
물품을 소유하는 것이 아니라 서로 대여하거나 차용해 쓸 수 있는 개념에 바탕을 둔 경제활동을 말한다. 2008년 미국 하버드대 로런스 레식 교수가 처음 사용한 말로, 한번 생산한 제품을 여럿이 공유해 쓰는 협력소비를 상정한 경제 방식이다. 대량생산과 대량소비가 특징인 20세기 자본주의 경제와는 다른 경제활동을 고민하는 과정에서 태어났다. 최근에는 경기침체와 환경오염의 대안을 모색하는 사회운동으로 확대해서 쓰고 있다. (시사상식사전)

제3차 해양기본계획
"2007년 3월에 성립한 해양기본법의 최신 산물인 제3차 해양기본계획 책정 시기가 일본의 '자유롭고 개방된 인도·태평양 구상(自由で開かれたインド太平洋, FOIP)'이라는 해양정책의 틀에서 대중(對中) 안보 강화로 나아갔다는 점에 주목했다. 향후 동북아 해양에서 많은 불안정 요소가 내재하지만 해양을 통한 교류협력을 증진시켜 분쟁의 사전 예방과 감소를 도모하고, 나아가 평화로운 동북아 해양안보를 유지하기 위해서 많은 노력이 필요하다." (채첩의 논문 초록)

2021년 6월에 발간한 제33집의 내용은 다음과 같다.

☑ International Cooperation to Build the APTERR for Food Security – A Delphi Study (김건민)
☑ EU 회원국들의 공유경제 성장요인에 관한 연구(김득갑)
☑ 홍콩 〈국가안전법〉 시행에 따른 홍콩의 정치·사회 동향 연구(여현정)
☑ The Reign of Franchise Filmmaking in Hollywood(주정숙)
☑ 4차 산업혁명시대 미중 기술패권 경쟁: 5G 기술과 플랫폼을 둘러싼 네트워크 전쟁을 중심으로(윤혜령)
☑ 제도 마비의 국제정치: 이란 핵합의 파기가 북한 비핵화 협상에 주는 매커니즘 추적(반길주)
☑ 뉴미디어와 한류콘텐츠 지원정책 연구: 동남아시아 지역을 중심으로(김새미)

2020년 12월에 발간한 제32집의 내용은 다음과 같다.

☑ 일본 내 한류의 현황과 한일관계: 한류의 문화외교 기능을 중심으로(한영균)
☑ 항공기산업 발전요인에 대한 발전국가론적 접근: 한국, 일본의 항공기산업 발전 비교연구(이주익, 서정민)
☑ 독일 통일 후 전환기 시기 교육통합 변화과정 평가: 동독 지역의 학부모, 교사, 학생을 중심으로(이혜경)
☑ 일본의 다문화 공생정책에 관한 사례연구: 중앙정부와 지방정부를 중심으로(곽인신)
☑ 투자협정이 해외직접투자에 미치는 영향에 관한 연구: 한국과 일본의 BIT에 대한 비교분석(박건우)
☑ 일본 해양기본법 도입과 아베 내각의 제3차 해양기본계획에 관한 일고찰(채첩)

☑ 미 · 중 경쟁 시대 '아세안 중심성' 확보를 위한 군사협력 발전 현황과 원인 분석(이숙연)

제목에 '일본'이 들어간 논문은 다음과 같다(2000년 이후).

☑ 일본의 가족 내 성별역할분업의식에 대한 연구: 동향과 그 원인을 중심으로(강유경, 2017년 6월호)
☑ 일본 제조업의 산업연관구조 분석(이홍배, 2014년 4월호)
☑ 2011년 도호쿠칸토대진재(東日本大震災)와 NHK의 재난방송(이연계, 2012년 4월호)
☑ 일본 지역사회에서의 재일코리안의 '공민권운동': '차이'와 '평등'의 양립문제에 대한 대응을 중심으로(김지미, 2011년 10월호)
☑ 한국의 대중국 교역 및 산업경쟁에 관한 연구(변재웅, 2007년 2월호)
☑ 일본에서의 한류 붐 고찰(호사카 유지, 2006년 2월호)
☑ 한일 '融和' 표상의 요구: 근대일본사상사에서의 이퇴계 '발견'(강해수, 2005년 2월호)
☑ 일본의 특수법인 개혁 논의에 관한 비판적 고찰(김도형, 2005년 2월호)
☑ 일본 농촌사회의 '이에(家)' 후계자의 결혼난: '이에(家)'에서 '개인', 그리고 '사회'로(황달기, 2005년 2월호)
☑ 동북아시아 경제통합을 위한 한국의 역할: 출발점으로서의 일한 FTA(후카가와 유키코, 2005년 2월호)
☑ 일본의 '자주외교' 형성에 대한 연구: 1950-1970년대의 일본의 대미정책을 중심으로(이성환, 정영순, 2004년 2월호)
☑ 일본 안전 보장 전략의 신전개와 동아시아(히시키 가즈요시, 최은정, 2004년 2월호)
☑ 일본의 대아시아 정책의 역사적 배경(쇼지 준이치로, 박성길, 2004년 2월호)
☑ 일본의 동아시아 군사정책과 중국: 안보전략의 변화를 중심으로(심해수, 2004년 2월호)
☑ 한일 안보협력과 다자간 협력체제(이성환, 2004년 2월호)
☑ 일본 촌락사회의 공동체적 연대의 유형과 특징(황달기, 2003년 2월호)
☑ 중국의 대일본 외교전략에 대한 연구: 중 · 일수교를 중심으로(이성환, 정영순, 2002년 2월호)
☑ 근대 일본의 전쟁과 아시아 인식(이성환, 2002년 2월호)

27. 고려대학교 글로벌일본연구원 〈日本研究〉〈跨境 日本語文學研究〉

KOREA-JAPAN

〈日本研究〉는 2002년 2월에 창간했으며 매년 2, 8월 두 차례 발간한다. 2010년 등재학술지가 됐다.

2021년 2월에 발간한 통권 35호의 내용은 다음과 같다.

- ☑ 3.1운동 직후 재조일본인 여성의 조선 표상과 신경쇠약: 『경성일보』 현상문학 후지사와 게이코의 『반도의 자연과 사람』을 중심으로(김효순)
- ☑ 질병으로 보는 에도(江戸)시대: 이하라 사이카쿠(井原西鶴)의 우키요조시(浮世草子)를 중심으로(고영란)
- ☑ 전염병과 요괴: 역병 예언과 퇴치 기원의 요괴(김학순)
- ☑ 고전문학과 공간: 『헤이케모노가타리(平家物語)』에 나타난 이쓰쿠시마(厳島) 신사에 관한 일고찰(한채민)
- ☑ 구스노키 마사시게(楠正成)의 병법(兵法)에 대한 고찰(이충호)
- ☑ 일제강점기 한반도 일본어 미디어의 '남양(南洋)' 표상 『경성일보(京城日報)』의 동남아시아 기사를 중심으로(정병호)
- ☑ 가스트로노미의 내적 감각과 문학: 가이코 다케시의 『로마네 콩티 · 1935년』을 중심으로(이선윤)
- ☑ 미시마 유키오의 영화 〈우국〉에 드러난 여성의 육체: 소설 「우국」과의 비교를 중심으로(이가현, 류정훈)
- ☑ 楫取魚彦の『古言梯』の編集意識について: 収録語の配列に注目して(강성문)
- ☑ 일본어 경어표현의 문법적 정합성에 관하여: 「お~だ」 경어표현을 중심으로(채성식)
- ☑ 오키나와 문제를 통해 본 전후 일본정치: 오타 마사히데(大田昌秀)와 마루야마 마사오(丸山真男)의 논의를 중심으로(김미영)
- ☑ 東映動画のアニメーション制作技術伝播が韓国アニメ業界へ及ぼした影響(이정훈)
- ☑ 가마쿠라 문학관의 관광활성화 사례연구: 문학 스탬프랠리를 중심으로(권민혁)
- ☑ 自動筆記・カメラオブスキュラ・ニヒリズム ささきふさ(1897-1949)にみるモダニティの「視」の強度(고토 유코)

구스노키 마사시게 (楠正成)

1294~1336. 일본 가마쿠라시대(鎌倉時代) 말기의 무장. 고다이고(後醍) 천황을 도와 가마쿠라막부를 멸망시키는 데 공을 세운 인물로 천황에 대한 충성심을 상징하는 존재이다. 1331년 천황이 반란을 모의하다 유폐되자 오사카의 지방 호족이던 마사시게가 천황을 구하기 위해 봉기를 일으켰고, 막부의 토벌군 아시카가 다카우지(足利尊氏)도 오히려 천황편으로 돌아섰다. 1336년 다카우지가 직위에 불만을 품고 10만 대군으로 천황을 공격하자 마사시게는 자신의 직속 부하 2천 명을 이끌고 신출귀몰하게 맞서다 결국은 패하여 자결했다. 도쿄의 황거(皇居) 앞에 그의 동상이 있다. 우에노공원에 있는 메이지유신의 주역 사이고 다카모리(西郷隆盛) 동상, 야스쿠니신사에 있는 일본 근대 군대의 아버지 오무라 마스지로(大村益次郎) 동상과 함께 도쿄의 3대 동상으로 불린다.

〈**日本研究**〉의 편집위원회는 다음과 같다.

직 책	이 름	소 속	이 름	소 속
편집위원장	**김효순**	고려대		
편집위원	**가나즈 히데미**	리쓰메이칸대	**이지형**	숙명여대
	강철구	배재대	**이충호**	부산외대
	강태웅	광운대	**박삼헌**	건국대
	김보한	단국대	**박석강**	전남대
	김효진	서울대	**박진한**	인천대
	양인실	이와테대	**채성식**	고려대
	엄인경	고려대	**홍성화**	건국대

〈**跨境 日本語文學研究**〉는 2014년 6월에 창간했으며 연간 두 차례 발행한다. '과경(跨境)'이란 분명하게 한쪽 지역에 속해 있는 것이 아니라 '경계선에 걸쳐 있는'이라는 의미이다. 이 연구지는 "근대 이후를 중심으로 국가, 지역, 민족, 젠더, 장르, 시대 구분 등 우리가 속한 세계를 분할하는 경계선에서 사고하는 의욕적인 논고를 게재한다"고 밝혔다.

2014년 창간호의 내용은 다음과 같다.

에세이 – 과경의 말

☑ 이동문학/비교문학자에게 「이동」이란 무엇인가 _ 니시 마사히코(西成彦 · 리쓰메이칸대)

☑ 「경계」를 넘어 〈동아시아〉 만들기로 _ 박유하(朴裕河 · 세종대)

☑ [과경인(跨境人)] 꿈과 성애 _ 티안 유안(田原 · 시인)

[특집논문] 동아시아의 일본어잡지 유통과 식민지문학

☑ 이향(異鄕)으로의 가탁 – 조선 하이쿠(俳句)와 향토색의 역학 _ 나카네 다카유키(中根隆行 · 에히메대)

☑ 아쿠타가와 류노스케(芥川龍之介)의 자살과 식민지 조선의 문학 – '경성일보'의 아쿠타가와 관련 기사와 조선의 모더니스트 작가를 중심으로 _ 김효순(金孝順 · 고려대)

☑ 중국 동북부 일제강점기의 일본어잡지 언설 공간 – 문학창작을 중심으로 _ 리우 춘잉(劉春英 · 중국 동북사범대)

☑ 잡지 '예문(芸文)'의 성립과 변천에 관해 – 「문화종합잡지」에서 「순예문(純芸文)종합잡지」

로 _ 샨 유안차오(単援朝 · 일본 소죠대)

☑ 번역과 「만주문학」 - 잡지 '만주낭만(滿洲浪漫)'에 있어서 오우치 다카오(大内隆雄)의 입장 _ 왕 즈숑(王志松 · 베이징사범대)

☑ '만주낭만'의 「백일의 서(白日の書)」 일고 _ 린 타오(林濤 · 베이징사범대)

☑ 「만주」 동화작가 이시모리 노부오(石森延男)의 등장 - 만철사원회기관지 '협화(協和)'의 창작활동을 단서로 _ 웨이 첸(魏晨 · 나고야대 박사과정)

☑ 전쟁말기의 '북창(北窗)' - 「장편헌납소설(掌篇献納小説)」을 중심으로 _ 주란(祝然 · 다롄외국어대)

☑ 잡지 '대만청춘(台湾青春)' - 중층적인 네트워크로부터의 성립 _ 요코지 게이코(横路啓子 · 대만 푸런대)

☑ 재(在)대만 일본인 2세가 묘사한 「대만」과 「대만인」 - 니가키 고이치(新垣宏一) 「성문」을 중심으로 _ 이즈미 쓰카사(和泉司 · 도요하시과학대)

[일반논문]

☑ 일본의 「대만식민시초(台湾植民事始)」와 메이지 「패자(敗者)」사관 - 기타시라 가와노미야(北白川宮)의 표상을 둘러싸고 _ 우 페이첸(呉佩珍 · 국립대만정치대)

☑ 조선반도에서의 일본어 서점 전개 - 전전(戰前) 외지의 서적(書物)유통(1) _ 히비 요시타카(日比嘉高 · 나고야대)

☑ 최승희와 조세핀 베이커를 둘러싼 표상 - 동아시아의 「모던」문화 번역 1935~1936 _ 나미가타 쓰요시(波潟剛 · 규슈대)

☑ 천렁쉐(陳冷血)에 의한 번역소설의 저본에 관한 고찰 _ 구오 루이(国蕊 · 중국 동북대)

☑ 경성제국대학의 학생문예와 재조일본인 문학 _ 윤대석(尹大石 · 서울대)

[연구자료]

☑ '조선평론', '조선(만한)의 실업'(1904-1914)과 그 문예란 _ 정병호(고려대)

☑ '대만총독부통계서'와 현주호수(現住戶數) 직업별 통계 _ 요코지 게이코(横路啓子 · 대만 푸런대)

☑ 한반도 식민지 일본어 문학의 본류 - 조선에서 간행된 일본전통 시가자료를 둘러싸고 _ 엄인경(고려대)

☑ 식민지 조선의 일본어 탐정소설 _ 유재진(고려대)

[포럼 참가기]

☑ 국민국가라는 경계를 넘은 문학(자)와 역사(가)의 교류 - 「동아시아와 동시대 일본어문학 포럼」 제1회 대회 참가기 _ 황동연(미국 소카대)

조세핀 베이커 (Josephine Baker)

1906~1975. 미국 출신의 프랑스인 댄서, 엔터테이너, 레지스탕스. '검은 비너스'라는 찬사를 받았다. 미국 미주리 주 세인트루이스의 가난한 세탁부 집안에서 태어났다. 어려서부터 춤을 췄고, 19세대 파리무대에 데뷔해 찰스턴 춤으로 센세이션을 일으켰다. 1937년 프랑스인 장 리옹과의 결혼하면서 프랑스 국적을 취득했고, 2차 세계대전이 발발하자 레지스탕스에 가입하여 정보원, 여성 항공 보조대 장교로 활약했다. 그가 숨졌을 때 프랑스 정부는 21발의 조총 사격으로 그를 추모했다.

2020년 12월에 발간한 통권 11호의 내용은 다음과 같다.

エッセイ—跨境の言葉

☑ 思想の越境性を考える－オイゲン・ヘリゲルを再読 _ シュテファン・ケーン

☑ The Lessons of COVID-19－Reflections on University Education _ 朴志薰

基調講演

☑ 南洋の桃太郎－民話、植民地政策、パロディ _ ロバート・ティアニー

特集：アジアにおける日本語文学・文化の越境と翻訳

☑ 韓国における科学小説の受容－ジュール・ウエルーヌ作、李海朝述譯『科学小説鉄世界』の啓蒙性と科学的想像力を中心に _ 金孝順

☑ 「媒介者」としての翻訳－丹羽純一郎訳『欧州奇事花柳春話』を視座に _ 高橋修

☑ 1980年代における中国の日本文学翻訳－季刊誌『日本文学』を中心として _ 王志松

☑ The Dynamics of Japanese Literature Translation in Indonesia－Focused on Publishers, Translators, and Readers _ ロウリ・エステル・パサリブ

☑ The Appetite for Revenge and Murder in Translation-Japanese Mystery Novels and their Social Media Savvy Indonesian Readers _ インダ・サンテイ・プラテイデイナ

☑ 村田沙耶香『コンビニ人間』－タイにおけるその翻訳と文化の受容をめぐって _ ピヤヌット・ウイリヤエナワット

☑ 日本軍政下のインドネシアにおける日本文学作品翻訳の一考察－雑誌『パンジ・プスタカ』及び『ジャワ・バル』を中心として _ アントニウス・プジョ・プルノモ

☑ 呼び出される「Ryunosuke」と甦る「文豪たち」 _ 李敏姫

一般論文

☑ インドネシア人像とプロパガンダの手法との関係－北原武夫『インドネシア人の性格』を中心に _ デウィ・アングラエニ

☑ 山崎豊子『大地の子』論－陸一心の人物像をめぐって _ 唐楚輝

研究資料

☑ 在日ディアスポラの生態学的文化地形とグローカリティー _ 李榮鎬

☑ 鎌倉文庫の単行本出版目録 _ 尾崎名津子

☑ 20世紀前半期中国華南地域における日本語定期刊行物 _ 呉佩軍

☑ 台湾における短歌－補完すべき視点 _ 頼衍宏

書評

☑ ≪『京城日報』文学・文化叢書≫全13巻 _ 金普慶

☑ 『日帝强占初期韓半島刊行日本語民間新聞の文藝物』叢書 _ 嚴仁卿

☑ 石田仁志/アントナン・ベシュレール編著『文化表象としての村上春樹世界のハルキの読み方』_ 仁平政人

☑ 董炳月『魯迅形影』_ 陳愛華

〈과경 일본어문학연구〉의 편집위원회는 다음과 같다.

직 책	이 름	소 속
Editors in Chief	Faye Yuan Kleeman	University of Colorado, USA
Editorial Board	Byeongho Jung	Korea university, Korea
	Carol Hayes	Australian National University, Australia
	Cécile Sakai	Université Paris Diderot Paris 7, France
	Cheng-chieh CHANG	Soochow University, Taiwan
	Christina Yi	The University of British Columbia, Canada
	Edward Mack	University of Washington, USA
	Hyosun Kim	Korea University, Korea
	Inkyung Um	Korea University, Korea
	Irmela Hijiya-Kirschnereit	Freie Universität Berlin, Germany
	Jaejin Yu	Korea University, Korea
	Karen L Thornber	Harvard University, USA
	Leo Ching	Duke University, USA
	Michael Bourdaghs	The University of Chicago, USA
	Natsuko Ozaki	Hirosaki University, Japan
	Neide Hissae Nagae	University of Sao Paulo, Brazil
	Rouli Esther Pasaribu	University of Indonesia, Indonesia
	Stephen Dodd	SOAS University of London, U.K
	Takayuki Nakane	Ehime University, Japan
	Tsukasa Izumi	Toyohashi University of Technology, Japan
	Tsuyoshi Namigata	Kyushu University, Japan
	Yoshitaka Hibi	Nagoya University, Japan
	Yuanchao Shan	Sojo University, Japan
	Zhisong Wang	Beijing Normal University, China

28. 고려대학교 아세아문제연구원 〈亞細亞硏究〉

KOREA-JAPAN

〈亞細亞硏究〉(The Journal of Asiatic Studies)는 1958년에 창간해 1963년까지는 1년에 두 차례 발행했으나 1964년부터는 3, 6, 9, 12월에 한국어와 영어로 발간하고 있다. 2004년 등재학술지가 됐다.

2021년 6월에 발간한 제64권 2호(통권 184호)의 내용은 다음과 같다.

☑ 마오쩌둥의 군권과 대중정치, 그리고 중국식 당치(黨治): 전쟁 · 내전 시기를 중심으로(김판수)

☑ 20세기 중국 과학사 · 기술사 · 의학사 독법(讀法): 자기 부정과 자기 재생산을 양극으로 하는 하나의 스펙트럼 안에서(이종식)

☑ 지구적 정의와 합당한 '만민(people)'들의 사회: 5.18 민주화운동 사례를 중심으로(인지훈)

☑ 중국의 마지노선 사고방식과 위기관리 전략: 대만 · 홍콩 대응 사례를 중심으로(한용준)

☑ 미국의 반중국 안보네트워크와 중국의 대응: 태국을 겨냥한 중국의 쐐기전략 분석(권재범)

2021년 3월에 발간한 제63권 1호(통권 183호)의 내용은 다음과 같다.

☑ 한국-2020: 팬데믹 시대 일당 우위의 정당정치와 비대면 사회로의 전환(공진성)

☑ 2020년 중국과 시진핑 정권: 시진핑 주석의 장기집권은 가능할 것인가?(이정남)

☑ 공정성 원칙으로서 능력주의와 불평등 인식: 한국과 일본의 비교(우명숙, 남은영)

☑ 일본 2020: 최장수 아베 정권의 정치적 유산과 과제(조진구)

☑ 일제강점기 조선의 목재수급과 산림자원의 변화 - 빈약한 산림자원, 과도한 용재생산(배재수, 김태현)

☑ 성별화된 기업조직과 성차별의 재생산에 관한 연구 - 한국 시중은행 여성근로자의 승진 경험을 중심으로(안리라)

☑ 한국인과 대만인의 다문화 수용성: 국민정체성과 국가자긍심의 효과를 중심으로(윤인진,

팽정)

☑ '해주극장'의 역사적 전개와 지역 극장의 위상에 관한 연구(김남석)

☑ 시진핑 정부와 '디지털 권위주의'(모준영)

☑ 중국의 투트랙 해양군사력 구비전략과 한국의 도전과제(반길주)

☑ 『Democratization and Democracy in South Korea 1960-Present』 Im Hyug Baeg, (2020 Palgrave Macmillan)(강우진)

〈亞細亞硏究〉의 편집위원회는 다음과 같다.

직책	이름	소속	이름	소속
편집위원장	**신재혁**	고려대		
편집위원	**김미경**	조선대	**황소연**	강원대
	박현모	여주대	**허 종**	충남대
	안정옥	부산대	**김현정**	한국전통문화대
	장진호	광주과학기술원	**하남석**	서울시립대
	정영철	서강대	**김지훈**	인하대
	손 열	연세대	**정재원**	국민대
	송규진	아세아문제연구원	**김재관**	전남대
	정주연	고려대	**신상범**	연세대
	지주형	경남대	**황지환**	서울시립대
	최재목	영남대	**김영근**	고려대
	오미숙	순천향대	**이평수**	충북대

29. 고려대학교 일민국제관계연구원 〈국제관계연구〉

KOREA-JAPAN

〈**국제관계연구**〉는 1996년 〈**IRI리뷰**〉로 창간해 2008년 〈**국제관계연구**(Journal of International Politics)〉로 이름을 바꿨다. 6, 12월 두 번 발행한다. 2010년 등재학술지가 됐다.

2021년 6월에 발간한 제26권 1호의 내용은 다음과 같다.

☑ 중국에 대한 아프리카의 인식과 결정요인: 아프로바로메터(Afrobarometer)를 통한 실증 분석(강유덕, 임태훈)
☑ 맞춤형 억제 신뢰성 제고: 한미의 능력과 의지를 중심으로(이홍석)
☑ 과학기술 ODA 결정요인 연구: 호주와 한국 사례를 중심으로(장보원)
☑ 미국의 유엔군사령부 정책: 해체 결정 및 번복 배경(1969~1978)(남정호)

2020년 12월에 발행한 제25권 2호의 내용은 다음과 같다.

☑ 북핵 고도화에 대응하기 위한 예상자위권의 적극적 적용 분석: '차단타격' 개념을 중심으로(박휘락)
☑ 미국의 한반도 확장억제 평가(김성한)
☑ 미중 경쟁 지정학 속의 북중관계(이성현)
☑ 동맹 결속변화의 비구조적 외생변수 추적: 중국 · 북한의 회색국가화 공세와 한미동맹의 디커플링(반길주)
☑ 일본은 보통국가인가?: 군사력 수준과 무력행사 범위의 고찰(김태효 · 박중현)
☑ 해외자원개발 정책금융의 비교 연구: 한국과 일본을 중심으로(이재승 · 성동원)
☑ Sunrise, Sunset: The Rise and Fall of Inter-Korean Economic Relations(Inhan Kim)
☑ The Stable Peace between France and Germany: The Role of the United States (Sung Eun Choi · Iordanka Alexandrova)

예상자위권 (right of anticipatory)
핵무기와 같은 치명적인 공격을 허용하고 나면 반격자체가 불가능하므로 그런 사태를 예상해서 미리 자위권을 행사한다는 개념이다. 대표적인 것이 선제타격(preemptive strike)이다. 그러나 선제타격은 명백한 증거가 있어야 하는데, 그렇지 못할 경우에 대비해서 새로 나온 개념이 차단적 자위(interceptive self-defense)라고 한다.

〈**국제관계연구**〉의 편집위원회는 다음과 같다.

직 책	이 름	소 속
발행인	**김성한**	일민국제관계연구원장 · 고려대 교수
편집고문	**한승주**	일민국제관계연구원 고문 · 고려대 명예교수
편집위원	**구본학**	한림국제대학원대
	박농형	고려대
	박철희	서울대
	유현석	경희대
	이 근	서울대
	이내영	고려대
	이동선	고려대
	이신화	고려대
	이재승	고려대
	정서용	고려대
	조한승	단국대
	최대석	이화여대
	최태욱	한림국제대학원대
	현인택	고려대
	홍규덕	숙명여대
	Amitav Acharya	American University, U.S.A.
	Victor Cha	Georgetown University, U.S.A.
	David C. Kang	Univ. of Southern California, U.S.A.
	Samuel S. Kim	Columbia University, U.S.A.
	Lai To Lee	Nanyang Technological University, Singapore
	Katharine H.S. Moon	Brookings Institution, U.S.A.)
	Masao Okonogi	Keio University, Japan
	Gilbert Rozman	Princeton University, U.S.A.
	Miranda Schreurs	Freie Universität Berlin, Germany
	Dingli Shen	Fudan Univ., China
	Scott Alexander Snyder	Council on Foreign Relations, U.S.A.
	Yoshihide Soeya	Keio University, Japan
편집간사	**김민성, 배은재**	

30. 국민대학교 일본학연구소 〈일본공간〉

〈일본공간〉(JAPAN SPACE)은 2007년 5월에 창간해 매년 6월과 12월, 두 차례 발간하고 있다. 2017년 등재학술지가 됐다.

2021년 6월에 발간한 통권 29호의 내용은 다음과 같다.

기획좌담

☑ 도쿄올림픽과 한반도(이원덕, 김기석, 김숙현, 김웅희)

특별기고

☑ 일본의 민간 고령자를 위한 주거(太矢一彦)

연구논문

☑ 전쟁과 식민의 기억: 히노 게이조의 문학을 중심으로(김계자)

☑ 마쓰모토 세이초(松本清張) 작품 속에 나타난 아시아 태평양전쟁과 '조선군'(김영숙)

☑ 한류 드라마에서 K-연극으로: 한국 근현대연극의 일본 소개 현황을 중심으로(서재길)

☑ 일본 복지정책의 변화와 제도적 향방(김성조)

☑ 일본 발전부문의 그린 성장 전략에 대한 비판적 고찰(임은정)

☑ 일본의 국경낙도 제도와 대응: 정부·지자체·민간단체를 중심으로(석주희)

☑ 日本の無形文化遺産政策の転換: 文化庁文化審議会の言説を読み解く(横山太郎)

현지보고

☑ 일본은 왜 '백신 접종 후진국'이 되었을까(이영희)

☑ 여섯 번의 격리를 경험하며(나리카와 아야)

2020년 12월에 발간한 통권 28호의 내용은 다음과 같다.

기획좌담

☑ 미중 전략경쟁 심화와 한일·북일 관계 전망(사회 최희식 국민대 교수, 참석자 우정엽 세종연구소 연구위원, 윤대엽 대전대 교수, 이기태 통일연구원 연구위원)

연구논문

국경낙도

국경지역에 있는 낙도(落島)를 말한다. 국경 낙도는 동아시아 역내에서 해양영토와 영해를 둘러싼 갈등의 직접적인 영향을 받고 있다. 일본은 최근 해양영토와 관련해 국경낙도를 전략 지역으로 주목하면서 2017년부터 '유인국경낙도법'을 시행하고 있다. 국경 낙도에 대한 관리와 지원을 강화함으로써 이들 섬을 자국의 해양권익을 확보하는 최전선으로 활용하겠다는 의도로 보인다.

☑ 전쟁의 제물로 강요당한 여성들: 마쓰모토 세이초(松本清張)의 「빨간 제비뽑기(赤いくじ)」 분석을 중심으로(김영숙)

☑ 근세 일본 지식인의 정보활동과 조선 관련 정보의 유통(허지은)

☑ 일본 해상보안청 역할 강화의 흐름과 시사점(이기태)

☑ 조선총독부 간행 「일본어 · 영어 대조 텍스트」: 사료군의 보고 및 연구전망(김효숙, 곽은주, 이병진, 탁진영)

☑ 일본 국민성과 경어: 하가 야이치(芳賀矢一)의 『國民性十論』을 중심으로(백은주)

☑ 일본의 아태지역 통상정책: 다각적 양면-연계론으로 분석한 CPTPP과 RCEP의 정책 수렴(박창건)

☑ 張赫宙作 · 日本語版「春香伝」上演(1938年)からみる植民地の文化越境: 座談会「朝鮮文化の将来」をめぐって(조은미)

일본현지보고

☑ 주민 의견 배제된 후쿠시마 제1 원전 오염수 처분(김회경)

☑ 한국을 향하는 시선: 일본 젊은 층과 코로나19 사태(도가시 아유미)

《국민성십론(国民性十論)》

일본 국문학의 선구자로 불리는 하가 야이치(芳賀矢一)는 그의 저서《國民性十論》(1907)에서 일본인이 전통적으로 중시해온 예법, 그중에서도 경어의 관습을 다각도로 분석하고 있다. 하가는 만세불역(萬世不易)의 황통에 기초한 국체(國體)를 떠받치는 중심축의 하나로 충효일치 사상과 경어 사용 전통에 주목했다. 천황제와 맥이 닿아있는 하가의 경어이론은 근대 국민국가 일본이 국민에게 요청했던 예절과 규범 의식을 내면화하는 데 크게 공헌했다. 하가가 정의한 일본 국민성 열 가지는 충군애국, 선조 숭상과 집안 중시, 현세적· 실제적, 초목과 자연 사랑, 楽天洒楽(낙천세락), 淡泊瀟洒(담박소쇄), 繊麗繊巧(섬려섬교), 清浄潔白(청정결백), 礼節作法(예절작법), 温和寛恕(온화관서) 등이다. (백은주 교수 논문 초록 등)

〈**일본공간**〉의 편집위원회는 다음과 같다.

직책	이름	소속
편집위원장	**김기석**	강원대 정치외교학과
편집주간	**류미나**	국민대 교양대학
편집간사	**엄태봉**	국민대 일본학연구소
편집위원	**박 훈**	서울대 동양사학과
	유지아	원광대 동북아시아인문사회연구소
	윤대엽	대전대 군사학과
	이기태	통일연구원
	이이범	강릉원주대 일본학과
	이정환	서울대 정치외교학부
	이형식	고려대 아세아문제연구원
	최영호	영산대 일본비즈니스학과

31. 단국대학교 〈日本學研究〉

KOREA-JAPAN

〈日本學研究〉(Japanese Studies)는 1997년 5월에 창간해 매년 1, 5, 9월에 세 차례 발간하고 있다. 2007년 등재학술지가 됐다. 단국대 일본연구소에서 주관하는 정기학술심포지엄에서 발표한 일본의 어 · 문학, 역사, 문화인류, 사회, 문화, 종교, 민속 등의 연구논문을 중심으로 국내외 일본학, 한일 비교문화학 연구자들이 투고하는 논문을 게재하고 있다.

논문은 특집논문, 일본학, 일본문학, 일본어학으로 분류하고 있고, 특히 한 · 일 비교문화학적 연구, 문학과 사상, 문화와 역사처럼 학제 간 통합연구를 지향하면서 '한 · 일 인문학의 교류와 소통'이라는 연구소의 핵심 어젠다에 부합하는 논문들을 많이 게재하고 있다.

2021년 5월에 발간한 통권 63호의 내용은 다음과 같다.

☑ 동아시아의 재난, 해적과 왜구 - 13~14세기 왜구를 중심으로(김보한)

☑ 에도시대 도시형 재난과 요시와라 유곽의 대응 - 데라카도 세이켄(寺門静軒)의 『에도한조키(江戸繁昌記)』를 중심으로(이충호)

☑ 재해 연극 「祝/言」의 기억과 전달의 의미 - 재해를 넘어 한일 화해를 담아(편용우)

☑ 일본 중세 문학에서의 재해(김인아)

☑ 재일한국인 귀국사업에 대한 이승만 정부의 대일(對日) 외교정책 분석(김미영)

☑ 레토릭으로서의 '미래지향적 한일관계'의 원점(김미정, 박용구)

☑ 가쓰키 규잔의 아동 교육관 - 『쇼니히쓰요소다테구사(小児必用養育草)』를 중심으로(최승은)

☑ 『棠陰比事』『彦超虚盗 道譲詐囚』の受容 - 笑話から西鶴を経由して秋成に及ぶ(양성윤)

☑ 「コトダカラ」の意味用法 - 「モノダカラ」との比較を中心に(황윤실)

☑ 한일 중학교 영어과 교육과정 비교 연구(권영성)

☑ 일본 취업을 위한 유통 분야 어휘 분석 - 『日本語能力試験出題基準』의 어휘와의 비교를 중심으로(하주영, 한원형)

2021년 1월에 발행한 통권 62호의 내용은 다음과 같다.

스하라야(須原屋)

일본에서는 일찍부터 인쇄 기술의 진보로 출판산업이 발달했다. 에도시대에는 출판업자에 따라 간행하는 서적이 달랐는데, 스하라야 모헤(須原屋茂兵衛)는 공적 출판물을 주로 간행했다. 스하라야 모헤의 밑에서 일하다 분가한 여러 출판업자는 '스하라야'라는 상호를 물려받았다. 그들은 의학, 양학, 어학, 지리 등 다양한 분야의 서적을 간행했다. 에도시대 출판산업의 발달은 서적의 증가로 이어졌으며 이는 생계형 작가를 탄생시키는 계기로 작용했다. 출판업자는 생계형 작가와 함께 서적 간행을 계속했고, 출판업자에 따라 간행하는 서적의 분야가 점차 나눠졌다. (홍성준의 논문 초록)

☑ 에도시대의 출판업자 '스하라야(須原屋)'와 지식의 전달(홍성준)
☑ 20세기 중국 지식인의 문화관－錢穆의 文化哲學을 中心으로(윤지원)
☑ 선진시기 유가사상의 전환－운명론에서 자유론으로(김세종)
☑ 일본에 있어서 신라 요괴 진린 전승(노성환)
☑ 근세 일본 '문인'의 존재 양상과 문인 아집－18세기 오사카 문인과 염담(恬淡)(정경진)
☑ 日本領樺太における公訴時効制度の考察(高橋孝治 · 다카하시 고지)
☑ 일본군 '위안부' 문제에 있어서 공권력과 강제동원성－일본 재판부의 판결문 속 '국가무답책' 법리를 중심으로(강경자)
☑ 糸井武の「二代目十返舎一九」としての著作活動考(康志賢)
☑ 森崎和江の表現の原点考察－越境直後の詩篇における心象風景を中心に(反町真寿美 · 소리마치 마스미)

〈**일본학연구**〉의 국내 편집위원과 해외 편집위원은 다음과 같다.

국내 편집위원

직책	이름	대학	전공	이름	대학	전공
편집위원장	**황소연**	강원대	일본문학			
편집위원	**김영민**	연세대	한국문학	**이미숙**	명지대	일본어학
	김용의	전남대	일본학	**임경택**	전북대	일본학
	박진수	가천대	비교문학	**조남성**	한밭대	일본어학
	박진우	숙명여대	일본학	**조래철**	순천대	일본어학
	서정완	한림대	일본문학	**호사카 유지**	세종대	일본학
	신지숙	계명대	일본문학	**홍성준**	단국대	일본문학
편집간사	**최승은**	단국대	일본연구소			

해외 편집위원

직책	이름	대학	전공
편집위원	**나가시마 히로아키**	니쇼가쿠샤대	일본문학
	나가오카 류사쿠	도호쿠대	일본학

편집위원	**사이토 히데키**	불교대	일본문학
	소메야 도모유키	이바라기그리스도교대	한일비교문학
	宋協毅	大连大学	일본어학
	李東哲	浙江越秀外国语学院	일본어학
	鄒波	復旦大	일본문학
	Hur Namlin	브리티시 컬럼비아 대	일본학

32. 동국대학교 〈日本學〉

KOREA-JAPAN

〈日本學〉(The Ilbon-Hak · Journal of Japanology)은 1981년 창간했으며 처음에는 1년에 한 차례 발간했으나 현재는 매년 세 차례, 4, 8, 12월에 발간하고 있다. 2012년 등재 학술지가 됐다.

2021년 4월에 발간한 통권 53호의 내용은 다음과 같다.

☑ 未完の沖縄構想と在日朝鮮人文学者の思想との連結のために(오세종)
☑ 시선의 정치학과 내부식민지의 탄생 - 1962년 산업박람회를 중심으로(김동현)
☑ '독자'로서의 편집자와 재일조선인문학의 네트워크 - 김석범 문학을 중심으로(조수일)
☑ 한일 정치적 갈등이 무역과 투자에 미치는 영향(김용민, 송정현)
☑ 스포츠 내셔널리즘과 재일코리안 선수들의 대응(신승모)
☑ 나카지마 아쓰시(中島敦)의 '남양(南洋)' 소설론(엄인경)
☑ 조선인 노동자의 일본 도항정책을 둘러싼 내무성과 조선총독부의 '갈등'(이승희)
☑ 근대 일본 식민정책학의 전후(戰後) - 아시아 연구의 관전사(貫戰史)(박양신)
☑ 의료사무 장면에서의 공통어와 방언 간 코드 스위칭에 관한 연구(윤상한)
☑ 『笑雲入明記』를 통해서 본 15세기 중반의 明 · 日 관계와 進貢 · 貿易(임경준)
☑ 근대 일본 탐정소설 장르의 재(再)정의와 에도가와 란포 - 1930년 전후, '변태'에서 '에로 · 그로'로의 이행에 주목하여(한정선)

에로 · 그로
에로틱과 그로테스크를 뜻한다. 1930년대 대중들은 에로틱하거나 그로테스크하거나 난센스 같은 화제를 원했고, 잡지사들도 그런 기사를 많이 실었다고 한다. 소래섭 울산대 교수는 《에로 그로 넌센스 - 근대적 자극의 탄생》(2005)이라는 책을 내기도 했다.

2020년 12월에 발행한 통권 52호의 내용은 다음과 같다.

☑ 다이쇼기 '아나 · 볼 논쟁' 재고 - 오스기 사카에의 일본탈출과 마흐노운동(김병진)
☑ 혁명의 사상, 문학의 사상 - 오스기 사카에(大杉栄)의 아나키즘과 『학지광』 문인의 아나키즘 문학사상(최호영)
☑ 제국일본의 생명정치와 '황도주의' 우생학 - 고야 요시오의 '민족생물학'을 중심으로(서동주)
☑ 근대초극론에서 '도의적 생명력'의 의미 - 생명과 주권의 만남(김태진)

☑ 1920년 북간도 장암촌 학살 재검토(김연옥)

☑ 다야마 가타이(田山花袋)의 국가주의 이상 연구 – 일병졸(一兵卒)과 『시골선생(田舎教師)』을 중심으로(노윤지)

☑ 宮沢賢治の『ガドルフの百合』の心象スケッチ – 物理的な空間と精神的な空間(朴京姃)

☑ 사라진 전투와 괴담의 형성 – 『헤이케뇨고노시마(平家女護島)』 속 겐페이(源平) 내란의 잔상을 중심으로(박은희)

☑ 전후 식민자 2세 여성의 '소녀의 기억'과 식민지 조선 – 다카하시 기쿠에(高橋菊江)의 조선 관련 단편소설을 중심으로(송혜경)

☑ 『곤지키야샤』에서 『장한몽』에로의 번안 연구 – '초명치식 여인'에서 '조선식 열녀'로(한광수)

〈**일본학**〉의 편집위원회는 다음과 같다.

직 책	이 름	소 속	이 름	소 속
편집위원	**고혜정**	가톨릭관동대	**정승운**	전남대
	김동윤	제주대	**최재목**	영남대
	김웅기	홍익대	**추석민**	신라대
	방극철	순천대	**이타쿠라 마사아키**	도쿄대
	방윤형	수원대	**가와무라 미나토**	호세이대
	신승모	경성대	**요시모토 하지메**	도카이대
	이지형	숙명여대		

33. 동서대학교 〈次世代 人文社會硏究〉

KOREA-JAPAN

〈次世代 人文社會硏究〉(The Journal of Next-Generation Humanities and Social Sciences)는 차세대 연구자와 신진 연구자들 — 박사학위 취득자, 석박사 과정생 및 수료생 — 의 논문을 싣는다. 이들이 중견 연구자들에게 밀려 기존의 학술지에서는 논문을 발표할 기회를 얻기 어렵다는 점에 착안한 것이다. 2005년에 창간해 매년 3월에 한 차례 발간하고 있다. 2016년 등재학술지가 됐다. 이 학술지는 동서대 일본연구센터가 주관하고 있는 '한일차세대학술포럼'의 이름으로 발행한다.

2021년 3월에 발간한 통권 17호의 내용은 다음과 같다.

☑ 중국 정당 정책연구소 중앙당교(中央党校)에 대한 평가 – 상해 사회과학연구원 싱크탱크 연구센터 개발 지표를 활용한 분석(최영란)

☑ 防衛協会・自衛隊協力会に関する一研究 – 1960年代の全国的設立を中心に(中原雅人)

☑ 위탁가정 지원제도 발전방안에 관한 연구(박건우)

☑ ブランド論におけるブランド・リレーションシップの位置づけ – ブランド・ロイヤルティとの比較を中心に(李熙明)

☑ 日本統治期台湾の市場経済化と価格伸縮性(陳玉芬)

☑ 修史・外交・教育 – History of the Empire Japan『にほんれきし』(1893年)における神代史(高瀬航平)

☑ 다문화부부의 갈등 요인에 관한 실증연구 – 부산내 중국과 베트남 결혼이주 여성을 중심으로(단효금)

☑ 東アジアにおける友人の選択基準 – EASS2008を用いた日本、韓国、中国、台湾の比較分析(林萍萍)

☑ 한국SGI의 전개 과정과 포교 현황 – 문화회관의 건립・활동을 중심으로(김현석)

☑『沙石集』における三学観の展開とその思想史的意義 – 多彩な「方便」の視点から(陳穎傑)

☑ 재일동포 2세 여성에 있어서의 '가족' '가족 찾기' 행위를 중심으로 한 생애 연구(홍리나)

☑ 台湾における日本統治時代の神社の再建に関する一研究 – キーパーソンの働きから見る鹿野村社の再建前夜(野口英佑)

SGI

국제창가학회(Soka Gakkai International・國際創價學會)를 말한다. 창가학회는 1930년 마키구치 쓰네사부로(牧口常三郞・1871~1944)가 설립한 일본의 대표적인 신종교이다. 마키구치는 승려 니치렌(日蓮・1222~1282)을 교조로 삼는 일련정종에 입문해 불교의 가르침과 자신의 교육철학을 융합해 창가학회를 만들었다. 국제창가학회의 신자는 1000만 명을 상회하고, 우리나라 회원은 150만 명이라고 한다. (한국민족문화대백과)

☑ 게임을 '보는' Z세대 - 인터넷 게임 방송 시청자의 유형 분류(이민주, 임대근)

〈次世代 人文社會硏究〉의 편집위원은 다음과 같다.

직 책	이 름	소 속	학술지담당	개인연구분야
편집위원장	**이원범**	동서대	총괄	일본문화 · 종교
편집위원	**김진기**	부경대	국제관계	국제 · 지역정치
	임석준	동아대	정치 · 법률	국제정치
	박성빈	아주대	경제 · 경영	일본경제
	송양섭	고려대	역사	조선 후기사
	금종애	충남대	언어 · 문학	국문학
	신지원	전남대	사회 · 젠더	젠더 · 노동 · 국제이주
	최종성	서울대	종교 · 사상	한국종교 · 종교의례
	박환영	중앙대	민속 · 인류	비교민속학
	신광철	한신대	문화 · 예술	종교 · 문화
	고하리 스스무	시즈오카현립대	국제관계	한일교류
	시마즈 유이치로	게이오대	정치 · 법률	일본 정치외교 · 정책
	다카세 고이치	와세다대	경제 · 경영	경제이론 · 경제정책
	하야시 유스케	메이세이대	역사	동양사 · 조선근세다
	사이토 마레시	도쿄대	언어 · 문학	비교문학 · 중국문학
	가이즈미 게이코	이와테대	사회 · 젠더	여성 · 젠더
	가와세 다카야	교토부립대	종교 · 사상	한일근대종교사
	사쿠라이 요시히데	홋카이도대	민속 · 인류	종교민속 · 문화인류
	하마다 요	데이쿄대	문화 · 예술	비교종교문화 · 문명론

34. 서강대학교 〈동아연구〉

KOREA-JAPAN

인도네시아 보로부두르

인도네시아 자바섬 중부 욕야카르타 북쪽에 있는 장대하고 복잡한 불교건축물이다. 수많은 탑이 모여 있고, 전체의 모양 또한 탑의 형상을 하고 있다. 8세기 전반에 중부 자바에서 번영한 샤일렌드라 불교 왕조 때 건립한 것으로 추정하고 있다. 10세기 중엽 정치·문화의 중심이 서부 자바로 옮겨가면서 기억에서 사라졌다가 1814년 영국 총독 T.라플스 통치시대에 그의 명을 받은 유럽인들이 발견했다. 1991년 세계문화유산에 등재됐다. (두산백과)

수박(Subak) 체계

인도네시아 발리의 문화경관을 이루고 있는 수로와 둑을 이용한 관개 시스템을 말한다. 수박 체계는 9세기부터 시작했으며 발리에 있는 다섯 곳의 계단식 논과 수상사원을 움직이는 시스템이다. 면적은 19,500ha 정도이며, 이 시스템의 중심에 사원이 있다. 수박 체계는 단순히 농사용 관개시스템이 아니라 행복은 신, 인간, 자연의 조화에서 나온다는 트리 히타 카라나(Tri Hita Karana)라는 힌두철학의 소산이다. 민주적이고 평등한 농경 방식인 수박 체계 덕분에 발리는 높은 인구밀도에도 불구하고 군도에서 가장 많은 농작물을 수확했다. 2012년 〈발리의 문화경관: 트리 히타 카라나 철학의 표현으로서의 수박 체계〉라는 이름으로 '수박체계'가 유네스코 세계유산에 등재됐다. (유네스코 세계유산 해설 정리)

〈東亞硏究〉(East Asian Studies)는 1982년 창간했으며 매년 2월과 8월 두 차례 발행하고 있다. 2007년 등재학술지가 됐다.

2021년 2월에 발간한 40권 제1호의 내용은 다음과 같다.

☑ 한국 대학의 동남아시아 관련 교육과정: 현황과 대안(전제성, 박사명, 김현경)

☑ 지역연구로서의 '아세안 연구': 학술적 함의와 현실적 필요성(김동엽)

☑ 한국의 아세안 연구(2001-2020): 리뷰와 제안(배기현)

☑ 인도네시아 보로부두르의 밀교적 성격 재고(강희정)

☑ 이슬람식 근대주의: 인도네시아 무함마디야의 사례(김형준)

☑ 인도네시아 서부 술라웨시의 발라니파 왕국의 기원 신화에 나타난 엘리트 세력의 형성 과정과 양두정치 양상(송승원)

☑ '대국' 인도네시아의 중견국 외교: '독립적, 적극적' 외교의 추구(서지원)

☑ 밀양아리랑의 전승에 대한 재인식: 발리 수박(Subak) 관념체계 전승 사례와의 비교를 중심으로(정정훈)

☑ 라오스의 세계유산 등재 현황과 과제(주경미)

☑ 코로나19 대응에 왜 베트남은 성공하고 필리핀은 실패했는가: 규율 메커니즘의 비교분석(양창원, 백용훈)

☑ 베트남의 정치적 보수화와 경제개혁의 지속: 제12차 및 제13차 공산당대회 분석(이한우)

☑ 북한의 기업개혁에 대한 일고찰-기업경영방식 변화가 경제성장에 미치는 영향(정은찬)

☑ '먹어서 응원하자'? 부흥을 위한 생명정치: '예외상태'에서의 동원과 전문성의 정치를 통한 후쿠시마 정상화 시도(최종민)

☑ 이슬람 주택금융의 이상과 현실: 말레이시아와 인도네시아 사례(이지혁)

2015년 이후의 〈**동아연구**〉에 실린 일본 관련 논문은 다음과 같다.

☑ 1920년대 중반 식민지 조선에서의 일본인 영화 배우에 관한 연구 _ 함충범(고려대, 2015년 2월)

☑ 아베 정부의 우경화와 미일동맹 강화가 한반도 안보정세에 미치는 영향 _ 이인호(국가안보전략연구원, 2015년 8월)

☑ 대일 경제정책의 사회적 형성; 무역 불균형과 한국과 대만의 정책대응 비교 _ 윤대엽(연세대 중국연구원, 2016년 2월)

☑ 중견국 외교론으로본 동북아평화협력구상 _ 김치욱(울산대, 2016년 8월)

☑ 경제참모본부의 식민지적 유산과 제1공화국 기획처의 탄생 _ 박성진(한국학중앙연구원, 2016년 8월)

☑ 소수자 내셔널리즘과 성찰성: 오사카의 오키나와 디아스포라를 중심으로 _ 조수미(명지대, 2016년 8월)

☑ 지역질서로서 공동체개념의 등장: 동아협동체론의 성립, 전파와 식민지 유통 _ 손열(연세대, 2017년 2월)

☑ 동아시아 지역주의와 트랙2 외교: 니트(NEAT) 사례를 중심으로 _ 김형종(연세대, 2017년 2월)

☑ 일본의 미일동맹-유엔 중심의 안보전략의 변용: 1990년대 일본의 탈냉전기 국가정체성 재건과정을 중심으로 _ 손석의, 조비연(서울대 국제대학원, 2016년 2월)

☑ 일본 TPP 추진의 정치경제: 일본의 국가정체성과 지역구상의 관점에서 _ 최은미(세종연구소, 2018년 2월)

☑ 한국과 일본의 노동시장 레짐; 경제위기 이후의 정책대응을 중심으로 _ 우준희(고려대, 2018년 8월)

☑ 근세 일본에서 다이묘가(家)의 가족제도 - 오카야마번 이케다가를 중심으로 _ 정하영(중산대학남방학원 동아시아연구소, 2019년 2월)

NEAT

동아시아 싱크탱크 네트워크(Network of East Asian Think-Tanks)를 말한다. 아시안+3 정상회의는 2000년 장기적 발전을 위해 동아시아스터디그룹(East Asia Studies Group, EASG) 설립에 합의했고 이에 관한 보고서를 2002년에 승인했다. 보고서는 단기실천 방안으로 NEAT의 설립을 제안했다. 싱크탱크들이 학계와 정책결정자들을 잇는 가교역할을 할 것으로 기대한 것이다. NEAT는 보고서를 채택한 다음 해인 2003년에 출범했다.

〈**동아연구**〉의 편집위원회는 다음과 같다.

직 책	이 름	소 속
편집위원장	**이한우**	서강대 동아연구소 교수
편집위원	**김도희**	한신대 중국지역학과
	김종걸	한양대 국제학대학원
	박승우	영남대 사회학과
	손 열	연세대 국제학대학원
	임경택	전북대 일본학과
	조관희	상명대 중국어권지역학
	张小明	베이징대 국제관계학원
	미즈노 고스케	교토대 동남아시아연구소
	Vedi R. HADIZ	머독대 아시아학
	Andrew MACINTYRE	호주RMIT대 국제관계학

35. 서울대학교 일본연구소 〈일본비평〉 〈Seoul Journal of Japanese Studies〉

KOREA-JAPAN

〈일본비평〉(Korean Journal of Japanese Studies)은 2009년에 창간했으며 2월과 8월 두 차례 발간한다. 2016년 등재학술지가 됐다.

2021년 2월에 발간한 제24호의 내용은 다음과 같다.

☑ 포스트 '수출규제' 시대의 한일 경제관계
☑ 편집자의 말: 일본의 대한국 수출규제의 충격과 한일 경제관계의 전망(정진성)
☑ 일본의 수출규제 강화에 대응한 한국의 '탈일본화'에 관한 시론적 고찰(김양희)
☑ 한일 자동차산업의 협력과 경쟁(여인만)
☑ 한일 경제관계의 과거 · 현재 · 미래: 철강산업을 중심으로(아베 마코토)
☑ 한일관광 변화와 전망: 일본수출규제에서 코로나19 확산까지(조아라)
☑ 2000년대 이후 동아시아 국제분업의 변화: 부가가치 무역 분석(류상윤)
☑ 전후 국제무역체제 속에서 한일 양국의 협조와 갈등: 1990년대 이후를 중심으로(유혁수)
☑ 한일 기술 교류와 '국산화' 개념의 변화(최형섭)
☑ [연구논단] 무역-안보 연계 관점에서 본 한일 무역 갈등: GATT 제21조 안보상의 예외를 중심으로(구민교)
☑ [연구논단] 전간기 일본, 냉전 자유주의와 신자유주의의 시선 그 너머: 아마추어 무선가, 과학 내셔널리즘, 제국 질서(정지희)

2020년 8월에 발간한 제23호의 내용은 다음과 같다.

☑ 올림픽의 재해석: 21세기 일본과 메가 스포츠 이벤트
☑ 편집자의 말: '환상의 올림픽', 다시? 현대 일본과 올림픽의 정치학(김효진)
☑ 2020년 도쿄 올림픽과 아베의 올림픽: 부흥 올림픽, 헌법개정 그리고 올림픽 연기(윤석정)
☑ 2020년 도쿄 올림픽과 도시재생의 역설: 신국립경기장 건설과 퇴거(김은혜)
☑ 도쿄 올림픽과 패전의 풍경: 〈이다텐: 도쿄 올림픽 이야기〉와 새로운 대하드라마의 가

이다텐 – 도쿄올림픽 이야기

2019년 1월부터 12월까지 방영한 NHK의 58번째 대하드라마이다. 이다텐(いだてん)은 불법(佛法) 수호신인 위타천(韋陀天)을 의미하며, 일본에서는 빨리 달리는 사람의 대명사로 쓴다. NHK 대하드라마는 그동안 전국(戰國) 시대와 막부 말기(明治維新) 등을 주로 다뤘는데 33년 만에 20세기를 배경으로 하는 드라마로서 관심을 끌었다. 2020년 도쿄올림픽 붐을 조성하기 위해 만든 작품이다. 1912년 스웨덴 스톡홀름 올림픽에 일본 국가대표 마라톤 선수로 출전한 가나구리 시조(金栗四三 · 1891~1983)와 1964년 도쿄올림픽조직위원회 사무총장이었던 다바타 마사지(田畑政治 · 1898~1984)를 중심으로 이야기를 전개한다. 47화의 평균시청률은 8.2%였다. (나무위키)

능성(김보경)

☑ 이미지의 올림픽: 1964 도쿄 올림픽의 디자인 프로젝트 다시보기(박세연)

☑ 나가노 동계올림픽과 지역의 다층적 국제화(김희경)

☑ 특집기고: 스포츠 분야 트랜스젠더 배제(Trans-Exclusion)에 대한 "페미니즘" 담론(이타니 사토코 · 井谷聡子)

☑ 특별기고: 2020년, 후쿠시마에서 코로나 재해를 생각한다(마쓰타니 모토카즈 · 松谷基和)

☑ 도시의 냉각: 도쿄에게 헤이세이란 무엇이었을까?(사다카네 히데유키 · 貞包英之)

☑ 1960년대 일본의 고미술 수용과 감상의 변화: 『부인공론(婦人公論)』의 표지사진을 중심으로(김계원)

〈婦人公論〉
중앙공론신사(中央公論新社 · 요미우리신문그룹)이 발행하는 여성지. 1916년 1월에 창간해 월간으로 발행하다 1998년 3월부터 월 두 차례 발간하고 있다. 〈中央公論〉은 1913년 '여성의 해방과 자아 확립을 위한 시대의 목소리'라는 테마로 '부인특집'을 꾸몄는데 큰 호응을 받았고, 이것이 〈婦人公論〉의 창간으로 이어졌다. 현재는 '여성의 행복을 추구한다' '나이에 얽매이지 않는 자유로운 삶을 응원한다'는 등의 캐치프레이즈를 내걸고 있다.

〈일본비평〉의 편집위원은 다음과 같다.

직책	이름	소속
편집위원장	**이지형**	숙명여대 일본학과
편집위원	**권숙인**	서울대 인류학과
	남기정	서울대 일본연구소
	정진성	방송대 일본학과
	박규태	한양대 일본언어문화학부
	조관자	서울대 일본연구소
	김효진	서울대 일본연구소
	유혁수	가나가와대 국제문화교류학과
	신기영	오차노미즈여대 대학원 인간문화창성과학연구과
	목수현	서울대 규장각
	이은경	서울대 일본연구소
	여인만	강릉원주대 국제통상학과
	한정선	고려대 국제학부
	박 훈	서울대 동양사학과
	박영준	국방대 안전보장대학원
	이정환	서울대 정치외교학부
	정준영	서울대 규장각 한국학연구원
	홍종욱	서울대 인문학 연구원

	박삼헌	건국대 일어교육과
	조현정	카이스트 인문사회과학부
	김희경	경북대 고고인류학과

〈Seoul Jounal of Japanese Studies(SJJS)**〉**는 2015년에 창간해 1년에 한 번 발간한다.

2020년 10월에 발행한 제6호의 내용은 다음과 같다.

☑ Special Topic: Japan and the Cold War in East Asia

☑ Editor's Note

☑ Japan's Special Procurement in the 1950s and the Cold War Structure (정진성)

☑ John Foster Dulles's Beliefs and the Birth of Republic of Korea-Japan Relations (김승배)

☑ "Meiji versus Postwar" in Cold War Japan: The Emergence of Economic Nationalism in the 1960s (이경희)

☑ "When I Die": Biopolitics and the Ethics of Dying in Japan's Super-aged Society (김희경)

☑ Locale Idols and the Creation of New Local Culture: Ehime Prefecture's Hime Kyun Fruit Can (이석)

☑ The Characteristics and Implications of Japanese Foreign Direct Investment into Korea: An Analysis Based on Statistical Data from Both Countries (이형오)

☑ The Terror of the Crowd: The Riot as a Form of Street Politics in Colonial Korea 1920-29 (기유정)

☑ Special Contribution: A Reminiscence on the Formation of the East Asian Consortium of Japanese Studies (박철희)

2019년 10월에 발행한 제5호의 내용은 다음과 같다.

☑ Special Topic: The Return of "Japonism"

☑ Editor's Note (박철희)

☑ "Smallness" in Japanese Houses: From Postwar to "Post-postwar" Architecture (조현정)

☑ The Ukiyoe Boom and Twenty-First Century Japonism (강태웅)

☑ "Lineage of Eccentrics": The Popularization of Art History, or Rewriting Japanese Art History (최재혁)

☑ Comfort Women of the Empire and the Politics of Memory (이헌미)

☑ Wage System Reform in Japan: From Seniority to Performance (김삼수)

☑ Japanese Population Politics as Viewed through Fertility Surveys in the 1940s and 1950s (김인수)

☑ US Cultural Cold War Diplomacy and the Politics of Representation of Ethnicity: "America" in Agawa Hiroyuki's Kariforuniya (김지영)

☑ Korean Spies Mobilized by Japanese Military Police in the Early Periods of Resident-General of Korea: An Analysis of Secret Activity Funds of the Imperial Japanese Army Stationed in Korea (이승희)

〈SJJS〉의 편집위원회는 다음과 같다.

직책	이름	소속	이름	소속
편집위원장	**박철희**	서울대 국제대학원		
편집위원	**김효진**	서울대 일본연구소	**이정환**	서울대 정치외교학부
	남기정	서울대 일본연구소	**이지원**	한림대 일본학과
	남상욱	인천대 일어일문학과	**정지희**	서울대 일본연구소
	박영준	국방대 안전보장대학원	**정진성**	방송대 일본학과
	박지환	서울대 국제대학원	**조현정**	카이스트 인문사회과학부
	서동주	서울대 일본연구소	**한정선**	고려대 국제학부
	윤병남	서강대 사학과	**함동주**	이화여대 사학과

36. 서울대학교 아시아연구소 〈아시아리뷰〉

〈아시아리뷰〉는 2011년 6월 창간했다. 매년 2(4), 8, 12월 세 차례 발간한다. 2017년 등재학술지가 됐다.

2021년 4월에 발간한 제11권 1호(통권 21호)의 내용은 다음과 같다.

☑ 경계를 넘어서: 동아시아 시각에서 본 고구려 벽화(김병준)
☑ 고고학 자료의 네트워크 분석을 통한 외래유물 유통망 검토: 영남지역 무덤 출토 오수전의 해석을 위한 융복합적 시도(고일홍)
☑ 동아시아 고대사회 닭의 확산과 그 함의: 계림의 흰 닭과 '꿩 대신 닭' 사이의 간극(고은별)
☑ 멸종위기종 보호를 위한 환경거버넌스 모색: 몽골 고비곰 보호 사례를 중심으로(Erdenebileg Khulan, 윤순진)
☑ 창작과 표현으로 본 북한 선전화: 1950년대 이후 북한 선전화 양식의 형성과 변화(김민수, 이정은, 이솔, 김미혜)
☑ 근세 일본 지방행정조직의 구조: 오카야마번(岡山藩)의 군카이쇼(郡會所) 사례 연구(정하영)
☑ 티무르조의 화폐 제도 재고(再考)(이주연)
☑ 카자흐스탄의 민족, 고려인의 국가(이진혜)
☑ 『매일신보』의 제1차 세계대전에 관한 보도 추이 분석: 대전 발발부터 동아시아 연대론 주창까지(문준호)
☑ 체제전환국 국민의 복지 · 경제 · 정치 제도 인식의 유형화: 국가 간 차이를 중심으로(권인욱, 박준혁)
☑ 중국 정보통신 혁신산업에서의 국가의 역할: 혁신 발전국가(조은영)
☑ 한국적 국제정치학의 기원과 전개: 『19세기 동아시아의 패러다임 변환과 제국 일본』(강상규 지음, 논형, 2019)을 읽고(김태진)
☑ 글로벌통상질서 변화와 아세안 WTO분쟁의 이해: 『아세안의 WTO 무역분쟁 연구: 글로벌 통상질서 변화에 따른 특성 및 비교분석』(나희량 지음, 서울대학교출판문화원,

2020)을 읽고(김형종)

2020년 12월 발간한 제10권 2호의 내용은 다음과 같다.

☑ 세계체제, 동아시아 그리고 한국: 월러스틴을 기리며

☑ 21세기 문명위기와 세계체제론: 이매뉴얼 월러스틴(I. Wallerstein)의 비교역사적 전망(임현진 · 장진호)

☑ 미국 헤게모니 형성기 동아시아 국가간체계 질서의 변동: 월러스틴의 이론 자원으로 검토한 냉전 형성 과정과 중국 변수(백승욱)

☑ 세계체계의 변화와 한국의 농식품체계: 식량체제론을 중심으로(김철규)

☑ 세계생태와 역사적 자본주의의 구체적 총체성: 세계체계 분석의 지속 혹은 변신?(이광근)

자유 주제

쌍쓰끄리땀과 알벧까르

쌍쓰끄리땀은 인도의 문화와 역사를 이해하는 핵심 도구이며 인도의 문화 전통을 담지한 채 현재까지도 살아 움직이는 언어이다. 알벧까르는 힌두 전통사회의 가장 큰 악습으로 간주되는, 천민의 신분적 차별을 철폐하고자 했던 천민권익운동의 리더였고, 힌두 전통주의에 입각한 간디의 상징정치에 저항했다.(강성용 인문학연구원 교수)

☑ 쌍쓰끄리땀과 암벧까르(Ambedkar)의 소환 그리고 고대사 재구성과 인도 현대 정치의 규정요소로서의 언어(강성용)

☑ '공포의 문화'에서 벗어나기: 타이완 현대사와 기억의 장소(이영진)

☑ 왜 중국의 불평등이 증가하는가?: 국가의 발전 전략, 사회 제도, 정치경제적 관점의 재검토(장소매 · 김윤태)

☑ 몽골 초 · 중 · 고등학교의 한국어 교육과정 연구: '23번 학교'를 중심으로(알타이 · 김가람)

☑ 북한–중국 과학기술협력 네트워크의 구조적 특성과 변화에 대한 연구: 트리플힐릭스 접근을 기반으로(윤정원)

〈**아시아리뷰**〉의 편집위원은 다음과 같다.

직 책	이 름	소 속
편집위원장	**오명석**	서울대 아시아연구소
편집부위원장	**홍백의**	서울대 사회복지학과
편집위원	**조문영**	연세대 인류학과
	김수영	충남대 언론정보학과
	이지원	한림대 일본학과
	이광수	부산외대 인도학과
	전제성	전북대 정치외교학과
	손인주	서울대 정치외교학부
	Jin Jianbin	Tsinghua U. School of Journalism & Communication
	Wang Yihong	Peking U. School of Journalism & Communication
	Mizukoshi Shin	U.Tokyo, Graduate School of Interdisciplinary Information Studies
	Sungmin Kim	Hokkaido U. Research Faculty of Media and Communication
	Angel Lin	U of Hong Kong, Division of English Language Education
	Mouri Yoshitaka	Tokyo National University of Fine Arts and Music Department of Musical Creativity and the Environment
	Eun-Jung Lee	Freie Universität Berlin, Institute of Korean Studies
책임편집 및 편집조교	**남은영, 김서현**	서울대

KOREA-JAPAN

37. 서울대학교 국제문제연구소 〈세계정치〉

〈세계정치〉(World Politics)는 1976년 창간 당시에는 **〈국제문제연구〉**라는 이름이었으나 2004년 지금의 이름으로 바꾸었다. 매년 상, 하반기에 한 차례씩 발행하고 있다. 다양한 논문을 싣지 않고, 큰 테마를 잡아 관련 논문을 집중적으로 싣는다.

2021년 5월에 발간한 제34호의 내용은 다음과 같다(테마는 '김정은의 전략과 북한'이었다).

☑ 서문 김정은의 전략과 북한
☑ 제1장 전략적 선택과 북한 사회주의 미래 – '새로운 길'과 인민생활 향상
☑ 제2장 김정은 시대 통치 이데올로기(2012-2021) – '선군'에서 '국가와 인민'으로
☑ 제3장 사회주의 문명국으로의 길, 전망과 과제
☑ 제4장 김정은 시대 북한군의 변화 – 군사력과 군의 역할에 관한 논의를 중심으로
☑ 제5장 김정은 시대 북한 경제, "사회주의기업책임관리제" 실시 이후 '재생산과정'과 '화폐회전' 분석
☑ 제6장 김정은 시대 북한의 경제제도 변화 – 계획과 시장의 공존
☑ 제7장 김정은 시대 북한 과학기술 중시 정책의 현황과 전망
☑ 제8장 북한 지방정부 재정유인의 명과 암 – 2012년 지방예산법을 중심으로
☑ 자유주제: 제9장 대한항공 858기 폭파사건 대응에서 한국외교의 다면성

2020년 11월에 발행한 33호의 내용은 다음과 같다(테마는 '규범의 국제정치'였다).

☑ 서문 국제규범을 둘러싼 사회세력간의 경쟁
☑ 제1장 국제개발 규범의 형성과 확산 과정에 관한 연구(손혁상 · 경희대)
☑ 제2장 반부패 규범의 내재화 주기 – 출현, 성장, 제도화(김유경 · 한국외대)
☑ 제3장 대인지뢰금지 규범의 생애주기(조동준 · 서울대)
☑ 제4장 양심적 병역거부권 인정의 국제규범화(유영수 · 북한대학원대)
☑ 제5장 이주노동자 규범의 발전 과정(이병하 · 서울시립대)
☑ 제6장 여성 연대와 열린 해석 – 국제규범으로서 젠더주류화(황영주 · 부산외국어대)

☑ 제7장 이행기정의 규범의 생애주기(김헌준 · 고려대)

☑ 자유주제; 제8장 마이크로소프트 기술패권에 대한 중국 정부의 대응 – 2000년대 홍치리눅스(红旗Linux)를 중심으로(김지이 · 서울대 정치외교학부 석사)

〈**세계정치**〉의 편집위원회는 다음과 같다.

직 책	이 름	소 속	이 름	소 속
편집위원장	**신욱희**	서울대		
편집위원	**강윤희**	국민대	**이왕휘**	아주대
	김상배	서울대	**이용욱**	고려대
	민병원	이화여대	**이정환**	서울대
	박성우	서울대	**이태동**	연세대
	박종희	서울대	**전재성**	서울대
	서정건	경희대	**정성철**	명지대
	신범식	서울대	**정영철**	서강대
	안두환	서울대	**정주연**	고려대
	은용수	한양대	**조동준**	서울대
	이승주	중앙대		

이행기 정의(移行期正義)
미국의 국제법학자 루티 타이텔(Ruti Teitel)이 고안한 개념이다. 그는 이행기 정의를 "억압적 정치체제의 만행에 대응하기 위해 이행기 국가에서 일어나는 다양한 정치과정"으로 정의하고 과거 체제 하에서 자행된 전쟁범죄 국가테러 인권범죄 가담자를 어떻게 처리하고 만행의 피해자를 어떻게 관리하느냐가 이행기 이후 정치 사회 발전의 방향과 성격을 결정한다고 지적했다. (최용주 씨 논문에서 재인용)

38. 서울대학교 국제학연구소 〈국제지역연구〉 〈Journal of International and Area Studies(JIAS)〉

국문저널 〈**국제지역연구**〉는 1992년에 창간해 매년 3, 6, 9, 12월 네 차례 발간하고 있다. 2004년 등재학술지가 됐다.

〈**국제지역연구**〉에 실린 일본 관련 논문은 다음과 같다(2011년 이후).

- ☑ 재일 밀집지역과 축제, 아이덴티티: 오사카 '통일마당 이쿠노'를 중심으로(김현선, 2011년 봄호)
- ☑ 일본 민주당의 정책대립축 이행과 정당 간 경쟁의 불안정성(박철희, 2011년 봄호)
- ☑ 데탕트 체제 전환기의 한일관계: 오키나와(沖縄) 반환 및 주한미군 철수 문제를 사례로(조양현, 2011년 봄호)
- ☑ 지속가능한 동북아시아 해양질서의 모색: 우리나라의 해양정책과 그 정책적 함의를 중심으로(구민교, 2011년 여름호)
- ☑ 대일평화조약 제4조의 형성과정 분석: 한일 간 피해 보상 문제에 대한 '배상', '청구권'의 이동(異同)(장박진, 2011년 가을호)
- ☑ 전후 한일관계의 구도와 민주당 정부 하의 한일관계(최희식, 2011년 가을호)
- ☑ 산업연관분석에 의한 한중일 물류 서비스의 구조와 파급효과 분석(강준구 · 이홍식 · 정승연, 2011년 겨울호)
- ☑ 동북아 다자적 협력 질서 변화와 6자 회담: 다자적 협상과 지역질서 변화를 중심으로(최종건, 2012년 봄호)
- ☑ 韓 · 中 · 日 해양보안(Maritime Security)의 입법적 수용에 대한 비교론적 고찰(김석균, 2012년 가을호)
- ☑ 지역안보복합체(RSC) 이론과 동북아시아 지역연구(이동준, 2013년 여름호)
- ☑ 미얀마 신문에 나타난 한국과 일본의 국가 이미지 비교: 협력국 대 동반자 국가(신진영, 2014년 봄호)
- ☑ 동북아 3국의 협생(協生)을 향하여: 엘리제 조약의 변용을 통한 제도화된 우호관계 구축(박창건, 2014년 가을호)
- ☑ 일본 도시하층지역 마을 만들기의 성립과 그 의의: 참여민주적 시민공간의 형성(박지환,

지역안보복합체 (Regional Security Complex · RSC)

부잔((Barry Buzan)이 주창한 이론으로 지역을 안전보장의 관점에서 분석하는 이론적 시각을 제공했다. RSC이론의 장점은 위협과 지리적 거리 간에 상관성이 있다는 자명한 전제하에 지역에 대한 사회구성적 고찰을 시도한다는 점이다. 물론 RSC 이론은 1980년대에 나온 이후 다양한 이론적 도전을 받아왔다. 그럼에도 불구하고 이 이론은 지역과 안보를 매개하는 다면적 검토를 가능하게 하는 분석틀을 제시하면서, 주권국가의 틀에 갇혀 지역연구에 한계를 노정할 수밖에 없던 기존 국제관계 연구에 중요한 시사점을 제시하고 있다. (이동준 논문 초록)

2014년 가을호)

☑ 한중일 TV산업의 주도권과 경쟁우위(김용열, 2015년 여름호)

☑ "국민"의 경계와 재외동포: 정부수립 이후 1950년대까지 『조선일보』와 『동아일보』 기사 분석을 중심으로(김범수, 2015년 여름호)

☑ SCAPIN 677호 발령의 배경과 그 과정: 행정권 분리의 정치적 의미와 독도 문제에 대한 함의(장박진, 2017년 봄호)

☑ 일본 지방창생 정책의 탈지방적 성격(이정환, 2018년 봄호)

☑ 한국과 중국 일본의 무슬림에 대한 태도 비교 분석(정희옥, 2018년 봄호)

☑ 아베 정권의 집단적 자위권 헌법해석변경과 일본의 정당정치: 7.1각의결정과정을 둘러싼 정당정치 동학(윤석정 · 김성조, 2019년 여름호)

☑ 전두환 정권 하의 역사문제: 80년대 한일 역사문제의 새로운 전개(최희식, 2019년 여름호)

☑ 일본 연금개혁의 정치경제(송지연, 2019년 겨울호)

SCAPIN

'Supreme Commander for Allied Powers Instruction'의 앞글자를 딴 것이다. 앞의 'Supreme Commander for Allied Powers(SCAP)'는 '연합국 최고사령부'를, 마지막 'Instruction(IN)'은 지시를 뜻한다. 보통 '연합국 최고사령부 훈령'이라고 번역한다. 여기서 말하는 '연합국 최고사령부'는 일본을 점령한 연합군을 말하고, 최고사령관은 맥아더 원수였다. 일본은 최고사령부를 連合国軍最高司令官総司令部(GHQ/SCAP)로 썼다. SCAPIN 중 우리와 가장 관련이 깊은 것이 제677호이다. 이 훈령은 1946년 1월 29일 작성한 것으로 일본의 영토를 정리하는 내용을 담고 있다. 제3조는 "일본은 일본의 4개 본도(本島 · 북해도(北海島) · 본주(本州) · 구주(九州) · 사국(四國))와 약 1천 개의 더 작은 인접 섬들을 포함한다고 정의한다 … 그리고 제외되는 것은 울릉도(鬱陵島) · 리앙쿠르암(岩, Liancourt Rocks ; 독도(獨島), 죽도(竹島) · 제주도(濟州島) 등이다"고 규정해 '독도'(Liancourt Rocks, 죽도(竹島)) 등을 일본영토에서 분리한다고 명확하게 규정했다. (국가기록원 등)

〈**국제지역연구**〉의 편집위원회는 다음과 같다.

직 책	이 름	소 속	이 름	소 속
편집위원장	**한정훈**	서울대 국제대학원		
편집위원	**강우진**	경북대 정치외교학과	**이동선**	고려대 정치외교학과
	고봉준	충남대 정치외교학과	**이승주**	중앙대 정치국제학과
	김재천	서강대 국제대학원	**이옥연**	서울대 정치외교학부
	김치욱	울산대 국제관계학과	**이왕휘**	아주대 정치외교학과
	김태균	서울대 국제대학원	**전재성**	서울대 정치외교학부
	김태종	KDI 국제정책대학원	**조영남**	서울대 국제대학원
	박지형	서울대 경제학부		
편집간사	**이정민**	서울대 국제대학원		

〈**국제지역연구**〉 영문저널은 1994년에 창간해 1년에 두 번 발행하고 있다. 2004년에 등재학술지가 됐다.

제목에 'Japan'이 들어간 논문은 다음과 같다.

☑ Hardware Institutions for Software Technologies: The Japanese Model of Industrial Development in the Personal Computer Industry (Sangbae Kim, 2002년 1권)
☑ Persistence and Change in Japan-China Relationship (Woondo Choi, 2013년 1권)
☑ Foreign Direct Investment and Location Advantages: Japanese Perceptions of India Compared to China and ASEAN (N.S. Siddharthan, M.L. Lakhera, 2005년 1권)
☑ Japan's Emerging Role in Promoting Regional Integration in East Asia: Towards an East Asian Integration Regime (EAIR) (Chang-Gun Park, 2006년 1권)
☑ Japan's Security Renaissance: Evolution or Revolution? (Siew-Mun Tang, 2007년 1권)
☑ Pacifism or Peace Movement?: Hiroshima Memory Debates and Political Compromises (Mikyoung Kim, 2008년 1권)
☑ Whither the Japanese Model?: Institutional Change and Emergence of "Many Japans" (Yul Sohn, 2008년 2권)
☑ Demystifying the Impasse of the Korea-Japan FTA: The Pivotal Role of Big Business Associations in S. Korea's Trade Policy (Sang-Bok Moon, 2010년 2권)
☑ A Bureaucratic Politics Approach to Japan's Official Development Aid Policy: Ministerial Motives and Their Reflections on the Foreign Aid Expenditures, 1960s-2000 (Yoon-Ho Kim, 2011년 1권)
☑ Japan's Lost Decade Revisited: Total Factor Productivity and Economic Growth (Jeong Yeon Lee, 2011년 2권)
☑ Economic Empowerment of Women as the Third Arrow of Abenomics (Jiyeoun Song, 2015년 1권)
☑ The Ballistic Missile Defense Construction Strategies of South Korea and Japan: Self-reliance versus Cooperation with the US (Hwee Rhak Park, 2018년 2권)

〈JIAS〉의 편집위원회는 다음과 같다.

직 책	이 름	소 속
EDITOR	ERIK MOBRAND	Seoul National University, Korea
EDITORIAL BOARD	YOUNG-ROK CHEONG	Seoul National University, Korea
	PETER T.Y. CHEUNG	Hongkong University, Hongkong
	JAEWOO CHOO	Kyunghee University, Korea
	ZHU FENG	Nanjing University, China
	NISHINO JUNYA	Keio University, Japan
	WOO JIN KANG	Kyunpook University, Korea
	TAEKYOON KIM	Seoul National University, Korea
	YONG WOOK LEE	Korea University, Korea
	KYUNG-HAN LIM	Republic of Korea Naval Academy, Korea
	THANDIKA MKANDAWIRE	LSE, UK
	HWY-CHANG MOON	Seoul National University, Korea
	YUMI MOON	Stanford University, USA
	YUL SOHN	Yonsei Univercity, Korea
	REUBEN YP WONG	National University Of Singapore, Singapore
	JOHN NILSSON-WRIGHT	Cambridge University, UK
	SATO YOICHIRO	Ritsumeikan Asia Pacific University, Japan
	HEO YOON	Sogang University, Korea
ENGLISH EDITOR	DONGHEE SUH	Seoul National University, Korea
EDITORIAL ASSISTANT	Mark Hopkins	Seoul National University, Korea

39. 서울대학교 비교문화연구소 〈비교문화연구〉

KOREA-JAPAN

〈비교문화연구〉(Cross-Cultural Studies)는 1990년에 창간해 매년 6월과 12월 두 차례 발간한다. 2005년 등재학술지가 됐다.

2021년 6월에 발간한 제27권 1호의 내용은 다음과 같다.

☑ 베트남 결혼이주여성의 '좋은 엄마' 되기: '어머니됨(mothering)' 인식과 실천에 대한 고찰(김경민)

☑ 필수노동자인가 사이버타리아(cybertariat)인가: 영국, 인도, 한국 콜센터 여성상담사에 대한 비교를 중심으로저자(김관욱)

☑ 인정(人情)국가의 형성과 감은(感恩)의 정치: 중국 광둥성 쌍백계획 모범 사회복지소의 사례를 중심으로(김재석)

☑ 관찰 공정으로서의 교환(박세진)

☑ 돌봄과 모욕에 관한 연구(신유정)

☑ 익명의 가장자리에서: 익명-장소와 익명-되기, 그리고 사이버스페이스(이길호)

☑ 왜 '우리'는 분노하는가?: 온라인 인종(차별)주의 담론 정치와 민족주의(이세희)

☑ 인지증(치매)과 정동적 시민권: 영국 오소독스 유대인 요양원 사례를 중심으로(정종민)

☑ 행위자-네트워크-이론과 비판인류학의 대화: '사회'에 관한 논의를 중심으로(조문영)

☑ '북한 인류학'의 가능성의 조건(이경묵)

사이버타리아 (cybertariat)

정보 기술의 발전에 따라 불안정한 노동 환경에 놓이게 된 사무 노동자들을 지칭하는 말이다. 영국 출신의 페미니스트 정치경제학자인 어슐러 휴즈는 《사이버타리아트》라는 저서를 통해 정보통신 기술의 발달로 노동이 사라지고 있는 것이 아니라 다른 형태로 변용되고 있다고 지적하고, 가사노동의 사회화가 현대의 신자유주의적 노동착취의 비밀임을 아울러 밝힌다. (서울경제)

2020년 12월에 나온 제26권 2호의 내용은 다음과 같다.

☑ 386세대와 젠더: 남성헤게모니와 386세대 여성(박소진)

☑ 선물, 뇌물, 기식의 절합: 「청탁금지법」과 선물의 역-발명(이경묵)

☑ 삶의 폐허와 건강악화의 사회문화적 조건: 경기도 A공단 미등록 이주노동자를 중심으로(이창호, 정수남, 김지희, 박준규)

☑ 애도불가능성을 전복할 연대의 시선을 찾아서: 『전쟁과 가족』(김성인)

〈**비교문화연구**〉에 실렸던 논문 중 제목에 '일본'이 들어가는 논문은 다음과 같다.

☑ '유적'에서 '생활문화'로: 현대 일본사회에서 문화관광의 새로운 전개 _ 권숙인(서울대, 2003년 7월)

☑ 현지화/정형화/지구화: 재멕시코 일본 한인의 민족음식문화 _ 권숙인(서울대, 2005년 7월)

☑ 이벤트성 외래축제를 통해 본 일본의 소비문화의 양상: 크리스마스, 밸런타인데이, 할로윈을 중심으로 _ 임경택(전북대, 2006년 7월)

☑ 일본의 한 지역의 사회사와 향토사운동: 이즈시라하마의 사례 _ 박동성(순천향대, 2007년 1월)

☑ 근대 일본의 전사자 위령에 대한 연구사적 접근: 전후 일본 학계의 연구를 중심으로 _ 이영진(서울대, 2011년 7월)

☑ 현대 일본사회의 중·고등학교 이행기를 둘러싼 사회문화적 변화에 대한 연구 _ 박지환(서울대, 2011년 7월)

☑ 지구를 연구소로 들여오기: 일본 방재과학기술에서 지진의 재현과 지정학 _ 이강원(서울대, 2012년 7월)

☑ 일본사회의 공유자원 관리방식: 이즈 시모다시 지역의 사례 연구 _ 박동성(순천향대, 2012년 7월)

☑ 노년의 장소와 장소상실: 일본 농산촌 지역에서의 Aging in Place 실천과 장소 감각의 경합 _ 김희경(서울대, 2016년 7월)

☑ 일본의 국제화 정책과 지역의 '국제화하기': 정책 인류학적 관점 _ 박경민(서울대, 2019년 12월)

공유자원 (common resources)

자연자본(自然資本), 사회적 공통자본(社會的共通資本)이라고도 한다. 공기, 하천, 호소(湖沼)와 국가나 지방자치단체가 소유하고 있는 토지 등이 이에 해당한다. 자연뿐만 아니라 항만, 도로 등과 같이 공공 목적으로 만든 사회간접자본도 공유자원이다. 공유자원은 모든 개인에게 필요하고, 모든 개인이 이용할 수 있다. 공유자원을 이용하는데 발생하는 비용은 사회 전체가 부담한다. 공유자원을 이용해서 얻는 개인의 편익(便益)은 개인이 부담해야 할 비용을 웃돌기 때문에, 각 개인은 공유자원을 남용하는 경향이 있다. 이것을 공유지(共有地)의 비극이라고 한다. (두산백과)

〈**비교문화연구**〉의 편집위원회는 다음과 같다.

직 책	이 름	소 속
편집위원장	**이수정**	덕성여대 문화인류학과
편집위원	**김동주**	한국과학기술원 인문사회과학부
	박준규	한양대 문화인류학과
	서보경	연세대 문화인류학과
	전의령	전북대 고고문화인류학과
	정법모	부경대 국제지역학과

편집위원	**황익주**	서울대 인류학과
	Antonetta L. Bruno	Istituto italiano di studi Orientali, Sapienza-Universita di Roma
	Honda Hiroshi	Graduate School of Humanities and Sociology, University of Tokyo
	Ngo Phuong Lan	Department of Anthropology, University of Social Sciences & Humanities Ho Chi Minh City

40. 성균관대학교 동아시아학술원 〈Sungkyun Journal of East Asian Studeies · SJEAS〉

KOREA-JAPAN

〈Sungkyun Journal of East Asian Studeies · SJEAS〉는 2001년에 창간했다. 매년 4, 10월 두 차례 발행한다.

2021년 4월에 발간한 제21권 1호의 내용은 다음과 같다.

☑ Meritorious Heroes: Allegorical Hawk Paintings in Yuan China and Early Chosŏn Korea (Youenhee Kho)

☑ Useless Tribute, Desirable Exotics: Japanese Folding Fans in China, 1000–1500 (Yiwen Li)

☑ Korea's First Museum and the Categorization of "Buddhist Statues" (Seunghye Lee)

☑ The Translating Subject beyond Borders: Relay Translations of Biographies of George Washington in East Asia in the Early Twentieth Century (Sung-jun Son)

☑ Where Is North?: Directionality in Precolonial and Colonial Land Surveys in Korea, 1897–1918 (Sora Kim)

☑ Buddhist Apologetics in East Asia: Countering the Neo-Confucian Critiques in the Hufa lun and the Yusŏk chirŭi non (Thomas Jülch)

이 저널에 실린 일본 관련 논문은 다음과 같다(2015년 이후).

☑ The Politics of Romance in Colonial Korea: An Investigation of a Korea Translation of the Japanese Romance Novel, The Gold Demon (Jooyeon RHEE, 2015년 4월호)

☑ Japanese Colonizers in the Honam Plain of Colonial Korea (Takenori MATSUMOTO, Seungjin CHUNG, 2015년 10월호)

☑ Re-Conceptualizing the Boundaries of Empire: The Imperial Politics of Chinese Labor Migration to Manchuria and Colonial Korea (Michael KIM, 2016년 4월호)

☑ The Commodification of Water and Power Relations between Japanese Settlers and Koreans in Late Nineteenth-Century Pusan (Sungwoo KANG, 2016년 4월호)

☑ Walking through Texts: The Father-Daughter Plot in Kurahashi Yumiko's Fiction

(Letizia GUARINI, 2016년 4월호)

☑ Japan's Multilayered Democracy (Mary Alice HADDAD, 2016년 4월호)

☑ Treacherous Translation: Culture, Nationalism, and Colonialism in Korea and Japan from 1910s to the 1960s (Jae-Yon LEE, 2016년 4월호)

☑ The Practice and Recording of Censorship in Colonial Korea: A Critical Review of the Chosŏn Publication Monthly Police Report (Minju LEE, Keunsik JUNG, 2016년 10월호)

☑ Tanaka Kōtarō, Korea, and the Natural Law (Kevin M. DOAK, 2017년 4월호)

☑ An Analysis of Korean Intellectual Responses to the Exhibition of Koreans at Japanese Expositions: Nationalism and the Discourse on Northeast Asian Solidarity at the Turn of the Century (Hyeokhui KWON, 2017년 4월호)

☑ Translation's Forgotten History: Russian Literature, Japanese Mediation, and the Formation of Modern Korean Literature (Dafna ZUR, 2017년 4월호)

☑ Janus-Faced Colonial Policy: Making Sense of the Contradictions in Japanese Administrative Rhetoric and Practice in Korea (Mark E. CAPRIO, 2017년 10월호)

☑ Thinking about Japan's Territorial Disputes (Alexis DUDDEN, 2017년 10월호)

☑ Failed Solidarity: Confronting Imperial Structures in Kim Sa-ryang's "Into the Light" and Kim Tal-su's "Village with a View of Mt. Fuji" (Jonathan GLADE, 2017년 10월호)

☑ Fat Phobia in Matsuura Rieko's "Himantai kyōfushō" (David HOLLOWAY, 2018년 4월호)

☑ Mishima Yukio's Modern Noh Play Sotoba Komachi: Nietzsche's Influence and the Ideal Post-war Artis (Junghee KIM, 2018년 10월호)

☑ Kyōdaisei Onokun no senryōki gokuchū nikki (University of Kyōto student Ono's occupation-era prison diary (Mark E. CAPRIO, 2018년 10월호)

☑ Kudō Takeki, Director of Keijō Women's Hospital, and His Medical Service for Women and Buddhist Activities in Colonial Korea (Jaemok CHOI and Jeonggon KIM, 2019년 4월호)

☑ Korean Students in Imperial Japan: What Happened After 1919? (Suk Yeon KIM, 2020년 4월호)

☑ Re-nationalizing Repatriated Japanese into Post-War Japan: From Imperial Subjects to Post-War Citizens (Yi-jin PARK, 2020년 4월호)

〈SJEAS〉의 편집위원회는 다음과 같다.

직 책	이름과 소속
EDITOR-IN-CHIEF	Ross KING, University of British Columbia, Canada
EDITORIAL BOARD	Daniel A. BELL, Tsinghua University, China
	W. J. BOOT, Leiden University, The Netherlands
	John BREEN, Nichibunken, Japan
	Antonetta L. BRUNO, University of Rome La Sapienza, Italy
	Keon De CEUSTER, Leiden University, The Netherlands
	Wiebke DENECKE, Boston University, USA
	Kevin DOAK, Georgetown University, USA
	Marion EGGERT, Bochum University, Germany
	Benjamin ELMAN, Princeton University, USA
	Bernhard FUEHRER, SOAS, UK
	James Huntley GRAYSON, University of Sheffield, UK
	Tze-ki HON, SUNY, Geneseo, USA
	Philip J. IVANHOE, CUHK, Hong Kong
	JIN Jaekyo, Sungkyunkwan University, Korea
	Anders KARLSSON, SOAS, UK
	KIM Byungjoon, Seoul National University, Korea
	Jisoo KIM, George Washington University, USA
	LEE Eunjeong, Free University of Berlin, Germany
	MAH Insub, Sungkyunkwan University, Korea
	Tessa MORRIS-SUZUKI, Australia National University, Australia
	Eugene Y. PARK, University of Pennsylvania, USA
	RYU Youngju, University of Michigan, USA
	Clark SORENSEN, Washington University, USA
	Boudewijn WALRAVEN, Leiden University, The Netherlands
ASSOCIATE EDITORS	PARK Sohyeon, Sungkyunkwan University, Korea
	Daniel Jong SCHWEKENDIEK, Sungkyunkwan University, Korea
MANAGING EDITOR	HAN Jieun, Sungkyunkwan University, Korea
ASSISTANT EDITOR	Franklin RAUSCH, Lander University, USA
EDITORIAL ASSISTANT	WU Tong, Sungkyunkwan University, Korea

KOREA-JAPAN

41. 성신여자대학교 동아시아연구소 〈국가와 정치〉

〈국가와 정치〉는 2009년에 창간해 매년 2월에 한 차례 발행했으나 2020년 등재후보지가 되면서 2021년부터는 2월과 8월 두 차례 발간한다.

2021년 2월에 발간한 제27집 1호의 내용은 다음과 같다.

☑ 사회과학에서 사유와 실천: 토지공개념 논의와 관련해서(김동현)

☑ 레오 스트라우스의 고전적 자연권 탐구: 『자연권과 역사』 강연 맥락을 중심으로(손민석)

☑ 혁명과 민주화의 결과 비교: 영국 명예혁명의 혁명적 결말과 한국민주화의 민주적 이행과 공고화의 비교(김용직)

〈국가와 정치〉에 실린 일본 관련 논문은 다음과 같다.

☑ 식민지 시대 한국의 자유주의 연구: '식민지 자유주의론' 서설(김용직, 2011년 제17집)

☑ 동아시아 도서 분쟁과 신뢰구축조치: 러-일, 중-일, 한-일, 중-동남아 도서 분쟁을 중심으로(강량, 2011년 제17집)

☑ 한국현대사연구와 사관(史觀)의 문제(김용직, 2014년 제20집)

☑ 동북아 평화협력구상: 비전과 목표, 주요 의제 및 추진 전략(이수형, 2014년 제20집)

☑ (연구노트) 일본의 대 동남아시아 공적개발원조(ODA) 정책에 관한 연구(노미영, 2015년 제21집)

☑ 분배정의에 관한 동아시아 국가 내 갈등 상황과 복지 모델 특징 분석 - 한국, 일본, 중국을 중심으로(정진화, 2016년 제22집)

☑ (연구보고서) 일본의 공공외교와 해외 일본학 지원사업(한의석, 2017년 제23집)

☑ 신냉전시기 한국의 외교전략 방향에 관한 소고(小考): 한미일 협력을 기반으로(유나영, 2018년 제24집)

☑ 변화하는 동북아 안보정세와 한국의 전략적 선택: 중국의 동북아 및 한반도 정책을 중심으로(심세현, 2019년 제25집)

☑ 기업 격차와 한국 중소기업의 취약성-일본과의 비교(김현성, 2020년 제26집)

동북아평화협력구상

박근혜 정부의 구상이다. 역내 국가 간 경제적 상호의존과 협력확대가 깊어지는데도 정치·안보 분야에서는 갈등과 대립이 계속되는 '아시아 패러독스'를 극복하기 위한 방안으로 제시됐다. 신뢰 위기에 직면한 동북아의 딜레마를 풀기 위해서는 협력과 대화의 습관과 관행을 축적해서 신뢰 인프라를 구축해 나가야 한다는 것이다. (출판사 서평) "현 단계에서는 쉬운 것, 기능주의적 이슈부터 출발하는 전략을 택하고 있지만 중장기적으로는 역내 주요국들의 최고위 정책결정자들의 정치·전략적 결단과 책임이 뒷받침되어야 할 것이다. 동북아 평화협력구상은 한국이 주창한 구상이지만, 한국만의 구상이라는 인상에서 탈피해야 한다. 동북아 지역의 공통된 이슈는 어느 특정한 국가나 일부 국가만의 노력으로 보장될 수 없으며 구성원들이 책임을 공유한다는 책임공유의 정신이 존재할 때 가능하다." (《동북아 평화협력구상》 서문. 2014)

〈**국가와 정치**〉 편집위원회는 다음과 같다.

직 책	이 름	소 속	이 름	소 속
편집위원장	**윤진표**	성신여대		
편집위원	**김성조**	순천대	**심세현**	대전대
	김형준	강원대	**임진희**	원광대
	박진수	덕성여대	**홍석준**	목포대
	신재혁	고려대	**황인원**	경상대

42. 숙명여자대학교 아시아여성연구원 〈아시아여성연구〉〈Asian Women〉

KOREA-JAPAN

〈아시아여성연구〉(The Journal of Asian Women)는 아시아여성연구원에서 발간하는 여성학 전문 국문 학술지로서 1962년 창간호를 발행했다. 1년에 두 번 발행하다가 2019년부터 4, 8, 12월 세 차례로 늘어났다. 2006년 등재학술지가 됐다.

2021년 4월에 발간한 60권 제1호의 내용은 다음과 같다.

☑ 홈리스의 가족(해체)경험으로 본 '홈home'의 의미(강인화)

☑ '여자'가 '보호'를 만났을 때: 요보호여자시설, 기록과 증언(박정미)

☑ 고학력 30대 여성의 경력이동: 일과 정체성에 관한 내러티브 탐구(신나라)

☑ 여성의 자기계발과 페미니즘의 불안한 결속: '82년생 김지영'에 대한 비판적 담론분석을 중심으로(엄혜진)

☑ 결혼이주여성의 어머니 노릇(mothering): 몽골 출신 고학력 여성의 자녀교육을 중심으로(윤승주, 김노을)

☑ 출산·육아기 모성보호제도 활용이 여성 경력단절에 미치는 영향(오은진, 김소연)

☑ 지적, 정서적 실천으로서의 어머니 노릇: 자폐증을 지닌 아동을 돌보는 어머니의 경험을 중심으로(장하원)

☑ 가정소설에 나타난 부정(不貞)의 전략적 의미: 〈정을선전〉을 중심으로(CHEN JIANHUA)

☑ 자료포락분석을 이용한 여성인력개발센터 운영 효율성 분석(황다솔, 이영민)

☑ 연대를 위한 차이의 정치를 위하여: 연대하는 페미니즘: 호주제 폐지부터 탈코르셋까지 함께 쓰는 우리의 이야기(김민정)

제목에 '일본'이 들어가는 논문에는 다음과 같은 것이 있다.

☑ 일본군 '위안부'에 대한 페미니즘과 내셔널리즘의 역학관계-트랜스내셔널 페미니즘의 구축과 한일 여성연대 가능성(이채원, 2020년 4월호)

☑ 1960년대 일본의 전쟁기억/주체/'위안부'-'위안부' 언설과 영화표상(최은주, 2019년 12월호)

자료포락분석 (data envelopment analysis)

생산효율성을 측정하는 방법 중의 하나로 의사결정단위(DMU)를 대상으로 상대적인 효율성을 비교하는 기법이다. 1978년 에이브러햄 차니스, 윌리엄 쿠퍼, 에드워드 로즈가 개발해 현재까지 쓰고 있다. 이 분석법은 먼저 비교 대상인 의사결정단위를 선정해야 한다. 그리고 각 의사결정단위의 투입물과 산출물을 추계해 비교한다. 전자제품을 생산하는 A사는 여러 공장을 운영하고 있는데 어떤 공장이 효율적으로 가동되고 있는지를 알고 싶다고 가정하자. 여기서는 각 공장이 의사결정단위가 된다. 각 공장에 들어가는 유지비용(전기요금, 세금, 토지 임대 비용 등), 인건비, 가동 시간 등이 투입 요소가 되며 이를 통해 얻어지는 생산량, 출하량, 품질 등이 산출 요소가 된다. 산출 요소별 가중치를 곱해 더한 가중 합계(Weighted Sum)를 투입 요소별 가중치를 곱해 더한 가중 합계로 나누면 어느 공장이 상대적으로 효율적인지 알 수 있다. (한경 경제용어사전)

☑ 『도풍속화장전』(都風俗化粧伝)에 보이는 근세 일본 여성의 미의식과 여성의식(김현정, 2016년 5월호)

☑ 만주 지역의 일본군 위안소 설치와 조선인 '위안부'(박정애, 2016년 5월호)

☑ 한국/일본드라마가 재현하는 직장에서의 여성: 〈직장의 신〉과 〈파견의 품격〉을 중심으로(강혜원, 2015년 11월호)

☑ 보이는 '제국 여성'의 전쟁동원, 보이지 않는 식민지 여성의 전쟁경험: 『전쟁이 만들어낸 여성상: 제2차 세계대전 하의 일본 여성동원을 위한 시각 선전』(박정애, 2015년 5월호)

☑ 헤이안시대 일본의 일부다처제와 여성의 삶에 대해: 『겐지모노가타리』에 나타난 '기다리는 삶을 산 여성들'과 '기다리는 삶을 거부한 여성들'을 중심으로(김현정, 2015년 5월호)

☑ 일본 천황은 들어라: 『나를 잊지 마세요』(임계재, 2013년 5월호)

☑ 일본에서의 아시아 이주여성에 대한 사회 담론과 정책적 대응: 인신매매를 중심으로(이지영, 2012년 11월호)

☑ 아시아 여성빈곤의 구조적 요인에 관한 연구: 일본, 대만, 싱가포르, 필리핀의 여성가구주를 중심으로(문은영, 강문구, 전경옥, 정슬기, 2005년 5월호)

〈아시아여성연구〉의 편집위원회는 다음과 같다.

직책	이름	소속
편집위원장	**장민선**	숙명여대 생명시스템학부
편집위원	**김민정**	강원대 문화인류학과
	김복순	명지대 자연학부
	김연숙	경희대 후마니타스칼리지
	김영란	숙명여대 사회심리학과
	나혜심	성균관대 사학과
	박정미	충북대 사회학과
	유육례	조선대 자유전공학부
	유지현	선문대 교양교육원
	이승희	숙명여대 의류학과
	이은경	전북대 과학학과
	이정은	서울대 식품영양학과
	이혜숙	경상대 사회학과

편집위원	임인숙	고려대 사회학과
	조연주	Instructional Systems Technology Indiana University

〈**Asian Women**〉은 1995년 창간한 영문저널로 여성문제의 지역적 특수성과 보편성을 다루는 논문을 싣고 있다. 3, 6, 9, 12월 4번 발행한다. 2005년 한국연구재단 등재학술지, 2008년 SSCI 등재학술지, 2013년 SCOPUS 등재학술지가 되면서 여성학 분야 국제전문학술지로서 인정받았다. 2018년 한국연구재단의 학술지지원 사업에 9년 연속 선정돼 발행비를 지원받고 있다.

제목에 'Japan'이 들어가는 논문은 다음과 같은 것들이 있다.

☑ History of Women's Participation in STEM Fields in Japan (Mariko Ogawa, 2017년 9월호)

☑ Advocating Policy Interests in Local Politics: Women's Substantive Representation in Japan and South Korea (Jiso Yoon, Kimiko Osawa, 2017년 6월호)

☑ The Latticed Bars of Gender and Sexuality in Japan's Fifteen Year War (Kathy J. Phillips, 2010년 6월호)

☑ Korean Television Dramas in Japan : Imagining "East Asianness" and Consuming "Nostalgia" (Soobum Lee, Hyejung Ju, 2010년 6월호)

☑ Empowering Women by ICT towards Gender Equality: A Case of Japan (Toshio Kobayashi, 2008년 12월호)

☑ Honour and the Violation of It in the Netherlands and Japan: A Comparison of Two Variants of a Social Phenomenon (Peter A. de Hoog, 2007년 9월호)

☑ NGO: ASHTA NO KAI - Kawasaki, Japan (Etsuko Yonezawa, 2006년 12월호)

☑ A Study on Restructuring of Gender Inequality during the U.S. Occupation Period in Korea and Japan (Sookran Yoo, 2006년 9월호)

☑ Women's Electronic Network in Japan: The Experience of AJWRC (Kubota Makiko, 2000년 6월호)

☑ More Women into Science and Technology: The Situation and Problems in Japan (Muramatsu Yasuko, 2000년 6월호)

〈Asian Women〉의 편집위원회는 다음과 같다.

직 책	이름과 소속
Editor-in-Chief	Seohee Son, Sookmyung Women's University, Korea
Editorial Board	Alma Blount, Duke University, USA
	Balazs Szalontai, Korea University, Korea
	Bruce Henry Lambert, Nordic Institute of Asian Studies, Denmark
	ByungKon Kim, Korea University, Korea
	Carolyn I. Sobritchea, University of the Philippines Diliman, Philippines
	Cynthia Cherrey, University of Maryland, USA
	Diane Sainsbury, Stockholm University, Sweden
	Inchan Park, Sookmyung Women's university, Korea
	Inge Stephan Humboldt, University of Berlin, Germany
	Jaelim Oh, Sookmyung Women's University, Korea
	JeongWon Han, Catholic University of Pusan, Korea
	Jian Zhang, China Women's University, China
	Jin Hee Park, Dongguk University, Korea
	Julie Matthews, The University of Adelaide, Australia
	Kanokwan Sarojna, Burapha University, Thailand
	Karín Lesnik-Oberstein, University of Reading, UK
	Kathleen Patterson, Regent University, USA
	Kathy E. Ferguson, University of Hawaii, USA
	Keum Hyun Kim, University of Malaya, Malaysia
	Manneke Budiman, Universitas Indonesia, Indonesia
	Marion Jimenez-Tan, University of the Philippines Diliman, Philippines
	Mathias Mbuh, University of Yaounde, Cameroon
	Matthew R. Martin, Wesleyan College, USA
	Michael Hsiao, Academia Sinica, Taiwan
	Minjae Park, Hongik University, Korea
	Mohamad Fazli Sabri, Putra University, Malaysia
	Moustafa Bayoumi, The City University of New York, USA
	Pamela Cox, University of Essex, UK
	Reiko Tachibana, Pennsylvania State University, USA
	Rong-Lin Wang, National Taiwan University, Taiwan

Editorial Board	Sampson Lee Blair, The State University of New York, USA
	Sanjukta Dasgupta, Calcutta University, India
	Seung-Ho Kwon, The University of New South Wales, Australia
	Seungsook Moon, Vassar College, USA
	Shirin Zubair, Kinanird College for Women, Pakistan
	Susan Dewey, University of Wyoming, USA
	Susan Weinger, Western Michigan University, USA
	Suzanne Rice, University of Kansas, USA
	Sylvia Bashevkin, University of Toronto, Canada
	Teo Tang Wee, National Institute Education, Singapore
	Young Lan Kim, Sookmyung Women's University, Korea

43. 연세대학교 동서문제연구원 〈東西硏究〉 〈Global Economic Review〉

KOREA-JAPAN

〈東西硏究〉(East and West Studies)는 1989년 창간 이후 연 2차례 발간하다 2012년부터 3, 6, 9, 12월 네 차례 발행하고 있다. 2011년 등재학술지가 됐다.

2015년 이후 〈東西硏究〉에 실린 일본 관련 논문은 다음과 같다.

☑ 국제 질서 재편 과정에서의 화해와 용서: 독일과 일본의 역사적 경험을 토대로(이미재, 2015년 봄호)

☑ 해양 거버넌스의 재구축을 향한 일본의 국내 연구동향 분석: 2013~2014년도 해양법 · 정책 · 안보 · 자원 및 환경 분야에 관한 문헌 검토를 중심으로(박창건, 2015년 여름호)

☑ 동아시아 3개국의 인터넷 거버넌스에 관한 연구(홍대순 · 육모세 · 이정훈, 2016년 봄호)

☑ 한국과 일본의 이민자 통합정책: 국가-사회 관계의 관점에서(이병하, 2016년 봄호)

☑ 1997년 외환위기와 일본(이정환, 2016년 겨울호)

☑ How America Remembers Hiroshima: The Past and Present Change and Development in Americas Way of Understanding the Hiroshima Bombing (Jaeyeon Joo, Sangjoon Kim, 2018년 봄호)

☑ 일본의 헌법 개정 논의와 아베 총리의 개헌 구상(한의석, 2018년 봄호)

☑ 일본의 인도-태평양전략 분석(이정훈, 2018년 겨울호)

☑ 중국과 일본의 경제 개방과 분쟁관리: 조어도 분쟁을 중심으로 (2010-2012)(홍건식, 2019년 봄호)

☑ 중일 환경협력 분석을 통해 본 한중 환경협력 강화를 위한 정책적 함의(강택구, 2019년 여름호)

☑ 한일 파트너십 공동선언과 한일 안보협력(이기태, 2019년 겨울호)

〈東西硏究〉의 편집위원회는 다음과 같다.

직책	이름	소속	이름	소속
편집위원장	**김광환**	연세대 경제학부		
편집위원	**남재욱**	한국직업능력개발원	**윤대엽**	대전대
	도종윤	제주평화연구원	**이상우**	경남대
	류주한	한양대	**천자현**	연세대
	문충식	중앙대	**최윤정**	연세대
	손병환	George Mason University	**최준영**	인하대
	양희승	연세대	**황지환**	서울시립대
	유인태	전북대		

〈Global Economic Review〉는 1997년 창간한 영문학술지로 매년 3, 6, 9, 12월에 발간하고 있다. 1973년부터 1996년까지는 **〈Journal of East and West Studies〉**로 발행해 오다 이름을 바꾼 것이다. 현재 세계적 출판사인 Routledge에서 간행하고 있다. 2006년 학술등재지가 됐고, 2009년에는 SSCI에 등재됐다.

이 잡지에 실린 논문 중 제목에 'Japan'이 들어간 논문은 다음과 같다.

☑ Interdependence of ASEAN-5 Stock Markets from the US and Japan (M. Shabri Abd. Majid, Ahamed Kameel Mydin Meera & Mohd. Azmi Omar, 2008년 여름호)

☑ Aggregate Import Demand Function for Japan: A Cointegration Re-investigation (Tuck Cheong Tang, 2018년 가을호)

☑ Location Strategies of Foreign Investors in China: Evidence from Japanese Manufacturing Multinationals (Norifumi Kawai, 2009년 여름호)

☑ Neo-liberal Korea and Still Developmentalist Japan: Myth or Reality? (Yong Wook Lee & Sun Young Kwak, 2009년 가을호)

☑ Outward Foreign Direct Investment and Economic Growth: Evidence from Japan (Chew Ging Lee, 2010년 가을호)

☑ Dynamics of Growth and Profitability: The Case of Japanese Manufacturing Firms (Akihiko Nakano & Donghun Kim, 2011년 봄호)

☑ The Regional Effects of Quantitative Easing Monetary Policy in Japan: Evidence from Post-Crisis Firm Data (Mamoru Nagano, 2011년 봄호)

☑ The Role of Home and Host Country Characteristics in FDI: Firm-Level Evidence from Japan, Korea and Taiwan (Kazunobu Hayakawa, Hyun-Hoon Lee & Donghyun Park, 2013년 여름호)

☑ Population Ageing and Saving Rates in China, Japan and Korea: A Panel Granger Causality Analysis (Yuwei Hu, 2015년 봄호)

☑ Dynamic Labor Scheduling in Japan: Underemployment Reduction and Karoshi Avoidance Through Optimal Tracking Control (David Hudgins & Deniz Gevrek, 2016년 여름호)

☑ Japanese Company's Cultural Shift for Gender Equality at Work (Tomoko Hamada, 2018년 봄호)

☑ Ethnographic Heritage as a Branding Strategy: A Case Study of Yogurt in Bulgaria and Japan (Maria Yotova, 2018년 봄호)

☑ Productivity Growth in Dynamic Factor Adjustment for the Japanese Manufacturing Industry (Sangho Kim, 2020년 여름호)

KOREA-JAPAN

44. 이화여자대학교 아시아여성학센터 〈Asian Journal of Women's Studies (AJWS)〉

〈Asian Journal of Women's Studies(AJWS)〉는 이화여대 아시아여성학센터가 발행하는 국제 영문학술지로 페미니즘 관점에서 아시아지역 여성문제에 대한 논문을 싣고 있다. AJWS는 아시아를 비롯한 전 세계 여성문제에 대한 정보와 학문적 아이디어를 공유하고 아시아의 여성학을 발전시킴으로써 서구중심적 여성학의 지평을 넓히려는 목적으로 발간하고 있다. 이 저널은 1995년 센터의 설립과 함께 1년에 한번 발행하는 연간지로 창간했으나 1997년부터는 3, 6, 9,12월 말에 네 차례 발간하는 계간지로 바뀌었다.
AJWS는 1997년 12월에 국제학술정보분석기관인 ISI(Institute for Scientific Information)의 SSCI(Social Sciences Citation Index)와 Current Contents/Social & Behavioral Sciences에 등재됐으며 Alternative Press Index, Iowa Guide, Feminist Periodicals 등의 색인에도 올라있다. 국내에서는 2002년 등재학술지가 됐다.

2020년 12월에 발간한 26권 제4호의 내용은 다음과 같다.

RESEARCH ARTICLES

☑ Diverging from the normal path: The life course of an elderly woman in Kinmen county (Hsiang Lan LIU)

☑ Roles and voices of farmers in the "special purpose" forest area in Indonesia: Strengthening gender responsive policy (Kurniawati Hastuti DEWI, Sandy Nur Ikfal RAHARJO, DESMIWATI, Kresno Agus HENDARTO, Aam AMINAH, Tri Astuti WISUDAYATI, Hasan ROYANI, Anggi Dian Safitri HASIBUAN and Dian Ratna SARI) In search of Filipino "women in the middle" (Excelsa C. TONGSON)

☑ Negotiating femininity, motherhood and beauty: Experiences of Pakistani women breast cancer patients (Taskeen MANSOOR and Saadia ABID)

☑ Compliance and resistance: An investigation into the construction of gender identities by Pakistani women on Facebook (Rauha SALAM)

VOICES FROM ASIAN FEMINIST ACTIVISM

☑ The voices of unmarried pregnant girls and the girlhood discourse in Yogyakarta, Indonesia (Desintha Dwi ASRIAN)

☑ Negotiating with intimacy: Being a good Vietnamese mother in Taiwan (Huy Le Anh HUYNH and Tuan Quoc HUYNH)

BOOK REVIEWS

☑ Split: A life—the saga of a woman in search of equanimity, by Taslima Nasrin (Sangeeta SHARMA and Anushree SHARMA)

☑ The world of the Banaras weaver: A culture in crisis (Second edition), by Vasanthi Raman (Wandana SONALKAR)

45. 인천대학교 일본문화연구소 〈동아시아일본어 · 일본문화연구〉

KOREA-JAPAN

〈동아시아일본어 · 일본문화연구〉는 2000년 **〈한일언어문화연구〉**로 창간했다가 2007년 **〈동아시아언어문화연구〉**로 고친 뒤 2010년 지금의 이름으로 바꾸었다. 2010년까지는 1년에 한 차례 발행했으나 2011년부터는 4, 10월 두 차례 발행하고 있다. 편집위원은 박진한(인천대), 이병진(세종대), 나카무라 유리(中村有里 · 인천대) 교수가 맡고 있다.

2019년 10월에 발간한 23집의 내용은 다음과 같다.

日本語学

- ☑ 日本語の誤用訂正に関する練習問題の開発 (伏泉)
- ☑ 日本語の名詞「話」の多義構造－認知意味論の観点から (周星)
- ☑ 格助詞「から」の誤用について－「から→に」の誤用を中心に (朴仙炅)
- ☑ 中国語を母語とする日本語学習者のビリーフについての一考察－言語性質を中心に—広州商学院を例として (鄧亜曄)
- ☑ 中国日本語学習者の複合動詞の使用考察コーパスを使った実態調査 (梁鵬飛)

日本文学

- ☑ 横光利一「上海」試論 (高浩)
- ☑ ジェンダーの視点から読むよしもとばなな「王国」 (高麗霞)
- ☑ 小川未明の初期作品からみる「自然」 (楊亜然)
- ☑ 高橋たか子の「相似形」に見る母性 (張彩虹)

日本学

- ☑ 台湾の介護市場に関する研究 (野村茂治)
- ☑ 中国における介護保険の試み (張建華・焦毓芳)
- ☑ 日本における宋元画の受容 (呉爽)

46. 중앙대학교 일본연구소 〈日本研究〉

KOREA-JAPAN

〈**일본연구**〉는 1980년 12월에 창간했으며 매년 2월과 8월 두 차례 발행한다. 2011년 등재학술지가 됐다.

2021년 2월에 발간한 54호의 내용은 다음과 같다.

- ☑ 일본어과 중등교원 임용시험 교과내용학 문항분석 – 2014~2021학년도 일본어학 문항을 중심으로(김미옥)
- ☑ 「異同関係」を表す形容詞述語文の文型と用法(박해환)
- ☑ 일본 신문광고 캐치카피의 감탄사 사용에 관한 고찰(송숙정)
- ☑ 韓国人学習者の「よく」の使用に関する一考察 – 〈程度〉と〈頻度〉を中心に(장희주)
- ☑ 「トコロへ」の意味用法 – 名詞用法から接続助詞的用法へ(황윤실)
- ☑ 在韓日本人妻の韓日関係を取り巻く不安に関する事例研究 – 2019年の状況を中心に(오이카와 히로에)
- ☑ 미인화에 그려진 슬픔에 대하여(이미림)
- ☑ 『도세이 가네모치 가타기(当世銀持気質)』에 보이는 부(富)의 계승과 이동 소고(小考)(고영란)
- ☑ 황실 터부와 표현의 부자유 – 오에 겐자부로 「정치소년 죽다」와 후카자와 시치로 「풍류몽담」을 시좌로(심수경)
- ☑ 「終活川柳」に見る語彙表現とイメージの一断面(이토 타카오)
- ☑ 일제강점기 '二重言語'로 서술된 '童話' 변용 고찰 – 1910년~1920년대 조선총독부 편찬 〈조선어〉와 〈일본어〉 教科書를 중심으로(장미경)
- ☑ 미우라 아야코 『빙점(氷点)』에 있어서의 죄와 용서 – 깨달은 자의 슬픔을 중심으로(최순육)

2020년 8월에 발행한 53호의 내용은 다음과 같다.

- ☑ 일본 마쓰리의 현장과 전승집단의 주도적 역할 – 오키나와 다케토미지마(竹富島) 다나두

미우라 아야코와 《빙점》

미우라 아야코(三浦綾子 · 1922~1999)는 일본 홋카이도 출신의 소설가이다. 아사히카와(旭川) 사립여고를 졸업하고 초등학교 교사로 7년간 근무하다 국가의 운영방식과 군국주의교육에 회의를 느껴 패전 후인 1946년 퇴직했다. 이후 독실한 친구의 권유로 기독교 신자가 됐으며 1959년 결혼과 함께 잡지를 통해 등단 한 후 집필활동에 전념했다. 1963년 아사히신문이 주최한 1000만엔 현상소설 공모에 소설 《빙점(氷点)》이 입상하며 일약 유명해졌다. 《빙점》 단행본은 71만 부가 팔렸다. 인간의 원죄와 용서를 그린 《빙점》은 한국에서도 300여 차례 넘게 번역 및 출간했으며 드라마로도 제작하는 등 광복 이후 소개된 일본 문학의 대표작으로 꼽히고 있다. (두산백과)

이(種子取祭)의 사례(김용의)

☑ 일본어학습자의 학습동기와 흥미도, 이미지에 대한 일고찰 – 관광 전공 대학생을 중심으로(김윤희)

☑ 관문9년 정판본 일본서기 한국계 고유명의 성점 연구저자(박미현)

☑ 오규 소라이의 이상사회론 – 〈정담(政談)〉에 나타난 개혁사상을 중심으로(임태홍)

☑ 오키나와 공동체의 역사 인식과 문학적 재현(김동윤)

☑ 근대에 재현되는 고대 설화 – 이와야 사자나미(巖谷小波)의 『모모타로(桃太郎)』를 중심으로(박미경)

☑ 森崎和江の詩に顕出する空間表象考察 – 「空」と朝鮮の記憶を中心に(SORIMACHI MASUMI)

☑ 일본 근대문학에 나타난 '진실(真実)'혹은 '진짜(本物)'라는 역설 – 『가면의 고백』과 『주홍을 빼앗는 것』을 중심으로(최은경)

☑ 바쇼(芭蕉)와 가케이(荷兮)의 교류에 관한 고찰(허곤)

☑ 고바야시 다키지(小林多喜二)의 「부재지주(不在地主)」와 이기영의 「고향」 비교연구(황봉모)

〈**일본연구**〉의 편집위원회는 다음과 같다.

직 책	이 름	소 속	이 름	소 속
편집위원장	**구정호**	중앙대		
편집위원	**나카이 세이이치(中井精一)**	도야마대	**양동국**	상명대
	다니엘 롱	도쿄도립대	**임태균**	성결대
	박강훈	전주대	**정병호**	고려대
	사나다 신지(眞田信治)	오사카대	**이지형**	숙명여대
	오고시 나오키(生越直樹)	도쿄대	**허 곤**	강원대
	이은미	명지대	**김용의**	전남대
	정상철	한국외대	**김필동**	세명대
	조남성	한밭대	**조규헌**	상명대
	홍민표	계명대	**무라타 미기후미(村田右富実)**	関西大
	김난희	제주대	**히로카와 아키테루(廣川晶輝)**	甲南大

47. 한국외국어대학교 일본연구소 〈일본연구〉

KOREA-JAPAN

〈**일본연구**〉(Journal of Japanese Studies · JAST)는 1985년 창간해 연 1회 발간했다. 그러나 2000년부터는 연 2회, 2006년부터는 3, 6, 9, 12월 연 4회 발간하고 있다. 한국어와 일본논문을 모두 싣고 있으며, 한국외대 일본연구소가 개최한 심포지엄에서 발표한 논문도 싣는다. 2006년 등재학술지가 됐다.

2021년 6월에 발간한 88호의 내용은 다음과 같다.

☑ 일제강점기 米俱樂部와 延市場에 관한 연구 – 소위 '인취문제'와의 관련성을 중심으로(김명수)

☑ 마르크스 국가론의 일본적 변용 – 『자본론』완역가 다카바타케 모토유키의 '국가사회주의'와 천황제(노병호)

☑ 在日次世代の韓国語教育の必要性に関する研究 – 関西地域のアンケート調査を基に(문창윤, 하승빈)

☑ 일본에 있어서의 정관관계의 변화와 그 귀결(이상훈)

☑ 일본의 사회변화와 문학작품 속 '노인' 인식 전환에 관한 연구 – 사에 슈이치(佐江衆一)의 황락(黄落)을 중심으로(방경희)

☑ 미야자와 겐지 「늑대 숲과 소쿠리 숲, 도적 숲」 – 은유로서의 서사 구조(신지숙)

☑ 일본 현대 여성시 속의 성(性)(임용택)

☑ 『讃岐典侍日記』における創作意識 – 主として序文について(정순분)

☑ 『센자이와카슈(千載和歌集)』의 〈夢 꿈〉의 일고찰(一考察) – 허망함과 현실에 관하여(최정윤)

☑ 項の後置(Ogihara Saeko)

☑ 비즈니스 장면에 사용되는 일·한 요구표현 고찰 – 발화의도 및 상하관계를 중심으로(정우찬, 이미숙)

☑ 일본 신문 사설의 언어 프레임 분석 – 일본국 헌법 개정 논의를 중심으로(이해미)

☑ 継起的時間関係を表す表現 – 「あとで」と「あとに」の比較を中心に(황윤실)

☑ 竹内祐介『帝国日本と鉄道輸送一変容する 帝国内分業と朝鮮経済一』吉川弘文館(2020)

《센자이와카슈(千載和歌集)》(1187년)

고시라카와(後白河) 상황의 명으로 가인(歌人)이자 귀족인 후지와라노 도시나리(藤原俊成)가 편찬한 칙찬(勅撰) 와카집이다. 《고킨와카슈(古今和歌集)》(905년)에서 가마쿠라시대에 편찬한 《신고킨와카슈(新古今和歌集)》(1205년)로 이어지는 가교역할을 했다. 도시나리가 와카의 진수라고 신봉한 《고킨와카슈》를 모방해 서문을 붙이고, 전 20권에 총 1288수의 와카를 수록했다. 책 이름에 '천재(千載)'를 넣은 것은 천 년 후에도 남을 가집이라는 의미이다. 수록한 시는 온후하며 깊이 있는 아름다움을 표현한 노래가 많다는 평가를 받고 있다. (일본문학사, 민병훈)

(류상윤)

☑ 迫田久美子・石川慎一郎, 李在鎬編(2020)『日本語学習者コーパス I-JAS入門』くろしお出版(장원재)

75호(2018년 3월호)~84호(2020년 6월호)의 일본학 관련 논문

호 수	논문 이름	저 자
75호(2018년 3월)	고독한 죽음과 돌봄의 연대 – 일본의 한 공공단지 사례를 중심으로	박승현
	아베 내각의 아시아 정책 – 강한 일본을 위한 아시아의 타자화	오승희
	'저온호황'의 출현과 아베노믹스의 방향 전환	이창민
76호(2018년 6월)	『新撰姓氏錄』의 편찬 자료와 勘校	서보경
	近隣國の國民·文化に對する交流意図と國民イメージとの因果關係の探求	신지원 · 시오무라 기미히로
	중일 영토갈등의 메커니즘 – 센카쿠열도와 미국의 정책	윤석상
77호(2018년 9월)	20세기 이래 고려청자 그리고 고려다완, 왜 만들게 됐나	김현아
	「規制」としての福祉行政サービス供給における事業者コントロールの実態	성진우
78호(2018년 12월)	그림의 전달력 · 문자의 표현력 – 『국보 겐지모노가타리에마키(국보 원씨물어회권)』를 중심으로	김수미
	韓日ビジネス·コミュニケーションにおけるコンフリクトの諸相	우기홍
	근대 일본의 도덕교육에 관한 일고찰 – 메이지 전기 교육사상의 변용을 중심으로	이권희
79호(2019년 3월)	문화, 이해관계자 압력 및 자선적 CSR	김광호, 류용규, 박병일
	기시 노부스케의 현실주의 – 전전 · 전후를 사정으로	노병호
	기억의 사각지대에서 잊힌 홀로코스트 – 일본의 정미의병 및 민간인 학살과 한반도 강점의 시작	손기영
	오카자키 히사히코(岡崎久彦)의 현실주의적 안보론과 일본적 민주주의론	이정환
	다케다 가라쿠리 연극과 시계기술 – 일본의 근대화와 기술의 대중화	최유경

CSR(Corporate Social Responsibility)

기업의 사회적 책임을 의미한다. 기업 활동에 영향을 받거나 영향을 주는 직간접적 이해 관계자에 대해 법적, 경제적, 윤리적 책임을 감당하는 경영 기법을 말한다. 기업의 수익 추구와는 무관하며 주로 기업의 평판 관리에 활용한다고 소극적으로 보는 시각도 있지만, 2013년 2월 한국경제연구원은 "기업들의 사회공헌 활동은 '노블레스 오블리주'를 실현하는 행위가 아니라 (기업 영속을 위한) 투자 행위로 봐야 한다"고 적극적으로 평가했다. CSR은 주로 자선, 기부, 환경보호 등 사회공헌 활동으로 나타난다. 올림픽과 월드컵 등 세계적인 스포츠 이벤트는 CSR의 경연장이다. (트렌드 지식사전)

다케다의 가라쿠리

1551년 서구문명의 상징인 기계식 시계가 일본에 들어와 반세기도 안 돼 이를 복제해 일본 전역으로 퍼져나갔다. 1662년 다케다 오미(竹田近江)는 시계 기술을 이용해 에도의 오토맨이라고 할 수 있는 가라쿠리 인형(기계장치 인형)을 만들고 이를 인형극으로 올려 큰 인기를 끌었다. 일본식 시계의 등장은 일본의 시계 기술만이 아니라 공연문화도 비약적으로 발전시켰다. 당시로서는 최첨단 기술을 필요로 했기 때문에 이 기술을 대중예술에 사용하게 된 배경에는 호소카와 한조(細川半蔵)가 쓴 《가라쿠리 도휘(からくり図彙)》를 비롯한 난학자들의 기술 공개가 중요한 역할을 했다. '가라쿠리의 1인자(からくり儀右衛門)'로 불린 다나카 히사시게(田中久重)도 호소카와의 책을 통해 명인이 됐다. 그는 이 기술로 일본 최초의 증기선 개발 등에 참여하면서 도시바(東芝)의 전신인 다나카제조소를 설립한다. (최유경 논문 초록)

호수	논문 이름	저자
80호(2019년 6월)	보이지 않는 것에 대한 인식과 그 표상 - 지식으로서의 모노노케(物の怪)	김정희
	조선을 깨운 이방인, 한국의 혼이 되다 - 아사카와 다쿠미와 경성	이병진
	조선통치관계자와 한일교섭	이형식
	재일작가의 '위안부' 표상 - 『8월의 저편(8月の果て)』과 『다시 오는 봄(巡りくる春)』을 중심으로	최은주
81호(2019년 9월)	인도 · 태평양 시대와 일본의 인도 관계	김석수
	TPP협상과 농업문제를 둘러싼 자민당 중앙-지방정치가의 상호작용 - 정당조직 주도형과 지방의회 주도형 사례의 설명책임	이주경
	일본군'위안부' 문제를 둘러싼 '역사전(歷史戰)'과 글렌데일시 '평화의 소녀상'	이지영
	'뉴 투어리즘(New tourism)'과 '착지형(着地型)관광'을 통해 본 일본 지역사회의 발전전략에 관한 연구	서만식
82호(2019년 12월)	日本における階級·階層歸屬意識研究の展開	コン アラン
	秦氏의 조상전승에 관한 연구	서보경
	메이지 전기 도덕교육과 교육칙어에 대한 고찰	이권희
	한 · 일문화의 매개자 - 물건과 일상의 발견, 아사카와 다쿠미의 민예(民藝) 철학	이병진
	일본군위안부문제에 관한 정치적 언설의 영향	이상훈
83호(2020년 3월)	大阪市住之江區北加賀屋地區におけるアーティスト集積地の形成と都市再生への影響	김태훈
	일본의 대한(對韓) 경제보복에 대한 소고(小考) - 한일대립의 본질과 실태를 중심으로	신장철
	'재조일본인' 사회의 형성과 연구 논점에 관한 시론(試論)	이동훈
	戰後奄美大島におけるカトリック·ブラジル移住者たちのライフヒストリ	이현경 · 다지마 다다아쓰
	공공장소 민폐의 인지(認知)에 관한 한일비교	정희정
	'제국의 위안부', 하루미(春美)의 소환과 식민지 지배 - 영화 『여자정신대』에서 『제국의 위안부』까지	최은수

하타 씨(秦氏)

5세기경 한반도에서 일본으로 건너간 도래인 씨족으로 일본 각지의 토호세력으로 성장했다. 《일본서기》의 오진조(應神朝)에 따르면 하타 씨(秦氏)의 조상인 유즈키노키미(弓月君)가 120현(縣)의 백성을 거느리고 일본열도로 건너왔다고 한다. 그 중심 세력은 현재의 교토지역에 자리잡았던 하타 씨로, 점차 일본 각지에 흩어져 있던 하타 씨 일족을 통합했다. 7세기에는 하타노 가와카쓰(秦河勝)가 하타 씨의 족장이 됐다. 그는 교토에 고류지(廣隆寺)를 세우고, 쇼토쿠태자(聖德太子)에게서 받은 불상을 안치했다. 하타 일족은 645년 다이카 가이신(大化改新) 이전에는 주로 조정의 재정을 관리하는 직책을 맡아 세력을 떨쳤다. 784년부터 간무(桓武) 천황이 나가오카쿄(長岡京), 헤이안쿄(平安京)로 천도하는데, 이 지역의 세력가였던 하타 씨의 도움이 없었다면 수도 건설은 성공할 수 없었을 것이다. (한국민족문화대백과)

다카라즈카(宝塚) 극단

일본 효고현 다카라즈카시에서 시작한 일본의 여성 뮤지컬 극단. 한큐전철(阪急電鐵)의 창립자인 고바야시 이치조(小林一三)가 1913년 7월 다카라즈카시의 온천 방문객을 늘리기 위해 창단했으나 현재는 일본을 대표하는 대형가극단으로 성장했다. 소속 배우 전원이 미혼 여성으로 남성 역할도 여성이 맡는다. 배우들은 '다카라젠느'라고 부른다. 이들은 조금씩 특성이 다른 화조(花組), 월조(月組), 설조(雪組), 성조(星組), 주조(宙組) 등 5개조에 속해 있고, 각 조는 철저하게 주연배우인 '스타' 중심으로 운영한다. 다카라즈카시와 도쿄 지요다구에 2천석 이상의 전용 극장을 두고 매년 9가지 작품을 한달 가량 공연한다. TV의 보급으로 한때 인기가 하락했으나 1974년 이케다 리요코(池田理代子)의 만화를 원작으로 한 뮤지컬 '베르사이유의 장미'와 영화를 뮤지컬로 만든 '바람과 함께 사라지다' 등이 히트하며 오늘날도 인기를 유지하고 있다. (나무위키)

호수	논문 이름	저자
84호(2020년 6월)	전쟁의 기억과 민족 영웅의 탄생: 다카라즈카의 '모모타로' 재현을 중심으로	배묘정
	사회인구학적 속성으로 본 한일 비즈니스 커뮤니케이션 상의 갈등양상에 대한 실증 분석	우기홍
	마쓰모토 세이초(松本清張)의 한국 관련 작품 양상 및 특징	김용의
87호(2021년 3월)	福田赳夫の対韓国外交 –「韓国条項」の修正と在韓米軍撤退政策への対応	김동명
	1920년 간도참변 실태와 특징 – 일본군이 작성한 사상자 보고서 분석을 중심으로	김연옥
	청년패널 데이터를 통해 본 한국과 일본의 청년실업	윤성원
	패전 직후 일본의 해항검역과 귀환	최민경
	일본의 코로나19 대응과 정책결정과정	최은미
	전후 일본의 경제 외교와 1958년 아시아경제연구소 설립 – 정책 네트워크의 변용적 진화	한송이, 최은봉

〈**일본연구**〉의 일본학분야 편집위원회는 다음과 같다.

직책	이름	소속	이름	소속
편집위원	**박진우**	숙명여대	**박용구**	한국외대
	이이범	강릉원주대	**오카자키 데쓰지**	도쿄대
	이상훈	한국외대	**楊孟哲**	타이베이교육대
	이창민	한국외대	**纐纈厚**	야마구치대
	장인성	서울대		

48. 한림대학교 일본학연구소 〈한림일본학〉

KOREA-JAPAN

〈**翰林日本學**〉(The Hallym Journal of Japanese Studies)은 1996년 창간 당시에는 〈**翰林日本學研究**〉이었으며, 지금은 일본어와 영어 등의 논문도 게재하고 있다. 1년에 한 차례 발간했으나 2008년부터는 5월과 12월 두 차례 발간하고 있다. 2011년 등재학술지가 됐다.

2021년 5월에 발간한 제38집의 내용은 다음과 같다.

☑ 일본 도호쿠(東北) 지방정부의 지방외교 현황 – 후쿠시마(福島)현, 야마가타(山形)현의 사례를 중심으로(이진원)

☑ 基地問題をめぐる沖縄政界の共通認識 – 認識基盤としての沖縄アイデンティティーを中心に(한동균)

☑ 한일전 축구 관련 내셔널적인 담론에 관한 일고찰(오현석)

☑ 日本における公訴時効制度を遡及適用する法改正に対する憲法判断の検討(高橋孝治)

☑ 사할린 한인의 영주귀국과 새로운 경계의 형성과정(임성숙)

2020년 12월에 발간한 제37집의 내용은 다음과 같다.

☑ 戦没者遺族運動と靖国神社 – 「戦没者」をめぐる「国民的な合意」の形成(Takeshi, IMAI)

☑ 패전 후 전쟁미망인의 실상과 유족운동 그리고 국가(김현아)

☑ 야스쿠니신사가 전쟁을 기억하는 방식(남상구)

☑ 宇治十帖の方途 – 薫の道心と恋の構造(김태영)

☑ 子どもたちの靖国 – 戦後も「少国民」にされた戦争遺児たち(Isao, MATSUOKA)

우지주조(宇治十帖)

《겐지모노가타리(源氏物語)》의 마지막 부분인 「하시히메(橋姫)」「시이가모토(椎本)」 「아게마키(総角)」「사와라비(早蕨)」「야도리기(宿木)」「아즈마야(東屋)」「우키부네(浮舟)」「가게로(蜻蛉)」 「데나라이(手習)」「유메노우키하시(夢浮橋)」 등 10첩의 총칭이다. 주인공 가오루(薫) 대장이 우지의 하치노미야(八の宮)의 딸인 오기미(大君)와 나카노기미(中君), 그리고 유키부네(浮舟)와 교섭하는 장면을 그리고 있다. 주로 우지라는 곳을 무대로 이야기를 전개하고 있어 이런 이름이 붙었다. (일본대백과전서)

〈**한림일본학**〉의 편집위원회는 다음과 같다.

직책	이름	소속	이름	소속
편집위원장	**서정완**	한림대		
편집위원	**강지현**	전남대	**송석원**	경희대
	강철구	배재대	**전성곤**	한림대
	김난희	제주대	**정진현**	베를린자유대
	김웅기	한림대	**조관자**	서울대
	김환기	동국대	**조정우**	경남대
	남기학	한림대	**최재목**	영남대
	손지연	경희대	CAPRIO, MARK E.	릿쿄대

49. 한양대학교 일본학국제비교연구소 〈비교일본학〉

KOREA-JAPAN

〈**비교일본학**〉은 1993년 2월 기존의 '한양일본학'의 이름을 바꿔 창간했다. 매년 6, 9, 12월 세 차례 발간한다. 2012년 등재학술지가 됐다. 접수하는 논문은 일본어학, 일본문학, 일본학(일본역사 · 사상 · 경제 · 문화 등) 등의 분야여서 정치, 외교, 안보, 군사 분야의 학술지와는 차별성이 있다.

2021년에 6월에 발간한 제51집의 내용은 다음과 같다.

☑ 일본 대외직접투자의 구조변화와 요인 - 2010년대를 중심으로(손경희)

☑ 일본 청량음료업체의 저성장기 성장전략 - 가고메와 다이도드링크의 사례를 중심으로(오태헌)

☑ 한국과 일본의 게임 서사구조 비교 - MMORPG의 퀘스트 구조를 중심으로(주진영, 부백)

☑ 한일 양국의 재난안전 정보 다국어지원 현황 연구(한아름, 이충호)

☑ 타자론의 관점에서 본 모노노아와레(박규태)

☑ 중세 일본의 한반도 인식 연구 - 『헤이케모노가타리(平家物語)』의 신라 관련 서술을 중심으로(한채민)

☑ 水足博泉『太平策』にみる先哲認識の考察(박찬기, 이영일)

☑ 일본 문인화의 선구자 기온 난카이(祇園南海)의 시론 - 『시가쿠호겐(詩学逢原)』(1763)를 중심으로(정경진)

☑ 『만엽집(万葉集)』 개설서와 선집 연구 - 특권화된 노래의 이식(박상현)

☑ 1990년대 초반 일본의 소년범죄소설 속 소년범죄와 피해자 고찰 - 『도쿄살인모색(東京殺人暮色)』과 『크로이처 소나타(クロイツェル・ソナタ)』를 중심으로(남상현)

☑ 바쇼(芭蕉)가 오토쿠니(乙州)에게 보낸 서간문을 통한 교류에 관한 고찰(허곤)

☑ 1980년대 『오싱』붐과 한국 사회 - 순응과 저항의 여성 서사를 호명한 한국 독자(강우원용)

☑ 다자이 오사무(太宰治) 문학의 Apoptosis 상상력(신현선)

☑ 透谷と漱石の文学に現れた厭世感(야노 다카요시)

오싱

1983년 4월 4일부터 1984년 3월 31일까지 일본 NHK가 방영한 드라마이자, 그 드라마 속 여주인공의 이름이다. 작자는 하시다 스가코(橋田壽賀子 · 1925~2021). 가난한 소작농의 딸로 태어나 10살이 되기 전부터 남의 집에서 혹독하게 식모살이를 해야 했던 어느 여자아이의 노년까지를 그리고 있다. 소녀는 일본이 국제적으로 부상하던 메이지 시대를 거치며 성숙하고, 다이쇼와 쇼와 시대에 번영을 누리다 패전으로 몰락하고, 일본의 고도성장기를 거쳐 다시 재기했으나 말년에는 오로지 잘 사는 것만을 목표로 살아왔던 지난 삶에 대해 회의를 느낀다. 이 과정이 일본인들에게 상당한 감동을 주면서 평균 시청률 52.6%, 최고시청률은 62.9%를 기록했다. 1983년 일본에서 동명의 영화로 만들었고, 한국에서도 KBS가 판권을 사들여 드라마로 만들었다. (나무위키)

☑ 前置き的に用いられる「ね」(김옥임)

☑ 복문으로 나타나는 일본어 「知る」문과 한국어 「알다」문의 통사구조와 재구조화 현상(박용일)

☑ 1910年刊『新案韓語栞』에 대하여(이강민)

☑ 메이지의 상상, 번역어의 탄생과 한국 수용-[Nation]이 [국민]으로 번역되기까지(최경옥)

☑ 日本語使用の日韓ビジネスコミュニケーションにおける日本人の問題意識-日本人の韓国語能力の差に注目して(나가타 유키)

☑ 常用漢字表 한자음에서 나타나는 連母音의 長母音化 학습방안-ou形을 중심으로(하소정)

《新案韓語栞(신안한어간)》

한일병합을 하던 1910년에 일본인이 경성에서 발간한 한국어 학습서이다. 같은 시기에 일본에서 간행한 다른 한국어 학습서와는 달리, 한글 자모의 배열과 한국어 발음에 대해 다른 한국어 학습서에서는 볼 수 없는 독특한 학습 방법을 제시하고 있어 관심을 끈다. 이 책의 일본어는 전반적으로 근대 일본어의 특징을 보여주고 있으나 다른 한국어 학습서의 일본어에 비해 상대적으로 문어적인 색채가 강하다. 또 이 책은 근대 어휘사적인 측면에서 접근할 수 있는 한국어 현상을 풍부하게 수록하고 있고, 한국어에 대한 가타카나(片仮名) 표기도 당시의 현실음 연구에 활용할 수 있을 것으로 기대된다. (이강민 논문 초록)

〈비교일본학〉의 편집위원회는 다음과 같다.

직 책	이 름	소 속	이 름	소 속
편집위원장	**박규태**	한양대		
편집위원	**김필동**	세명대	**정승은**	전남대
	최재목	영남대	**조강희**	부산대
	박삼헌	건국대	**이경철**	동국대
	김영근	고려대	**장원재**	계명대
	김지영	한양대	**박용일**	한양대
	이시준	숭실대	**田世民**	타이완대
	유재진	고려대	**X.Jie YANG**	University of Calgary
	윤혜영	충남대		

9장. 분야별 전문가 인터뷰

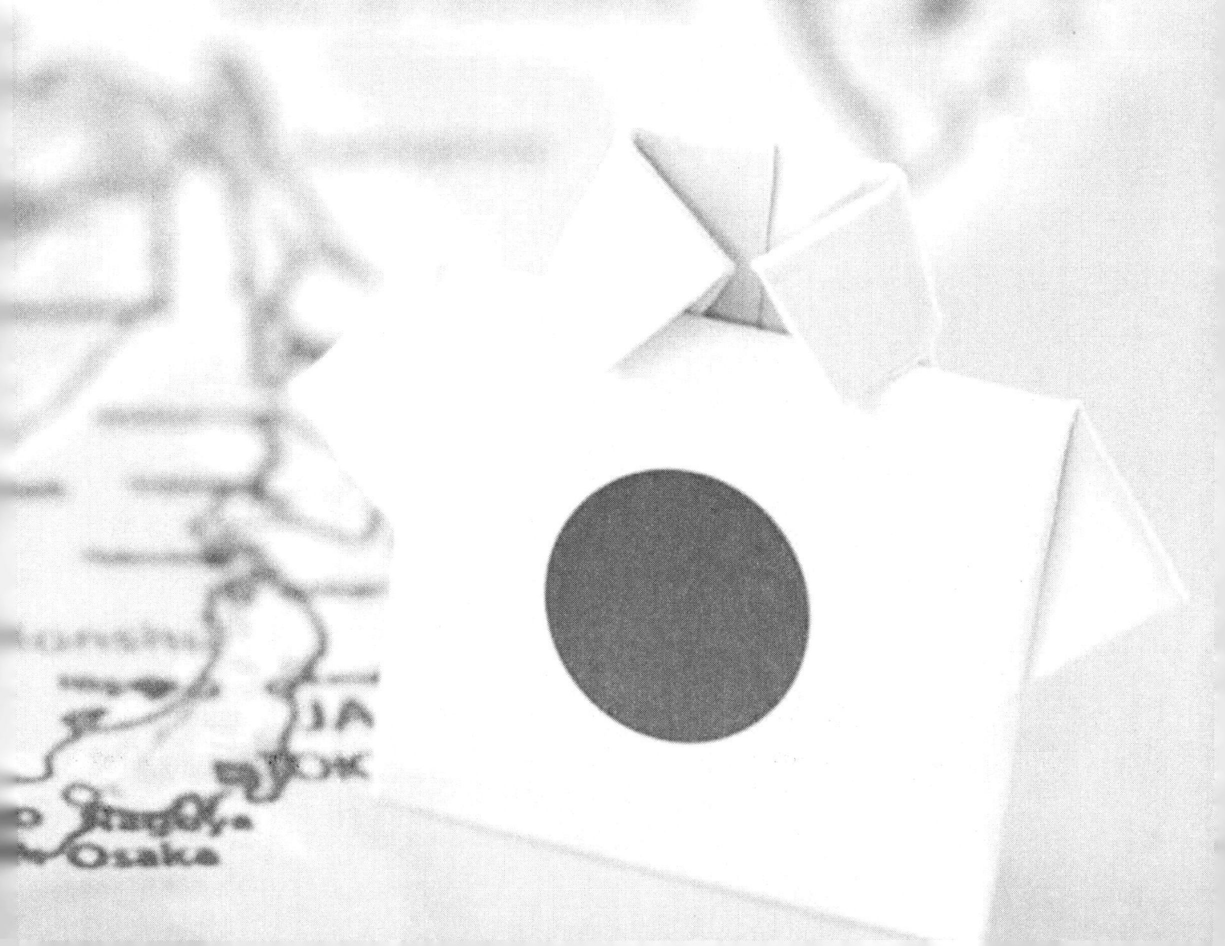
Osaka

1. 국제사회 속의 한일관계

KOREA-JAPAN

당연한 협력이 당연하지 않은 불행한 관계

박철희
서울대 국제대학원 교수

Q. 한일갈등의 국내 요인과 국제적 요인을 뭐라고 보는지요.

A. 냉전기 한일 두 나라는 잠재적인 갈등을 잠재울 수 있는 두 가지 메커니즘을 가지고 있었습니다. 하나는 양국 시민사회입니다. 1980년대 이전의 한국에서는 정부에 대항하거나 독자적인 목소리를 내는 시민사회가 자리를 잡을 여지가 적었고, 국가가 조합주의적으로 설립한 기관이나 단체는 기본적으로 권력에 순응했습니다. 정부가 제시하는 목표와 다른 목소리를 내는 시민단체는 그리 많지 않았습니다. 일본의 경우에는 시민사회가 잘 조직되어 있었으나, 평화, 인권, 환경 등 진보적인 가치를 지향하는 단체들이 대부분이었고, 아시아 국가들과의 평화와 협력을 강조하는 경향이 강했기 때문에 한국 정부나 시민사회와 충돌할 여지가 적었습니다. 따라서 한일 양국의 시민사회가 서로 부딪힐 요소는 많지 않았습니다.

다른 하나는 세계가 모두 냉전하에 있었기 때문에 한일이 서로 다른 이해를 추구하기보다는 양국이 공유하는 안보 이익을 가장 우선했습니다. 냉전기 소련, 중국, 북한을 아우르는 북방 삼각연대에 대항해 미국, 한국, 일본은 남방 삼각연대를 이뤄 안보 협력을 중시했지요. 한일은 지역과 세계를 보는 눈을 공유했던 것입니다. 따라서, 안보를 우선시하는 한일 양국의 지도자들은 다른 부문에서 갈등이 벌어져도 안보 이익을 우선적으로 고려했고, 안보 협력에 손상을 주는 행동이나 발언을 자제했습니다.

하지만, 냉전이 종식되면서 이 두 가지 메커니즘에 변화가 생기기 시작합니다. 하나는 한일 양국에서 나타나기 시작한 새로운 형태의 시민사회입니다. 90년대 이후 등장한 새로운 시민사회단체는 국제적인 이슈를 내세우면서도 기이하게 민족주의 의식을 강조하는 양상이 두드러집니다. 한국에서는 '정신대문제대책협의회(정대협)'로 대표되는 친인권 반일 시민사회단체가 힘을 얻었지요. 정대협은 식민지 시기 자신의 의사에 반해 동원된 일본군 위안부 피해자문제에 집중하면서 일본식민지 시대의 불행한 과거를 청산하겠다는 분명한 목적의식을 가지고 있었으며, 정부 주도의 섣부른 타협에 반대했습니다. 정대협이 반일 전선의 중심에 서면서 한일 간의 유연한 타협과 협상의 가능성은 줄어들었습니다.

반면, 일본에서는 위안부 문제를 시발점으로 삼아 전쟁과 식민지시대에 저지른 일본의 행위가 반드시 나쁜 것만은 아니었다, 주변 국가의 발전에도 도움을 줬다는 등의 주장을 하며, 일본의 나쁜 면만을 들추는 '자학사관'에서 탈피해 일본의 명예와 긍지를 북돋우는 '자긍사관'을 고양하자는 시민운동이 일어납니다. 1993년경에 시작한 우파 시민사회 운동이 1997년 결성한 '일본회의'로 결집하고, 일본에 비판적인 한국과 중국의 시민단체와 지식인들을 비난하면서 한국과 일본의 갈등은 깊어지게 됩니다. 다시 말해 민족주의적 지향을 가진 한일 양국의 시민사회가 '적대적 공존'을 시작하면서 양국의 갈등을 키운 것입니다.

냉전 이후 또 다른 큰 변화는 지역과 국제질서를 보는 시각이 바뀌었다는 것이지요. 한국과 일본이 주변국가의 '위협'을 보는 눈이 달라지면서 갈등을 겪기 시작했습니다. 일본은 냉전이 끝나고 나서도 미일동맹을 강화했으며, 북한과 중국의 지속적인 안보 위협을 미일동맹의 유지, 또는 확대 이유로 삼았습니다. 북한의 군사적 위협은 1998년 대포동 미사일이 일본열도를 넘어 태평양에 떨어지면서 현실화하기 시작했으며, 미일동맹을 일본 본토만이 아니라 일본의 주변사태까지도 관여하도록 부채질했습니다. 이미 1978년 일중평화조약을 통해 중국과 외교관계를 정상화했던 일본은 냉전이 종식된 이후 중국의 부상에 서서히 적응할 수 있는 여지가 많았지만, 2010년 센카쿠 열도를 둘러싼 분쟁이 격화하면서 일본에게는 중국의 해양 공세를 어떻게 막아낼지가 초미의 관심사가 되었습니다. 중국의 부상과 팽창을 견제할 필요가 있다는 공론이 일본 내에서 정착한 것도 이 무렵이었습니다. 2018년 중일정상회담을 계기로 중일 관계는 점차 긴장 완화 국면으로 접어드는 기미를 보이고 있지만, 기본적으로 중일 간의 경쟁 내지 긴장 관계는 계속되고 있습니다.

이와 달리, 세계의 유일한 '냉전의 고도(孤島)'인 한반도에서는 냉전 종식 이후 어떻게 냉전구조를 탈피할 것인가가 초미의 관심사가 되었습니다. 경제발전에 기초한 자신감을 바탕으로 북한을 포용하겠다는 '햇볕정책'을 구사하든, 북한의 근본적인 체제 변화를 통해 흡수 통일을 구상하든, 한국은 북한을 단순히 억지해야 할 봉쇄의 대상이 아니라 궁극적인 통합의 대상으로 보기 시작한 것은 일본과는 아주 다른 시각입니다.

또 한국은 1992년 한중 국교정상화 이후 '중국 열풍'이라고 할 만큼 중국시장을 기회의 땅으로 보는 경향이 강해지면서 중국에 대한 투자, 무역, 교류가 크게 늘었습니다. 중국이 북한과 우호적인 국가이기 때문에 한중관계의 발전을 통해 북한에 대한 외교 레버리지를 강화하겠다는 강박관념도 한국을 중국과 가깝게 만드는 요인입니다. 한국은 중국을 견제하거나 봉쇄해야 할 대상이 아니라 활용할 대상으로 보면서 장기적으로 위험분산을 꾀하는 이른바 '헤징(hedging)' 전략을 구사하고 있다고 볼 수 있습니다.

이처럼 한국과 일본이 지역 내에서 공동의 위협으로 간주하던 북한과 중국에 대해, 냉전 종식 이후 전략적 접근을 달리하면서 한일의 대외적인 갈등 요인이 늘어난 것이지요.

Q. 국제사회에서는 한일 갈등을 어떻게 보고 있나요.

A. 국제사회의 보편적인 시각에서 본다면, 한국과 일본은 유사한 가치관과 체제를 공유한 국가이자 전후 유사한 역사적 경험을 한 사실상 '쌍둥이 국가'에 가깝습니다. 일본은 2차 세계대전 패배 이후, 미국의 압도적인 영향과 지원을 받으며 미국과 동맹을 맺고 불과 20여 년 만에 세계 제2의 '경제대국'으로 부상했습니다. 이는 미국 점령하에서 '주어진 민주주의'를 수용한, 소극적 체제 변환의 결과로 볼 수 있습니다. 그 사이에 평화와 인권을 중시하는 시민사회의 활약에 힘입어 법과 인권을 중시하는 국가로 탈바꿈했습니다.

한국은 남북분단이 한국전쟁이라는 또 다른 비극을 초래했지만, 전후 미국과 동맹을 맺고 미국에 안보를 맡긴 상태에서 정부 주도로 중장기 경제발전계획을 세워 빈곤국가에서 서서히 탈피해 어엿한 중견 국가로 성장했습니다. 또 학생과 노동자, 시민사회를 중심으로 분출한 민주화의 열기에 힘입어 1987년 스스로의 손으로 민주주의를 쟁취한 국가가 됐습니다. 이후 평화와 인권, 환경을 존중하는 시민사회의 성장으로 법의 지배와 인권 존중을 당연시하는 국가로 변모했습니다.

이렇게 보면, 한국과 일본은 민주주의, 시장경제, 법의 지배, 인권 존중, 미국의 동맹이라는 보편적 가치관과 체제를 공유한, 동아시아에서는 유이(唯二)한 선진 국가군입니다. 따라서 동아시아의 선도 국가인 한국과 일본은 협력하는 것이 당연하고, 협력하지 않는 것이 부자연스러워 보일 정도입니다. 그런데도 한일은 '불화

(不和)국가'이다.

한일 간의 갈등은 국제적 시야에서 보면 궁금증을 자아낼 만큼 수수께끼 같습니다. 이를 설명하기 위해 등장한 것이 이른바 '정체성의 정치(identity politics)'라는 용어입니다. 국제안보 현실, 무역 구조, 생산과 가치의 네트워크 등을 보면 상호의존적이어서 협력하는 것이 당연한데도 서로 협력을 거부하고 갈등을 계속하는 것은 자국의 역사적 경험에 기초한 '정체성의 재정립' 과정에서 오는 불협화음이라는 것이지요. 국제정치학자들은 이를 '구성주의(constructivism)'의 틀로 설명하려 합니다. 이 이론은 민족주의적 자긍심에 기초해서 정체성을 재정의한다는 것은 상대국가가 자국의 위엄이나 명예, 자존심을 손상하면 곧바로 저항할 수 있는 여지를 크게 만든다고 봅니다. 상호 갈등을 예외적이고 기이한 현상으로 보는 게 아니라 사람들의 마음속에 사회적으로 구성된 인지 복합체에서 비롯되는 현상으로 보려는 것이지요. 쉽게 말해 과거와 현재에 겪은 다양한 경험으로 양국 국가와 국민 안에 어떤 '시스템'이 만들어졌고, 외부에서 어떤 자극이 오면 거기에 반응한다는 것입니다.

Q. 한일 갈등은 한미일 삼각 동맹에도 영향을 줄 텐데.

A. 한국과 일본은 미국과 협력하는 것이 자연스러워 보입니다. 우선 한일 양국은 미국의 동맹국이고 국가안보를 미국과의 협력으로 담보하려 하고 있습니다. 완전한 자주국방 국가이기보다는 동맹을 통한 안보를 지향하고 있습니다. 미국과의 협력은 자국을 위한 것이고, 한일 협력은 미국과의 동맹국으로서 기대할 수 있는 일입니다. 또, 한일 양국은 동아시아를 대표하는 민주주의와 시장경제 국가이고, 글로벌 네트워크 속에서 자유주의 국제질서를 지향하고 있는 국가입니다. 가치관과 체제, 제도적인 맥락에서 미국과의 협력이 당연시되는 이유이지요.

그럼에도 불구하고 한일 양국은 역사문제의 질곡에서 벗어나지 못하고 갈등을 계속하고 있습니다. 역사인식의 차이에서 시작한 갈등은 단지 역사관 차이의 영역을 넘어서 외교적 갈등, 경제적 갈등과 안보협력의 거부로까지 이어지고 있는 것이 작금의 현실입니다. 그 결과 한미일 협력의 삼각형 중에 한미, 미일관계는 양호한 편이지만, 한일이라는 밑변이 아주 약한 상태입니다.

이는 한일 간 안보협력을 원하는 미국의 이해와 배치됩니다. 한국은 정전협정 유지를 책임지고 있는 유엔사령부를 통해 일본 내 주일미군과 긴밀하게 연결되어 있습니다. 유엔사를 통해 일본 내에 있는 유엔사 7개 후방기지와 연결되어 있어 주한미군과 주일미군은 통합작전과 보급이 가능합니다. 또한 한일군사정보보호

협정(GSOMIA)를 통해 한일과 미국은 북한 관련 정보를 공유하게 되어 있어, 정보면에서도 상호 협력체제를 갖추고 있습니다.
그러나 이 같은 안보면의 다양한 협력이 한일갈등으로 지연되거나, 거부되거나, 폐지될 경우, 한미일 삼각 안보협력은 원활하게 작동하지 못하게 됩니다. 이는 미국의 동아시아에 대한 영향력을 약화시키고 동맹네트워크를 와해하고자 하는 중국의 이해와는 맞아떨어질지 모르지만, 한국과 일본의 안보 이해에는 역행합니다. 또 북한에 대한 통합 억지력을 약화시키려는 북한의 이해에는 부합하지만, 북한의 현실적인 안보 위협에 대처해야 하는 한국이나 일본의 이해와는 어긋납니다. 한국와 일본의 협력 거부는 미국의 동아시아전략 전개에도 커다란 부담일 뿐 아니라, 중국이나 러시아에 대한 한국과 일본의 외교적, 경제적 레버리지를 약화시킨다는 점에서도 안타까운 일입니다. 한일이 갈등할 경우 한일은 손해를 보지만, 한일의 협력구도를 깨고자 하는 중국, 러시아, 북한에게는 유리한 구도로 작용하게 되는 것이지요. 결국 한일 갈등은 서로에게 손해를 입히는 자해 행위라고도 할 수 있습니다.
한미일 협력이 냉전형 협력으로 복귀해서 중국의 봉쇄에만 집중하거나 한반도에서의 냉전구도 해체에 어려움을 주는 것은 바람직하지 않습니다. 다만, 동아시아의 냉전구도 해체를 도모하는 경우에도, 한국과 일본의 안전보장을 약화시키는 방식의 구도 변화를 서둘러서는 안 되며, 상대방에게만 이익을 안겨주는 일방주의적 해체도 현실적이지 않습니다. 따라서 한미일 간의 협력을 유지하면서 동아시아 전체 구도를 평화와 협력으로 전환시키는 방식을 구사할 필요가 있습니다.

Q. 팬데믹 이후 한일협력 가능성은 어떤가요.

A. 코로나 사태로 촉발된 팬데믹은 한일관계에 이중의 의미로 다가오고 있습니다. 하나는, '국경의 부활과 민족주의의 재현'에 따른 부정적 의미입니다. 팬데믹은 이제까지 당연시해온 국가 간의 인적 교류와 물적 교류, 정보의 자연스런 흐름을 차단합니다. 팬데믹이 글로벌화에 제동을 거는 것이지요. 글로벌 생산네트워크에 따라 해외에 구축했던 시장이나 공장을 본국으로 돌아오도록 유도하는가 하면, 인력시장의 자유로운 이동과 노동가격의 국제적 결정 시스템에 기반한 가치의 네트워크를 다시 자국의 노동시장으로 불러들일 것을 강력히 요구합니다.
또 해외에 있는 생산과 무역 기지들을 자유롭게 이용할 수 있는 여지를 줄임으로써 글로벌 투자 시스템과 가치의 사슬을 훼손하는 효과도 있습니다. 가까운 이웃나라는 마치 '자기 나라'처럼 생각하던 시점에서 팬데믹은 다시 '자국 중심주의'

내지 '자국민 중심주의'로 회귀하라고 추동하고 있습니다. 따라서 팬데믹은 인간과 재화와 자본의 자유로운 이동을 기반으로 한 자유주의적 글로벌화의 확산을 저해하고 민족주의적, 보호주의적, 자국중심적 움직임을 강화시키는 측면이 있습니다. 한국과 일본도 여기에서 예외일 수 없습니다. 팬데믹은 한일 간 인적 이동의 자유, 상품 교역의 자유, 투자 안정성의 확보를 저해함으로써 협력을 저해시킬 가능성을 잉태하고 있는 것이지요.

반면, 팬데믹은 아이러니컬하게도 한국과 일본의 경제와 생활이 얼마나 긴밀하게 연결되어 있는지를 확인시켜주기도 했습니다. 코로나 유행 이전에는 750만 명이 넘는 한국인들이 일본을 방문했는데 이 움직임이 멈추면서 일본의 지방경제가 힘들다고 합니다. 일본의 시민들도 한국의 음악, 드라마, 음식, 패션, 화장 등에 상당히 호의적입니다. 따라서 팬데믹이 어느 정도 진정된다면, 한일 간 '일일생활권'을 복원하려는 민간, 기업, 시민단체의 다양한 움직임이 나타날 것입니다. 이익을 공유하는 네트워크로서 시민의 역량이 저울대에 오를 것입니다.

나아가 한일은 코로나를 겪으면서 양국이 가지고 있는 방역, 보건 및 의료체계가 얼마나 듬직한지를 확인하고 있습니다. 이제까지 선진국의 모델로 여겼던 미국과 유럽 국가들이 코로나에 취약한 사회적. 경제적, 문화적 구조를 가지고 있다는 점이 확인되면서 한국과 일본의 보건 의료체계의 활력(resilience)이 재조명받고 있습니다. 즉, 사회적 약자를 보호하기 위한 보험과 연금 체계, 사실상 공공의료기관처럼 돌아가는 지역의료체계, 국제적 경쟁력을 가진 의약품 공급과 유통체제 등이 세계의 주목을 받고 있습니다. 이들 시스템은 단순히 물적인 경쟁력을 넘어 문화적인 경쟁력으로까지 업그레이드 될 가능성이 있습니다. 한일 양국이 자국이 가지고 있는 거버넌스의 동질성을 인식하고, 국제사회에서 통용될 수 있는 보건 의료 체계의 전파, 국제적으로 인정받을 수 있는 진단과 검사체계의 확립, 누구에게나 효과적인 방역과 의약품 제공 등에 협력할 수 있다면, 양국은 글로벌 거버넌스의 일각을 차지하는 혁명적 대안을 제시할 여지가 있습니다. 이런 '꿈'을 실현할 수 있을지는 양국의 정치적 의지와 역량에 달려 있습니다.

KOREA-JAPAN

2. 한일관계와 외교

대국적 시각, 객관적 판단, 균형감각이 필요하다

신각수
전 주일대사

Q. 한일 갈등 국면에서 양국 모두 외교는 실종되고 정치만 있는 느낌입니다. 그 원인은 어디에 있다고 보는지요.

A. 한일 양국뿐만 아니라 세계적으로 공통적인 현상 가운데 하나가 외교에서 국내정치에 대한 고려를 우선하는 경향이 강해졌다는 사실입니다. 외교 문제를 다루는 곳이 종래의 외교부에서 최고지도자로 상향 조정되면서 대통령이나 총리의 권한과 관여가 늘어나고 있습니다. 그리고 '강한 지도자(strongman)'들이 많이 등장하면서 외교를 직접 관장하려는 경향이 두드러지고 있습니다. 여기에 국내문제의 국제화, 국제문제의 국내화 현상이 심해지면서 국내정치와 외교가 혼재하는 경우가 많아진 것도 이런 배경의 하나라고 생각합니다.

이런 일반적 현상에 덧붙여 한일 간에는 양국의 국내정치적 특수상황이 작용한다고 봅니다. 한국의 경우 현 정부는 좌파 민족주의 정권으로 국내의 반일여론을 이용하여 야당을 공략하고 선거에서 지지율을 올리는 방편으로 삼고 있습니다. 일본도 아베 정부가 우파 민족주의를 내세워 혐한 여론을 활용하고 있습니다. 자민당의 개헌 움직임에 실망한 연립파트너인 공명당이 이탈하는 경향이 있는데, 혐한 뉴스는 무당파층에서 지지를 끌어오는데 일정한 효과가 있는 것으로 알려져 있습니다.

한편 한국 정부는 북한과 중국을 중시하면서 일본을 경원하는 성향이 있고, 일본 정부도 미국을 중시하고 중국과의 관계를 정상화하면서 한국을 무시하는 성향이 있어서 상호 간에 외교보다 국내정치적 고려를 우선하려는 경향이 있습니다.

한일관계 악화가 9년에 걸쳐 장기화하면서 국민감정이 매우 나빠진 상태라 양국

지도자들이 인기 영합적 차원에서 여론을 리드하기보다는 여론에 맞춰 외교를 하고 있는 점도 많은 영향을 미치고 있습니다.

Q. 한국 외교에서 대일 외교의 비중은 점차 낮아져 왔고, 심지어는 무시하는 분위기까지 있습니다. 바람직한 현상은 아닌 것 같은데, 일본은 우리에게 어떤 효용이 있는 나라인지요.

A. 한국 외교에서 대일 외교의 비중이 작아지는 것은 자연스러운 현상이라고 봅니다. 수교 당시 우리 경제의 대일의존도가 여러 국가 가운데 가장 높았습니다. 초기 경제발전에서 일본의 자본과 기술은 매우 중요한 역할을 하였고, 따라서 우리 외교에서 일본의 존재감이 컸습니다. 그러나 우리가 산업화를 본격화하고 제조업 기반을 확충함에 따라 일본의 비중은 점차 감소했고 최근에는 일본이 전통적으로 차지해 왔던 3번째 대외시장의 자리도 베트남과 홍콩에 넘겨주고 5위로 떨어질 만큼 축소되었습니다.

1980년대와 1990년대에는 주일대사관이 인력과 예산 면에서 해외 공관 가운데 가장 큰 규모여서 미니 정부를 구성할 수 있을 정도였습니다. 그러나 현재는 미국, 중국에 있는 대사관에 그 위치를 넘겨주었습니다. 따라서 상대적 관점에서 일본의 중요성이 떨어지는 것은 어쩔 수 없는 상황입니다. 그렇지만, 9년에 걸친 장기간의 한일관계 악화가 일본이 지닌 중요성을 실제보다 훨씬 더 평가절하하게 만든 것도 사실입니다.

'잃어버린 20년'이라는 말이 있듯, 일본이 정치, 경제, 사회 면에서 정체를 거듭해 온 것은 사실입니다. 이로 인해 갈라파고스 현상이 생기고 이를 만회하기 위해 아베 정권이 아베노믹스를 통해 어느 정도 극복했지만 당초 목표로 내세웠던 경제 활성화는 충분한 성과를 거두지 못했습니다. 그럼에도 불구하고 일본은 세계 최대 해외자산 보유국이자 G7의 일원이며 동아시아에서 미국의 가장 중요한 파트너입니다. 구매력 기준 1인당 소득 면에서 한국이 일본을 거의 따라잡았지만 부의 측면에서는 아직 먼 것이 현실입니다. 일본은 43년간 세계 2위의 경제 대국이었으며 과학기술 면에서도 최첨단을 달리고 있습니다. 특히 한반도 안보에 있어서 주일미군의 존재는 매우 중요하며 일본 항만과 공항은 한반도 급변사태 시 미국 본토 군사력의 한반도 전개에 필수적입니다.

특히 한일이 아시아에서 2개국밖에 없는 OECD 회원국이란 사실은 가치를 공유하며 상호협력을 통해 윈-윈할 수 있는 관계를 뜻합니다. 동아시아에서 압도적 비중을 점하는 중국에 대비하는(hedge) 측면에서도 양국은 중요한 전략적 파트너가 될 수 있습니다.

Q. 소위 일본통 외교관은 예전에 비해 어떤지요. 줄었거나 인기가 없다면 그 이유는 무엇인지요.

A. 일본통 외교관의 존재감은 예전과 비교해 많이 떨어졌습니다. 우리 외교에서 대일 외교의 비중이 떨어진 것과 관련이 있는 것으로 생각합니다. 또한, 한일관계가 장기침체에 빠지면서 외교의 한계 같은 무기력증이 대일 외교 종사자들에게 부담을 주고 있는 것으로 보입니다. 특히 문재인 정부 들어서 '적폐청산'이라는 명목하에 대일 외교에 관여했던 외교관들이 인사상 불이익을 받게 되면서 이런 풍조가 더욱 강해졌습니다.

2011년 3 · 11 동일본 대지진으로 인해 후쿠시마 원전 사고가 발생하면서 출산과 육아를 걱정하는 젊은 외교관들은 동경 근무를 꺼리는 분위기도 있습니다. 일본 연수생들도 동경이 아닌 지방 연수를 지원하여 인적 네트워크 구축에도 어려움이 있는 것으로 알고 있습니다. 외교부의 대미 편중이 심해지면서 고위직에서 일본 전문 외교관들의 존재감이 약해진 것도 젊은 외교관들이 일본 업무를 선호하지 않은 원인이 되고 있습니다.

Q. 외교 일반이 아니라 대일 외교에서 특별하게 요구되는 덕목 같은 게 있을까요.

A. 대일 외교가 요구하는 가치는 무엇보다도 대국적 관점입니다. 인접국이기 때문에 다양한 문제가 일어나기 마련인데 이런 문제들을 해결해 나가는 데 있어서, 한일 양국을 넘어서는 대국적 관점을 가지고 임하는 것이 중요합니다. 영합게임에 빠지기 쉬운 양국관계를 넘어 지역 · 글로벌 수준에서 양국관계를 전체적으로 관리하려는 의지가 필요합니다.

다음으로 객관적 기준에 따른 판단과 행동입니다. 한국이나 일본이나 민족주의 성향이 강하기 때문에 '자기완결적 정의(justice)'에 빠져서 자국중심으로 사안을 보고 상대방을 판단하게 됩니다. 하지만 한일 양국의 관점을 떠나 언제나 국제법, 국제기준, 국제여론 등 보편타당한 객관적 기준에 비추어 판단하는 것이 중요합니다.

균형감도 매우 중요한 요소입니다. 치우치지 않고 서로 역지사지의 자세로 상대방의 상황과 입장을 고려하면서 관계를 조심스럽게 다루어야 합니다. 또 과거, 현재, 미래를 균형적으로 보는 시각도 필요합니다.

한일 양국은 겉으로는 매우 비슷하지만 실제로는 상당히 다른 부분이 많습니다.

서로 다르다는 점을 전제로 상대방을 이해하려는 노력이 매우 중요합니다. 그리고 비슷하기 때문에 상대방을 당연시하는(take for granted) 경향도 지양하고 서로 공공외교를 활발히 해야 합니다. 이를 통해 상대방의 참모습을 알고 오해와 편견 그리고 무지를 타파하는 노력을 기울여야 합니다.

Q. 현재 대일 외교를 정상화시키려면 어떤 변화, 또는 조건이 필요하다고 보는지요.

A. 가장 중요한 것은 양국 국민과 지도자가 상대방의 중요성에 대한 냉철하고 객관적인 인식을 가져야 하며, 한일 양국을 둘러싼 대전환기의 불확실한 대내외 상황에 대처하는 데는 한일 협력이 필수불가결하다는 점을 자각해야 합니다.

수시로 한일관계의 발목을 잡아 온 과거사 문제에 관해 양측이 수습의 길을 찾아야 합니다. 기본적으로 외교 현안으로서의 과거사 문제와 역사화해로서의 과거사 문제를 구분하고, 전자는 실용적 관점에서 외교적 타협 방안을 통해 피해자의 마음을 어루만져주는 노력을 기울여야 하며, 후자는 중장기적 관점에서 역사를 교훈으로 삼기 위한 연구, 교육에 중점을 두면서 꾸준히 관리해 나가야 합니다. 역사화해는 쌍방이 협력을 통해 이루어가는 과정입니다. 가해자의 반성과 사죄, 피해자의 용서와 관용이 조화를 이루어 미래를 향한 발판을 만들어야 합니다.

한일 양국은 아시아에서 가장 모범적으로 근대화에 성공한 국가입니다. 민주화와 산업화를 이루고 세계에 기여할 의지와 능력을 갖춘 국가입니다. 중국의 부상으로 불투명해진 동북아의 전략적 환경을 안정시키는데 양국은 자연스러운 파트너입니다. 이렇게 과거와 현재 그리고 미래를 조망하는 총체적 시야에 서면 양국 협력은 엄청난 승수효과로써 양국 국익에 기여할 것입니다. 상호신뢰를 바탕으로 이런 담대한 비전을 향해 나아가려면 안정된 정치 리더십이 양국에 정착되어야 할 것입니다.

3. 한일관계와 학계

KOREA-JAPAN

일본의 쇠퇴가 일본학의 쇠퇴를 부르고 있다

이원덕
국민대 일본학과 교수

Q. 1960년대 이후로 민간과 대학의 일본연구는 어떤 변화가 있었나요.

A. 80년대 이전의 일본연구는 주로 어문학 분야에 치중했고, 소수의 역사학 관련 연구가 있었습니다. 한국에서 사회과학적인 연구성과를 본격적으로 생산하기 시작한 것은 70년대 후반 이후가 아닐까 생각합니다. 미국이나 일본에서 유학하고 온 소수의 일본 연구자들과 국내 사회과학 분야에서 일본 문제로 박사학위를 취득한 분들이 중심이 되어 사회과학적 일본연구를 하기 시작했지요. 또 90년대부터 대학에서 일어일문학과가 아닌 일본학과를 신설하고 기존의 일어일문학과를 일어일본학과 등으로 개칭하면서 정치학, 경제학, 사회학, 문화인류학 분야의 일본연구도 활성화했다고 봅니다. 이때부터 비로소 일본 지역연구가 각광을 받기 시작했습니다. 80년대 후반부터 90년대 중반까지는 일본이 경제대국으로 성장하면서 미국의 패권에 도전할 수 있는 신흥 슈퍼파워 국가라는 인식이 세계적으로 퍼져 나가던 시기였습니다. 아마 한국의 일본연구도 이러한 인식에 영향을 받은 게 아닐까 생각합니다. 경제성장의 비결과 민주주의의 성공, 총 중산층화를 이룬 다원사회의 일본을 객관적으로 분석해 내고 일본 문화론을 규명하려는 시도가 일본연구의 주류를 형성하게 되었다고 볼 수 있습니다.

Q. 요즘은 어떤 연구가 주목을 받고 있는지요.

A. 기본적으로 지역연구는 연구자가 속해 있는 공동체의 관심과 시각을 어떤 식으로든 반영할 수밖에 없습니다. 한국 연구자의 일본연구는 더더욱 그럴 수밖에

없다고 봅니다. 90년대 후반부터 한국에 비친 일본의 모습은 다소 부정적으로 바뀌기 시작했습니다. 예컨대 경제의 장기불황과 침체, 이지메, 히키코모리, 니트족 등의 사회적 병리현상, 정치 외교적 보수우경화, 개헌 움직임과 군사적 보통국가화, 3 · 11 동일본대지진과 후쿠시마 원전사고, 한일 역사마찰 등이 한국에서 사회과학적 일본 연구의 단골 소재로 부상했습니다. 90년대까지만 하더라도 다소의 갈등과 대립이 벌어져도 일본은 우리에게 본받아야 할 성공 모델이었는데 2000년대 이후 일본은 문제가 많은 나라라는 식으로 서서히 바뀌어 간 게 아닐까요. 2010년대 이후에는 동아시아의 국제질서에 지각변동이 일어납니다. 즉 중국이 강대국으로 부상하고, 일본의 국력이 상대적으로 저하하면서, 한국은 미들 파워로 부상합니다. 미중 양강 구도에 한일관계가 끼어있는 양상으로 변한 것이지요. 동시에 한일 사이의 갈등과 대립이 일상화합니다. 한일은 과거사 문제를 가지고 국제사회에서 다투게 되고, 갈등 전선은 역사문제에서 정치, 경제, 외교안보 영역으로 넓어지는 동시에 깊어집니다. 한일관계의 장기악화가 일상화하면서 일본연구의 소재도 자연스럽게 일본 정치, 경제, 사회의 부정적 측면을 부각시키는 연구가 등장하게 되었습니다.

Q. 일본연구나 연구자가 예전보다는 줄고 있다는 지적이 있는데 그게 사실이라면 이유가 뭔가요.

A. 일본을 선망과 부러움의 시선으로 보았던 70~90년대를 지나 2000대 후반부터는 일본에 대한 부정적 인식이 점차 늘어났기 때문이라고 여겨집니다. 프로토타입화한 네 가지 시각으로 일본을 바라보는 경향이 강해졌습니다. 첫째, 일본은 위험한 나라라는 관점입니다. 잇따른 대지진과 홍수, 쓰나미, 원전사고 등으로 유난히도 재난재해가 많은, 그래서 위험한 나라라는 인식이 강해졌지요. 둘째, 독도 영유권을 주장하고 역사를 왜곡하는 등 역사수정주의의 나라라는 인식이 상당히 두드러졌습니다. 일본에서 자민당 1당 우월체제가 굳어지면서 위안부, 강제징용 등 일본의 전후처리에 대한 불만이 더욱 높아지고 있습니다. 셋째, 경제적으로 쇠퇴하고 불황이 장기화하면서 일본경제의 실력을 평가절하하고 심지어는 실체마저도 깎아내리는 분위기가 형성됐습니다. 넷째. 평화헌법을 형해화하고 개헌을 추구하며 군사대국을 꿈꾼다는 이미지가 매우 강합니다.

이처럼 부정적인 이미지가 주류를 이루다 보니 매력국가로서의 일본을 바라보는 시각은 점차 힘을 잃게 되었고, 자연스럽게 일본어와 일본학 학습자의 수와 양도 현저하게 줄어드는 추세입니다. 전업(專業)으로 일본학을 연구하려는 신진연구자의 수도 격감하고 있습니다. 현대일본학회에 가입한 회원의 연령분포를 보면 80년대 학번(50대) 연구자의 수가 많고 90년대 학번(40대)은 그보다 훨씬 적은데, 2000년대(30대) 학번도 감소추세에 있는 것으로 보입니다. 즉 학회 구성원도 인구 구조처럼 역피라미드 현상이 확연한 것 같습니다.

당분간 우리 사회에서 일본은 매력 있고 본받을 나라라는 인식전환은 일어날 것 같지 않습니다. 일본어 학습자는 급속도로 줄고, 일본연구 후속세대의 양적 감소와 질적인 저하도 당분간 계속되지 않을까요. 역설적으로 말하면, 바로 그렇기 때문에 일본연구 분야가 미래의 블루오션이 될 수도 있다고 봅니다. 일본연구의 수요는 꾸준한데 후속 학문세대의 공급은 부족하니까요.

Q. 한일공동연구의 필요성이 있다면 어떤 분야인가요. 기존의 한일연구는 만족할만한가요.

A. 90년대 이후 한일공동연구가 제법 활성화했던 시기가 있었습니다. 고려대 아세아문제연구소와 게이오대 동아시아연구소 중심으로 양국의 정치학, 역사학, 국제관계학, 사회학, 경제학 분야의 중진연구자들이 공동연구를 해서 연구물을 시리즈를 출판했습니다. 또 양국 간 역사마찰이 빈발하자 이를 완화하고 합리적으로 풀기 위해 정부 주도의 한일역사공동연구 프로젝트도 두 차례나 있었습니다. 동아시아역사를 시대별로 구분하고, 각 시대별로 역사학자들이 참여하는 공동연구를 장기간에 걸쳐 진행했습니다. 공동연구 과정에서 치열한 논쟁을 하다 반목하기도 했지만, 지금 생각하면 그래도 그때가 좋았던 시절 같습니다. 2009년부터 4년간 한일신시대공동연구라는 것도 했습니다. 한일관계뿐 아니라 국제정치학, 국제경제학 분야의 학자들이 참여해 글로벌한 맥락에서 한일관계의 미래와 비전을 분야별로 제시하는 연구였습니다. 이런 공동연구를 통해 여러 성과를 거두었지만, 더욱 중요한 것은 공동연구 과정 자체가 양국관계의 갈등을 관리하고 협력을 견인하는 하나의 메카니즘으로 작동했다는 것입니다. 즉 한일역사공동연구, 한일신시대공동연구라는 프로젝트가 한일 역사마찰을 합리적으로 관리하는 하나의 기구로서 기능했다고 할 수 있죠.

한일 양국은 인구의 초고령화와 저출산에 따라 재정, 사회, 경제, 복지 분야 등의 개혁과 구조조정에 직면해 있습니다. 이러한 문제를 풀기 위한 지혜를 양국의 연구자들이 함께 도출할 필요가 있습니다. 또 미중 전략경쟁이 심화하는 속에서 양국이 정치 외교적으로 어떻게 전략적 공조와 협력을 이끌어낼 것인지도 공동연구의 핵심 분야가 될 수 있습니다. 양국의 공동연구를 미시적인 양자 관계에서 국제정치경제, 경제학, 과학기술, 환경보건, 사회문화론의 영역으로 확대해 나간다면 어느 양국 간 공동연구보다 수준 높고 실효성 있는 연구성과를 도출할 수 있다고 봅니다.

Q. 앞으로 한국 연구진은 일본의 어떤 점을 주목해야 한다고 보시는지.

A. 저는 개인적으로는 '과제 선진국' 일본에 주목하는 연구를 활발하게 해야 한다고 생각합니다. 초고령화 저출산이 빚어낸 사회구조의 혁명적인 변화와 저성장 시대의 산업, 금융, 재정의 전반적인 구조조정 등의 문제군은 한일 양국이 공통으로 직면하고 해결책을 찾아야 할 국가적 과제입니다. 일본이 앞서서 이런 과제에 부닥쳤고, 우리는 10년 정도 시차를 두고 따라가고 있습니다. 과거 동아시아 경제성장을 미국, 독일, 일본과 같은 선진국의 기술을 배워 한국, 대만, 싱가포르, 홍콩 등 개발도상국들이 경제발전을 이루고, 뒤이어 아시아 전체가 발전한다는 '플라잉 기스(Flying Geese) 모델'로 설명하곤 했는데, 이제는 저성장 시대가 일본-한국-중국 순으로 도래하고 있지 않나 생각합니다. 다시 말해 일본-한국-중국 순으로 초고령화 저출산 사회를 맞이하고 있다는 것입니다. 따라서 당면한 '과제풀기'도 일본-한국-중국 순으로 진행되고 있는 것 같습니다. '역(逆) 플라잉 기스 모델'이라고나 할까요. 우리가 과제 선진국 일본에 주목해야 하는 이유입니다. 한국의 일본연구에서 정치외교, 안보, 군사 문제는 여전히 중요한 테마이지만, 그에 못지않게 인구, 재정, 산업금융, 사회문화, 과학기술 영역 등 소프트한 분야도 제대로 된 일본 연구가 필요한 시대입니다.

4. 한일관계와 국책연구기관

KOREA-JAPAN

안정적 인력과 예산의 강점, 장기연구에 투자해야

윤덕민
전 국립외교원장

Q. 국책연구기관 중 일본을 연구하는 곳은 어디인가요.

A. 한국에게 일본은 매우 이중적인 국가입니다. 36년간 식민지배라는 치욕을 안긴 국가인 한편, 근대화의 모델이기도 하죠. 이런 이중적인 면이 한국의 일본연구에도 영향을 줬습니다. 한국 연구기관에서 가장 중요한 일본연구 테마는 과거사와 경제협력이었다고 생각합니다. 특히 일본의 경제협력과 경제발전 모델이 우리 근대화의 매우 중요한 요소였기에, 경제분야 연구는 민간만이 아니라 국책연구기관에서도 실사구시적 입장에서 활발하고 다양하게 진행했습니다. 한국개발연구원(KDI), 대외경제정책연구원(KIEP) 등이 대표적이지요.

국책연구기관의 사회과학분야는 한일관계의 정치적 측면, 과거사의 영향을 많이 받았습니다. 물론 경제분야도 어느 정도 과거사의 영향을 받을 수밖에 없었겠지만, 외교안보분야의 연구는 과거사가 좌우할 정도로 큰 영향을 받았습니다.

국책연구기관 중에서 가장 오래된 연구기관은 국립외교원(옛 외교안보연구원)인데, 주로 외교적 측면에서 양국 관계 연구와 전략대화를 주도해왔습니다. 국방연구원은 일본 방위성, 방위연구소와 파트너관계를 맺고 일본군사연구와 한일국방협력의 일익을 담당했습니다. 1991년 통일연구원이 발족하면서 통일과정에서 일본과의 협력문제를 연구하기도 했습니다. 2000년대 들어 중국의 동북공정을 계기로 일본과 중국의 역사왜곡문제를 장기적으로 연구하고 대안을 모색하기 위해 2006년 동북아역사재단을 만들었습니다. 이 재단에서는 독도 문제를 비롯해 한일간의 다양한 역사 쟁점을 연구하고 있습니다.

Q. 국립외교원의 중점 연구방향은 무엇인지요.

A. 국립외교원은 우리나라의 가장 오래된 싱크탱크로서 외교안보 분야에서 독보적인 연구기관입니다. 외교부의 일부인 까닭에 다른 기관이 가질 수 없는 정보망을 갖고 있고, 특히 연구자들은 각국 공관에서 보내는 외교 전문(電文)을 연구에 활용할 수 있는 이점이 있습니다. 정부나 외교부의 대일정책 입안에도 기여해왔습니다.
국립외교원은 거의 40년 이상 일본 외무성 산하 일본국제문제연구소(JIIA)와 정기적인 전략대화를 해왔고, 일본평화안전보장연구소와도 20년 가까이 대화채널을 갖고 있습니다. 이런 전략대화채널은 정부 담당자는 물론 양국의 지식인, 전문가들도 참여해서 솔직하게 의견을 개진할 수 있는 트랙1.5의 전략대화 채널로 발전해왔습니다. 양국관계가 악화했던 시기에도 주요한 소통의 채널로 기능했습니다.
예를 들어, 한일국교정상화 50주년 때 양국관계는 소원했지만 서울에서 한일의 주요 지식인들을 모아 기념 회의를 개최하는 등 양국 국민을 향한 공공외교의 기능도 수행했습니다.
특히 2015년 한일관계가 악화하는 상황에서 일본연구센터를 신설해 다양한 분야의 연구를 하면서 일본 연구자들의 허브로도 활용하고 있습니다. 국립외교원은 한일관계에 관한 외교사료 발굴과 구술사 사업도 체계적으로 진행하고 있고, 국제법센터도 신설해 법적 차원에서의 한일문제, 특히 영토문제에 대한 연구도 진행하고 있습니다.

Q. 국책연구기관은 대학이나 민간연구소에 비해 어떤 장단점이 있는지요.

A. 최근 사립대학이나 민간연구소의 일본연구는 매우 활발하고 수준도 높아졌다고 생각합니다. 한때 반일감정 등으로 일본연구를 금기시하던 때에 비하면 놀라운 발전이 아닐 수 없습니다. 국책연구기관은 민간부문에 비해 오래전부터 일본연구를 해왔습니다. 국책기관은 국가 차원의 연구를 하기 때문에 인력과 예산을 안정적으로 투입할 수 있는 장점이 있습니다. 장기간, 지속적인 연구를 할 수 있지요. 국립외교원은 외교부, 국방연구원은 국방부, 통일연구원은 통일부 등 정부기관과 유기적인 관계를 맺고 정보와 인적 교류를 하는 것도 민간부문이 가질 수 없는 이점입니다. 물론 이 관계가 때로는 제약요인이 되기도 합니다, 각 부처의 입장이 어느 정도 영향을 미칠 수 있고, 정권 차원의 정책방향에서 자유로울 수가 없으니까요. 특히 민주화 이후 5년마다 정권이 바뀌면서 국책연구기관은 연구 방향을 설정하는 데 어려움을 겪고 있는 형편입니다.
일본연구도 그러한 점이 있겠지만, 역대 정부의 대일정책이 크게 다르지 않아 정권교체 때문에 어려움을 겪었던 경험은 저에게는 별로 없었습니다. 김영삼, 김대중, 노무현, 이명박, 박근혜 정부에 이르기까지 한일협력의 필요성과 역사 인식에는 큰 차이가 없었다고 봅니다.

Q. 국책연구기관은 정권이 바뀌면 연구에 영향을 받는지요.

A. 물론 그러한 경향을 완전히 배제할 수는 없습니다. 그렇지만 앞서 언급했듯 대일정책은 역대 정부의 정책이나 역사관이 크게 다른 것이 없어 다른 분야 연구에 비해 큰 영향을 받았다고는 생각하지 않습니다. 다만 문재인 정부가 들어선 이후 한일협력과 역사관에 대한 변화로 대일정책 방향이 크게 바뀌면서 국책연구기관의 일본연구가 어려움을 겪고 있다는 이야기는 듣고 있습니다.

Q. 국책연구기관이 특별히 기여할 수 있는 부문은 무엇인가요.

A. 민간부문의 일본 연구가 비약적으로 발전하면서 국책연구기관의 독점적인 지위는 거의 사라졌다고 봅니다. 다만 앞서 언급했듯 국책연구기관은 민간에 비해 안정적인 인력과 예산으로 장기연구를 할 수 있습니다. 정부 정책 입안에 민간부문보다 직접적으로 기여할 수도 있습니다. 다양한 민간부문의 연구결과와 입장들을 수렴하는 허브 역할도 가능합니다. 특히 한일관계에 기여할 수 있는 부분은 트랙1.5의 전략대화 채널을 통해 상대의 입장을 탐색하고 우리의 입장을 전달할 수도 있겠지요.

Q. 개선할 점은 무엇인지요, 해외연구소와 비교한다면.

A. 최근 한일간의 국력 차이가 줄어들고 중국의 부상 등으로 일본의 위상을 보는 우리의 시각이 변하고 있습니다. 그럼에도 불구하고 한국에게 일본의 전략적 중요성은 변함이 없다고 생각하는데, 현실적으로는 일본 연구를 경시하는 측면이 있다고 봅니다. 한반도의 지정학적 상황 등을 고려할 때, 일본연구는 중국연구 이상으로 우리에게 사활적 이익이 달려 있다고 생각합니다. 일본연구에 대한 지원과 긍정적 인식이 줄어들고, 우수한 연구인력 확보도 쉽지 않은 현실이 안타깝습니다.

해외 연구기관과 비교했을 때 우리 연구인력은 매우 우수하지만, 체계적인 연구에 전념할 수 있는 환경은 좀 취약하다고 생각합니다. 정부 소속이나 산하 연구기관이기 때문에 독립성과 자율성이 약한 점도 지적할 수 있겠죠. 물론 그것이 오히려 외국에 비해 강점일 수도 있으니, 그런 점을 잘 살려 나갔으면 좋겠습니다.

장제국
동서대 총장

지역 교류가 중앙과 정치에 좌우되는 아픔의 연속

Q. 총장님은 지금 부산지역을 중심으로 한일의 관계 개선을 위해 노력하고 있습니다. 관여하고 있는 일들은 어떤 것이 있나요.

A. 저는 2003년 3월에 일본에서 귀국했습니다. 일본에서 직장생활을 하면서 박사과정을 마쳤는데 어느새 10년이라는 세월이 흘렀더군요. 짧지 않은 일본 생활에서 느낀 것은 일본은 한국이라는 나라에 대해 늘 상당한 관심을 가지고 있지만 가까이하기에는 뭔가 불편하고 부담스러운 존재로 여기고 있다는 것이었습니다. 그 불편함은 '과거사'라는 굴레와 그와 관련해 끊임없이 뭔가를 요구하는 (일본인의 입장에서 보았을 때) '무리한' 한국의 이미지에서 기인하고 있다는 느낌이었습니다. 반면, 한국은 한국대로 '과거'에 대한 반성이 전혀 없는 '뻔뻔한' 일본이라는 부정적 이미지가 뇌리에 각인되어 있습니다. 상호 간의 이러한 부정적 이미지는 오랜 기간을 거치며 축적된 오해와 의도된 조작에 연유한 측면이 있다고 생각합니다. 그러므로 한일관계의 진정한 개선은 오해를 해소하고 조작의 공간을 줄이는 데서 시작해야 한다고 생각합니다. 이를 위해서는 상호 교류를 통해 직접 서로를 체험하고 이해를 넓혀나가는 방법밖에 없다고 생각합니다.

그래서 2003년에 귀국해서 제일 처음 한 일이 동서대학교 내에 일본연구센터를 설립하는 것이었습니다. 일본과 가장 가까운 부산에서 일본연구를 한다는 것은 매우 자연스러운 것이고, 또 일본연구야말로 수도권 대학들과 한판 승부를 벌일 수 있는 분야라는 오기도 사실 조금 작용했습니다(웃음). 이 센터를 중심으로 한국 내에서 일본에 대한 지식을 발신해 왔고, 다방면의 일본 지식인들을 대거 초청해 세미나를 개최하며 상호 이해를 도모하기 위해 나름 노력해 왔습니다. 2009년에는 동서대 일본연구센터 서울사무소를 열어 한일지식인 간의 교류에 노력하고 있습니다. 특히 90회 이상 열린 서울사무소의 '한일지식인 세미나'(일명 '동서사랑방')는 서울주재 일본 특파원들에게 각광을 받고 있습니다.

과거사를 너무 과거에 초점을 맞춰 해결하려고 하면 자칫 감정 문제로 비화해 풀기가 더욱 힘들어지는 속성이 있다고 생각합니다. 그래서 '과거사를 미래지향적으로 해결하는' 방법을 찾기 시작했고, 2004년부터 '사할린동포 인재양성사업'을 시작했습니다. 잘 아시는 바와 같이 일제강점기 경상도를 중심으로 러시아 사할린으로 강제징용당한 사람들이 많이 있습니다. 지금 사할린에는 징용 1세와 2~5세 후손을 포함해 약 4만 명의 한인들이 살고 있습니다. 조국은 징용 1세를 보호해 주지 못했습니다. 그들의 희생에 모국이 보답하는 길은 그들이 사랑하는 손자 손녀에게 좋은 교육을 시켜 번듯한 시민으로 육성하는 것이라고 생각했습니다. 그래서 이분들의 후손들을 장학생으로 한국에 초청해 공부시키고, 졸업 후에는 다시 사할린으로 돌아가 그 지역 발전을 위해 공헌토록 하는 사업을 추진한 것입니다. 장학생을 선발하기 위해 사할린 현지에 자주 갔는데, 하루는 제가 묵고 있던 호텔 방으로 어떤 할아버지가 손자의 손을 잡고 저를 찾아오셨습니다. 방문을 열자 다짜고짜 저의 손을 덥석 잡으시더니 '나 때문에 이곳에서 태어난, 내가 죽도록 사랑하는 내 손자를 한국에서 꼭 공부할 수 있도록 해주세요. 힘없는 내가 할 수 있는 일이라고는 이렇게 부탁드리는 수밖에는 없네요'라며 흐느끼셨습니다. 생면부지의 그 할아버지 모습을 아직도 잊을 수가 없습니다. 이 사업은 올해로 벌써 17년째가 됩니다. 80여 명이 졸업해 사할린으로 돌아가 아시아나항공 직원, 사할린 한국어방송 기자, 시청 직원, 패션디자이너 등 다양한 분야에서 활발하게 활동하고 있습니다.

2004년부터는 '한일차세대 학술포럼'이라는 것을 개최하고 있습니다. 장래에 한일 양국의 오피니언 리더가 될 석박사 과정의 학생들이 서로 만날 수 있는 장을 마련해 주자는 것이 포럼의 취지입니다. 서울에서 제주도까지, 홋카이도부터 오키나와까지를 망라한 대학원 석박사과정 학생들이 자신의 연구성과를 발표함으로써 학문적 교류는 물론이고 인적 네트워크를 넓히는 것이 목적입니다. 매년 한국과 일본을 오가며 개최하는 이 학술대회를 거쳐 간 연구자가 이미 4,000명을 넘어섰습니다. 이들 중 상당수가 이미 한일 양국의 대학에서 교원으로 일하고 있습니다. 한일의 신진 학자들이 서로에 대해 이해하고 사귈 수 있는 장을 제공한다는 것은 큰 의미가 있다고 생각합니다.

하나 더 소개하고 싶은 것은 2005년부터 매년 개최하고 있는 '부산-후쿠오카 포럼'입니다. 부산과 후쿠오카는 지리적으로 220km밖에 떨어져 있지 않습니다. 비행기로 35분 정도의 거리지요. 서울보다 가깝습니다. 두 도시는 중앙집권적 국가인 한국과 일본의 지방도시라는 공통점을 가지고 있습니다. '부산-후쿠오카 포럼'은 비슷한 처지의 두 도시가 협력 메카니즘을 만들어 규모의 경제를 이루고, 중앙에 의존하지 않고 뭔가 독립적인 활로를 찾자는 문제의식에서 출발했습니다. 이 포럼의 궁극적인 목표는 국경을 초월해 두 도시를 '초광역경제권'으로 묶는 것입니다. 이를 위해 부산과 후쿠오카의 재계, 언론계, 학계, 법조계의 주요 인사가 매년 두 도시를 오가며 토론을 하고 있습니다. 유럽에는 이미 국경을 초월한 도시간 연계가 많은데, 동북아에서 그런 지리적 요건을 갖춘 곳은 부산과 후쿠오카뿐입니다. 언젠가는 '부산-후쿠오카 초광역경제권'이라는 비전이 이루어지기를 간절히 바라고 있습니다. 만약 이 비전이 이뤄진다면 한일관계의 새로운 패러다임을 제시하는 획기적인 사건이 될 것이라고 확신합니다.

Q. 그 과정에서 느낀 보람이나 가능성이 있다면.

A. 일을 하다 보면 좌절을 맛볼 때도 있지만, 그래도 보람이라는 것이 있어 어려움을 극복할 수 있는 것 같습니다. 앞에서 소개해 드린 '사할린동포 인재양성사업'은 돈이 많이 드는 사업이라 한때 재원마련에 큰 어려움을 겪은 적이 있습니다. 그러던 중 어느 날 성공한 미주동포 한 분이 소식을 듣고 지원금을 보내오신 적이 있습니다. 그분은 '사할린의 할아버지 할머니들이 겪으신 희생은 우리 모든 한인이 갚아야 할 빚이라고 생각합니다. 미주동포가 사할린동포에게 보내는 조그마한 성의라고 생각해 주세요'라는 메시지와 함께 도움을 주셨는데 가슴이 뭉클했습니다. 2005년에 APEC(아시아태평양경제협력체) 정상회담이 부산에서 열렸는데, 회의에 참석했던 아소 다로 외상이 우리 대학을 들르게 되었습니다. 아소 외상에게 사할린 장학 프로젝트에 대해 열심히 설명했더니 '과거사 문제의 새로운 해결 방법이 될 수 있을 것 같다'면서 일본 국회에서 장학기금을 마련하는 방안을 검토해 보겠다고 했습니다. 그 후 실제로 일본 국회는 사할린거주 징용자 후손들이 홋카이도대와 규슈대에서 공부할 수 있도록 장학예산을 통과시켜 주었습니다. 큰 보람을 느낀 순간이었습니다.

Q. 앞으로는 지역의 역할이 더 늘어날 것으로 보는데 어떤 분야에서 한일의 지역협력이 가능하다고 보는지요.

A. 모든 것이 수도권 중심이고 중앙집권적인 우리나라이다 보니 지역의 역할은

오히려 날이 갈수록 줄어들고 있는 느낌입니다. 지역에서 아무리 열심히 해도 중앙에서는 관심을 가지지 않는 것이 보통이지요. 저는 기자들을 만나면 이런 농담을 합니다. '부산지역 뉴스는 대개 대구 정도에서 떨어지기 때문에 서울까지는 가지도 못 한다'라고요. 지역에서 하는 일이 꼭 서울에 알려질 필요는 없겠지만, 아무래도 한일관계 개선에 큰 울림을 주려면 역시 중앙에서 관심을 가지는 게 중요하다고 생각합니다. 예를 들어, '부산-후쿠오카 포럼'이 추진하고 있는 '초광역경제권' 구상만 하더라도 부산과 후쿠오카 차원에서는 할 수 있는 일이 아무것도 없습니다. 이를 실현하기 위해서는 관련법을 개정하고, 법제화를 해야 하는데 그게 안 됩니다. 안타까운 현실이지요.

그럼에도 지역에서의 활동은 계속해야 한다고 생각합니다. 지역의 활동은 중앙의 시각과는 다른 관점에서 보는 것이 많거든요. 한일관계도 중앙은 어쩔 수 없이 정치 논리에 좌우될 수밖에 없습니다. 그러나 지역은 비정치적인 분야, 어떻게 보면 국민의 피부에 와 닿는 분야의 활동이 많습니다. 풀뿌리 교류가 바로 그런 것이지요. 우리나라가 더 다양한 사회가 되기 위해서는 지역에 대한 관심을 더 가져야 합니다. 지역의 목소리에 귀를 기울이고 적극적으로 국가 정책에 반영해야 한다고 생각합니다.

Q. 지역에서 활동하면서 느끼는 애로사항도 많을 텐데.

A. 많습니다. 예를 들면, 한일 지역 간 교류가 아무리 활발하고 풍부하다고 해도, 서울과 도쿄의 관계가 나빠지면 지역 간 교류도 금새 경색됩니다. 매년 개최하는 '부산-후쿠오카 포럼'도 과거 두 번이나 연기한 적이 있습니다. 두 도시 간에 문제가 있어서가 아니라 한일관계가 악화한 때문이지요.

2017년 10월 조선통신사 기록물을 유네스코 세계기록유산으로 등재하는 쾌거가 있었습니다. 이 등재의 의미가 컸던 것은 부산과 일본의 지역사회가 자발적으로 힘을 합쳐 귀중한 기록유산을 유네스코에 등재했다는 점입니다. 모든 것이 부족한 상황에서 양국의 지역 민간인들이 오랜 기간 준비과정을 거쳐 이루어낸 매우 뜻깊은 사업이었습니다. 그런데, 등재 결정을 발표한 날 국내 언론은 온통 '일본군 위안부 관련 자료'가 유네스코 등재에 실패했다는 뉴스를 쏟아냈습니다. 그해에 위안부 자료도 함께 등재신청을 했는데, 조선통신사 자료의 등재 성공 뉴스는 거의 보도하지 않았습니다. 참으로 안타까운 일이지요. 만약 조선통신사 기록유산의 유네스코 등재 운동을 중앙에서 했다면 어떻게 됐을까요? 아쉬움이 많이 남습니다.

Q. 한일 지역 간 유대와 발전을 위해 필요한 것이 있다면.

A. 한일관계의 다양성을 추구해야 한다고 생각합니다. 한일관계는 여전히 역사 문제 하나에 묶여있습니다. 다양성을 인정하지 않고 있다고 보아도 무방합니다. 결코 바람직하지 않습니다. 한일관계는 역사문제도 있고, 역사가 아닌 문제도 있습니다. 모든 것을 역사문제와 연계한다면 양국관계는 한 발짝도 앞으로 나아가지 못할 것입니다. 양국 모두에 도움이 되지 않습니다. 역사문제로 논쟁할 것은 논쟁하되, 그와는 별도로 지방, 경제, 민간, 인적교류 등은 중단없이 진행해야 한다고 생각합니다. 교류가 있어야만 서로에 대한 이해가 넓어지고 깊어집니다. 앞에서 말씀드렸지만, 한국과 일본에는 상호 고정된 '이미지'가 존재합니다. '오해'와 '이해부족'으로 형성된 이미지를 극복하지 않고는 지금과 같은 반복적, 소모적, 부정적인 악순환에서 결코 벗어날 수가 없습니다.

다양성의 인정은 '톨레랑스(Tolerance)'가 없으면 불가능합니다. '톨레랑스'란 너그러움의 정신이지요. 너그러움은 어디서 나올까요. 상대를 이해하는 데서 나온다고 생각합니다. 상호이해는 교류가 있어야 가능하겠지요. 그래서 앞으로도 한일교류와 협력촉진을 위한 일을 계속할 생각입니다. 이런 활동을 계속해 나간다면 언젠가는 한일관계의 다양성도 인정받는 날이 오겠지요. 한일관계, 새로운 관점이 필요한 때입니다.

6. 한일관계와 정치

KOREA-JAPAN

한일관계 악화, 정치인 책임 크다는 지적 겸허히 수용

김석기
한일의원연맹 간사장
(국민의힘)

Q. 한일관계가 나빠진 데는 정치인의 책임도 크다는 말이 많습니다.

A. 전적으로 공감합니다. 최근 한일 양국 외교가에서는 '한일 관계가 요즘처럼 어려운 때가 없었다'는 말이 나오고 있습니다. 상황이 이처럼 악화한 데는 저를 포함한 정치인들의 책임이 크다는 말을 겸허하게 수용합니다. 한일 관계는 양국 모두 국내 정치의 영향을 받게 마련인데, 최근에 그런 경향이 더욱 심해졌습니다.

한국은 문재인 정부가 좌파 민족주의를 내세우며 '친일파 프레임' 등 반일여론을 이용해서 지지율을 올리는 방편으로 삼고 있고, 일본 자민당 정권 역시 우파 민족주의를 내세워 혐한 여론을 확대하면서 지지율을 올리는데 효과를 거두고 있습니다. 두 나라 정치 권력이 모두 눈앞의 인기와 표를 얻기 위해 '반일 포퓰리즘'과 '혐한 포퓰리즘'을 이용하고 있는 것이지요.

문재인 대통령은 올해(2021년) 삼일절 기념사에서 한국과 일본은 서로 매우 중요한 이웃이라면서, 과거의 문제는 과거의 문제대로 해결해 나가면서 미래지향적인 발전에 더욱 힘을 쏟겠다거나 한국 정부는 언제든 일본 정부와 마주 앉아 대화를 나눌 준비가 되어 있다고 했습니다. 취임 이후 줄곧 유지해왔던 대일 강경 태도를 누그러뜨린 것은 그나마 다행이지만, 또다시 '피해자중심주의'를 강조한 데다 구체적인 대안을 제시하지는 않아 변화를 추동하는 데는 한계가 있습니다.

일본에서는 문 대통령의 그런 말보다는 취임 이후 계속해서 전 정권의 2015년 한일 위안부 합의를 정면으로 부정하고, 2019년 7월 일본이 수출규제를 하자 '이순신 장군의 12척 배', '다시는 일본에 지지 않겠다', '가해자의 적반하장' 등의 거친 표현을 쓴 것을 더 많이 기억하고 있습니다. 대통령의 대일 강경 인식은 국내의 참모진이나 지지자들에게도 확고한 가이드라인으로 작동해 '죽창가'니 '총선은 한 일전'이니 하는 말이 나오기도 했습니다. 대통령의 말이 조금 바뀌었다고 해서 이 정부의 반일프레임이 바뀌지는 않을 것 같습니다.

대통령은 삼일절 기념사만이 아니라 1월의 신년 기자회견에서도 '위안부 합의는 양국 정부의 공식합의였다'는 등 예상하지 못한 발언을 해서 뭔가 변화를 원하는 것만큼은 분명해 보입니다. 그러나 그런 변화가 한일 관계 자체를 개선하겠다는 의지가 아니라 다른 의도에서 나온 것이라는 지적이 많습니다.

대통령의 잘못을 지적하는 것이 곧 일본이 옳다는 것을 의미하는 것은 아닙니다. 정치인은, 특히 대통령은 외교 문제만큼은 국익을 보호하기 위해 개인이나 정권 차원의 소신은 숨기거나 모호한 태도를 유지해야 할 때가 있습니다. 문 대통령은 그렇게 하지 않음으로써 예전에 스스로 부정했던 것을 지금은 인정해야 하는 곤란한 처지에 빠지게 됐다는 점을 지적하는 것입니다.

양국의 정치권은 반일이나 혐한 같은 부정적인 민족주의에 호소해 값싼 박수를 받으려는 태도를 버리고, 진정 국익을 위한 길이 무엇인지, 양국이 윈-윈(win-win)할 수 있는 길을 무엇인지를 찾는 지혜를 모아야 합니다.

Q. 최근 몇 년 사이에 한국을 대하는 일본 정치인들의 태도가 많이 달라졌다고 합니다. 만약 그게 사실이라면 이유는 무엇인가요.

A. 문 정권 출범 이후 많이 달라진 게 사실입니다. 지한파, 친한파로 불리던 일본 정치인들도 한국 정부 비판에 동참하고 있으며, 한국과의 대화가 의미 없다며 일한의원연맹을 탈퇴하는 의원도 속출하고 있습니다.

일본 정치인들의 태도 변화는 앞에서 조금 나왔지만 두 가지로 볼 수 있습니다. 하나는 한국의 '반일 포퓰리즘'처럼 일본에서도 '혐한 포퓰리즘'이 확산함으로써 한국과 우호적인 모습을 보이는 게 표를 얻는 데 도움을 주기는커녕 오히려 '마이너스 요인'으로 작용하기 때문입니다.

또 하나는 문재인 정부가 위안부 합의를 사실상 파기했기 때문입니다. 박근혜 정부는 2015년 위안부 문제에 대해 △일본 정부의 책임 인정 △일본 총리의 공식 사과 △일본 정부 예산으로 재단 발족 및 보상 등에 합의했습니다. 그러나 문재인 정부는 '위안부 합의 검토 TF'를 만들어 합의에 '중대한 흠결'이 있다고 주장하고, 양국 합의로 만든 화해 · 치유재단을 일방적으로 해산시켰습니다.

제가 만난 일본의 유력 정치인들은 이에 대해 모두 '국가 사이의 약속을 깼다'며 불만을 토로합니다. 이후 2018년 10월 강제징용 피해자 대법원 승소 판결과 올 1월 위안부 피해자에 대한 일본 정부의 배상 판결 등이 나오면서 일본 정계에서는 '한국을 돕지 말고, 가르치려 하지 말고, 관여하지 말라'는 '비한(非韓) 3원칙'이 나오는 등 친한파 정치인들이 목소리를 내기가 더욱 어려운 상황이 되었습니다.

Q. 한일간의 현안이나 해법에 대해 양국 정치인 사이에 시각차가 있는 것 같습니다.

A. 정치인 사이의 시각차라기보다는 양국 정부의 시각차라는 것이 맞을 듯합니다. 가장 큰 현안은 역시 강제징용자와 위안부 문제입니다. 일본은 강제징용자 문제는 1965년 한일기본협약과 청구권협정으로, 위안부 문제는 2015년 양국 합의로 모두 해결됐다는 입장입니다. 그리고 두 협정과 합의는 국가 간의 공식적인 약속이므로 번복해서는 안 되며, 한국 법원의 판결은 양국 간의 약속에 배치되므로 이를 이행하라고 강요하는 것은 명백한 '국제법 위반'이라 주장하고 있습니다. 이는 여·야 구분 없이 일본 정치권의 일치되고 일관된 의견입니다.

반면 한국은 법원 판결에 대해서는 대체로 이견이 없으나, 판결 이행과 해결 방법에 대해서는 '강제이행을 해야 한다', '한일 관계 파탄을 막기 위해 다른 방법을 찾아야 한다', '일본 정부가 사과하고 배상해야 한다', 'ICJ에 제소해야 한다'는 등 여·야 정치권, 피해자들, 시민단체 간에 각기 다른 목소리를 내고 있습니다.

문재인 대통령조차 강제징용문제에 대해 대법원의 판결을 존중한다고 했다가 신년 기자회견에서는 '강제이행(현금화)은 바람직하지 않다'거나, '위안부 합의는 공식합의였다'고 번복하는 등 태도를 바꿨습니다. 그러자 피해자단체들이 반발하는 등 그간의 강경 태도와 현재의 유화제스처가 충돌해 대통령 본인의 운신의 폭을 좁히고 대화의 진전을 어렵게 만들고 있습니다.

Q. 그럼에도 불구하고 양국의 갈등을 푸는 데는 정치인의 역할이 중요하다고 봅니다만.

A. 1998년 김대중-오부치 선언과 같은, 과거사를 극복할 수 있는 양국 지도자의 통 큰 결단이 필요하다고 생각합니다. '김대중-오부치 선언'이라고 불리는 '한·일 뉴파트너십 공동선언'은 양국 간의 신시대를 열었습니다. 이 선언에서 한국은 전후 국제사회의 평화와 번영에 기여한 일본의 역할을 평가했으며, 일본 총리는 일제가 저지른 과거사에 대해 반성과 사죄를 했습니다.

'한국과 일본의 관계가 불행했던 것은 약 400년 전 일본이 한국을 침략한 7년간과 금세기 초 식민지배 35년간입니다. 이렇게 50년도 안 되는 불행한 역사 때문에 1500년에 걸친 교류와 협력의 역사 전체를 무의미하게 만든다는 것은 참으로 어리석은 일입니다.'

1998년 김대중 대통령이 일본 국회에서 행한 연설 중 한 대목입니다. 저는 이 연설을 직접 들은 일본 정치인들로부터 큰 감동을 받았다는 이야기를 정말 많이 들었습니다. 그만큼 김대중 대통령의 연설이 일본 정치인들에게 큰 공감을 불러일으켰다는 뜻입니다.

당시에도 위안부, 역사교과서, 독도문제 등이 없었던 게 아닙니다. 김대중 대통령께서 그런 문제들의 심각성을 몰랐을 리도 없습니다. 그러나 함부로 '죽창가'를 부르지 않았습니다. 협상 어젠다의 우선순위를 조정하고, 우리 민족의 도덕적 우월성을 유지하면서, 일본을 압박했고 존경을 이끌어냈습니다.

문재인 정부는 김대중 전 대통령의 계승자로 자처하는 정부 아닙니까? 한국은 김대중 대통령의 '변화한 일본'을 인정하는 정신을 이어받고, 일본은 오부치 전 총리의 '통절한 반성과 마음으로부터의 사죄', 그리고 하토야마 전 총리의 '사과는 피해자가 그만하라고 할 때까지 해야 한다'는 정신을 이어받아야 합니다.

그런 상호 존중의 정신을 견지하면서 위안부, 강제징용 문제는 물론 경제적 보복 조치, 북한 문제 등 모든 사안을 테이블 위에 올려놓고, 거기서 결정한 정치적 합의를 동시 행동으로 실천함으로써 관계 정상화를 도모해야 합니다.

한일관계 개선을 위해서는 양국 정치권의 근본적인 태도 변화가 필요합니다. 지금처럼 양국 정치인들의 반일, 혐한 포퓰리즘 행태를 근절하지 않는 한 한일 관계는 언제 악화할지 모르는 시한폭탄이나 마찬가지입니다.

이를 근절하기 위한 가장 좋은 방법은 양국의 교류, 특히 인적 교류를 늘리는 것입니다. 한국에서 보는 일본과 직접 일본에 가서 피부로 느끼는 일본은 천양지차입니다. 일본에서 보는 한국과 직접 한국에서 와서 느끼는 한국도 역시 그럴 것입니다. 양국의 빈번한 교류를 통해 지일파, 지한파 정치인들을 많이 육성한다면 오해와 왜곡으로 인해 발생하는 무의미한 충돌과 갈등도 많이 해소할 수 있을 것으로 생각합니다.

청소년교류에도 힘써야 합니다. 양국의 미래를 짊어질 청소년교류가 활성화하면 청소년 때부터 서로의 입장과 견해차를 건전하게 받아들이는 훈련을 통해 자연스럽게 양국 간의 감정적 괴리를 좁히고 미래지향적으로 나아갈 수 있을 것입니다. 저 역시 미래지향적이고 건강한 한일 관계 구축을 위해 많이 노력해 왔다고 자평합니다. '치벤학원(智辯學園)'이라는 일본의 간사이 지방의 명문 중고교가 '일제강점기 시대를 반성하고 일본 학생들에게 올바른 역사관을 심어 줘야 한다'는 방침에 따라 한국으로 계속 수학여행을 오도록 하는 데 역할을 하고 있습니다. 또 양국의 천년고도인 경주와 교토를 묶어 크루즈여행을 할 수 있는 경주-교토 간 한일 천년고도 뱃길연결 사업도 추진하고 있습니다. 이 뱃길을 통해 양국의 학생들이 두 나라의 천년고도를 여행하면서 역사에 대해 토론도 하고, 홈스테이를 통해 서로를 이해하는 문화체험도 쌓아간다면 미래지향적인 양국 발전을 견인하는 초석으로 성장할 것이라고 믿습니다.

Q. 한일의원연맹의 영향력이 예전만 못하다는 말이 많습니다. 간사장으로서 연맹을 활성화할 계획 같은 것이 있는지요.

A. 한일 · 일한의원연맹은 45년의 역사를 가진 양국 의회의 초당파적 모임입니다. 한국 측 국회의원 300명 가운데 153명, 일본 측 중의원 · 참의원 국회의원 710명 가운데 300여 명이 가입해 있습니다(2021년 4월 현재). 이런 대규모 인원에도 불구하고 양국 모두 요즘은 정부의 방침에 구속당하는 일이 잦아 본래의 역할을 제대로 하지 못하고 있는 것도 사실입니다.

그러나 의원 한명 한명이 헌법이 규정한 입법기관이라는 특성상, 그리고 여야가 모두 참여하는 초당파 모임이라는 특성상, 양국 정부 당국이 공식적인 테이블에서 해결하지 못하는 문제 등을 중간에서 정치적인 결단을 통해 풀어내도록 하는 것이 의원연맹의 중요한 역할이고, 그 사명은 아직도 살아있다고 봅니다. 실제로 과거에는 의원연맹의 역할이 상당했습니다.

예전에는 양국 의원연맹의 지도부가 편하게 만나서, 이를테면 포장마차에서 소주를 통음하며, 현안에 대해 속내를 드러내놓고 허심탄회하게 논의하는 일도 많았다고 합니다. 의원연맹을 활성화시키려면 소통하는 기회를 더 자주 가지는 것이 중요하다고 생각합니다. 현재는 일 년에 한 차례 정기총회와 간사회의를 여는 게 전부인데, 그와는 별도로 분야별 소모임 등을 만들어 더 자주 만나도록 해서 상호 신뢰를 쌓아가고자 합니다. 또 코로나19 상황을 감안해 언택트 화상회의 시스템 구축도 검토하고 있습니다.

이런 시도와 변화를 통해 간사장으로서는 한일의원연맹과 일한의원연맹이 한일 간의 건전하고 굳건한 파이프라인의 역할을 할 수 있도록 과거의 위상을 회복하는 것이 목표입니다. 그런 목표를 이루기 위해 멀리 내다보고, 젊은 국회의원들이 두 나라의 미래를 위해 술도 한잔 기울이며 머리를 맞대고 대화할 수 있도록 가칭 '한일 새로운 미래를 만들어가는 젊은 국회의원들의 모임'을 만들고 싶습니다. 이

프로젝트는 일본 측과 예산확보 등 구체적인 방안을 논의하고 있는 단계입니다. 궁극적으로 한일 · 일한의원연맹은 양국의 관계가 건전하게 유지될 수 있도록 정치적 환경을 조성하고, 양국의 지도자가 서로에게 도움이 되는 정치적 결단을 내릴 수 있는 분위기를 조성하는 것이 존재이유일 것입니다. 그런 점에서 양국의 의원연맹은 여전히 중요한 가치를 지니고 있다고 믿습니다.

Q. 오사카 총영사를 지낸 경험 때문인지 평소 재일한국인의 입장을 자주 언급하고 있는데요.

A. 악화한 한일관계 때문에 많은 분이 피해를 호소하고 있지만, 그중에서도 45만 재일한국인들이 가장 큰 피해자이기 때문입니다. 저는 한일의원연맹 간사장 이외에도 국회 외교통일위원회 간사와 국민의힘 재외동포위원장으로도 활동하고 있습니다. 재일한국인들에게 한일관계는 죽고 사는 문제입니다. 한일갈등이 심해지면 재일한국인들이 운영하는 점포의 매출이 줄어들고, 거래처가 끊기고, 갑자기 해고되는 등 생계에 치명적인 영향을 받습니다. 또 '한국인을 쫓아내야 한다'는 극우세력의 헤이트스피치가 일반인들에게까지 확산하면서 일본 사회에서 엄청난 압박 속에 살아가고 계십니다. 이들은 원해서 일본에 간 것이 아닙니다. 못난 조국을 만나 생계를 위해 일본으로 건너갔고, 해방 후 역시 살기 위해 일본에 남은 사람들과 그 후손들이 대부분입니다. 그들은 엄청난 멸시와 차별 속에 살면서도 한국 국적을 포기하거나 귀화하지 않고 살아가고 있습니다. 그들의 애국심은 존중받아 마땅합니다.

그런데도 현 정권은 이분들의 어려움에 너무나도 무관심합니다. 국회에서 이에 대해 대정부 질문을 한 적이 있습니다. 국무총리는 '재일한국인의 어려움을 들어본 적이 없다'고 대답했고, 재외국민을 보호할 책무가 있는 외교부장관은 재외국민과 재일한국인이 몇 명인지조차도 모르고 있었습니다. 문재인 대통령과 외교당국자들에게 재일한국인도 우리의 소중한 국민임을 명심하고 이분들을 위해서라도 한일관계 개선과 미래지향적 관계 구축을 위해 최선을 다해달라고 부탁하고 싶습니다.

7. 한일관계와 경제

KOREA-JAPAN

정치와 역사가 무슨 권리로 경제의 발목을 잡는가

서석숭
한일경제인협회 상근부회장

Q. 경직된 한일 외교 관계를 바라보는 양국 경제인들의 생각은 어떤지요.

A. 국적과 관계없이 시장경제와 자본주의 체제하의 경제인은 '이윤 추구의 극대화'라는 운명적 공통점이 있습니다. 좋은 일자리의 제공, 투명한 경영과 정직한 납세를 통해 궁극적으로 지역, 국가, 미래에 공헌하는 것이 기업의 존재 의의일 것입니다. '소유와 노동의 분리'라는 근대적 개념의 기업의 존재의의는 합법적 경영을 통해 이윤을 추구하는 것이라는 데에 이론이 없는 듯합니다. 백과사전식으로는 경제활동은 생산, 분배, 소비에 관한 선순환 구조이며, 국가와 개인도 경제주체이긴 하지만 여기서는 주로 한일 양국 기업의 문제를 살펴보고자 합니다.

이익 극대화를 위해서는 '위험의 최소화'가 중요하고, '위험의 최소화'를 위해서는 '일관성, 투명성, 예측가능성'이 있어야 합니다. 만일 미래에 대한 예측 가능성이 희박해지면, 내부수익률을 계산할 수 없고, 투자의 현재가치도 알 수 없게 됩니다. 현재 한일 양국의 기업이 공통으로 직면하고 있는 문제의 핵심은 바로 예측가능성이 지극히 낮아졌다는 것입니다. 강제징용노동자에게 배상하라는 대법원 판결과 압류자산의 현금화 문제가 양국기업에게 주는 의미는 종전의 한일 갈등의 원인이었던 독도영유권, 야스쿠니 신사참배, 심지어 위안부 합의와도 다릅니다. 즉 조심스러운 관찰자였던 기업들이 직접 당사자가 됐다는 사실입니다. 비단 피고인 소위 '전범기업' 뿐만 아니라, 일본제품 불매운동의 대상이 되어 버린 기업이나 항공, 여행업계까지 모두 당사자가 되어버렸습니다.

일본의 반도체 수출규제(일본은 '수출관리'라고 주장)로 인해 일본제 소재, 부품, 장비 등을 확보하는데 일정 기간 큰 어려움을 겪었던 한국기업들과 한국에 수출을 못 하거나 줄어들어 영업손해를 입은 일본기업이 가장 큰 당사자입니다. 이에 더해 한국의 반일과 일본의 혐한 분위기 등은 투자 부문을 크게 위축시켰습니다. 최근에는 코로나 감염확산 방지를 위한 상호 입출국 제한 조치가 길어지면서 경제협력에도 많은 지장을 주고 있습니다. 기업인은 속성상 화제의 중심에 서는 것을 꺼립니다. 그래서 특정기업이나 경제인단체가 결집된 목소리를 내지는 않지만, 작금의 경색된 한일관계를 누구보다도 심각하게 걱정하고 있습니다.

Q. 한일 간 분업이나 세계시장에서의 협력 가능성은 어떤지요.

A. 최근 3년간 한국-일본 사이의 교역과 투자 통계를 보면 상당한 비대칭이 눈에 띄는데, 여기서 많은 시사점을 얻을 수 있습니다. 한국의 대일수출은 총수출의 5%가 채 안 되는데, 70년대의 40%대에 비하면 대일의존도가 매우 낮아졌다는 것을 알 수 있습니다. 그러나 일본으로부터의 수입은 아직 10%대를 꾸준히 유지하고 있습니다. 국산화와 수입선 다변화를 통해 과거 40%를 넘던 대일의존도에서 크게 벗어났지만, 미국과 비슷한 비중입니다. 그에 반해 1992년 수교 이래 한국-중국 사이의 교역은 급속히 팽창해서 한국 제품의 4분의 1을 중국으로 수출하고 있고, 한국 소비의 5분의 1을 중국으로부터의 수입에 의존하고 있습니다. 상호 투자의 비대칭은 더욱 심합니다. 우리의 대일본 투자는 2%가 안 되지만, 한국 기준으로 일본의 대한국 투자는 12% 수준입니다. 일본 기업은 주로 한국의 대형 소비업체에 납품하기 위한 소재, 부품 등의 업종이 많은데, 서울재팬클럽에는 400여 개의 일본기업이 가입해 있습니다. 앞서 언급한 것처럼, 한일관계 경색과 재산권 문제 등으로 투자가 위축되면 한국 측의 피해가 더 클 것입니다. 제조업 중심의 특성상 많은 한국인 종업원들이 일본계 기업에서 일하고 있기 때문에 투자축소는 실업 발생으로 이어질 가능성이 큽니다.

우리나라가 국가 차원에서 교역과 투자통계를 관리한 것이 1962년부터여서 1965년 일본과의 국교정상화 당시의 교역통계도 정확히 남아있습니다. 대일수출은 5천만 달러였고, 대일수입은 1.8억 달러여서 첫해부터 1.3억 달러 적자였습니다. 상호투자는 거의 전무한 상태였고, 일본의 대한국 직접투자는 한국의 중공업 발전과 반도체 산업 확장에 따라 계속 늘어났습니다. 당시의 수출구조가 경쟁력 있는 일본제 부품과 소재를 수입해서 부가가치가 높은 완제품으로 조립 · 생산하는 형태였기 때문입니다. 이러한 구도 때문에 1992년에는 대일무역적자가 총교역 규모의 5%인 79억 달러까지 되면서 국가적 과제로 부상했습니다.

대일무역적자의 주요 원인이 부품, 소재, 장비 수입이었기 때문에 이들을 국산화하고 수입국가를 늘리는 수입선 다변화 정책을 추진했습니다. 일본과의 정상회담에서 '한일 간 무역불균형 해소를 위한 구체적 행동계획'의 일환으로, 한국 중소기업들의 기술력을 높이기 위해 각종 연수와 핵심 정보제공의 기능을 담당하는 '한일(일한)산업기술협력 재단'을 양국에 설립하는 데 합의했습니다. 한국이 경공업 제품을 일본에 수출하고, 중공업과 화학제품을 수입하는 구조를 점차 개선해 수평분업을 이룬 것처럼 보이지만 한국은 범용과 대량생산 제품을 수출하는 반면 일본으로부터는 정밀 · 특수소재와 부품을 수입하는 형태로 바뀌었습니다. 비유하자면 한국은 세계시장에 더 많이, 더 빨리, 더 싸게 상품을 공급할 수 있는 능력이 커진 반면, 일본은 투철한 제조업 정신에 기초해서 세계유일의 소재, 부품, 장비들을 내놓고 있는 것입니다.

일본의 경우 자영업은 몇 대에 걸쳐 전통을 이어가지만 대기업은 상속이 아니고 전문경영인이 승계하기 때문에 철저한 조사능력, 탄탄한 금융 지원, 폭넓은 해외 네트워크가 장점입니다. 그러나 한국처럼 신속한 결정이나 과감한 투자는 어렵습니다. 한일 기업은 화학, 자동차, 철강, 반도체 부문 등에서 경쟁하지만, 다른 분야에서는 최근 협력하는 관계가 늘고 있습니다. 양국 기업의 장점을 살려 컨소시엄 형태로 세계시장에 진출하면 대형 프로젝트를 낙찰받을 가능성이 커집니다. 이는 단독수주할 때보다 이윤은 줄어들지 모르지만 '위험의 최소화'라는 강점을 발휘할 수 있습니다. 해외시장에서 최근 5년간 한일 기업이 100건이 넘는 중대형 프로젝트를 수주했거나 협업하고 있습니다. 이러한 추세는 신뢰와 실적을 바탕으로 더욱 늘어날 것입니다. 일본기업이 원청, 한국기업이 하청 형태로 참여하기도 하지만 그 반대의 경우도 많아서 결코 종속적인 관계는 아닙니다. 대일적자는 현재 연 230억 달러 수준이지만 세계시장을 고려하면 '불만족의 균형' 상태이고, 앞으로도 끈기 있는 개선 노력이 필요합니다.

Q. 일본 정부의 대(對) 한국 수출규제 조치 이후의 상황과 타개 가능성은 어떻게 보는지요.

A. 2019년 7월 일본 정부가 반도체 생산에 꼭 필요한 불화수소, 폴리이미드, 포토 레지스트의 수출규제(일본은 '수출관리'로 표현)와 소위 '화이트 리스트' 제외로 한국을 압박한 조치는 한국정부의 심한 반발과 즉각 대응을 불러온 바 있습니다. 일본은 수출규제의 이유를 한국에 수출하는 '전략물자'에 대한 통제가 제대로 이뤄지지 않기 때문이라고 주장했습니다. 한국은 일본이 주장하는 문제점을 모두 정비

했습니다. 그런데도 규제를 계속하고 있는 부당함에 대해 한국은 국제무역기구(WTO)에 제소했습니다. 관련 절차에 따라 양국 간 협의와 패널설치 등을 진행하겠지만 상당 기일이 소요되기 때문에 실효성에 의문을 품는 목소리도 있습니다.
이 문제에 대해서는 양국의 입장이 워낙 첨예하기 때문에 국제 분업의 소위 밸류체인(Value Chain)에 대해서만 언급하고자 합니다. 맛있는 해물찜 요리로 유명한 식당이 있다고 가정할 때 최고의 해물찜 요리를 만들기 위해서는 다양한 식자재와 요리기구가 필요할 것입니다. 그렇다고 해서 그 식당이 각종 생선이나 미더덕, 채소 등 온갖 식재료와 냄비, 가스버너 등을 모두 자급한다는 것은 가능하지도 않고 해서도 안 되는 일입니다. 고객이 줄을 서서 기다리는 최고의 식당은 전 세계에서 최고의 식자재와 기구를 납품받아서 부가가치를 올리면 됩니다. 식당 주인이나 주방장이 매번 배를 타고 나가 신선한 해산물을 잡고, 직접 채소와 쌀을 재배해야 한다면 경쟁력이 없습니다. 하물며 직접 가스 버너와 전용 냄비까지도 만들어야 한다면 어느 한 분야에서도 세계 최고가 되기는 어려울 것입니다. 지금은 대중식당까지도 원산지 표기를 하고 칠레산 홍어, 노르웨이산 고등어, 호주 또는 미국산 쇠고기 등을 쓰고 있음을 우리는 잘 알고 있습니다. 모든 식자재의 '신토불이'는 가능하지도 않고, 그런다고 효율성과 이윤극대화를 보장할 수도 없습니다. 물론 만일의 사태에 대비해 안정적으로 납품을 받을 수 있도록 지속가능한 경영(Sustainable Management)과 기업연속성 유지 계획(Business Continuity Plan) 등은 세워둘 필요가 있습니다.
한국이 현재 세계를 제패하고 있는 반도체도 그런 원리에 따라 일본이 생산한 최적의 소재와 부품을 사용한 것일 뿐, 그저 지리적으로 가깝다는 이유에서 일본 제품을 써온 것이 아닙니다. 상호 경쟁력 있는 분야에서 국제적 분업을 하는 것이 현대 기업의 생존과 발전전략이기 때문에 국산화와 대형투자만이 능사는 아닙니다. 일본의 소재, 부품기업은 100년이 넘는 역사 속에서 수많은 특허로 무장했지만, 우리의 반도체 생산능력을 따라잡을 수는 없습니다. 만약 세계의 모든 나라가 제품의 자급자족, 국산화를 추구한다면 수출주도형 한국경제야말로 가장 심한 타격을 입을 것입니다.
한일 양국의 기업은 서로의 절박한 필요에서 상호협력의 길을 찾을 것이며, 신뢰를 바탕으로 경쟁과 협력을 도모할 것입니다. 어떠한 악조건 하에서도 생존과 발전을 이루려는 기업가 정신은 일본제 소재부품의 국산화와 다변화에 힘쓸 것이고, 상당 기간 한국이라는 큰 시장을 잃은 일본의 소재 업체들도 한국에 직접 공장을 짓는 등 제3의 대안모색에 나설 것은 당연합니다. 이미 그러한 성과와 동향이 가시화하고 있지만, 한일 갈등으로 인해 불필요한 비용과 시간이 들어가고 시행착오가 발생하는 것은 안타까운 일입니다. 관계복원이 시급한 이유입니다. 막대한 정부예산을 소위 소부장(소재, 부품, 장비) 국산화 작업에 투입하고 있는데, 특정 기업의 특허 침해 여부는 예민한 문제이고, '국가가, 재정적 기여를 통해, 특정 분야에, 금전적 혜택을 준 경우' 나중에 관련 제품을 해외에 수출할 때 상계관세의 대상이 될 수도 있습니다.

세계적으로 유명한 어떤 강소기업도 정부의 보조금만으로 성장한 경우는 없고, 기업의 절박함과 진정성 없이 위기를 극복한 사례도 찾아보기 힘듭니다. 한국과 일본의 최고경영자들은 경색된 한일 외교, 정치관계에 대해 '정부가 도와주지 않아도 되니, 제발 발목만 잡지 말아달라!'고 호소하고 있습니다. 한일 양국 정부가 경제인의 이러한 절규를 아프게 공감하고 경청해줄 것을 기대합니다. 또 강제징용 판결에 따른 현금화 갈등이 계속됨으로써 양국의 기업 환경이 더 힘들어지지 않기를 소망하고 있다는 것이 한일 양국 기업의 속마음이라고 단언합니다.

작금의 한일 외교갈등이 더 안타까운 것은 양국 간 협력잠재력을 근본부터 훼손하고 미래에까지 악영향을 미치기 때문입니다. 일본에는 43만 명의 우리 교포가 살고 있고, 한국에는 2만 7천 명의 일본인이 살고 있습니다. 이들 모두 한일관계 악화로 많이 고통받고 있습니다. 한일 양국은 중장기적으로 저출산 고령화, 지방경제의 활성화, 코로나 대책, 제3국 공동진출 등의 공통과제를 안고 있습니다. 단기적으로는 일본기업의 구인난, 한국 청년들의 취업난 등 상호 협력을 통해 어려움을 극복할 분야도 많이 산적해 있습니다. 또 탈탄소, 수소경제, 인공지능, 사물인터넷, 환경사회경영(ESG) 등 생존과 번영을 위해 공동으로 대처하거나 지혜를 짜내어야 할 도전과제들도 많습니다. 서로에 대한 관심이 식어가고, 그 자리를 불신감과 적대감이 메운다면 협력의 길은 점점 좁아지게 되고 이는 결국 양국의 손해로 이어질 것입니다.

언젠가 북한의 비핵화가 이뤄지고 북한이 전면적으로 문호를 개방한다면 대북투자 분야에서의 한일 기업의 협업은 매우 중요해질 것입니다. 코로나 사태로 전 세계가 고통을 겪고 있는 요즘이야말로 기업의 생존과 발전을 위해 신뢰할 만한 상대와의 관계복원이 절박합니다. 순수하게 경제의 시각으로 볼 때 한일 양국의 기업은 결코 흑백논리로 단죄할 적이 아니고, 선의의 경쟁과 최대의 협력 속에서 공존 공영을 추구해야 할 파트너입니다.

8. 한일관계와 역사

KOREA-JAPAN

정재정
서울시립대 명예교수

역사갈등 해법은 성취사관과 성찰사관이 늦지만 빠른 길

Q. 역사갈등이 안보 · 경제까지 영향을 미치고 있습니다. 현 상태를 어떻게 평가하는지요.

A. 1965년 한일 국교정상화 이후 처음 겪는 이상한 상태라고 봅니다. 두 나라 정부, 특히 수뇌부가 현상을 타개하려는 진정한 의지가 없는 것 같습니다. 종래에는 사안이 발생하면 쌍방이 어떻게든 풀어보려고 노력했습니다. 지금은 오로지 상대방 탓으로 돌리며 갈등을 정권에 유리하게 잘 활용하는 듯한 인상을 줍니다.

Q. 상황이 왜 여기까지 왔다고 보나요.

A. 역사문제를 다루는 양국 정부의 견해와 자세가 너무 다르기 때문입니다. 현안인 '징용공'이나 '위안부' 문제에 국한해 말하면, 한국은 아직 해결되지 않았다고 주장하는데, 일본은 1965년 한일협정과 2015년 합의로 이미 해결되었다고 반박합니다. 그 근저에는 1910년에 체결한 '한국병합조약'의 불법 · 합법, 부당 · 정당, 무효 · 유효를 둘러싼 인식의 대립이 깔려있습니다. 종래에는 서로 입장의 상이를 묵인하고 역사문제가 발생하면 외교 차원에서 타협을 통해 처리해왔습니다. 이번에는 한국 정부가 불법 · 부당 · 무효의 자세에서 나온 대법원의 판결을 존중한다고 나서자, 일본 정부는 1990년대 이래 조금 누그러뜨려 왔던 합법 · 정당 · 유효 주장을 내세워 정면으로 맞서고 있습니다. 양쪽 모두 진검 승부이므로 타협의 여지가 없는 셈이지요.

Q. 지난날 역사문제를 해결하기 위한 시도가 있었습니다. 과거에서 무엇을 배우

지 못한 것일까요.

A. 한일의 역대 정부는 한일협정의 틀을 지키면서 때때로 불거진 역사문제를 대화와 협력을 통해 극복해왔습니다. 한일협정에서는 일절 언급하지 않았던 식민지 지배에 대해서, 일본 총리는 1990년대 이후 '통절한 사죄와 반성', 2010년에는 '한국인의 의사에 반한 식민지지배' 등의 표현을 담은 담화를 발표했습니다. 큰 흐름으로 보면 한국의 역사 인식에 접근하는 경향을 보였습니다. '징용공' '위안부' '사할린 잔류 한인' '원자폭탄 피폭자' 등의 피해에 대해서도 각국이 독자적으로, 또는 양국이 공동으로 출연하여 보상하거나 치유하는 사업을 펼쳐왔습니다. 재판이나 법을 통한 해결보다 인도와 도의를 실현하는 방법을 택한 것이지요. 피해자가 요구하고, 뜻을 같이하는 두 나라 국민이 지원해서 양국 정부를 압박하자, 양국 정부도 전향적으로 대응하여 그런대로 꽤 성과를 거뒀습니다.

그런데 지금 양국의 집권층이나 운동가 중에서는 선인들의 노력과 성취를 무시하거나 오히려 폄하(貶下)하는 분위기가 강하게 퍼져 있습니다. 너무나 당연한 일이지만, 지난 75년 동안 한국과 일본이 역사문제를 둘러싸고 씨름해온 것 자체가 이제 하나의 역사가 되었다는 점을 자각할 필요가 있습니다. 그 역사를 성찰하면서 잘못되거나 부족한 점이 드러나면 수정하고 보완해가는 게 정도(正道)입니다. 선인들이 이룩해온 역사를 모두 부정하거나 적폐로 치부하면 해결의 지혜를 찾을 수 없습니다. 교훈도 얻을 수 없고요. 나는 그런 부류의 역사관을 '적폐사관'(積弊史觀)이라고 부릅니다. 우리 모두 자신을 돌아보며 역사에 겸허했으면 좋겠습니다.

Q. 역사와 다른 문제를 분리하자는 투트랙 논의에 대한 견해는 어떤지요.

A. 말은 그럴듯하지요. 원론적으로 맞는 말이기도 하고요. 얼마 전까지 한국은 역사와 다른 현안을 결부시키는 원트랙을 달려왔고, 일본은 양자를 분리시키는 투트랙을 고집해왔지요. 지금은 서로 반대입니다. 자기의 주장과 이익을 관철시키는 데 유리한 쪽을 택하려는 속셈이지요. 이 점에서는 요즘 한국의 일본화, 일본의 한국화가 진행되는 것처럼 보여요. 격세지감을 느낍니다.

역사문제는 국민감정과 직결하는 사안이기 때문에, 어느 쪽의 입장에 서든 수뇌부가 국민을 설득하려는 결의를 가져야 하고, 국민을 지도하는 능력을 발휘해야 합니다. 말만 앞세우고 행동으로 보여주지 않으면 안팎에서 신뢰를 얻지 못하지요. 오히려 상호 불신과 갈등을 증폭시키는 결과를 불러오게 됩니다. 지금이 딱 그런 상황이지요. 언론도 이를 부추기고 있으니 악화일로를 걷는 것입니다.

Q. 앞으로의 전망은 어떻게 보시나요.

A. 한국과 일본에서 수뇌부와 언론의 자세가 바뀌지 않는 한 해결의 전망은 보이지 않을 겁니다. 최근 여론조사에 따르면 양국 국민은 정부와 언론의 주장에 추수하는 경향이 강해요. 정부와 언론은 그것을 역으로 이용해서 기반을 공고히 하기도 하고요. 양국은 상대방에게 먼저 타개 방안을 내놓으라고 윽박지르고 있습니다. 일본이 한국에 굽히고 나올 가능성은 적습니다. 일본국민의 혐한 감정도 전에 없이 고조되어 있어서, 수뇌부가 여론의 덫에서 빠져나오는 방법을 찾기까지는 시간이 걸릴 겁니다. 한국은 항상 반일이었기 때문에 오히려 수뇌부가 운신할 수 있는 폭이 넓습니다.

역사문제를 다루는 데는 국민감정을 잘 살피고 적당히 다독이는 고도의 노하우가 필요합니다. 그런데 양국 정부는 그런 능력이 대단히 부족한 것 같습니다. 그래서 나는 양국 정부로부터 욕먹을 각오를 하고 선인들의 노력과 성취에서 지혜와 교훈을 찾으라고 충고하는 거예요.

Q. 역사화해를 위해 양국은 어떻게 해야 할까요.

A. 좀 한가로운 이야기로 들릴지 모르겠지만, 역사문제를 단칼에 해결하려는 조급증을 버려야 합니다. 역사에는 국가나 국민의 아이덴티티가 배어 있어서, 타국과 역사문제를 다룰 때, 상대방에 동조한다거나 굴종한다는 인상을 주어서는 곤란해요. 자신이 그렇다면, 상대방도 그런 궁지에 빠지지 않도록 배려하는 역지사지(易地思之)의 자세를 견지할 필요가 있습니다. 서로 체면을 세워주는 여유와 아량을 가지고 역사문제에 접근해야지요.

양국 수뇌부는 상대방의 버르장머리를 고친다거나 역사인식을 단죄하겠다고 만용을 부리며 과거로 회귀하기보다는 역사를 함께 창조한다는 용기를 보이며 미래로 전진하는 리더십을 발휘해야 합니다. 거기에는 한일관계의 역사와 현황을 정확히 꿰뚫어 보는 지식과 교양이 필요하지요. '선무당이 사람 잡는다'고, 무지 · 오해 · 편견에 사로잡혀 적폐를 뜯어고치겠다며 칼을 휘두르면, 역사문제는 해결은 커녕 상처를 덧나게 만들어 수많은 합병증을 유발합니다. 그 손해는 결국 국가와 국민이 뒤집어쓰게 마련이지요.

따라서 한국과 일본의 수뇌부는 열린 자세로 양국이 함께 이룬 성취는 성취대로, 과제는 과제대로 공정하게 성찰하고 평가해서 역사화해의 큰 그림을 제시하고 실행에 옮겨야 합니다. 나는 이러한 역사인식을 '성취사관'(成就史觀)이라고 부릅니다. 1963년 독일의 아데나워 수상과 프랑스의 드골 대통령은 수백만 명의 청소년 교류 등을 담은 '엘리제궁 선언'을 발표하고 역사화해의 길로 나아갔어요. 한국과 일본에서도 그런 통 큰 지도자가 출현하기를 기대합니다. 여론조사에서 나타났듯이, 국민의 역사인식이 정치의 영향을 강하게 받는 한국과 일본에서는 수뇌부의 결단과 행동이 더욱 중요할 수밖에 없지요.

나는 한일 양국 수뇌부가 역사문제 해결의 중요성을 자각하고 역사화해에 나서도록 유도하고 격려하는 고육지책(苦肉之策)으로써 노벨평화상 공동 수상을 추진하는 것이 좋다고 봅니다. 한국과 일본은 아시아에서 자유민주주의와 시장경제, 법치와 인권, 평화 등 인류 보편의 가치를 함께 실현하고 있는 유이(唯二)한 나라입니다. 2000년 역사상 두 나라는 문명건설에서도 서로 큰 영향을 주고받으며 오늘에 이르렀지요. 그런 이웃 나라끼리 아직 역사화해를 이루지 못한 것은 동아시아는 물론이고 세계의 번영과 평화의 증진에도 큰 걸림돌이 되고 있습니다.

사실 제국주의 국가였던 서양 선진국들은 식민지지배 국가에 대해 사죄와 배상을 거의 하지 않았습니다. 그에 비하면 한국과 일본은 괄목할 만한 실적을 쌓아온 셈이지요. 그런 성취를 토대로 세계사에 귀감이 될 만한 역사화해를 이룩한다면 한국과 일본은 서양 여러 나라가 엄두도 내지 못한 일을 앞장서서 성취한 문명대국으로서 부상할 것입니다. 양국 수뇌부가 역사화해를 이룩한다면 노벨평화상을 수상하는 데 손색이 없는 업적이 될 거예요. 일반인은 거의 모르는 사실이지만, 김대중 대통령이 노벨평화상을 수상한 주요 이유 중에는 한일관계 개선도 들어있어요. 수상 이유서에 분명히 그렇게 쓰여 있습니다.

내친김에 부연하겠습니다. 독자 중에는 정치권에 발이 넓은 분들이 많을 겁니다. 정치권을 움직여 한일국교정상화 60주년이 되는 2025년을 목표로, 역사화해 프로세스를 추진하기 바랍니다. 한국과 일본이 성취사관으로 역사문제를 다룬 내력을 성찰하고 보완하면 실현 불가능한 일도 아닙니다. 여러분이 양국의 정치 유망주에게 노벨평화상을 당근으로 제시하며 역사화해에 나서라고 권유하면 좋겠네요. 더욱이 지금 세계는 '코로나19'라는 팬데믹을 맞고 있잖아요. 선진 의료를 자랑하는 한국과 일본이 '코로나19'의 극복을 위해 힘을 합치고 역사화해를 덧붙여 간다면 인류 사회의 발전에 훨씬 더 기여할 수 있겠지요.

국제사회는 한일의 역사화해를 주시하며 기대하고 있습니다. 그런 국제사회의 흐름을 외면하고 갈등을 부추기고 있는 한일 수뇌부의 언동을 보면 정말 답답하고 한심해요. 『총 · 균 · 쇠』를 쓴 재러드 다이아몬드 교수는 한국과 일본을 '유년기를 함께 보낸 쌍둥이 형제'로 비유하고, "동아시아의 미래는 양국이 서로 오랜 유대를 성공적으로 재발견하는가 여부에 따라 좌우될 것이다"라고 단언했어요. 그러니 양국에서 정치적 야망을 가진 사람일수록 역사화해로 나아가라는 나의 제언을 귀담아들어 주었으면 좋겠습니다. 그 공적으로 노벨평화상을 타면 누이 좋고 매부 좋은 것 아닌가요.

Q. 역사화해를 위한 필요조건이 있다면.

A. 새삼스러울 것도 없지만, 역사화해는 양국 수뇌부의 힘만으로는 이룰 수 없습니다. 국민의 광범한 지지와 성원이 필요하지요. 또 전문가나 오피니언 리더는 국민과 여론을 그런 방향으로 이끌어야지요. 즉 역사화해의 기반이나 분위기를 조성하는 게 중요합니다. 나는 30여 년 동안 각국과 역사대화를 나눠왔는데, 그 과정에서 내 나름대로 터득한 노하우를 말씀드리겠습니다. 국민의 역사인식을 역사화해 쪽으로 유도하기 위해서는 세 가지 방법을 활용할 수 있다고 생각합니다. 역사갈등이라는 만성적 질병을 치유하는 방법인 셈이지요.

첫째, 병인요법(病因療法)입니다. 병의 원인을 찾아내어 병소(病巢)를 도려내거나, 뿌리를 제거하는 방법입니다. 곧 역사갈등의 원인이 되는 사안을 찾아 양국이 공동으로 자료를 모으고 연구를 거듭하여 인식의 차이를 구명(究明)하고 좁혀가는 방안을 모색합니다. 이런 일을 하는 데는 역사학자의 역할이 크겠지요.

둘째, 대증요법(對症療法)입니다. 병의 원인은 확실치 않은데 고열이 나고 숨이 헐떡거리는 상황이라면 먼저 아스피린이나 타이레놀을 먹여 열을 내리고 숨을 고르게 만들어야지요. 역사갈등으로 국민여론이 들끓고 상대국을 죽도록 미워한다면 당장 분노를 진정시키고 증오를 완화시켜야겠지요. 여기서는 언론의 역할이 중요합니다. 정확한 정보를 제공하여 불신과 오해를 누그러뜨려야 합니다. 그런 가운데 역사갈등의 원인을 찾아 근본적인 치유법을 찾아야지요.

셋째, 면역요업(免疫療法)입니다. 질병에 걸리지 않기 위해서는 평소에 고르게 영양을 섭취하고 적당히 운동을 해서 건강을 유지해야 합니다. 역사문제도 마찬가지입니다. 국민이 역사적 사실을 정확히 알고 균형 잡힌 역사인식을 가져야지요. 사실을 잘 알지도 못하면서 큰 소리로 떠들거나, 편향된 인식에 사로잡혀 선동을 일삼는 풍조에서 벗어나야 합니다. 학교와 사회의 역사교육이 중요합니다. 여기서는 교육자가 큰 역할을 할 수 있지요.

이상의 세 가지 요법은 선후순서(先後順序)나 가치경중(價値輕重)이 있는 게 아닙니다. 상황에 따라 필요한 방법을 구사하면 됩니다. 장기 계획을 세워 세 가지 요법을 병용하면 가장 좋겠지요. 그러기 위해서는 국내에서 세 영역의 활동가끼리 활발하게 교류하고 대화를 나눠야 합니다. 그리고 역할과 책임을 적절히 분담해서 실천해야 합니다. 이런 움직임이 나라와 민족을 넘어 관련 국가나 민족 사이로 확산하면 역사화해의 길은 더욱 탄탄하게 열리겠지요. 이런 움직임이 대세가 되면 정치가가 역사문제를 권력쟁탈의 수단으로 오용하거나 민족주의를 부추기는 지렛대로 사용하는 사태를 어느 정도 제어할 수 있을 겁니다. 역사를 이용했다가는 표를 얻기 힘들다는 것을 깨닫게 될 테니까요.

끝으로 '법적 다툼'에 빠져 있는 현재의 한국과 일본에 좀 쓴소리를 하겠습니다. 나는 역사문제는 '역사적 방법'으로 극복해야 한다는 생각을 가지고 있습니다. '역사적 방법'에는 여러 가지가 있는데, 위에서 제시한 세 가지 치료법도 해당이 됩니다. '역사적 방법'의 구사는 시간과 노력이 들지만 반드시 큰 성과를 거두리라고 확신합니다. 설령 관련 당사국끼리 역사화해를 이루지 못한다 하더라도, 상대방 국민에게 교양과 품위를 갖춘 격조 높은 역사인식을 심어줄 수 있으니까요. 주판을 튕겨보더라도, '법적 방법'으로 해결하는 것보다 비용 대비 효용면에서 득이 될 수 있습니다. '법적 방법'으로 역사문제를 해결하면, 금전적 보상은 주고받을진 몰라도, 마음에서 우러나오는 사죄와 용서는 기대할 수 없습니다. 법관이 언도한 대로 돈을 지불하고 받으면 그것으로 끝이니까요. 거기에 이르는 과정, 곧 재판 과정에서 공방을 벌이다 보면 서로 감정적 대립과 인격적 혐오가 증폭될 수도 있습니다. 그런 상황에서 진정한 사죄와 용서를 요구하면 누가 따르겠습니까. 그러니 법적 해결을 추구한다면 돈은 받을 수 있겠으나, 사죄와 용서는 포기한다는 각오를 해야 할 것입니다. 모든 것을 전부 얻을 수는 없으니까요.

금전적 보상과 수용, 그리고 사죄와 용서를 모두 얻으려면 법적 해결보다는 인도적 · 도의적 해결을 추구하면서 '역사적 방법'을 병용하는 게 좋다고 생각해요. 역사문제 해결을 정의실현으로 여기며 선두에서 활약하는 목소리 큰 운동가에게도 '역사적 방법'이 궁극적으로는 더욱 유용하다고 봅니다.

그래서 나는 선인들이 역사문제를 다뤄온 내력을 성찰하여, 잘된 점은 계승하고 잘못된 점은 수정 또는 보완하라고 조언하는 것입니다. 굳이 말하면, '성찰사관'(省察史觀)으로 접근하는 것이지요. 선인들도 지금 사람들 못지않게 고뇌하며 묘안을 짜내서 실행에 옮겼습니다. 일제하의 실정과 당대 양국이 처한 현실을 잘 알고 있었기 때문에 서로 받아들일 수 있는 선에서 문제를 해결하려고 한 것이지요. 그들의 노력을 전부 적폐로 몰아서는 안 됩니다. 거꾸로 성취를 과장하여 결함을 덮어서도 안 되고요. 시시비비를 가려 보완해야지요. 다시 한번 환기합니다만, 양국 수뇌부가 해방 이후 75년간의 두 나라 관계를 공정하게 성찰하고, 역지사지의 자세를 견지하며, '역사적 방법'을 활용하여, 역사문제를 슬기롭게 극복해나가기를 바랍니다.

9. 한일관계와 언론

진창수
세종연구소 일본연구센터장

20년 교류 노력이 내셔널리즘에 무릎 꿇어선 안 된다

Q. 언론과 언론인은 한일관계에서 어떤 위치를 차지하고 있다고 보는지요.

A. 한일관계에서 언론의 역할은 매우 중요합니다. 우선 외교가 국내정치화하고 있는 상황에서 언론이 여론 형성에 큰 영향을 미치기 때문입니다. 언론이 편파적인 보도를 하거나 감정을 자극하게 되면 국익에 기초한 전략외교가 불가능합니다. 한일 간에는 역사문제를 둘러싸고 감정의 앙금이 깊게 남아있고 스포츠나 문화, 경제 부문에서도 경쟁의식이 매우 강합니다. 이 때문에 언론이 반일, 반한 감정을 자극하면 국익에 기반한 합리적이고 냉철한 판단보다는 자존심 대결 양상으로 흘러갈 가능성이 높습니다. 특히 한국에서는 반일단체, 일본에서는 극우집단이 목소리를 높이는 경우가 많기 때문에 언론의 보도 태도는 여론에 많은 영향을 미칩니다.

둘째, 일반 국민은 상대방을 이해하는데 언론 매체에 의지할 수밖에 없습니다. 최근에는 정부가 여론을 의식하지 않을 수 없는 상황에서 언론인들이 정부를 공격하거나 비판하는 수단으로 대일정책을 이용하는 경우가 종종 있습니다. 요즘 한국의 대일 보도는 진영논리에 따라 움직인다는 의혹이 제기되면서 객관성에 대한 비판을 받고 있습니다. 언론의 본령이 원래 권력에 대한 비판과 견제이긴 하지만, 일부 언론이 이를 악용하는 사례가 발생하고 있습니다. 양국의 상호이해를 증진시키기 위해서라도 언론이 객관적인 보도를 하는 것은 매우 중요하다고 생각합니다.

Q. 한일 기자들의 소통을 위해 어떤 일을 하고 있나요.

A. 한일 간에는 언론의 역할이 매우 중요하다고 생각하고 1999년부터 '화요회'

라는 모임을 하고 있습니다. 이 모임은 한일 양국의 언론인(서울주재 일본언론사 특파원과 도쿄주재 한국언론사 특파원)과 한국의 일본연구자들이 주축이 되어 매달 서울과 도쿄에서 열고 있습니다. 서울화요회는 매월 한 차례 정기적으로 모여, 한일관계와 관련 이슈를 중심으로 발표하고 토론도 합니다. 벌써 20년이 넘었습니다. 회원은 서울 주재 17개 일본언론사의 특파원과 한국의 언론인, 한일관계 전문가 등 약 50명입니다. 간사는 주한 일본대사관 정무참사관이 맡아 주로 연락을 담당하고 있습니다. 예산은 외부 지원 없이 회원들의 회비로 운영하고 있습니다.

2010년부터 시작한 도쿄화요회는 한국에서 특파원을 지낸 일본언론인과 도쿄주재 한국특파원들이 모여 일본 정재계 인사들과 만나고 있습니다. 도쿄화요회는 제가 2010년 홋카이도대학에 특임교수로 있을 때, 서울화요회 출신들이 도쿄로 돌아와 자발적으로 모이고 있는 것을 보고 정식으로 결성하게 되었습니다. 도쿄화요회 회원은 서울화요회에 참여했던 일본 언론사 특파원 출신으로 일본 메이저 언론사 — 요미우리신문, 아사히신문, 마이니치신문, 일본경제신문, 산케이 신문, 도쿄신문, 교도통신, 시사통신, 니혼TV, 후지TV, TBS 등 — 와 대형 지방언론사 — 니시닛폰, 홋카이도신문 등 — 에서 한일관계 기사를 총괄하는 논설위원급 이상의 중견 기자들입니다. 간사는 서울화요회처럼 주일 한국대사관의 정무참사관이 맡고 있지만, 여의치 않은 경우에는 일본 기자들이 맡아서 해오고 있습니다. 한일 양국의 화요회 회원들은 현재도 한일관계에 대해 지속적인 관심을 갖고 장기적인 한일관계뿐만 아니라, 시사문제에 대해서도 연구하고 있습니다. 저의 역할은 게스트 스피커(연사)를 초청하고 사회를 맡는 것입니다. 서울화요회는 매달 일본 기자들이 쉽게 접근할 수 없는 게스트 스피커를 초청해서 시사문제를 중심으로 허심탄회하게 논의합니다. 화요회는 한일 양국의 인식 공유와 미래 발전을 위한 플랫폼으로 성장해왔다고 자평합니다.

Q. 그 과정에서 어려움도 있었을 텐데.

A. 20여 년간 화요회를 운영해왔지만, 최근 한일관계는 악화 일로를 걷는 것 같아 많이 실망하고 있습니다. 언론인과의 대화만이 아니라, 정부관계자와의 대화도 20여 년간 주도해 온 저로서는 그동안의 노력이 얼마나 도움이 됐는지 의문이 들 정도입니다.

한일의 언론 상황은 기자 개인이 객관적으로 기사를 쓴다고 해도 여러 가지 구조적인 요인 때문에 사실을 객관적으로 전달하지 못하는 상황이 많아 우려하고 있습니다. 일선의 특파원들이 한일관계에 대해 누구보다도 잘 알고 있음에도 불구하고 여론을 의식한다든지 상사의 요구에 따라 기사의 방향이 달라지는 경우가 있기도 합니다. 특히 제목을 자극적으로 뽑아 갈등을 부추기는 기사를 보면 화요회라는 연구회를 존속시킬 필요가 있는지 회의마저 듭니다. 그러나 장기적으로 보면 국민 여론이 악화하고 상대방에 대한 비난이 거세질지라도 언론인들이 객관적인 기사를 쓰려고 노력하는 사례도 늘어나고 있다는 것에 보람을 느끼고 있습니다.

Q. 언론인들에 대한 충고나 요구가 있다면.

A. 현재 한국 언론은 일본에 대한 이해가 부족한 채 취재를 하거나 기사를 쓰는 경우가 많습니다. 기본적으로 취재 인원이 적다는 한계 때문이긴 하지만, 한 분야에서 계속해서 경험을 축적하는 기자가 적은 것이 근본 원인입니다. 지식이 부족하다 보니 쉽게 여론에 흔들리면서 객관적인 보도를 하기가 어렵습니다. 이를 개선하기 위해 일본에 대한 기초 지식을 가르치고, 중요 시사문제에 대한 관심을 높이는 방법을 고민할 필요가 있습니다. 이 문제는 언론인의 자세와도 관련이 있습니다. 최근 기자들의 보도 태도를 보면 시류에 흔들리지 않고, 자신만의 문제의식을 갖고 기사를 쓰는 경우가 점점 줄어들고 있습니다. 권력을 견제하고 비판한다는 언론의 기능은 존중하지만, 이 기능도 객관적인 사실 보도를 전제로 해야 합니다. 언론이 사실 보도를 게을리해 신뢰를 잃는다면 그런 언론의 견제와 비판이 힘을 쓸 수 있겠습니까. 견제와 비판의 기능을 잃지 않으면서도 국익, 객관성, 알권리를 조화시킬 수 있는 방안을 찾아야 합니다. 이는 곧 비판 일변도였던 일본 보도에 대한 철저한 자기반성을 요구한다고 생각합니다.

Q. 한일 언론인 교류상황은 어떤지요.

A. 한일 언론인 교류는 20년 전과 비교하면 많이 늘어났다고 볼 수 있습니다. 세종연구소 일본연구센터는 꾸준히 양국 언론의 대화를 추진해 왔는데, 최근에는 한국 정부도 공공외교 차원에서 언론인들과의 대화 채널을 늘리고 있습니다. 언론인과 학자 간, 언론인 간, 언론인과 정부 간 대화 등 다양한 형태의 교류를 진행하고 있습니다. 약간 중복되는 경우도 있긴 하지만, 다양한 형태의 교류를 진행하는 것은 바람직하다고 봅니다.

그렇지만 아직 부족한 부분도 있습니다. 예를 들면 일본에 대한 이해가 부족한 중견언론인들 간의 교류, 지방 언론인들의 교류 등은 더욱더 활성화할 필요가 있습니다. 한일 양국의 언론인들이 주축이 되어 한일관계에 조언할 수 있는 플랫폼이 필요한 상황입니다.

한일 간 언론인 교류에 구조적 문제점은 첫째, 경비 등을 한국이 지원하는 경우가 많다는 것입니다. 일본에서 지원하는 경우는 매우 적으며, 그마저 점차 줄어들고 있습니다. 그리고 몇몇 사람이 너무 빈번하게 교류를 해서, 다른 사람은 기회를 얻지 못하는 것도 개선해야만 합니다.

Q. 현재 계획하고 있는 프로젝트가 있다면.

A. 저는 한국에서 화요회를 지속적으로 개최하고 있으며, 요즘은 코로나19 때문에 줌회의(화상회의)를 통한 한일 언론인대화를 추진하고 있습니다. 2020년 9월 8일에는 한국언론재단과 세종연구소 일본연구센터의 공동주최로 한일 언론인들이 화상대화를 했습니다. 이런 화상대화 기회를 늘이기 위해 노력할 것입니다.

10. 한일관계와 언론인

KOREA-JAPAN

김현기
중앙일보 도쿄총국장

한국 기자는 안 쓸 것을 쓰고, 일본 기자는 쓸 것을 안 쓴다

Q. 최근에 한일관계가 악화한 것을 언론 탓이라고 말하는 사람이 있습니다.

A. 결론부터 얘기하자면 절반은 맞고 절반은 틀린다고 봅니다. 먼저 뭐가 맞느냐, 왜 맞느냐부터 이야기해 보죠. 오랜 기간 한국 언론은 한국 국민에게, 일본 언론은 일본 국민에게 각각 조금은 다른 형태로 사실을 과장 혹은 왜곡해 온 게 사실입니다. 그 결과 상대방 국가에 대해 반감을, 다소 점잖게 표현하자면 불편한 감정을 느끼도록 조장해왔다고 생각합니다. 반성할 부분입니다.

제 경험을 말해볼까요. 2003년부터 2015년 중반까지 도쿄특파원으로 일했는데, 독도, 역사교과서, 위안부 문제 등 거의 도돌이표 돌아가듯 현안이 터져 나왔습니다. 우스갯소리로 '몇 년 전에 쓴 기사를 그대로 복붙(복사하여 붙이기)해도 되겠다'는 말이 나올 정도였습니다. 그런데 그렇게는 안 되더군요. 해가 지날수록 '더 각을 세워달라'는 데스크의 요구와 '강한 제목'의 빈도가 늘어났습니다. 사실관계를 좀 더 객관적으로 써야 하는 것 아니냐며 따지는 제게 '다른 신문을 봐라. 우리는 그래도 양반이다' '어느 정도는 소비자(독자)가 읽고 좋아하게끔 써야 할 것 아니야'란 답변이 돌아올 때가 많았습니다. '역사를 잊은 민족에게 미래는 없다'는 게 한일관계 보도의 일종의 '규범'이 돼 있었던 것이죠. 요즘은 많이 나아졌다고 하지만 편집국장을 하며 한일관계 관련 기사를 유심히 살펴보니 그런 패턴은 여전했습니다.

또 하나, 최근의 '부끄러운 경험'을 털어놓겠습니다. 2019년 말 신임 주한일본대사 내정자 기사를 1면 톱으로 쓴 적이 있습니다. 그때 제목이 '새 일본대사 장인은 극우소설가 미시마'였습니다. 1970년 11월 도쿄의 육상자위대 이치가야 주둔지로 쳐들어가 발코니에서 쿠데타를 촉구하는 연설을 한 뒤 전통적인 사무라이식 자결방식으로 할복자살한 미시마 유키오(三島由紀夫)가 신임 대사의 장인이라는 기사인데, '팩트'를 알고 보면 신임대사는 장인을 생전에 만난 적도, 영향을 받은 적도 없는 사람이었습니다. 당시 한일 간에 불붙었던 수출규제, 한일군사정보보호협정(GSOMIA · 지소미아) 갈등 속에서 '오버'한 기사였습니다. 당시 기사를 쓴 도쿄특파원도, 국제외교안보 에디터였던 저도 밤늦게까지 '1면 톱은 과하다'고 반대했지만 결과는 바뀌지 않았습니다. 이런 과장, 왜곡들이 쌓여서 한일관계에 악영향을 끼쳤다는 비판을 받아도 뭐라 할 말이 없습니다.

일본 언론의 보도도 한국 언론과는 다소 다른 방식으로 부정적 결과를 초래했다고 봅니다. 한마디로 말하면 '써야 할 것을 안 쓰는' 방식입니다. 한일관계의 이면, 즉 그런 일들이 발생한 역사적 배경을 빼고 쓰는 보도가 많습니다. 지나치게 드라이(dry)하게 처리한다고 할까요. 한국 국민은 이를 '사실 외면' '축소 보도'로 여기게 됐고, 일본에 대한 부정적 이미지를 심화시키는 데 일조했다고 봅니다.

Q. '절반은 틀렸다'는 건 뭐지요.

A. 저는 한국과 일본의 국민 모두가 한국과 일본의 언론에 대해 '같은 언론관'의 잣대를 들이댄 측면이 있다고 봅니다. 즉 서로 다를 수밖에 없는 구조인데 '왜 달라?'라고 캐묻고 있다는 것이죠. 예전에 서울특파원을 지낸 한 일본 민방 간부가 제게 한 말이 있습니다. '한국 기자는 저널리스트이고, 일본 기자는 메신저다.' 저는 이 말이야말로 한국과 일본의 언론 환경의 차이를 극명하게 잘 설명하고 있다고 봅니다. 한국의 기자들은 기사를 쓸 때 자신의(혹은 한국 국민의) 생각과 관점을 가득 담아 기사를 쓰는 경향이 있습니다. 스트레이트 기사냐, 해설성 기사냐, 혹은 칼럼이냐에 따라 차이는 있지만 일반적으로 그렇습니다. 옳다, 그르다가 명쾌합니다. 그래서 기자가 아니라 저널리스트라고 표현한 것입니다. 이에 비해 일본의 언론은 있는 현상을 그대로 '옮기는' 역할에 충실합니다. 기사의 제목도 드라이합니다. 그게 언론이 지향해야 할 방향이라고 간주합니다. 일본의 기사는 객관적이라는 강점은 있지만 한국의 관점에서 보면 '그래서 뭐 어쨌다는 거야?'라는 반응이 나올 수밖에 없습니다. 저는 개인적으로는 저널리스트와 메신저의 중간 정도, 영어로 표현하자면 리포터(reporter)가 가장 적절한 게 아닌가 생각합니다. 어쨌든 한일관계의 악화를 양국의 언론 탓으로 돌리는 것은 한일 양국 언론의 보도 방식 차이를 제대로 이해하지 못한 데서 기인한 측면도 분명 있다고 봅니다.

Q. 최근 한국과 일본 언론이 상대방을 보도하는 방식에 변화 같은 게 있나요.

A. 분명히 있습니다. 좀 극단적으로 말하자면 예전에는 거의 모든 한국 신문과 방송이 '반일' 경쟁을 했습니다. 다른 사안에서는 첨예하게 다른 논조를 보이다가도 일본하고 문제만 터지면 모두가 똑같이 '과거사'의 프레임으로 일본을 재단했습니다.

하지만 최근에 눈에 띌만한 변화가 나타나고 있습니다. 언론사마다 그 언론사가 취하고 있는 '정파성'에 따라 한일 문제를 달리 해석하고 있다는 것입니다. 예컨대 일본의 한국에 대한 수출규제와 이에 맞선 한국의 지소미아 종료 당시 보도를 보면 문재인 정부에 비판적인 우파성향 언론과 정권에 호의적인 좌파성향 언론 간에 뚜렷하게 논조가 갈립니다. 우파성향 언론은 일본의 수출규제 조치에 대해 '세계는 기술전쟁, 일본은 기술 보복, 한국은 불 꺼진 연구소'와 같은 제목처럼, 일본의 경제보복을 다루다가 자연스럽게 한국 정부의 정책을 비판하는 쪽으로 흘러갑니다. 한국 정부가 무리하게 주 52시간제를 강행하는 바람에 기업의 기술경쟁력이 떨어지고 있다는 식입니다. 지소미아 종료는 한국 정부가 한미동맹 균열과 안보 불안을 조성하고 있다는 논조가 대부분이었습니다.

반대로 좌파성향 언론들은 문제를 해결하려는 한국 정부의 노력을 상대적으로 많이 소개하면서 일본의 책임을 강조하는 보도가 주류였습니다. 지소미아를 종료시킨 것도 '문재인 대통령이 일본 측에 여러 차례 대화의 신호를 보냈는데도, 일본이 이를 무시하고 대화를 거부했기 때문'이라는 식이었습니다. 한마디로 일본의 책임, 일본의 자업자득이라는 것이죠. 한국 측의 대응이나 전략에 대한 비판, 한국 경제와 외교에 미칠 부정적 영향에 대한 분석은 거의 찾아보기 힘들었습니다.

일본 언론의 변화는 한국만큼 크지 않지만 '한국 피로감'이 지면에 묻어나는 느낌이 듭니다. 예전에 아사히나 도쿄신문 같은 진보적 색채를 지닌 신문들은 어느 정도 한국을 배려했는데, 최근에는 꼭 그렇지도 않습니다. 제가 느끼기엔 그 전환점은 문재인 정부가 들어서서 2015년 12월의 한일 위안부 합의를 뒤집고, 이어 강제징용자 판결이 나오면서부터가 아닌가 싶습니다. '한국과 더 이상 말을 섞지 않는 게 낫다'는 스탠스를 취하기 시작한 것이죠. 강약의 차이는 있지만 거의 모든 매체가 그렇지 않나 싶습니다.

조금 거칠게 말하자면 '100% 반일'이던 한국 언론은 50대 50으로, 50대 50이던 일본 언론은 '100% 반한'으로 바뀌었다고 봅니다.

Q. 한국과 일본 언론이 그렇게 변한 배경은 무엇이라고 봅니까.

A. 글쎄요, 한국의 한일관계 보도는 지금까지는 원 보이스(한 목소리)여야 한다는 일종의 묵계 같은 것이 있었는데 그런 분위기가 느슨해졌다는 것은 일단 바람직하다고 볼 수 있습니다. 획일적인 민족주의나 애국주의에서 벗어나고 있는 것으로도 해석할 수 있습니다. 하지만 이런 변화를 대놓고 환영하기도 힘듭니다. 이런 변화가 한일관계를 참신하고도 객관적인 시각으로 보려고 한데서 기인했다기보다는, 앞서 언급했듯 자신들의 정치적 유불리에 따라 '편의적으로' 취사선택한 결과이기 때문입니다. 한일 갈등을 우파 언론은 정권의 책임으로, 좌파 언론은 정권 옹호의 수단으로 이용한다고나 할까요. 한일관계도 국내정치의 프레임 속으로 빨려 들어간 느낌입니다. 반면 일본 언론은 일본인의 대(對) 한국 이미지 악화 때문에 변화를 강요받은 것으로 봐야겠지요.

저는 한국과 일본 사회의 차이점을 설명할 때 종종 '한국은 쾌속정이고 일본은 항공모함'이라는 비유를 합니다. 한국은 그때그때 상황에 따라 방향을 잘 바꾸는 쾌속정에 가깝다면, 일본은 방향을 자주 바꾸지는 않지만 한번 바꾸면 무섭게 한 방향으로 나아가는 항공모함에 가깝기 때문입니다. 일본 언론도 마찬가지라고 봅니다. 한국에 대한 불신과 피로감이 단기간에 해소되지 않고 장기간 축적되면서 이제는 '한국 불신(不信)'이라는 이름의 항공모함에 올라탄 느낌입니다.

Q. 한국과 일본의 언론 보도에서 부족하다고 생각하는 것은 어떤 것인가요.

A. 현장에서 대부분의 기자들이 느끼는 것이지만 한국 기자들은 충분한 취재가 부족한 것 같습니다. 딱히 일본에 대한 보도만이 아니라 흘려들은 이야기를 기사화하거나 취재원이 하나일 경우가 많습니다. 상대적으로 일본의 메이저 언론사는 작은 기사에도 여러 명의 기자가 달라붙어 복수의 취재원에게 확인을 하지 않고는 기사로 쓰지 않습니다. '팩트 파인딩'에서 차이가 납니다. 솔직히 내부적인 한계도 있습니다. 일본 닛케이의 편집국 기자는 해외특파원을 포함해 1500명가량이 된다고 합니다. 한국의 메이저 신문사의 취재 기자는 200명가량입니다. 지면은 한국이 더 많으면 많지, 적지 않습니다. 바꿔 말하면 한국 기자들은 기사를 너무 많이 씁니다. 아니 써야 합니다. 물리적으로 충분히 취재한 기사를 보도하기 힘든 구조입니다.

일본 언론의 문제점은 한마디로 '필터버블(Filter bubble)'이란 용어가 맞아떨어진다고 봅니다. '필터버블'이란 자기가 좋아하는 정보만 수집하는 현상입니다. 요즘 일본의 한국 관련 보도를 보면 딱 그렇습니다. 일본 내에 한국이 싫다는 사람들이 늘어나니 그 사람들이 좋아할 만한 정보만 제공하고 있는 것이죠. 또 일본 언론들도 뭔가 '여유'를 잃은 느낌이 듭니다. 한국에 대한 기본적인 배려나 과거사에 대한 원천적 미안함이 사라졌다고나 할까요.

Q. 한일관계를 보도하는 일선 후배들에게 특별히 주문하고 싶은 게 있다면.
A. 제 경우도 많은 시행착오를 거쳤지만 두 가지 정도를 주문하고 싶습니다. 먼저 '버릴 것은 버리라'는 겁니다. 도쿄특파원의 경우 수많은 일본 매체를 접하게 되는데, 일본인들도 별로 가치를 인정하지 않는 잡지나 타블로이드판 신문 기사까지 인용하는 것은 자제해야 합니다. 자극적인 반한 기사로 먹고사는 그들 매체에 휘둘려서 한번 보도를 하게 되면 한국 매체 간에 쓸데없는 경쟁이 붙어 악순환에 빠지게 됩니다. 또 시마네현 행사인 '다케시마(독도의 일본명)의 날' 같은 행사에 한국 기자들이 가지 않았으면 좋겠습니다. 제가 특파원으로 있을 때 가 보니 의도치 않게 한국 기자들이 행사 분위기를 띄워주는 역할을 하게 되더군요.
둘째는, 한국과 일본 언론 모두 '워딩(wording)'에 주의하자는 겁니다. 한국 언론은 강제징용자 배상 문제를 보도하며 피고인 일본기업을 '전범(戰犯)기업'이라고 씁니다. 그러다 보니 한국 독자들은 전범기업은 악(惡)한 존재이므로 무엇이든 요구해도 된다는 인식을 무의식적으로 가지게 됩니다. 한일관계 개선에도 도움이 안 될 뿐더러 공정성과 객관성을 생명으로 여겨야 하는 언론의 기본적 사명에도 어긋나는 일입니다.

11. 오늘의 일본은

변한 것과 변하지 않는 것의 길항을 직시할 때

조희용
전 국립외교원 일본연구센터 소장

Q. 일본 대학의 강단에 서면서 느낀 일본의 변화가 있다면 어떤 것인지요.

A. 국립외교원 일본연구센터 소장을 2017년 말에 마치고 2018년 교토 리쓰메이칸대학의 방문연구원으로 가서 봄, 가을에 각각 한 달 정도씩 체류했습니다. 2019년 봄학기에는 객원교수로서 학부에서는 '한국외교'를, 대학원에서는 '일본외교'를 강의했고, 가을학기에는 특강과 개인 연구를 하며 지냈습니다. 1987년 주일 한국대사관 근무를 마친 후 이런저런 기회를 통해 도쿄는 물론이고 여러 도시를 방문한 적은 있으나 한 곳에 장기간 체류해 본 것은 처음이었습니다. 30년 만에 다시 일본인들과 생활하면서 여러 면에서 일본을 다시 보게 되었습니다. 역시 그들의 언어 속에서 일상을 같이 보내는 것이 상대방을 이해하는 데 가장 효과적인 것 같습니다. 교토를 두루 살펴보면서 '역사는 보존과 기록'이라고 느꼈습니다. 일본과 일본인에 대한 제 개인적 이해도 깊어진 것 같습니다. 그간 일반적으로 일본은 큰 나라이자 우리한테 중요한 나라라고 느껴 왔던 것과는 다른 차원에서의 깨달음이라고나 할까요.

대학을 중심으로 생활하다 보니 20대부터 70대 초반 분들까지 접촉할 기회가 있었습니다. 리쓰메이칸대학은 전직 외교관, 언론인 등을 객원교수로 초빙하고 있어 야부나카 미토지(藪中三十二) 전 외무성 사무차관 등과 다양한 주제로 기탄없이 토론할 수 있었습니다. 학생들의 한국에 대한 관심은 비교적 높았으며 K팝이나 한국 드라마를 좋아하게 되어 한글을 독학으로 배운다는 학생들도 있었고, 대학원생 중에는 대학교 입학 후 위안부 문제를 처음 알게 됐다고 하면서 이를 주제로

페이퍼를 제출한 학생도 있었습니다.

일부 일본 교수들은 지난 30년간 장기 경제침체로 종신고용제도가 무너져 비정규직 종사자가 40%에 이르고, 정치 불신과 사회 불안으로 젊은 학생들이 바깥세상에 대한 관심이 줄어들면서 내향적으로 바뀌고 있다고 걱정했습니다. 일부 일본 기업들이 코로나 발생 전에는 적극적이면서 영어도 잘하는 한국 청년들을 연간 몇천 명씩 채용한 것도 일본의 이런 사회분위기와 무관하지 않아 보입니다. 또 다른 교수들은 일본 정치와 외교가 국제적인 흐름에 뒤떨어져 주변국과의 관계를 안정적으로 관리하지 못하고 있다고 비판하면서 특히 중국이 급부상하며 공세적인 군사활동을 하는 바람에 일본의 미래가 불안해졌다고 했습니다. 중국에 대한 경계심과 불신감은 일본 사회 전반에 퍼져 있어 쉽게 불식하기 어려울 정도라고 느꼈습니다. 한편으로 한국 민주주의 발전과 남북관계에 높은 관심을 보이며 한국이 오히려 일본보다 민주주의가 앞섰다는 평가도 했습니다. 이들과의 대화 속에서 대부분의 일본인은 한일관계를 걱정하며 한국과는 진정으로 원만한 관계를 갖고 싶어 하는 속마음을 읽을 수 있었습니다.

Q. 최근 한일관계에 대한 일본 사회의 전반적인 분위기는 어떤가요.

A. 최근 한일관계가 1965년 국교 정상화 이래 제일 나쁘다고 합니다. 실제로 양국 국민의 최근 여론 조사를 보면 상대방 국민과 지도자에 대한 호감도가 매우 낮고, 양자 관계가 좋다는 응답도 극히 적습니다. 지난 10여 년의 흐름을 보면 일본의 역사 수정주의 추세와 독도, 위안부 문제를 둘러싼 대립이 징용자 문제로 확산하면서 그간의 투 트랙 대응방식에 기초한 양자관계의 안정적 관리 체계가 무너졌습니다. 그래서 최근 10여 년간 한일관계와 한국에 대한 일본 사회 내의 부정적 의견이 점차 많아지고 있습니다. 21세기 들어 초반 10년간은 1998년 '김대중-오부치 뉴파트너십 공동선언'에 이어 한국의 일본 문화 개방, 2002년 월드컵 공동 개최, 일본 내 한류 붐 등으로 야스쿠니 문제, 독도 문제 등에도 불구하고 일본 내의 한국에 대한 긍정적인 인식이 점점 늘어납니다. 그런 분위기가 2009년을 정점으로 하락하는 추세에 있습니다. 일본 내각부의 연례 외교 여론 조사에 의하면 '한일관계가 좋다(good)'고 응답한 일본인은 2009년도 66.5%에서 2019년도 7.5%로 최저점을 찍고, 2020년도 16.6%로 조금 상승한 정도입니다. 한국에 대한 친근감은 2009년도 63.1%에서 2020년도 34.9%로 하락했습니다. 그래도 다행스러운 것은 2020년도 조사에서 '한일관계가 중요하다'는 의견이 58.4%에 달했다는 것입니다. 2020년 한국일보와 요미우리 신문의 공동 여론조사에서도 역

시 일본인 응답자 84%가 '한일관계가 나쁘다(bad)'고 답했습니다.

이러한 배경에는 몇 가지 이유가 있습니다. 첫째, 2011년경부터 독도, 위안부문제에 징용자 문제가 더해지고, 아베 정권의 야스쿠니 신사참배, 고노 담화와 무라야마 담화 수정 시도 등 역사 수정주의를 둘러싼 양국 간 갈등이 계속되는데도, 이를 외교적으로 해결하기 위한 양국의 시의적절한 노력이 매우 부족했습니다. 둘째, 2010년 중국의 경제대국 2위 부상, 센카쿠열도를 둘러싼 중국발 안보 위협, 한일간의 경제 규모 차이 축소, 거기에 2011년 3.11 동일본 대지진과 원전 사고로 일본쇠퇴론이 나오면서 이에 대한 일본의 경계심이 높아집니다. 셋째, 국내적으로 자연스럽게 내셔널리즘과 보수 우경화가 고조되고 민주당 3년 정권(2009~2012년)이 퇴진하면서 자민당 정권이 복귀하자 자민당은 대외관계에서 타협보다는 강경 입장을 고수합니다. 넷째, 2014년 말 아베-시진핑 정상회담을 계기로 일본과 중국의 양자 관계는 안정적 관리 단계로 들어간 반면, 한일 관계는 한국이 2015년 발표한 위안부 합의를 사실상 파기한 데다 징용자와 위안부 판결 등으로 수교 후 최악의 상태로 들어갑니다. 특히 2019년 7월 일본의 무모하고 실속 없는 트럼프식 대한(對韓) 경제 제재와 이에 맞선 한국의 전례 없는 한일군사정보보호협정(GSOMIA) 종결 선언은 한일관계와 한미일 관계의 악화만 초래하고, 중국과 북한에 반사적 이익만 안겨준 결과가 되었습니다.

다만 젊은 층을 중심으로 한류에 대한 호감도가 다소 증가하고 있는 추세는 긍정적으로 평가할 만합니다. 정치, 외교 갈등과 관계없이 사회 저변에서는 양국 교류가 다양하게 이뤄지고 있다는 긍정적인 시그널로 이해할 수 있을 것 같습니다. 최근 일본 언론 보도나 여론 조사를 보면 전반적으로는 역사문제에 대한 한국정부의 입장은 이해하기 어려우나, 안보, 경제, 문화, 인적교류 등 호혜적인 분야에서는 한일 간 협력을 계속 확대해 나가는 것이 바람직하다는 입장인 것으로 관측됩니다. 제가 접촉한 일본인 중 중도적 친한 인사들까지도 위안부 문제는 한국 측 입장을 어느 정도 이해할 수 있으나 징용자 문제는 1965년 합의에 따라 이미 해결되었다는 일본 정부 입장을 지지하고 있음에 유의할 필요가 있습니다.

Q. 한일 갈등에 대한 일본의 대응 방식을 보면서 구조적인 변화가 있다고 생각하나요.

A. 1990년대 냉전 종식 후 일본을 둘러싼 국내외 환경은 우선 동아시아에서는 세력 전이, 즉 중국의 부상으로 인한 미중 간, 일중 간 세력 전이 현상이 점진적으로 진행하게 됩니다. 일본 내에서는 장기적인 경제 불황 속에서 정치 리더십의

세대 교체가 이뤄지면서 역사수정주의에 기반한 보수 우경화 현상이 점차 고개를 들게 됩니다. 1993년에 국회에 진출한 아베 신조 등 전후 세대 정치인들이 새로운 역사교과서를 만드는 운동을 벌이면서 고노 담화, 무라야마 담화, 김대중-오부치 공동선언을 일관되게 반대하고, 2001년에 총리가 된 고이즈미 준이치로 총리가 국내외의 반대에도 불구하고 야스쿠니 신사를 계속 참배한 것도 국내 정치에 필요했기 때문입니다. 물론 그러한 흐름은 대외정책에도 영향을 줬다고 할 수 있습니다.

일본의 국내 정치와 외교를 이해하는 데는 인구학적 변화도 중요한 의미가 있다고 생각합니다. 아베 총리는 2015년 전후 70주년 담화에서 "이제 일본 인구 80% 이상이 1945년 이후 태어났다"고 하면서 "역사의 짐을 후세에 남기지 않겠다"고 공언했습니다. 일본 총무성 통계국이 2021년 4월에 발표한 인구 통계에 따르면 1945년 이후 출생자가 85%, 1945년 현재 10살 미만이었던 1935년 이후 출생자가 95%를 차지합니다. 전후 일본의 과거사 교육이 충분치 않은 가운데 그나마 전전 기억이 있는 세대의 과거사 반성 분위기는 이제 일본 사회에서 사라질 수밖에 없는 구조입니다. 현실적으로 과거사문제가 일본 사회의 주요 담론이 되기 어렵게 되었으며 일부에서는 과거사 반성을 '자학사관'으로 규정하며 우경화와 역사 수정주의의 빌미로 삼고 있습니다.

다음은 중국 부상에 따른 일중 관계의 변화입니다. 경제 대국으로서의 정체성, 중국 문명에 대한 경외심, 과거사에 대한 부채 의식 등으로 중국과 특별한 관계를 유지해 온 일본은 중국의 부상을 제대로 예견하지 못하고 미국의 대중 정책과 보조를 맞춰 오다가 2008년, 2010년 센카쿠열도를 둘러싼 충돌을 계기로 중국으로부터의 안보 위협을 현실적으로 느끼게 됩니다. 더욱이 2010년에는 1968년 이래 유지했던 경제대국 2위의 자리까지 중국에게 넘겨주게 됩니다.

이런 상황에서 2012년 말 재집권한 아베 총리는 2014년 7월 집단 자위권에 관한 헌법 해석 변경을 통해 안보 체제를 제도화하는 등 중국과 북한을 염두에 두고 미일 동맹을 강화하면서 역사문제에 관해서는 야스쿠니 참배, 고노 담화와 무라야마 담화 수정 시도 등을 통해 보수 지지기반을 다집니다. 그나마 미국이 아베 총리의 야스쿠니 참배 직후 반대 성명을 발표하고, 오바마 대통령이 '위안부 문제는 지독하고 끔찍한 인권 참해'라고 공식 표명하는 등 역사수정주의에 제동을 걸었기 때문에 2015년 한일 위안부합의가 이루어졌다고 볼 수 있습니다.

이렇듯 일본을 둘러싼 국내외적인 구조적 변화, 즉 중국의 부상과 위협, 경제 침체 지속, 인구변화에 따른 정치인 세대 교체와 국민 의식 변화로 일본 사회가 보수 우경화하면서 이런 분위기가 대외관계에도 자연스럽게 영향을 미치고 있다고 생각합니다.

Q. 일본의 인구학적 변화는 구체적으로 어떤 영향을 주고 있습니까. 또 인구학적 변화는 한국도 함께 겪고 있으니 양국이 긍정적으로 활용할 수도 있다고 보는데 어떻습니까.

A. 앞서 지적한 대로 사회 주류의 세대교체로 정치 지도부가 이미 아베 전 총리를 비롯해 전후 세대로 교체되었으며 전체 인구의 85%가 1945년 이후에 태어나 역사문제에 대한 관심은 점점 엷어지고 있는 반면, 젊은 세대들은 편견과 선입견 없이 한국 젊은 세대와 교류할 수 있게 되었습니다. 그래서 청소년교류의 의미가 더 큰 것 같습니다.

저출산 고령화 현상도 선진국의 일반적인 추세입니다만 일본이 가장 심각한 구조적 변화를 겪고 있으며 2008년 이후 계속 인구가 줄어들어 2020년 11월 현재 추계 1억 2320만 명 정도입니다. 2020년 일본 통계를 보면 15세 이하 인구가 전 인구의 11.9%(한국 12.2%)이며, 65세 이상은 28.9%(한국 15.7%)로 2040년에는 35.3%(한국 33.9%)를 차지할 것으로 예상됩니다. 이러한 고령화 추세로 일본의 정부 예산 중 사회 보장 예산도 자연스럽게 증가 추세에 있는데 1990년 17.5%에서 2020년에는 34.9%로 늘어났습니다. 우리나라도 똑같은 문제를 시차를 두고 겪고 있으므로 이 분야에서 양국 간 협력을 제도적으로 추진한다면 일본의 경험을 공유할 수 있고 공동 대응방안도 모색할 수 있을 것으로 기대합니다.

Q. 인구 구조는 바뀌고 있지만 동아시아 정세와 국제 환경 중에는 구조적으로 바뀌지 않는 것도 있다고 봅니다. 한일 양국이 처한 지정학적, 지경학적인 환경이 그렇다고 보는데 그 대목은 어떻게 생각합니까.

A. 그렇습니다. 한일 양국이 각각 미국과의 동맹을 기반으로 안보와 번영을 추구한다는 국가 정책은 지난 70여 년간 변함이 없으며 한일 양국이 상대하고 있는 주요국도 미국, 중국, 러시아, 북한 4개국으로 변화가 없습니다. 한일 양국은 전후 자유 민주주의와 시장 경제의 최대 수혜자이자 이해 당사국입니다. 양국은 부존 자원이 없어 해외에서 대부분의 자원과 에너지를 수입하고 무역으로 먹고 사는 나라라는 사실도 그대로입니다. 미국과 함께 양국은 국제 규범에 기초한 국제 질서 속에서 안보와 번영을 추구하고 있는 반면, 중국, 러시아, 북한은 하나의 정당이 장기 집권하고 있는 권위주의 체제로서 국내정치와 상관없이 외교 안보 정책

을 일관되게 수행하고 있고, 군사적 위협이나 수정주의 정책도 마다하지 않는 체제인 것도 변하지 않았습니다.

이러한 국제 환경 속에서 앞으로 당분간 변하지 않을 것으로 예상되는 추세를 살펴보면, 중국의 세력 확장을 위한 공세적인 외교와 군사행동은 당분간 계속될 것입니다. 미국과는 팬데믹, 기후변화 등 글로벌 현안에는 공조하겠지만 그 밖의 분야에서는 전면적 대립과 갈등이 계속될 것으로 보입니다. 미국과 동맹관계인 한국과 일본이 그 영향을 받지 않을 수 없습니다. 북한은 그간의 행태로 보아 자발적으로는 핵무기를 포기하지 않을 것입니다. 한일 양국의 경제 통상의 주요 파트너가 중국, 미국인 현실도 변함없을 것입니다. 요약하면 한일 양국은 동아시아의 인접국으로서 지정학적, 지경학적 환경은 기본적으로 변한 것이 없으며 앞으로의 도전 과제도 크게 변하지 않을 것입니다.

Q. 한일 양국이 공유하는 국제 환경과 국내의 변화를 잘 조화시켜 양국이 공영할 방법은 없을까요.

A. 양국은 자유민주주의 체제를 유지하며 전략적 이익을 공유하고 있음에도 불구하고 역사문제로 인해 호혜적인 교류와 협력을 제대로 하지 못하고 있습니다. 또 양국 갈등은 국제사회에서 국가 이미지와 소프트 파워에 부정적 영향을 미치고 있어 국가적 손실이 막대합니다.

양국은 먼저 역사문제에 대해 정부 간 타협을 강구해야 합니다. 역사문제의 근본적인 원인 제공은 물론 일본 측에 있습니다만 최근 10여 년의 흐름을 보면 위안부 문제와 징용자 문제에 관한 해법은 한국 측이 적극적으로 제시해야 할 것으로 보입니다.

위안부 문제에 관해서는 문재인 대통령이 연초 언급했듯 2015년 양국 합의를 공식 합의로 인정한다면 합의의 지속적 이행을 선언하고, 합의의 내용, 정신 및 취지에 따라 정부 간 협의를 재개하며, 각자 가능한 추가 조치를 취해 나가면 될 것입니다. 2015년 위안부 합의를 위해 측면 지원했던 당시 바이든 부통령, 블링컨 국무부 부장관이 지금 미국 대통령과 국무장관으로서 한일 관계 개선을 촉구하고 있지만, 그 입구에는 한일 간 위안부 합의를 이행해야 한다는 선행과제가 놓여 있다고 생각합니다.

징용자 문제는 국제사회에서는 우리나라를 사법부가 아닌 행정부가 대표하는 만큼, 우리 정부가 책임지고 해결한다고 표명하고 한국정부와 한국기업이 재단을 설립하고 일본기업의 자발적 참여를 유도하는 방안이 바람직할 것으로 보입니다.

독도에 관해서는 1965년 체제 합의 당시 양국 간 양해에 따라 양국이 현상 유지와 동결의 지혜를 발휘할 필요가 있다고 생각합니다.

따라서 위안부문제, 징용자문제, 독도문제를 묶어 양국간 대타협 방안을 도모하는 것이 바람직할 것이며 이를 위해서는 국민적 지지를 바탕으로 한 양국 리더십의 정치적 결단이 필요할 것입니다. 다만 한국이 2022년 대선을 앞두고 정치의 계절로 진입했으며, 일본도 9월에 임기가 끝나는 스가 요시히데 총리의 지지율이 떨어지고 10월 이전에 중의원을 해산하고 선거를 치를 가능성이 있어 한국과의 협상에 적극적으로 나서지는 않을 것 같습니다. 그럼에도 불구하고 미국의 적극적인 한일관계 개선 촉구 분위기를 살려, 양국 지도자가 한일관계를 2019년 7월 일본 측의 경제 제재 이전으로 원상 회복시키고, 역사문제는 역사문제대로 대화하며, 안보, 경제, 문화, 인적 교류 등 여타 호혜적인 분야의 교류와 협력은 확대해 나간다는 합의를 하는 것이 시급하다고 봅니다. 특히 동맹을 중시하는 미국이 한일관계 개선과 함께 한미일 협력을 확대해야 한다는 입장을 수시로 천명하고 있습니다만, 북한과 중국의 행태가 점점 예측하기 어려운 상황 하에서 한일, 한미일 안보 협력은 더욱 시급하고 중요해질 것으로 생각합니다. 일본의 일각에서 우리의 대미국, 대중국 자세를 오해하고 있습니다만, 2020년 퓨 리서치 센터의 미국, 중국에 대한 주요국 여론 조사에 의하면 한일 양국의 미국, 중국에 대한 인식은 매우 유사합니다

한국의 안보는 일본의 안보에 필수적이며 주일 미군은 주한 미군과 함께 한국 방위에 필요불가결한 요소입니다. 미일 동맹은 한국 내 일부에서 우려하고 있는 일본의 군국주의 부활을 막는 역할도 하고 있습니다. 동맹의 딜레마를 함께 안고 있는 한일 양국의 안보 협력은 미국과의 동맹을 강화하고 양국 각각의 안보와 지역 내 평화와 안정에 기여할 것입니다.

또 불안정하고 불확실한 국제경제에 대비하고, 경제, 통상, 과학 기술 분야 및 저출산 고령화 등 국내외 공통 과제에 대응하기 위해서는 우선 양국 정부 간 다양한 대화 채널을 복원하여 공동 협력을 추진하는 것이 매우 중요합니다. 중장기적으로는 역시 인적교류를 제도적으로 확대하여 우선 같은 분야에 종사하는 양국 국민 간 사회적 연대부터 차곡차곡 꾸준히 다져 나가는 것이 효과적일 것입니다.

마지막으로 양국은 국제사회에서는 모범적인 민주주의체제의 책임 있는 일원으로서 국제규범에 기초한 국제 질서의 유지 발전에 기여해 나간다는 공동 목표 아래, 양자 관계뿐 아니라 한미일, 한중일 3자협력을 포함한 지역 차원 및 글로벌 차원의 협력을 지속적으로 확대해 나감으로써 양국의 안보와 번영을 확보하고 국

제사회에 기여해야 할 것입니다.

Q. 끝으로 30여 년간 외교관의 경험으로 국제관계나 한일관계에 대해 꼭 하고 싶은 말씀이 있다면.

A. 세계 어느 나라든 인접국과의 관계구축이 대외관계의 최우선이자 최대 과제입니다. 캐나다와 미국, 스웨덴과 덴마크, 호주와 뉴질랜드 등 선진국 간에도 예외 없이 교류와 갈등이라는 양면의 관계를 지니고 있습니다. 다만 개인적 관찰로는, 이 나라들은 오랜 경험을 통해 국민감정에 영향을 줄 수 있는 갈등이 양자관계 전반으로 확산하지 않도록 하는 갈등 관리 방식을 공유하고 있는 것 같습니다. 이런 인접국들은 교류의 공통 기반이 넓고 깊으며, 체제와 가치를 공유하고 있고, 더욱 중요한 것은 미래지향적 발전 방향을 공유하고 있다는 것입니다. 이러한 선진국 예를 참고해서, 오랜 기간 교류해 온 한일 양국도 갈등과 대립을 교류와 협력의 큰 틀 안에서 관리해 나가는 지혜와 노력이 필요합니다. 외교는 종종 정원가꾸기(gardening)에 비유합니다만, 상대국과 우호 협력 관계를 발전시키기 위해서는 결국 상대방에 우선순위를 두고 일정한 투자를 계속하면서 인적 네트워크를 확대해야 합니다.

이와 관련해 한일 양국은 상대국을 '국제화(globalization)를 배우고 연습하는 장소'로 적극 활용하자고 제안하고 싶습니다. 한일은 세계 어느 나라보다도 모든 면이 비슷해서 문화 충격이 작습니다. 이런 상대국을 저비용으로 가장 먼저 방문해서 외국과 외국인으로서의 상대방을 접하고 느끼고 배우는 기회를 가지자는 것입니다. 이런 체험을 통해 세계 어느 나라를 방문해도 자연스럽게 교류할 수 있는 소양을 기르자는 것이지요. 이러한 차원에서 특히 청소년과 지방의 상호 교류를 더욱더 확대해 나가는 것이 바람직합니다. 국제관계 역시 인간적 접촉이 시작이자 기본입니다.

12. 일본에 대한 제언

KOREA-JAPAN

한국의 제안 모두 거부, 일본은 파국을 원하는가*

양기호
성공회대 일본학과 교수

코로나19 팬데믹 위기는 글로벌, 혹은 동북아 수준에서 자국중심주의라는 국민국가의 민낯을 보여주고 있습니다. 미국이나 중국, 유럽은 공동대응의 국제레짐을 구축하기는커녕, 상호 비난과 방역 실패를 경험했습니다. 한중일 각국은 상호 입국을 사실상 제한했습니다. 세계화의 특징인 인적, 물적 이동의 자유화에 역행하는 국경 봉쇄도 횡행하고 있습니다. 방역대책과 백신공급 등에서 국가 간 연대와 협력보다는 오히려 대립과 단절이 두드러졌습니다.

다행히도 미국은 새로 출범한 바이든 정부의 적극적인 백신대책으로 확진자 숫자가 크게 줄었고, 중국은 코로나19 위기 극복과 함께 경제성장이 회복 궤도에 접어들고 있습니다. 그러나, 2020년 방역대책에서 성과를 거뒀던 한국과 일본은 2021년 9월 현재 또다시 매일 약 1000~2000명대를 오가는 확진자가 나오고 있습니다. 각국 간에 백신의 공유보다는 선점이나 독점 현상이 두드러지면서 국가 간 '협력과 공유'보다 '배제와 경쟁'이 일상화되어 버린 점은 부인할 수 없습니다. 미중 갈등이 심화하면서 한중일 협력이 점차 더 멀어지고 있는 것도 현실입니다.

한중일 3국은 코로나19 극복과 백신 공급에 있어서 호혜적인 협력을 지향해 왔습니다. 문재인 정부는 한국의 코로나19 대책과 경제성장이 세계적인 성공사례로 평가받은 점에 힘입어 인간안보와 생명공동체를 강조하고 있습니다. 중국은 왕이(王毅) 외교부장이 기자회견에서 다자주의 인류위생 건강공동체, 건강 실크로드, 운

* 양기호 교수에게도 질문지를 보냈으나 기고식으로 답변을 해와 그대로 싣습니다.

명공동체에서 위생공동체로의 전환 등을 주장한 바 있습니다. 일본도 가토 가쓰노부(加藤勝信 · 2020년 9월 이후 관방장관) 후생노동대신이 한중일 보건장관 회상회의에서 3개국 방역성과를 평가하고, 한중 양국의 경험을 공유할 것을 요청한 바 있습니다. 2020년 5월 한중일 3개국 보건장관은 치료제, 백신 등 코로나19 관련 정보와 데이터 공유를 추진한다는 내용을 담은 공동성명을 채택했습니다. 서울에 있는 한중일3국 협력사무국(TCS)에서 '신종 코로나바이러스 대응 방안: 한 · 중 · 일의 경험과 우수사례'를 주제로 웨비나(웹 세미나)도 개최했습니다.

코로나19의 새로운 대안으로 동북아 지역 국제거버넌스를 한일 양국이 적극적으로 추진하는 것이 바람직합니다. 미국과 중국, 유럽 모두 단독 또는 국제적 레짐 구성이 더디고, 대안부재의 상태가 이어지고 있습니다. 한중일 3국은 지리적 인접성, 문화적 동질성, 경제적 상호의존성에 따라 비전통 안보분야에서의 상호 협력의 필요성도 나날이 증가하고 있습니다. 2007년 한국이 먼저 제안한 이래 한중일 3국간 보건장관회의를 매년 개최해 왔습니다. 방역협력과 공동 백신 개발, 상호 긴급지원 체제 구축 등을 논의했는데 이는 얼마든지 실천 가능한 사안들입니다. 그러나 한일 양국은 과거사 쟁점으로 인해 관계가 악화일로에 있습니다. 2021년 1월 서울 중앙지법은 일본 정부는 일본군위안부에게 손해를 배상하라고 판결했고, 2018년 10월 대법원은 일본기업은 강제징용 피해자에게 배상하라는 판결을 내린 바 있습니다. 결과적으로 양국관계가 악화하면서 위기를 맞이하고 있어 안타깝기 이를 데 없습니다. 2020년 10월 독일 베를린 미테구 소녀상 설치에 대해 일본 정부는 반발했고, 같은 해 12월 미국 하버드대 램지어 교수가 위안부 피해사실을 크게 왜곡한 논문을 내면서 세계적인 비난이 일었습니다. 2021년 1월 위안부 판결은 일본 정부의 법적 책임을 확인하고 손해배상을 내렸지만, 일본 정부는 주권면제 원칙을 내세우면서 수용 불가 자세를 보이고 있습니다. 국내에 있는 일본 정부나 일본기업 자산을 압류하고 현금화해서 피해자에게 지급하는 절차를 진행할 경우, 양국 간 심각한 대립을 피할 수 없을 것입니다.

일본 측은 2018년 10월의 강제징용 대법원 판결이 국제법 위반이라고 주장하면서 2019년 7월 한국 반도체 제조에 핵심적인 소재와 부품에 대해 일방적으로 수출규제를 실시한 바 있습니다. 국내 법원에서 일본 기업 자산에 대한 매각 명령이 나올 경우, 일본 내 한국기업 자산압류, 한국산 수입품에 대한 고관세 조치, 한국기업에 대출한 수백억 달러의 여신 연장 중단이나 일시적인 대출금 회수를 통해 한국정부와 기업을 압박할 가능성이 높습니다.

그러나 일본의 추가적인 경제보복 조치에 한국정부나 기업이 굴복할지는 매우 의

문입니다. 일본 정부의 제2차 대(對) 한국 경제보복은 국내외로부터 엄청난 비난을 감수해야 할 것입니다. 일본 내 한국기업 자산압류나 한국의 대일 수출품 고관세 조치는 상징적인 의미에 불과합니다. 일본계 은행이 한국기업에 대출한 약 400억 달러의 부분적인 자금 회수는 일시적 충격은 가할 수 있습니다. 그러나 한국 내 외환보유고는 2021년 3월 현재 4,475억 달러나 됩니다. 한미 간 600억 달러, 한중 간 560억 달러의 통화스와프 협정이 있고, 한·캐나다 간에도 통화스와프 협정이 있습니다. 일본의 금융제재는 관리 가능한 수준이며, 결국 한일 양국이 손해 보는 lose-lose 게임으로 끝날 것입니다.

한국 정부는 일본기업이 피해자에게 보상하는 대법원 판결 이행을 전제로, 다양하고 열린 상태에서 양국 간 협상이 가능하다고 강조해 왔습니다. 수차례 양자 간 대화를 통해 일본 측에 수용 가능한 제안을 내놓았지만, 일본 정부는 번번이 거부하고 있습니다. 한국 외교부는 2019년 6월 19일 한일 양국 기업의 자발적인 기금 출연을 토대로 보상하는 '1+1' 방안을 제시했습니다. 2020년 8·15 광복절을 전후하여 청와대는 특사를 파견해 도쿄에서 고위급 협상도 추진했습니다. 일본기업이 먼저 배상한 후 한일 기업과 정부가 기금을 마련해 일본기업에 보전하는 '1+1+알파' 방안도 나왔습니다. 6·19 제안과 비교하면 한국 정부가 직접 나서는, 더 진전된 제안이었다고 하겠습니다. 그러나 일본 측은 위의 모든 제안을 거부했습니다.

한국 측의 잇따른 제안을 완강하게 거부하던 일본 정부는, 심지어 역사문제를 기술패권으로 악용하는 적반하장식 부당한 수출규제를 감행했습니다. 1965년 한일 수교 이후 한국의 대일 무역적자 누계는 무려 약 7천억 달러에 달하고 있습니다. 20여 년간 민사 소송과정, 피해자의 고통과 사망, 그리고 대일 무역적자 등을 생각하면 일본의 수출규제는 상식적인 처사라고 볼 수 없습니다. 2019년 10월 1일 한국 외교부는 홈페이지에 강제징용 문제에 관한 사실관계를 게재하였습니다. 1951년 샌프란시스코 평화조약에 따른 전후 국제질서를 위협한다는 일본 측 주장은 완전히 허구이며, 일제의 불법점거 하에서의 침략전쟁 수행과 직결된 반인도적 불법행위에 대한 배상은 청구권협정에 포함되어 있지 않습니다. 한국의 대법원 판결은 이 소송이 일본기업과 피해자 간 민사소송이며, 정신적 위자료를 배상하라고 명령하고 있습니다. 유엔과 국제사회는 물론, 일본 외무성이나 최고재판소도 개별 피해자가 국가 간 조약에 구속받지 않는 개인청구권을 갖고 있다고 인정한 것은 주지의 사실입니다.

일본군 위안부 손해배상 판결이나 대법원 강제 징용 판결에 따라 일본 정부나 일본 기업의 자산을 강제처분할 경우, 한일 양국에 모두 커다란 외교적 부담이 될 수밖에 없습니다. 이 문제는 수출규제와 한일군사정보보호협정(GSOMIA)까지 걸려 있는 상태입니다. 코로나19 위기로 한일 양국 정부, 기업, 국민이 엄청난 고통을 겪고 있는 현재, 만일 일본이 부당한 수출규제를 재차 감행한다면 한일관계는 예측하기 어려울 정도로 나빠질 수 있습니다. 미국 바이든 정부 출범 이후 한미일 안보협력이 긴요한 지금 지소미아 재검토는 한일 양국에 심대한 타격을 안겨줄 것입니다. 이를 극복하기 위해서는 한일 양국 정부와 국민의 지혜롭고 현명한 대처가 필요합니다.

첫째, 한일 양국의 외교당국은 성실과 신의 원칙에 따라 소통과 대화를 거듭하면서, 일본군위안부와 강제징용 해법을 도출해야 합니다. 일본군 위안부 문제는 한일 양국이 국제사법재판소(ICJ) 제소를 원치 않고 있으며, 외교적인 대안을 모색해야 합니다. 한국 정부는 강제징용 해법을 수차례 일본에 제안한 바 있습니다. 한국 대법원 판결 이행을 전제로 일본기업의 손실을 즉각 보전하는 한국 정부의 제안은 한일 양국에 명분과 실익을 모두 충족시킬 수 있는 현실적인 방안입니다. 여기에는 한국 정부가 참가하는 기금설치를 전제로 하고 있어서 추가적인 국내 소송과 승소 판결에도 대응할 수 있습니다.

둘째, 한국 정부는 국내대책으로 강제징용 피해자는 물론 일본군 위안부 피해자, 사할린 잔류 동포, 원폭 피해자 등 당사자까지를 포함해서 일제하 과거사문제에 대한 진상규명, 기억과 위로, 추모와 보상 등의 해법을 모색하는 사회적 대화기구 설치를 검토할 필요가 있습니다. 1965년 청구권협정의 한계, 사법부 판결과 한일 외교적 협상 간 괴리, 추가적인 피해보상 등의 논란이 계속되고 있고, 심지어 위안부와 강제징용 쟁점을 둘러싸고 당사자 간 국내 갈등과 대립마저 나타나고 있습니다.

1870년 보불전쟁, 1914년 제1차대전, 1939년 제2차대전에서 잇달아 싸웠던 프랑스와 독일은 1963년 엘리제 조약 이래 완전한 화해와 협력 국면에 접어들었습니다. 미국과 중국 대신 프랑스와 독일은 작년 4월 다자주의 연대(Alliance for Multilateralism)를 만들어 글로벌 보건 거버넌스 등 국제협력을 모색하고 있습니다. 여기에는 한국을 포함하여 30개국 이상이 참가하고 있습니다. 미중 갈등, 북한핵과 미사일 위기, 코로나19 극복과 백신사태 등으로 동북아 국제정세가 매우 엄중한 현실을 감안해서 한일 양국은 새롭고 적극적인 상호협력을 추진해야 합니다. 한일 양국의 지식인과 시민사회가 대화하고 소통하여 21세기 미래 세대에게 보다 밝은 내일을 물려주어야 합니다.

13. 한일관계를 보는 또 다른 시선

KOREA-JAPAN

뒤바뀐 피해자와 가해자, 묵과할 수 없다

이현주
전 오사카 총영사

Q. 2021년 상반기 현재, 한일관계 상황을 어떻게 평가하는지요.

A. 코로나 사태로 민간의 왕래마저 끊어져 버린 현재의 한일관계는 진짜 빙하기라고 할 수 있습니다. 1973년 김대중 납치사건 이후 1983년 초 나카소네 야스히로 일본 수상이 방한할 때까지 10년간을 '한일관계의 동결기'라고 했는데, 그때와도 비교가 안 될 만큼 더 나쁩니다. 제가 오사카 총영사로 있던 2011년 말 교토에서 이명박 대통령과 노다 요시히코 일본 수상이 정상회담을 했는데, 양국 최고의 '선출 권력'이 일본군 위안부 문제만 가지고 거의 막말에 가까운 냉소적인 논쟁으로 일관하는 광경을 보면서 빙하기의 징조를 이미 보았습니다.

원래 역사갈등 문제는 일본이 답을 제시하면 한국이 채점하는 구도였습니다. 그러나 박근혜 정부 시절인 2015년 12월 28일의 위안부 문제에 관한 한일간의 합의는 결과적으로 피해자와 가해자 관계를 역전시켜 버렸습니다. 그것은 박근혜 정부의 '이상한 합의'의 '이상한 결과'를 문재인 정부가 다시 '이상하게 처리한' 결과입니다.

Q. 한일관계가 매번 시끄러운 갈등을 일으키는 원인은 무엇이라고 보는지요.

A. 제가 말하고 싶은 것은 한일관계는 역사적이나 상황적으로, 그리고 지적 수준에서 몇 가지 풀기 어려운 구조적 모순이 있는데, 그걸 우리가, 특히 정치지도자들과 지식인들이 잘 알고 나서 치유든 뭐든 해야 하는데 그렇지 못하다는 것입니다. 그런 모순을 일본의 학자들은 '뒤틀림'이라고 표현합니다만, 그 모순은 다양

한 조건과 상황에 의해서 영향을 받습니다.

제가 초임 외교관 때 한일관계에 대해 귀가 아프게 듣던 말이 '멀고도 가까운 나라'라든가, '가깝고도 먼 나라'라든가, '서로 가깝고도 가까운 나라로 만들어야 한다'라는 말들이었습니다. 어떻게 보면 말장난이지요. 그런데 역사상 바로 옆의 나라들끼리 좋게 지냈던 기록은 별로 없습니다. 서로 투탁거리는 것이 일반적인(normal) 현상이지요. 이웃 국가인 한일간의 관계도 그렇다는 것을 인식하고 상대방에 대한 기대수준을 조금 낮추어야 하지 않을까 생각합니다.

두 번째로 미국이라는 존재가 한일간의 모순에 작용합니다. 역사 속에서 한국과 일본은 언제나 서로를 2류나 B급 관심 영역으로 인식해 왔습니다. 중국이 아시아의 패권국이었던 근대 이전에는 한국 외교의 중심은 당연히 중국이었습니다. 일본에 대해서는 왜구 문제 때문에 관심을 두는 정도였습니다. 일본도 그때는 중국을 가장 중요한 외교 대상으로 생각했습니다. 그러나 지금은 한국이나 일본에게 가장 중요한 국가는 말할 것도 없이 미국입니다. 일본정치는 한국보다 훨씬 더 강하게 미국의 영향을 받습니다.

한국인이나 일본인이나 미국에 대한 짝사랑도 심하고 서로에 대한 경쟁 심리도 있기 때문에 자국과 미국과의 관계를 린치핀(linchpin)이니 코너스톤(cornerstone)이니 하면서 누가 더 미국과 밀접한 관계인지를 놓고 법석을 떨곤 합니다. 한국은 역사적으로 미국이 일본에 더 가까웠다는 사실을 아직도 받아들이지 못하는 것 같고…. 미국에 대한 서운함이 그만큼 더해져서 한일관계의 해법이 더 복잡해지는 경우도 있습니다. 그 대표적인 사례가 2015년 봄, 당시 미국의 정무차관이었던 웬디 셔먼의 발언으로 시작해서 그해 말 이루어진 한일 간 위안부 합의라는 억지 춘향식 외교봉합이겠지요. 지소미아 문제도 그렇고….

세 번째로 정치적 리더십의 수준에 관한 문제입니다. 이것은 한일 양국 모두에게 해당하는 것인데, '선출된 권력'의 외교 독단의 문제이기도 합니다. 일본과 한국에서 '선출 권력'이 외교를 지배한 지가 꽤 오래되었습니다. 1990년대까지는 한일 양국의 외교 기능이 현안 때문에 극단적으로 충돌하지 않도록 예방하는 일종의 '중재' 또는 '완충' 역할을 했습니다. 그러나 지금은 외교전문 관료들의 역할이 사라졌습니다. 앞에서 언급한 교토 한일정상회담이 그렇게 바뀐 현실을 적나라하게 보여주었습니다.

양국 관계의 악화는 정치지도자들의 수준 문제도 크게 작용했습니다. 유럽의 정치지도자들과는 정반대로 한일 양국에서는 정치지도자들이 나서서 대중을 부추기고, 그래서 상황을 더욱 꼬이게 만드는 거지요. 아베 신조 수상은 고노담화를 검증함으로써 사실상 고노담화의 정치적, 역사적 의미를 훼손했습니다. 당시 스가 요시히데 관방장관은 '안중근은 테러리스트'라고 했고, 위안부합의 후에는 '위안부합의는 1mm도 옮길 수 없다'고 했지요. 그런가 하면 일본의 어떤 지식인은 위안부 문제를 역사의 줄기에서 벗어난, '화장실 구조에 관한 역사처럼 주변적(marginal) 이야기'라고 빈정거렸습니다. 이러한 발언 등은 일본의 정치지도자나 지식인의 천박한 수준을 드러낸 사례입니다.

1980년대에 나온 일본의 고전적 전략분석서인 『실패의 본질』은 일본이 패전한 중요한 7가지 이유 중의 하나로 리더십의 문제를 들었습니다. 정치인들이 '선출된 권력'임을 내세워 역사와 외교문제를 '독단'함으로써 모든 문제가 정치화하는 바람에 역사학자나 외교관료가 해결할 수 없을 정도로 곪아버렸다는 것이지요.

네 번째는 한일 양국의 지식인들의 철학 수준과 가치관의 문제가 사태 해결에 별로 도움을 주지 못하고 있다는 것입니다. 학계는 오히려 여론에 편승하고 여론을 자극하는 경향이 큽니다. 일본에서는 학계의 의견이나 여론은 정책에 거의 반영되지 않습니다. 그래서 역사문제가 쉽게 정치화하고 외교문제로 비화하는 측면이 있습니다.

역사가 정치성을 갖게 되는 것과 역사에 정치성을 입히는 것은 전혀 다른 문제입니다. 역사연구가 사후적으로 정치적인 영향을 미칠 수는 있겠지만 그렇다고 역사의 해석에 사전적으로 정치성을 주입해도 된다는 의미는 아닙니다. '사전적(a priori)', '사후적(a posteriori)'이라는 구분이 철학의 기본이라고 알고 있습니다만…. 학자들이 제대로 연구하고 논쟁하지 않으면 한국의 대통령과 일본의 수상이 싸우고, 종국에는 한국과 일본의 보통사람들끼리 싸우게 됩니다.

그리고 우리는 아직도 사과에 대한 기초적인 개념정리조차 못 하고 있습니다. 국제적인 법정에서 인용하는 사과의 정의(定義)는 이런 것입니다. '사과(apology)는 자신이 관련된 잘못된 행위를 확인하고, 뉘우침(remorse)을 표명하며, 그에 대한 책임을 인정하고, 보상과 배상을 하면서, 장래 그러한 행위를 되풀이하지 않도록 변화하겠다고 약속하는 일련의 연계된 행위를 의미한다. 사과는 피해자에게 직접 전달되고 피해자가 만족할 때까지 계속되어야 한다. 진정한 사과가 있어야 용서와 화해로 이어질 수 있다.' 이 정의에 따르면 '불가역'이라는 말은 가해자의 사죄행위가 번복되어서는 안 된다는 당연한 의미로 쓰이는 말입니다. 가해자가 단 한 번이라도 사죄행위를 번복하면 그 이전에 행한 모든 사죄행위를 부정하는 것이기 때문입니다. 따라서 위안부합의에서 구태여 '불가역'이라는 용어를 쓸 필요도 없는 것이었습니다.

변제와 보상, 배상이라는 용어도 개념 없이 혼용해 왔습니다. 개념을 명확하게 정리하지 않으면 논쟁은 지리해지고 점점 저질이 되어 갑니다. 그리고 보편적인 가치 개념을 얼마나 무게감 있게 작용하는가 하는 문제도 있습니다. 그것이 유럽국가 간의 역사논쟁과 근본적으로 다른 점입니다. 2015년의 위안부 합의는 이러한 문제점들을 총체적으로 드러내고 있습니다.

일본군 위안부 피해자 문제는 대략 네 가지 속성을 지니고 있습니다. 첫째는 외교어젠다로서의 성격인데, 양국 간 합의란 당연히 정부의 행위에만 국한되는 것입니다. 두 번째, 이미 UN 등 각종 글로벌포럼에서 여성 인권 이슈로서 다루어지고 있기 때문에 양국 정부가 합의한다고 해서 종결시킬 수도 없는 것입니다. 세 번째, 제국주의 침탈이라는 역사 교훈으로서, 피해자들이 돌아가신 후에도 중요한 역사교육의 테마가 될 것입니다. 마지막 네 번째 개념은 피해자 개인의 정신적, 물적 피해구제입니다. '피해할머니들이 돌아가시기 전에 꼭 일본의 사죄를 받아야 한다'는 말이 여기에 해당하는 개념입니다. 이런 다원적인 문제에 관해서 양자 간 외교적 합의를 시도했다는 것 자체가 그 수준의 천박성을 말해주는 것입니다.

마지막으로 다섯 번째, 한일관계의 시대적 조건과 상황이 변했는데도 불구하고 아베 정권은 '혐한'을 정치적 수단으로 이용하려 했습니다. 그러나 지금은 일본 대중이 단순히 순응하는 것은 아닙니다. 정치 권력이 '혐한'을 내세우면 대중은 일종의 '질시'심리로 호응하는 것입니다. 한국과 일본의 국력 차이가 줄어들면서 일본인이 경계심리를 보이는 것이지요. 이제는 일본이 진짜로 한국을 이겨야만 하게 되었습니다. 일종의 '한일판 투키디데스의 함정'입니다.

그런 심리에 쫓겨서 나온 대표적인 행동이 2019년 7월 1일 일본이 한국에게 취한 소위 '수출관리규제 강화조치'입니다. 이는 사실상 역사문제 때문에 경제제재로 보복을 한 것입니다. 저는 이것이 한일관계에서 하나의 분수령이라고 봅니다. 국제정치에서 '힘'은 함부로 테스트해서는 안 된다고 합니다. 그런데 일본은 그 '힘'을 간단히 과시했고, 그것이 별로 효과가 없다는 것이 판명되었습니다. 한국은 과거보다 일본을 그렇게 필요로 하지 않게 되었고, 일본은 한국에게 행사할 수 있는 압력이나 사탕이 별로 없다는 사실을 세상에 알리는 꼴이 되었습니다. 역사에서 힘의 관계는 그렇게 해서 서서히 변해갑니다.

Q. 위안부와 징용문제는 어떻게 풀어야 하나요.

A. 한일 간 양대 현안은 역시 2015년 위안부합의 이행 여부와 한국 대법원의 징용자 손해배상 판결에 따른 일본기업 재산 압류 문제겠지요. 일본은 '한국이 국제

법을 위반한다', '한국은 언제나 말썽을 부린다'고 주장합니다. 그런 프레임은 19세기부터 일본이 국제사회에서 해 오던 프로파간다였습니다. 그때는 한국이 일본의 손아귀에 들어 있어서 아무런 대응도 할 수 없었다고 칩시다. 그런데 지금 우리는 왜 입 닫고 조용히 있는 겁니까. 우선 위안부 합의 문제를 봅시다. 합의를 파기한 당사자는 바로 일본입니다. 일본은 합의를 발표한 당일부터 사실상 그 합의를 파기한 것이나 마찬가지입니다. 그런 언행은 이미 우리 언론에 거의 다 보도되었습니다. 2017년 말 발표한 외교부의 위안부합의 검증태스크포스의 보고서는 사실상 일본이 먼저 합의를 파기했다고 한 줄이라도 적시해야 했습니다. 그렇게 하지 않음으로써 한국이 먼저 합의를 파기한 책임을 지는 꼴이 되었습니다. 일본이 오히려 피해자 연기를 하게 된 것이지요. 외교에서 적반하장은 이렇게 간단히 일어납니다.

대법원의 징용자 판결문제는 훨씬 간단한 사안입니다. 2018년 10월 30일 대법원의 판결은 미수금 변제에 관한 것이 아닙니다. 일본의 식민지지배가 불법이라고 판단하고, 이 불법한 조치를 이용한 일본기업도 불법행위를 한 것이 되기 때문에 위자료를 배상하라고 판결한 것입니다.

사실 일본은 이제까지 65년의 청구권협정은 불법행위에 대한 배상 개념이 아니라는 입장을 줄곧 견지해왔습니다. 따라서 일본은 강제징용판결에 불복한다면 '식민지지배가 합법이냐 불법이냐'에 대해 반론을 제기하거나, 65년 협정에 따라 제공한 돈이 미지불금의 변제인지, 불법행위에 대한 배상금인지를 분명히 밝히면 됩니다. 그렇지 않고 그저 '65년 협정으로 이미 끝났다', '(65년 협정을 위반했으므로) 국제법 위반이다'라고만 주장하는 것은 일본 특유의 '모르는 척하는 거짓말'입니다.

양대 현안의 공통점은 한국정부나 학계가 일본의 주장에 대해 제대로 반박하지 못하는 사이에 가해자와 피해자의 구도가 뒤집혀 버렸다는 것입니다. 따라서 일본 측과 외교적이든 학술적이든 '치열하게 논리적인 싸움을 하는 것'이 현안 해결의 출발점입니다. 전문가들이 서로 논리적으로 논쟁하는 것은 한일 양국 국민의 이해능력을 향상시킴으로써 멀리 보면 외교적인 마찰이나 갈등을 예방하고 수습할 수 있는 효과도 기대할 수 있습니다.

논쟁의 프레임을 뒤집는 것도 좋은 처방이 될 수 있습니다. 일본의 역사수정주의자들은 종종 낚시밥 던지듯 말도 안 되는 증거나 논리를 던지는 수법을 씁니다. 홀로코스트를 부정하는 사람들과 싸우는 미국의 데보라 립스타트 에모리대 교수는 그것을 '부도덕한 등가물(immoral equivalence)'이라고 칭합니다. 그러면서 그런 수법에 걸려들어서는 안 된다고 경고합니다. 예를 들면 일본 정부가 '위안부 강제동원의 증거가 없다'고 하면 모두가 그 증거를 찾아서 헤맵니다. 그런데 그런 주장은 성폭력사건에서 피해자에게 증거를 내놓으라는 것과 마찬가지입니다. 따라서 우리가 증거를 찾으려고 할 것이 아니라 일본이 스스로 책임이 없다는 것을 증명하도록 압박해야 합니다.

역사의 책임을 반드시 죗값을 치러야 하는 형사범인 것처럼 교묘하게 포장해서 대중의 거부감을 일으키고, 그런 감정을 이용함으로써 책임을 비켜 가려는 수법도 있습니다. 아베 수상이 2015년 종전 70주년 담화에서 '후세에게 책임을 지우고 싶지 않다'고 한 말도 그런 것입니다. 저는 일본의 '책임'과 '사죄'를 논하면서 '일본 국민에게 책임이 있다, 없다'거나, '일본 국민이 사죄를 해야 한다, 아니다'라는 식으로 몰고 가는 것은 바람직하지 않다고 생각합니다. 이 사안을 인류 보편적 가치에 대한 인식과 태도의 문제로 접근하면 어떨까 합니다. 즉 '책임'이라는 문제를 현재 세대는 보편적 개념과 가치의 차원에서 어떻게 인식하고 있는지, 그리고 그것을 미래세대에게 어떻게 가르치고 물려줄 것인지를 물어보자는 것입니다. 가까운 과거에 있었던 선조들의 행위를 지금 통용되고 있는 보편적 가치에 비추어 봤을 때 현재의 '나'는 그 행위를 어떻게 판단할 것인가, 만약 선조들처럼 다시 선택을 해야 하는 상황에 처한다면 '나'는 어떤 선택을 할 것인가를 묻는다면 자연스럽게 '책임'의 문제를 고민하게 될 것입니다. 우연히 일본의 이웃에 자리 잡고 있고, 현재와 미래를 함께 살아갈 수밖에 없는 우리로서는 당연히 그런 질문을 할 권리가 있다고 봅니다. 그런 질문과 그에 대한 답변은 지금보다는 고상한 차원의 논쟁이 되지 않을까 생각합니다. 미래를 약속하는 것은 사과의 정의와도 맞는 것입니다. 보편적인 가치를 존중한다고 하면서 과거는 다른 잣대로 판단하겠다는 것은 위선입니다. 불행하게도 일본에서는 아직 그러한 보편적 가치에 대한 존중이 확인되지 않고 있습니다.

Q. 그럼 한일의 장래는 여전히 어두운 건가요.

A. 외교에서는 작은 이익과 큰 이익을 구별해서 취할 수밖에 없을 때도 있습니다. 역사 현안의 유일한 해결책은 이 문제에 외교적으로 다걸기(all-in)를 하지 않는 것입니다. 플러스 알파니 뭐니 하는 안을 일본 측에 먼저 제시해서 채점을 받겠다는 것은 일본이 원하는 바입니다. 우리는 우리의 논리를 치열하게 전개하면서 일본이 내미는 답을 채점하는 위치로 돌아가야 합니다. 그러기 위해서 한국 정부는 국내적으로 취할 수 있는 일을 먼저 정리해야 할 것입니다.

일본의 정치지도자들은 '한국과 손을 잡고 일어서야' 일본이 더 모범적이고 권위 있는 지위를 얻을 수 있다는 것을 아직도 깨닫지 못하고 있습니다. 나카소네 수상 정도의 수준에도 미치지 못합니다. 일본의 철학자 가라타니 고진(柄谷行人)은 '제국이 될 자격이 없는 국가가 제국이 되려고 하면 단지 제국주의가 될 뿐이고, 그런 제국주의는 도적떼에 불과했다'고 했습니다.

한국은 일본과 논쟁할 것은 논쟁하고 협력할 것은 협력하는 관계를 만들 수 있습니다. 논쟁을 회피한다면 협력할 수 있는 분야도 보이지 않게 됩니다. 양국이 민주주의 가치를 그나마 공유하기 때문에 논쟁도 가능한 것입니다. 역사문제에 관한 이견은 이견인 채로 관리하면서 북한문제, 미국의 대아시아정책, 중국문제, 그리고 아시아 지역과 세계적 차원의 국제협력 이슈에 관해서는 적극적으로 협력해 나가야 할 것입니다. 그런 관계를 '편의적 공존관계'라고 해도 좋을 것입니다.

10장. 한일문제 전문가 200

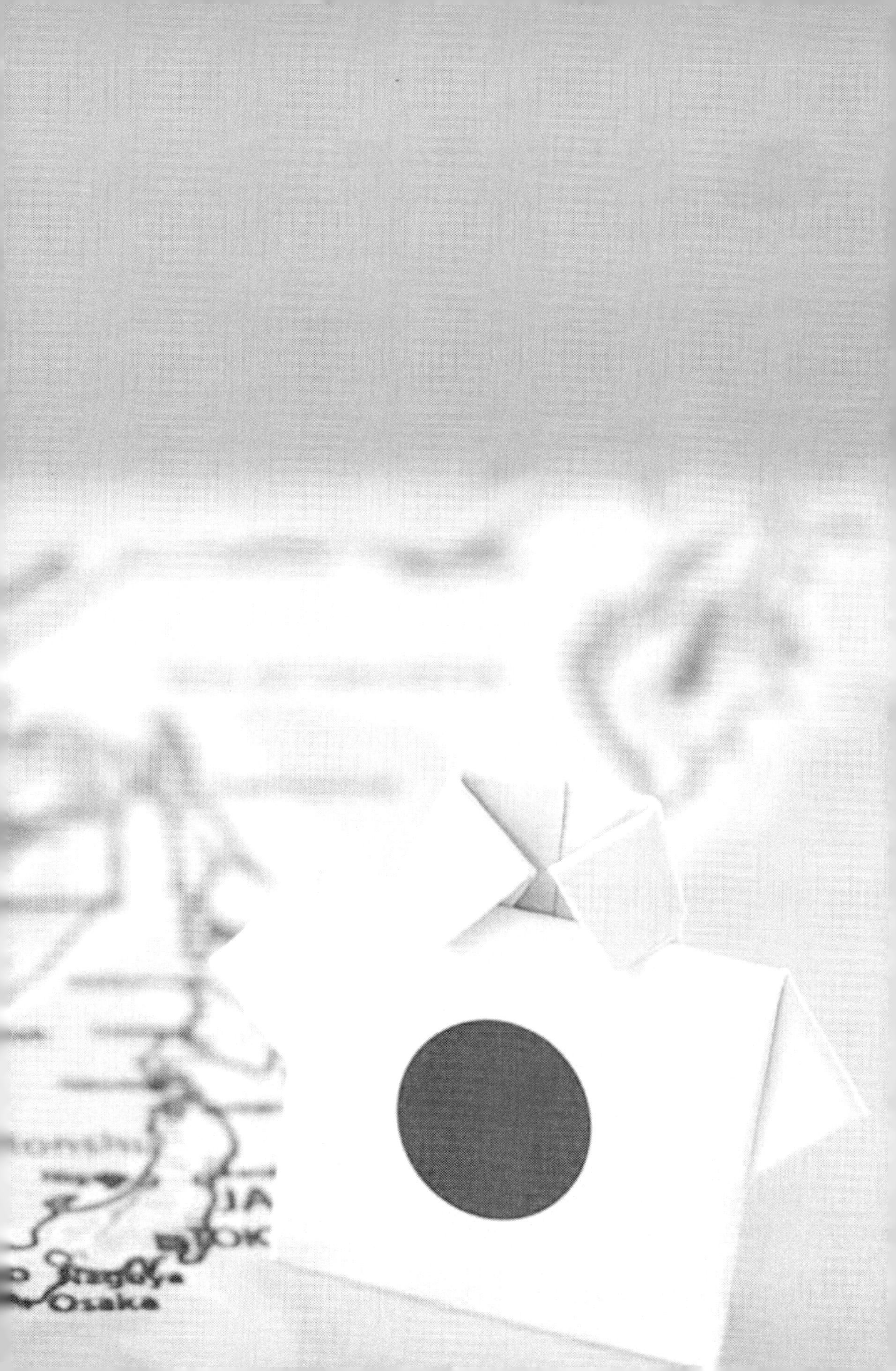
Osaka

10장. 한일문제 전문가 200

KOREA-JAPAN

〈일러두기〉에서도 밝혔으나 이곳에 수록한 한일문제 전문가의 선정 경위를 좀더 자세히 설명하면 다음과 같다.

1. 일본 전문가는 정치 · 외교 · 안보, 경제, 역사, 사회, 문학, 어학, 문화 등의 분야로 나눌 수 있다. 여기에 게재한 전문가는 정치 · 외교 · 안보 분야 전문가를 중심으로 했다.
2. 정치 · 외교 · 안보 분야 전문가는 아니지만 정치 · 외교 · 안보 분야 세미나, 심포지엄 등과 연계해서 개최하는 다른 분야 세미나 등에 자주 나오는 일부 인사도 수록했다.
3. 정치 · 외교 · 안보 분야 전문가는 아니지만 일본 관련 주요 학회나 단체의 장은 수록했다. 그들이 맡고 있는 단체의 회원 중에 정치 · 외교 · 안보 전문가도 많고, 그 학회나 단체가 정치 · 외교 · 안보 분야 관련 학술대회를 개최하는 경우가 적지 않기 때문이다.
4. 정치 · 외교 · 안보 전문가 중에서 수록해야 마땅한 일부 인사의 이름이 빠져 있다. 이메일 등으로 연락을 했으나 응답이 없는 경우, 본인이 고사한 경우, 공개적인 프로필 자료가 없는 경우 등이다. 그러나 그 숫자는 많지 않다.
5. 지방에서 활약하고 있는 전문가들이 상대적으로 소홀하게 취급됐을 수 있다. 이는 필자의 정보 부족에서 비롯한 것이므로 차후 보강해야 할 것이다.
6. 프로필은 필자가 메일이나 카톡 등으로 직접 받은 경우가 85% 정도이고, 교유가 없어 공개적인 자료를 바탕으로 필자가 정리한 경우가 15% 정도 된다. 약력을 보내주신 분들께 감사드린다.
7. 이 명단도 차후 증보판을 낼 경우에는 전문가나 누락한 당사자들의 의견을 들어 보강하고자 한다.

강남주(姜南周)

1939년생. 경남 하동 출신의 학자. 부경대 수산경영학과를 졸업하고 부산MBC를 거쳐 중앙일보 기자로 10년간 일했다. 부산대에서 국어국문학 박사학위를 취득하고 1978년 부경대 교수로 전직해 2000년부터 4년간 총장을 지냈다. 조선통신사 문화사업회 집행위원장, 부산국제영화제 조직위원, 초대 부산문화재단 대표를 역임했다. 조선통신사 자료를 유네스코에 등재할 때 한국 측 추진위원회 학술위원장으로 일했다.

강태웅(姜泰雄)

1972년생. 서울 출신의 광운대 교수. 서울대 동양사학과를 졸업하고 같은 대학 국제대학원 일본지역연구 과정을 수료한 뒤 히토쓰바시대에서 석사학위를, 도쿄대에서 박사학위를 취득했다. 2005년부터 광운대 일본학과(현 동북아문화산업학부) 교수로 재직 중이다. 서남포럼(동양오리온그룹 산하) 운영위원, 일본사학회 총무이사, 도쿄대 객원연구원, 릿쿄대 객원연구원을 지냈다. 현재 서울대 발전위원회 협력위원, 아모레퍼시픽 문화재단 미지위원회 운영위원, 경제인문사회연구회(NRC) 국책연구전략센터 일본연구기획위원회 자문위원을 맡고 있다. 주요 연구 분야는 일본문화, 일본영상, 한일문화교류, 표상문화론 등이다.

경제희(慶濟姬)

1973년생. 서울 출신의 고마자와대 강사. 서울여대 수학과를 졸업하고 한림대 대학원 정치외교학과에서 석사를, 게이오대 법학부에서 정치학전공으로 박사학위를 취득했다. 한림대, 인하대, 연세대 대학원 등의 강사를 거쳐 고마자와대 법학부 강사로 재직 중이다. 경남대 극동문제연구소 초빙연구위원, 홋카이도대 대학원 객원연구원, 게이오대 방문연구원 등을 지냈다.

고선규

강원 영월 출신의 학자. 단국대 정치외교학과를 졸업하고 일본 쓰쿠바대 연구생을 거쳐 2000년 도후쿠대에서 정보과학으로 석사와 박사학위를 취득했다. 서울시 전자정부연구소, 세종연구소 일본연구센터를 거쳐 중앙선거관리위원회 선거연수원의 전임교수로 재직했다. 2018년부터 한국과 일본을 오가며 IT와 AI관련 매칭프로젝트를 진행 중이다. 현재 와세다대 시스템경쟁력연구소 연구위원, 글로벌리서치네트워크(GRN) 한국대표 연구위원으로 일하고 있다.

공로명(孔魯明)

1932년생. 함북 명천 출신의 외교관. 서울대 법대를 졸업하고 1958년 외무부에 들어갔다. 1983년 외무부 정무차관보 재직 당시 중화인민공화국(중공) 민항기 불시착 사건의 대한민국 협상 대표였고, 한소 수교에 기여하며 초대 소련 · 러시아대사를 역임했다. 외교안보연구원 원장, 남북고위급회담 대표, 남북핵통제위원회 공동위원장, 주일대사를 거쳐 외무부장관(1994.12~1996.11)을 지냈다. 현직에서 물러난 뒤에는 동국대와 한림대 일본학연구소장, 세종연구소 이사장, 한일포럼 한국측 회장, 동서대 석좌교수, 동아시아재단 이사장 등으로 일했다.

곽진오(郭眞吾)

1962년생. 전남 함평 출신의 동북아역사재단 연구위원. 국민대 국사학과를 중퇴하고 일본 주오대(中央大)에서 법학사, 영국 리즈대에서 정치학 석사를 받고 영국 헐대학교에서 정치학 박사학위를 취득했다. 제15대 국회 입법보좌역, 세종연구소와 통일연구원 객원연구위원, 고려대 일본학연구소 HK연구교수를 지냈다. 동북아역사재단 독도연구소 팀장과 소장, 한일정경사회학회장, 한국해양재단 이사, 영남대 독도연구소 운영위원, 숙명여대 특임교수를 지냈다.

권성주(權聖主)

1979년생. 부산 출신의 교육자이자 정치인. 연세대 정치외교학과에서 학사와 석사 과정을 마치고 도쿄대에서 '일본의 역사인식을 둘러싼 정치과정'으로 국제정치학 박사학위를 취득했다. 2016년부터 연세대에서 주한 일본 기업 간부를 대상으로 한국의 정치, 경제, 사회, 문화 등을 소개하는 '게이트웨이 투 코리아(Gateway to Korea)' 과정을 개설해 운영하고 있으며, 2021년에는 '게이트웨이 투 코리아 포럼(Gateway to Korea Forum · GTKF)'을 만들어 사무국장으로 일하고 있다. 또 온라인신문 〈JK DAILY〉를 창간해 일본 소식을 한글로 번역해 소개하고 있다.

권순활(權純活)

1962년생. 언론인. 서울대 외교학과 졸업하고 1988년 〈동아일보〉에 입사해 도쿄특파원, 경제부장, 산업부장, 편집국 부국장, 논설위원을 지냈다. 2017년 〈펜앤마이크〉로 옮겨 전무 겸 편집국장, 논설주간을 거쳐 부사장 겸 편집제작본부장을 지냈다. 현재 〈권순활TV〉를 운영하고 있다.

권철현(權哲賢)
1947년생. 부산 출신의 학자, 정치인. 연세대 정치외교학과를 졸업하고 같은 대학 대학원에서 행정학 석사학위를, 쓰쿠바대에서 도시사회학 박사학위를 취득했다. 동아대에 재직하며 민주화교수협의회 의장을 지냈고, 부산 사상구에서 국회의원에 세 번 당선했다. 주일 대사와 세종재단 이사장도 지냈다.

권태환(權泰煥)
1960년생. 육사 38기 출신의 예비역 육군 준장. 주일 대사관의 국방무관 보좌관, 육군무관, 국방무관으로 10여 년간 근무했고 국방부 정책실 일본 및 대외정책 총괄, 세종연구소 객원연구원을 지냈다. 일본 육상자위대 간부학교 지휘참모대와 안보과정을 거쳐 다쿠쇼쿠대 안전보장학 박사과정을 수료했다. 한국국방외교협회장, 합동참모본부 정책자문위원, 한국국가안보전략연구원 일본센터장, 한국군사문제연구원 객원연구위원으로 일하고 있다.

길윤형(吉倫亨)
1977년생. 서울 출신의 신문기자로 〈한겨레신문〉 한일문제 전문기자로 통일외교팀장을 맡고 있다. 서강대 정치외교학과를 졸업하고, 2001년 〈한겨레신문〉에 입사해 사회부, 한겨레21부, 국제부 등을 거친 뒤 도쿄 특파원(2013.9~2017.4), 〈한겨레21〉 편집장, 국제뉴스팀장 등을 지냈다.

김광열(金廣烈)
1958년생. 광운대 교수. 1997년 일본 히토쓰바시대 대학원 사회학연구과 박사과정(동양사회사 전공)을 졸업하고 사회학박사를 취득했다. 전공은 근현대 한일관계사. 1998년부터 광운대 국제학부 교수로 재직 중이다. 국무총리 산하 일제강점하강제동원진상규명위원회 위원, 행정안전부 산하 일제강제동원피해자지원재단 이사를 지냈다.

김기석(金基石)
1960년생. 서울 출신의 강원대 교수. 한국외국어대 정치외교학과를 졸업하고 미국 UCLA 대학원에서 정치학 박사학위를 취득했다. 강원대 기초교육원장, 통일강원연구원장을 역임하고 현대일본학회장, 강원정치학회장, 한국정치학회 부회장, 한국국제정치학회 부회장 등을 지냈으며, 대통령직속 신남방정책위원회 자문위원, 국민대 일본학연구소가 발간하는 〈일본공간〉 편집위원장을 맡고 있다.

김기정(金基正)

1956년생. 경남 통영 출신의 연세대 교수. 연세대 정치외교학과를 졸업하고 1989년 미국 코네티컷대에서 정치학 박사학위를 취득했다. 1995년 연세대 정치학과 교수로 부임해 동서문제연구원장, 행정대학원장 등을 지냈다. 통일부, 대통령 비서실, 외교통상부의 정책자문위원과 평가위원 등으로 일했으며, 대통령자문 정책기획위원과 청와대 국가안보실 제2차장을 지냈다. 2020년 말부터 국가안보전략연구원 원장으로 일하고 있다.

김남은(金男恩)

1976년생. 부산 출신의 국방대 교수. 일본 리쓰메이칸대에서 석사 학위를, 고려대에서 박사학위를 취득했다. 고려대 BK플러스 중일언어문화교육연구사업단 연구교수를 거쳐 국방대 연구교수로 재직 중이다. 고려대 글로벌일본연구원 연구원, 리쓰메이칸대 인문과학연구소 객원연구원을 역임했으며, 현대일본학회 감사를 맡고 있다.

김대홍(金大弘)

1967년생. 제주 출신의 방송기자. 중앙대 정치외교학과를 졸업하고 1995년 〈KBS〉에 입사했다. 도쿄특파원, 경제부, 문화부, 9시 뉴스, 아침뉴스광장, 탐사보도 기자와 보도기획부장 등을 거쳐 현재 '일요진단 라이브'에서 일하고 있다. 2013년 중앙대에서 국제정치학 박사학위를 취득했다. KBS 시사기획 '창'에서 '다시 쓰는 한반도 평화보고서', '최초 공개 - 日 자위대 이렇게 만들어진다' 등 한일 관계를 다룬 다큐멘터리를 다수 제작했다.

김도형(金都亨)

1944년생. 부산 출신의 전 계명대 교수. 일본 히토쓰바시대에서 경제학 석사와 박사학위를 취득했다. 국토개발연구원 수석연구원, KIET(산업연구원)의 일본연구센터와 산업정책연구센터 소장, 히토쓰바시대 경제학부 객원교수를 거쳐 계명대 국제학대학 일본학과 교수로 일하다 정년퇴임했다. 한일일한경제인포럼 자문위원, (재)한일산업기술협력재단 운영위원, 문화부 한일문화정책자문위원회 자문위원, 산업자원부 무역정책자문위원, 외교통상부 한일FTA민관공동연구회 한국측 위원, 한일경상학회장, 한국경제학회 부회장을 역임했다. 세종연구소 객원연구위원, 동서대 객원교수, 한림대 겸임교수도 지냈다. 현재 한반도선진화재단 정책위원 및 기획홍보위원장으로 일하고 있다.

김동명(金東明)

1962년생. 경기 여주 출신의 국민대 교수. 국민대 정치외교학과를 졸업하고 일본 도쿄대 대학원에서 국제관계론으로 석사와 박사학위를 취득했다. 현재 국민대 정치대학원 교수로 재직하고 있다. 근대한일관계사, 그중에서도 일본제국주의의 지배정책과 식민지 조선에서의 조선인의 정치 운동 및 정치참여 등을 연구하고 있다. 2010년부터 2014년까지 국민대 정치대학원장, 2015년 일본 홋카이도대 객원연구원, 2017년부터 2018년까지 한일관계사학회장 등을 역임했다.

김두승(金斗昇)

1963년생. 전남 무안 출신의 학자. 일본 릿쿄(立教)대 법학부에서 학사, 석사, 박사학위(정치학)를 취득했다. 릿쿄대 법학부 조교, 미 하버드대 라이샤워 연구소 객원연구원을 거쳐 2007년부터 한국국방연구원에서 안보국방정책을 연구하고 있다. 현재 안보전략연구센터장. 미 하버드대 웨더헤드센터 객원연구원, 국방부 정책자문위원, 한미연합사 정책자문위원을 지냈다.

김범수(金凡洙)

1967년생. 신문기자. 서울대 심리학과 졸업 후 1993년 〈한국일보〉에 입사해 사회부, 경제부, 문화부, 기획취재부, 국제부 등을 거쳤다. 2006년 게이오대 매스컴연구소 방문연구원을 거쳐 2008년부터 3년간 도쿄특파원으로 일했다. 특파원으로 있을 때 3 · 11 동일본 대지진을 취재했다. 귀국 후 국제부, 여론독자부, 문화부장을 거쳐 현재 논설위원으로 일하고 있다.

김상준(金相準)

1961년생. 연세대 교수. 연세대 정치외교학과를 졸업하고, 일본 게이오대 법학부에서 정치학 석사학위를, 미국 시카고대에서 정치학 박사학위를 취득했다. 일본 게이오대와 미국 MIT대의 방문교수를 지냈다. 연세대 국가관리연구원 부원장, 일본학연계전공 주임교수, 동서문제연구원 일본연구센터장, 대외협력처장과 현대일본학회장을 역임했다. 현재 연세대 행정대학원장이다.

김석기(金碩基)

1954년생. 경북 경주시 출신의 제20 · 21대 국회의원(국민의힘). 영남대 행정학과를 졸업하고 동국대에서 행정학 석사학위를 취득했다. 미국 보스턴대 객원연구원, 용인대 명예 정치학박사. 1979년 경찰간부후보 27기를 수석 졸업(대통령상)하며 경위로 임관해 경북지방경찰청장, 대구지방경찰청장, 서울지방경찰청장을 역임했다. 퇴임 후 주 오사카 총영사와 한국공항공사 사장을 거쳐 경주에서 국회의원에 재선했다. 당 재외동포위원장, 경북도당 위원장, 전략기획부총장, 지방자치위원장을 지냈으며, 현재 한일의원연맹 간사장으로 일하고 있다.

김석우(金錫友)

1945년생. 충남 논산 출신의 외교관. 서울대 법대 행정학과를 졸업하고 1967년 외교부에 들어갔다. 주일 대사관 1등서기관과 정무 참사관, 외교부 동북아1과장과 아주국장을 지냈다. 조약과 사무관 때 실무자로서 대륙붕 7광구를 획정했다. 한일 간 외교교섭에 40차례 이상 참여했다. 청와대 의전수석, 통일원 차관, 국회의장 비서실장을 거쳐 대통령직속 통일준비위원회 위원을 지냈으며, 현재 21세기국가발전연구원장, 대한변협 인권재단 이사, 북한인권시민연합 이사장으로 일하고 있다.

김성조(金城兆)

1981년생. 광주 출신의 순천대 교수. 고려대 한국사학과, 서울대 대학원 정치학과 졸업 후 삼성테크윈에서 근무했다(그룹 공채 50기). 이후 영국으로 건너가 워릭대에서 국제정치학 석사를, 쉐필드대에서 정치학 박사학위를 취득했다. 서울대 사회과학연구원, 숭실대 초빙교수를 거쳐 2019년부터 국립순천대 사회교육과에 재직 중이다. 일본의 정당정치와 복지정책을 연구하며 현재 한국정치학회, 한국정당학회, 현대일본학회 이사를 맡고 있다.

김수한(金守漢)

1928년생. 대구 출신의 정치인으로 전 한일친선협회 회장. 일제강점기 대구고등보통학교(현 경북고) 재학 중 일장기 말소 사건으로 강제 퇴학당했다. 이후 대구고, 영남대 법학과를 졸업했다. 1967년 제7대 국회의원에 첫 당선한 이후 모두 6선. 제15대 국회 전반기인 1996년부터 2년간 국회의장을 지냈다. 1993년부터 2017년까지 24년간 한일친선협회 회장을 지냈으며 현재는 명예회장이다.

김수혜(金秀蕙)

1973년생. 서울 출신의 언론인, 기업 임원. 고려대 서양사학과를 졸업하고 미국 뉴욕대 인문과학대학원에서 저널리즘 석사학위를 받았다. 1997년 〈조선일보〉에 입사해 기동팀장(시경캡), 도쿄특파원 등을 지냈다. 2019년 쿠팡으로 옮겨 홍보담당 전무를 맡고 있다.

김숙현(金淑賢)

1972년생. 국가안보전략연구원 연구위원. 한국외국어대 일본어과를 졸업하고 같은 대학에서 정치학 석사학위를, 도쿄대에서 석사와 박사학위(국제관계론)를 취득했다. 2015년 9월 이후 국가안보전략연구원 연구위원, 2019년부터 대외전략연구실장으로 재직하고 있다. 연구 분야는 동아시아 국제정치, 일본의 외교정책, 한일관계 등. 일본 유학 기간 중 중의원 의원 오자와 이치로(小澤一郎)의 비서로 일했으며, 2008년부터 2014년까지 도호쿠대 대학원 법학연구과 부교수로 재직했다. 국제정치학회 이사, 현대일본학회 이사, 세계지역학회 이사, 합동참모본부 정책 자문위원 등으로 활동하고 있다.

김숭배(金崇培)

1977년생. 일본 기후현(岐阜県) 출신의 충남대 교수. 간세이가쿠인(関西学院)대 법학부를 졸업하고 연세대 정치학과에서 석사와 박사학위를 취득했다. 현재 충남대 일어일문학과 초빙교수로 재직 중이다. 게이오대 법학부 방문연구원, 연세대 통일연구원 전문연구원, 한반도국제포럼 책임연구원, 국민대 일본학과 강사, 연세대 정치학과 객원교수 등을 지냈다.

김영근(金暎根)

1967년생. 전남 구례 출신의 고려대 교수. 고려대 농업경제학과를 졸업하고 같은 대학 국제대학원 일본지역전공을 거쳐 도쿄대 대학원 총합문화연구과에서 석사와 박사학위(국제관계학)를 취득했다. 현재 고려대 글로벌일본연구원 교수(사회재난안전연구센터 소장)로 재직 중이다. 관심 분야는 글로벌 위기관리와 재해안전학, 일본의 정치경제, 동아시아 국제관계, 국제기구 등이다. 미국 예일대 국제지역연구센터(YCIAS) 파견연구원, 일본 아오야마가쿠인대 국제정치경제학부 협력연구원, 현대경제연구원 동북아연구센터 연구위원, 무역투자연구원(ITI) 무역정책실 연구실장, 계명대 국제대학 일본학과 조교수를 지냈다. 현대일본학회와 한국일본학회 이사, 한일정경사회학회장을 맡고 있다.

김영덕(金泳德)

1964년생, 전북 고창 출신의 일본방송 전문가로 경남문화예술진흥원장으로 있다. 경희대 신문방송학과를 나와 일본 조치대(上智大)에서 신문학전공으로 석사학위를 취득하고 박사과정을 수료했다. 2000년부터 9년간 한국방송영상산업진흥원에서 주로 일본방송전문가로 일했고, 2009년 한국콘텐츠진흥원으로 옮겨 일본사무소장, 해외사업진흥단장, 부원장을 지내고 2020년 3월 말 퇴직했다. 전공과 관심 분야는 일본을 중심으로 한 글로벌 한류, 한국 내 일류, 일본콘텐츠산업, 국내 드라마 제작환경 등이다. 한일미래포럼 감사, 동아시아일본학회, 일본역사문화학회, 한국언론정보학회 회원이다.

김영작(金榮作)

1941년 생. 경기 여주 출신의 국제정치학자. 1964년 서울대 외교학과를 졸업하고 1972년 도쿄대에서 박사학위를 취득했다. 국민대 교수와 사회과학대학장을 지냈다. 제12대 국회의원, 일본 도쿄대 객원교수, 국제기독교대 교수, 호세이대 객원교수, 미국 하버드대 연구교수 등을 역임했으며, 한국정치외교사학회장, 현대일본학회장, 한국동양정치사상사학회장을 지냈다.

김용덕(金容德)

1944년생. 전 서울대 교수. 서울대 역사학과를 졸업하고 하버드대에서 석사와 박사학위(동양사)를 취득했다. 1980년부터 2009년까지 서울대 동양사학과 교수로 재직하며 일본사학회장, 한국대학출판협회장, 역사학회장, 도쿄대 객원교수, 서울대 국제대학원장 겸 국제학연구소장, 초대 동북아역사재단 이사장을 역임했다. 퇴임 후 광주과학기술원 석좌교수를 거쳐 2018년부터 행정안전부 산하 일제강제동원피해자지원재단 이사장으로 일하고 있다.

김용민(金容民)

1971년생. 서울 출신의 건국대 교수로 지역연구자(유럽, 일본). 2008년 영국의 엑서터대에서 정치학박사 학위를 취득했다. 서강대, 경희대, 한국외대, 명지대, 서울교대 강사를 거쳐 현재 건국대 연구전임 조교수이다. 그간 일본 고베대 교환교수(2017~2018)도 지냈다. 정치사, 외교사를 중심으로 일본 천황제 등을 비롯한 입헌군주제를 연구하면서 영국과 일본을 비교정치적 시각으로 접근하고 있다. 한국국제정치학회 국제정치사 분과위원장으로 일했으며 현재 한국정치학회 연구 이사이다.

김용복(金容福)

1963년생. 충북 충주 출신의 경남대 교수. 서울대 정치학과를 졸업했다. 서울대 대학원에서 정치학 석사학위를 받았고, 게이오대 법학연구과 연구생과정을 거쳐 서울대에서 정치학 박사학위를 취득했다. 현재 경남대 정외과 교수로 재직 중이다. 경남대 극동문제연구소 객원연구위원, 민주화보상심의회 전문위원, 한국지방정치학회장, 한국정치연구회장, 한국정당학회장, 한국의회발전연구회 이사장, 일본 홋카이도대 공공정책대학원 방문연구원 등을 지냈다.

김웅기(金雄基)

1968년생. 도쿄 출신의 한림대 일본학연구소 HK교수. 대한민국의 정책 대상으로서의 재일코리안을 연구하고 있다. 일본 주오대(中央大) 법학부 정치학과 졸업 후, 미국 Monterey Institute of International Studies에서 국제정책학 석사를, 한국학중앙연구원 한국학대학원에서 정치학 박사학위를 취득했다. 재외동포정책실무위원회 민간위원, 오사카 금강학원 이사, 오사카경제법과대 아시아태평양연구소 객원연구원 등을 역임했다.

김웅희(金雄熙)

1964년생. 인하대 교수. 서울대 외교학과를 졸업하고 일본 쓰쿠바대 국제정치경제학연구과에서 석사와 박사학위를 취득했다. 2000년부터 인하대 국제통상학과 교수로 재직하고 있다. 연구 분야는 동북아 국제관계, 한일관계, 일본 정치경제 등. 인하대 학생처장, 일본 돗쿄대(獨協大) 교환교수, 한국정치학회, 한국국제정치학회, 현대일본학회 이사, 한일신시대공동연구위원회 위원 등을 지냈다.

김원진(金元辰)

1960년생. 서울 출신의 외교관. 연세대 경영학과를 졸업하고 1983년 외무고시 17기로 외교부에 들어갔다. 일본 게이오대 연수 후 주 일본대사관 2등 서기관, 주 말레이시아대사관 1등서기관, 주 일본대사관 1등서기관, 청와대 국가안전보장회의 사무처 행정관, 외교부 동북아1과장, 주 중국대사관 공사참사관, 행정안전부 국제협력관, 주 일본대사관 정무공사, 주 캄보디아 대사와 주 홍콩 총영사를 거쳐 2020년 말 정년 퇴임했다. 2021년 7월부터 국립외교원 겸임교수(일본 분야) 겸 일본연구센터 고문으로 일하고 있다.

김윤(金鈗)

1953년생. 서울 출신의 기업인. 반도상사를 거쳐 삼양사에 입사해 사장, 부회장, 회장을 지내고 현재 삼양홀딩스 회장, 전국경제인연합회 K-ESG 얼라이언스 의장, 전국경제인연합회 부회장, 한국메세나협회 부회장, BIAC(OECD 산하 경제자문기구) 한국위원회 위원장으로 일하고 있다. 2014년부터 한일경제협회 회장과 한일산업기술협력재단 이사장도 맡고 있다.

김재련(金在蓮)

1972년생. 강원 강릉 출신의 변호사. 이화여대 법학과를 졸업하고 2000년 사법시험 42회에 합격(사법연수원 32기)해 변호사로 일하며 주로 성폭력과 가정폭력 피해자의 법률지원 활동을 했다. 2013년 6월부터 2015년 7월까지 여성가족부 권익증진국장(개방직)으로 재직하는 동안 위안부 문제 관련 참고교재 제작과 국제학술대회 등을 시작했으며, 프랑스 앙굴렘 국제만화전에 위안부를 주제로 한 작품을 출품하는 데 관여했다. 2014년 당시 국내에 생존해 있던 위안부 피해자 전부를 개별적으로 만나 지원정책을 보완했다. 2015년 8월 변호사 활동을 재개하며 이주여성과 성폭력피해자 법률지원 활동을 벌이면서, 화해치유재단 이사, 국가인권위원회 행정심판위원, 중앙행정심판위원 등으로 일했고, 현재 법무법인 온세상 대표변호사로 활동 중이다.

김재신(金在信)

1957년생. 전북 부안 출신의 외교관. 고려대 정치외교학과를 졸업하고 1980년 외무고시(14회)에 합격했다. 일본 게이오대 연수 후, 주 일본대사관 2등서기관, 주 미국대사관 1등서기관, 동북아1과장, 주 중국 및 일본대사관 참사관, 동북아시아국장, 대통령실 외교비서관, 외교부 차관보를 거쳐 주 독일대사와 주 필리핀 대사를 지냈다. 2018년 퇴임 후 국립외교원 일본연구센터 고문을 지냈으며 남서울대 객원교수로 있다.

김준섭(金俊燮)

1962년생. 대구 출신의 국방대 교수. 연세대 정치외교학과 졸업 후 히로시마대 사회과학연구과에서 정치학 석사와 박사학위를 취득했다. 숭실대 일본학과 강의전임강사를 거쳐 2002년부터 국방대 안전보장대학원 교수로 재직 중이다. 게이오대 방문연구원, 한일정경사회학회장, 국방대 국가안보문제연구소장을 지냈다. 현재 한국일본학회 부회장, 동북아역사재단 자문위원을 맡고 있다.

김진기(金珍基)
1959년생. 부산 출신의 부경대 교수. 고려대 정치외교학과를 졸업하고 1994년 같은 대학에서 일본의 방위산업정책에 관한 연구로 정치학박사 학위를 취득했다. 박사과정 재학 중이던 1987~89년 일본 문부성 초청 특별연구원으로 와세다대에서 공부했다. 쌍용경제연구원 수석연구원, 경남대 극동문제연구소 연구위원을 거쳐 1998년 국립 부경대 국제지역학부 교수로 있다. 참여정부 시절 동북아경제중심추진위원회 국정과제 전문위원으로 일했으며, 국제정치학회 부회장과 21세기정치학회장을 지냈다. 워싱턴 주립대와 인디애나대 방문학자 경험도 있다.

김진표(金振杓)
1947년생. 황해도 연백 출신의 경제관료이자 정치인. 한일의원연맹 회장. 서울대 법대를 졸업하고 행정고시에 합격해 재정부 차관, 국무조정실장, 부총리 겸 재정경제부 장관, 부총리 겸 교육인적자원부 장관을 지냈다. 열린우리당, 민주당, 더불어민주당 등에서 수원에서 출마해 17대 국회부터 내리 5선. 당내에서는 원내대표, 정책위의장, 정치쇄신특별위원장, 지방재정분권특별위원장 등을 지냈으며 현재 더불어민주당 국가경제자문회의 의장, 부동산특별위원회 위원장, 코로나19 국난극복위원회 공동위원장으로 일하고 있다. 2020년 10월부터 한일의원연맹 회장을 맡고 있다.

김창록(金昌祿)
1984년생. 경북대 교수. 서울대 법대를 졸업하고 서울대에서 석사학위 취득 후 도쿄대 대학원 법학정치학연구과를 거쳐 1994년 서울대에서 법학박사학위를 취득했다. 건국대, 부산대 교수를 지내고 2006년부터 경북대 법대와 법학전문대학원 교수. 하바드대 옌칭연구소 방문연구원, 리쓰메이칸대 객원교수 경험도 있다. 또 미쓰비시중공업한국인징용자재판지원회 공동대표, 여성부 일본군위안부피해자생활안정지원 및 기념사업심의위원회 위원, 일제강점하강제동원피해진상규명위원회 위원, 경북대 법학연구소 일본법센터장, 법과사회이론학회 회장, 일본군 '위안부'연구회 회장도 지냈다. 현재 한국법사학회장.

김춘환(金春煥)

1956년생. 경기 김포 출신의 기업인. 건국대 사범대학을 졸업하고 ROTC육군장교로 만기제대 후 ㈜제일기획에 입사했다. 1985년 일본의 광고회사 ㈜하쿠호도(博報堂, 일본 2위 · 세계 7위)에 유학 후 1988년 한국광고업계 최초로 동경사무소를 개설해 소장으로 8년간 근무했다. 귀국 후 ㈜제일보젤 총괄광고국장을 지내고 2000년 ㈜하쿠호도제일 창립멤버로 참가해 광고본부장, 경영관리본부장, 사장을 거쳐 현재 고문. 서울재팬클럽(SJC) 회원으로 한일간 기업협력활동에 참여하고 있으며 ㈔세토포럼 감사로 일하고 있다.

김충식(金忠植)

1954년생. 전북 고창 출신의 신문기자. 고려대 철학과를 졸업하고 1978년 〈동아일보〉에 입사해 문화부장, 사회부장, 논설위원, 도쿄지사장과 게이오대 신문연구소 방문연구원을 지냈다. 2006년 가천대 교수로 전직했고, 2010년 게이오대에서 법학박사학위(저널리즘전공)를 취득했다. 2011년부터 방송통신위원회 상임위원(차관급), 부위원장으로 3년간 근무한 후 가천대 신방과 교수와 부총장(대외협력담당), 특임부총장으로 일했다. 현재 한일미래포럼 이사장.

김태환(金泰煥)

1943년생. 경북 구미 출신의 정치가. 연세대 정치외교학과를 졸업하고 1988년부터 아시아나항공 전무와 부사장, 금호피앤비화학 사장을 지냈다. 2004년 17대 국회의원 선거에서 구미에서 출마해 당선한 후 모두 3선. 한나라당 경상북도지구당 위원장, 한나라당 홍보기획본부장, 대한태권도협회 회장, 새누리당 중앙위원회 의장을 지냈으며 2016년 한일의원연맹 회장 대행을 맡았다. 현재 한일친선협회 중앙회 이사장으로 일하고 있다.

김현겸(金泫謙)

1961년생. 부산 출신 기업인. 성균관대 토목공학과를 졸업하고 같은 대학에서 경영학 석사를 취득하고 국제물류 박사과정을 수료했다. 1990년 창업한 팬스타는 현재 부산~오사카 크루즈페리를 운항하는 등 한국 5곳과 일본 2곳에 국제해운물류사를 두고 있다. 부산항만공사 항만위원, 한국해운조합 대의원, 한국무역학회 부회장, 부산KBS 시청자위원회 위원장 등을 지냈다. 현재 대한민국해양연맹 총재, 한국해양산업협회 공동이사장, 세계해양포럼 기획위원장, (사)세토포럼 회원이다.

김현기(金玄基)

1967년생. 서울 출신의 신문기자. 연세대 경영학과, 서울대 대학원 경영학과를 졸업하고 1993년 〈중앙일보〉에 입사했다. 정치부, 경제부 등을 거쳐 2003년부터 12년간 도쿄특파원과 도쿄총국장을 지냈다. 2013년 게이오대 미디어디자인 대학원에서 박사학위를 취득했다. 2015년부터 4년간 워싱턴총국장으로 일하고 귀국해 국제외교안보에디터를 거쳐 2019년 12월부터 1년간 편집국장으로 일했다. 2020년 12월부터 다시 도쿄총국장 겸 순회특파원으로 일하고 있다.

김현철(金顯哲)

1962년생. 경북 김천 출신의 대학교수. 서울대 경영대를 졸업하고 같은 대학 대학원에서 석사를, 일본 게이오대에서 박사학위를 취득했다. 이후 나고야상과대 조교수, 쓰쿠바대 부교수, 일본 경제산업성 연구위원를 지내고 현재 서울대 국제대학원 교수 겸 일본연구소장으로 일하고 있다. 그 사이 대통령 경제보좌관과 대통령직속 신남방정책위원회 위원장 등을 역임했다.

김호섭(金浩燮)

1954년생. 부산 출신의 학자. 서울대 정치학과를 졸업하고 미국 미시간대에서 정치학박사학위를 취득했다. 세종연구소 연구위원을 거쳐 1992년부터 중앙대 국제정치학과 교수로 재직하며 인문사회계열 부총장을 역임하고 2020년 퇴직했다. 게이오대, 고베대, 도쿄대의 방문교수, 컬럼비아대 방문연구원, 현대일본학회장, 한국정치학회장을 역임했다. 통일부 자문위원, 특임장관 자문위원으로 일했으며 동북아역사재단 이사장(2015.9~2017.8)도 지냈다.

김효진(金孝眞)

1974년생. 전북 전주 출신의 서울대 일본연구소 교수. 서울대 인류학과에서 학사와 석사를, 하버드대 인류학과에서 철학박사 학위를 취득했다. 서울대 일본연구소 HK연구교수, 고려대 글로벌일본연구원 HK교수를 거쳐 2015년부터 서울대 일본연구소 조교수로 재직하고 있다. 한국문화인류학회 연구위원, 한국문화관광연구원 ACKIS 편집위원, 서울대 일본연구소가 발행하는 〈일본비평〉과 〈Seoul Journal of Japanese Studies〉 편집위원도 맡고 있다.

남관표(南官杓)

1957년생. 부산 출신의 외교관. 서울 법대를 졸업하고 1978년 외무고시(12회)에 합격해 외교부로 들어갔다. 주일본 대사관 1등서기관, 외교통상부 정책기획국장, 국무총리실 규제개혁실장, 부산시청 국제관계대사, 주 헝가리 대사를 지냈다. 이후 서울시청 국제관계대사, 주 스웨덴 대사, 국가안보실 2차장을 거쳐 주 일본 대사로 일했다.

남기정(南基正)

1964년생. 서울 출신의 서울대 교수. 서울대 외교학과를 졸업하고 2000년 도쿄대 대학원 총합문화연구과에서 「한국전쟁과 일본: 기지국가의 전쟁과 평화」로 박사학위를 취득했다. 일본 도호쿠대 법학연구과 교수, 국민대 국제학부 부교수를 거쳐 서울대 일본연구소 교수로 재직 중이다. 도쿄대 사회과학연구소 객원교수, 현대일본학회장을 역임했다. 평화재단 연구위원, KBS 객원해설위원, Asia Future Conference 운영위원, 외교부 정책자문위원, 여성가족부 일본군'위안부' 피해자 생활안전지원 및 기념사업 심의위원, 정책기획위원회 평화분과 위원 등으로 활동하고 있다. 2022년부터 한국정치외교사학회 회장으로 일한다.

남상구(南相九)

1968년생. 강원 출신의 동북아역사재단 연구정책실장. 2005년 일본 지바대(千葉大)에서 「전후 일본의 전쟁희생자 기억 – 국가에 의한 전몰자 · 현창 · '보상'」으로 박사학위를 취득했다. 2년간 일제강점하강제동원진상규명위원회에서 한국인 강제동원피해자 유골조사와 봉환을 위한 한일 정부 간 실무협의를 담당했다. 2007년부터 동북아역사재단 연구위원으로 근무하며 한일역사문제연구소장을 거쳐 현재 연구정책실장이다. 일본의 역사인식, 야스쿠니신사, 교과서 문제에 관심이 크다.

남상욱(南相旭)

1972년생. 경기도 출신으로 경희대 일어일문학과를 졸업하고 2011년 도쿄대 대학원 총합문화연구과에서 「미시마 유키오의 '미국'」으로 박사학위를 받았다. 성균관대 비교문화연구소 선임연구원, 서울대 일본연구소 HK연구교수를 거쳐 인천대 일어일문학과 교수 및 같은 대학 일본문화연구소 소장으로 재직 중이다. 서울대 일본연구소 HK연구의 공동연구원으로 참여했고, 한국연구재단 일반공동연구 「일본의 지방위기와 장소자산의 재발견」의 연구책임자를 지냈다. 세교연구소 기획운영위원, 2019년 한중일 청년작가회의 기획위원 등으로 활동하고 있다.

남시욱(南時旭)

1938년생. 경북 의성 출신의 언론인. 경북고와 서울대 정치학과를 졸업하고 같은 대학 대학원에서 박사학위를 취득했다. 1959년 〈동아일보〉에 입사해 도쿄특파원, 정치부장, 편집국장, 논설실장, 상무 등을 지냈다. 동아일보를 퇴직한 뒤에는 문화일보 사장, 고려대와 세종대의 석좌교수, 광화문문화포럼 회장 등을 지냈으며 현재는 동아일보 부설 화정평화재단·21세기평화연구소 이사장으로 있다.

남창희(南昌熙)

1964년생. 서울 출신의 인하대 교수. 연세대 정치외교학과를 졸업하고 미 캔자스대에서 정치학 박사학위를 취득했다. 국방부 군사편찬연구소, 한국국방연구원에서 선임연구원을 거쳐 2001년부터 인하대 정치외교학과 교수로 일본의 외교안보를 가르치고 있다. 민주평통 상임위원과 청와대 NSC, 국방부, 통일부, 육군, 해군, 공군 자문위원을 지냈다. 또 일본 방위성 방위연구소, 와세다대, 규슈대, 고베대, 니가타대의 방문교수로 있었다. 미일동맹과 한미일 안보협력이 관심 분야이다.

라종일(羅鍾一)

1940년생. 서울 출신의 외교관, 대학총장. 서울대 정치학과와 대학원을 졸업하고 영국 케임브리지대 트리니티 칼리지 정치학 박사학위를 취득했다. 미국 스탠포드대 정치문제연구소 객원교수를 지내다 1972년 귀국해 경희대 정치외교학과 교수가 됐다. 김대중 대통령 시절 국가안전기획부 1, 2차장, 주 영국 대사, 대통령비서실 안보보좌관, 주 일본 대사, 우석대총장을 지냈다.

문정인(文正仁)

1951년생. 제주 출신의 학자. 연세대 철학과를 졸업하고 미국 메릴랜드대에서 석사와 박사학위를 취득했다. 1994년부터 연세대 정외과 교수로 재직하다가 2016년 정년퇴직하고 현재 연세대 명예특임교수로 있으면서 세종연구소 이사장으로 일하고 있다. 국가안전보장회의, 외교통상부, 국방부, 국가정보원의 자문위원, 대통령 직속 국가정보개혁위원회 위원장, 동북아시대위원회 위원장, 제1,2차 남북정상회담 특별수행원, 대통령 통일외교안보특별보좌관을 지냈다.

박경민(朴敬珉)

1981년생. 경기 용인 출신의 학자. 국민대 일본학과를 졸업하고 2016년 일본 게이오대에서 정치학전공으로 박사학위를 취득했다. 게이오대 GCOE(Global Center of Excellence) 프로젝트 연구원, 국민대 일본학연구소 전임연구원, 영국 케임브리지대 아시아중동학부 및 ERC(European Research Council) 프로젝트 객원연구원을 지냈고 일제강제동원피해자지원재단, 외교부 등의 일본 관련 프로젝트를 수행했다. 현재 고려대 아세아문제연구원 연구교수로 있으면서 국민대 글로벌인문·지역대학 일본학과, 사회과학대 정치외교학과 등에서 강의하고 있다.

박명희(朴明姬)

1973년생. 국회입법조사처 입법조사관. 이화여대 정치외교학과를 졸업하고 같은 대학 대학원에서 석사와 박사학위를 취득했다. 박사학위 논문은 「1990년대 이후 일본의 정치변동과 시민사회」로 일본정치사회가 전공이다. 현재 국회입법조사처 외교안보팀 입법조사관으로 일하고 있다. 메이지대 교환유학생 경험이 있고(1998~1999), 게이오대 방문연구원(2008~2010), 이화여대 정치외교학과 박사후연구원(2011~2015), 국립외교원 일본연구센터 연구교수(2015~2018)를 지냈다.

박삼헌(朴三憲)

1971년생. 서울 출신의 건국대 교수. 고려대 일어일문학과를 졸업하고 일본 고베대 대학원에서 일본근대사 전공으로 박사학위를 취득했다. 고려대 일본학연구센터 연구조교수를 거쳐 현재 건국대 일어교육과 교수 겸 아시아콘텐츠연구소 소장으로 있다. 일본역사문화학회장, 아시아평화와 역사교육연대 운영위원, 동북아역사재단 자문위원, 한국의 일본사학회·도시사학회 등의 편집위원, Journal of East-Asian Urban History(EASH) 부편집장, 〈일본비평〉 편집위원 등도 맡고 있다.

박성빈(朴盛彬)

1972년생. 서울 출신의 아주대 교수. 일본 쓰쿠바대학에서 박사학위(국제정치경제학)를 취득했으며 동아대 동북아국제대학원 전임강사를 거쳐 현재 아주대 행정학과와 국제학부 일본지역연구전공 교수로 재직 중이다. 아주대 세계학연구소장과 일본정책연구센터장도 맡고 있다. 전공 분야는 일본 경제정책과 제도(특히 금융, 통상, 재정 등), 일본 정치경제, 동아시아 협력 등이다. 오사카대 초빙연구원, 현대일본학회 편집위원장과 총무이사, 한일차세대학술포럼 경제 · 경영분과 운영위원과 편집위원, 중앙정부 업무평가위원, 경기도의회 정책자문위원, 수원시 협치위원회 부위원장 등을 지냈다.

박승현(朴承賢)

1977년 서울 출생. 계명대 인문국제학대학 일본학전공 조교수. 서울대 인류학과에서 석사를, 도쿄대 총합문화연구과에서 학술박사학위를 취득했다. 서울대 일본연구소 HK교수를 거쳐 도쿄대 총합문화연구과 학술지 『日常と文化』와 한국문화인류학회 학술지 『한국문화인류학』 편집위원으로 일하고 있다.

박영준(朴榮濬)

1963년생. 강원도 양양 출신의 국방대 안보대학원 교수. 연세대 정치외교학과를 졸업하고 서울대 대학원 외교학과에서 석사학위를 받고, 육사 교관을 거쳐 도쿄대에서 박사학위를 취득했다. 2003년부터 국방대 교수로 일하고 있다. 2010, 2016년 미국 하버드대 Program on US-Japan Relations 방문학자, 현대일본학회장(2018), 한국평화학회장(2017~2020)을 역임했고 현재 한국정치외교사학회장으로 있다. 노무현 정부 시절 국가안보회의와 동북아시대위원회 정책자문위원, 이명박 정부 때 한일신시대공동연구위원회 한국 측 연구위원 역임. 문재인 정부에서는 국가안보회의와 외교부 정책자문위원으로 한일관계에 대한 정책제언을 하고 있다.

박유하(朴裕河)

1957년생. 서울 출신의 세종대 교수. 고교 졸업 후 도일, 일본 게이오대와 와세다대 대학원에서 일본 문학을 전공하고, 「일본 근대문학과 내셔널 아이덴티티」로 박사학위를 취득했다. '20세기 일문학의 발견' 시리즈를 기획, 편집하고 민족 · 제국 · 젠더에 대한 관심을 바탕으로 일본 근대문학에 대한 비판적 재해석을 시도해 왔다. 또 민족주의를 넘어선 연대를 모색하는 한일 지식인모임 '한일연대21'을 조직해 운영하고 있다. 저서 《제국의 위안부 - 식민지 지배와 기억의 투쟁》이 위안부 피해자에게 소송을 당해 형사재판은 대법원에, 민사재판은 고등법원에 계류 중이다.

박정호(朴正浩)

1945년생. 서울 출신의 외교관. 서울대 독문학과를 졸업하고 1969년 〈서울신문〉에 입사했다. 1980년에 공직에 입문해 1993년 해외공보관 외보부장, 1998년 대통령 비서실 해외언론 비서관으로 일하면서 주로 대일 홍보를 담당했다. 주일 한국대사관 공보관(1984~88), 주일 문화원장(1993~96), 주 센다이총영사(2001~03) 등 해외 근무를 모두 일본에서 했다. 2005년부터 2020년까지 한일의원연맹 사무총장으로 일했다.

박정훈(朴正薰)

1964년생. 경북 예천 출신의 신문기자. 서울대 법대와 한양대 대학원 행정학과를 졸업하고 1988년 〈세계일보〉를 거쳐 1991년 〈조선일보〉에 입사했다. 도쿄특파원, 경제부장, 사회부장, 사회정책부장, 디지털뉴스본부장, 논설위원 등을 거쳐 현재 〈조선일보〉 논설실장으로 있다. 신문협회 기조협의회 이사와 관훈클럽 총무를 지냈다.

박준우(朴晙雨)

1953년생, 경기도 화성 출신의 외교관. 서울대 법대를 졸업하고 외무부에 들어가 주 일본대사관 정무과장, 외교통상부 아시아태평양국장, 기획관리실장을 거쳐 주 싱가포르 대사와 주 벨기에 · EU대사를 지냈다. 이후 대통령 정무수석과 세종연구소 이사장 등으로 일했다. 1998년 김대중 대통령과 오부치 게이조 일본 총리가 도쿄에서 발표한 '21세기 뉴파트너십 공동선언'을 할 때 주무부서인 동북아1과장이었다.

박지환(朴志煥)
1975년생. 서울대 국제대학원 교수, 문화인류학자. 서울대 인류학과를 졸업하고 같은 대학에서 석사를, 2011년 미국 유씨 버클리(UC Berkeley)에서 인류학 박사학위를 취득했다. 서울대 일본연구소 HK조교수, 전북대 고고문화인류학과 부교수를 거쳐, 2020년부터 서울대 국제대학원 부교수로 재직 중이다.

박진원(朴鎭沅)
1967년생. 서울 출신의 방송기자, 기업 임원. 서울대 종교학과를 졸업하고 같은 대학 대학원에서 석사학위를 취득했다. 1992년 〈SBS〉에 입사해 도쿄특파원, 청와대 출입기자, 외교안보통일팀장, 국회 정당팀장, 문화과학부장, 논설위원 등을 지냈다. 2019년 LG그룹으로 옮겨 LG경제연구원 전무로 정책연구부문장을 맡고 있다.

박창건(朴昶建)
1968년생. 경남 마산 출신의 국민대 교수. 영국 셰필드대 동아시아학과에서 국제정치경제학으로 박사학위를 취득했다. 2006년 이후 경남대 정치외교학과 강의교수, 국민대 일본학연구소 연구교수, 국제안보교류협회 동아시아전략연구소 부소장, 경남대 극동문제연구소 객원연구위원, 일본 시마네현립대 동북아연구소 객원연구위원, 세종연구소 객원연구위원을 지냈다. 현재 국민대 글로벌인문지역대학 일본학과 교수로 재직하면서 〈경북일보〉 객원 칼럼위원으로 있다.

박철희(朴哲熙)
1963년생. 충북 충주 출신의 서울대 국제대학원 교수, 국제정치학자. 서울대 정치학과를 졸업하고 서울대 대학원을 거쳐 미국 컬럼비아대에서 정치학 박사학위를 취득했다. 1999년부터 3년간 일본 정책연구대학원대학 교수를 거쳐 2002년부터 외교안보연구원 교수로 일했다. 2004년 서울대 국제대학원 교수로 옮겨 일본연구소장, 국제대학원장, 현대일본학회장을 역임했다. 현재 서울대 국제학연구소장, 한일포럼 대표 간사, 도쿄대 특임교수, 〈도쿄신문〉 칼럼니스트 등으로 활동하고 있다.

박훈(朴薰)

1965년생. 서울대 동양사학과 교수. 서울대 동양사학과와 같은 대학 대학원을 거쳐 도쿄대 총합문화연구과에서 막말기 미토번의 정치사를 다룬 논문으로 박사학위를 취득했다. 국민대 일본학과 교수를 거쳐 2009년부터 현직. 한국 동양사학회와 일본사학회 총무이사를 지냈고, 현재 한국일본사학회장으로 일하고 있다.

방문신(方文新)

1964년생. 경남 하동 출신의 방송기자. 서울대 경영학과를 졸업하고 1989년 〈한국일보〉에 입사했다. 1991년 〈SBS〉로 옮겨 도쿄특파원, 정치부장, 국제부장을 거쳐 보도국장으로 일했다. 현재는 논설위원. 일본 게이오대 객원연구원, 한일포럼 회원, 세토포럼 회원으로 있으면서 한일문화교류회의(문화체육관광부 산하)의 '한일 문화교류 증진을 위한 정책보고서' 작성에 참여했다. 중견 언론인 모임인 관훈클럽 총무, 서울대 출신 언론인 모임인 관악언론인회 부회장, 성균관대 초빙교수 등을 지냈다.

배정호

1958년생. 대구 출신의 학자. 연세대를 졸업하고 도쿄대 대학원에서 정치학으로 석사와 박사학위를 취득했다. 통일연구원에서 국제관계연구센터 소장, 통일정책연구센터 소장, 국제전략연구실 선임연구위원, 통일부와 국방부의 정책자문위원, 한국국제정치학회 부회장으로 일했으며, GK전략연구원 이사장을 거쳐 민주평화통일자문회의 사무처장을 지냈다.

봉영식(奉英植)

1968년생. 국제정치학자. 연세대 정치외교학과를 졸업하고 미국 펜실베이니아대에서 정치학 석사와 국제정치학 박사학위를 취득했다. 미국 웰슬리여대 정치학과에서 박사후(포스닥) 연구자를 거쳐 윌리엄스칼리지 정치학과, 워싱턴 D.C.의 아메리칸대 정치학과 조교수, 조지워싱턴대 강의교수를 지내고 2010년 귀국해 2016년까지 아산정책연구원 선임연구위원으로 근무했다. 현재 연세대 통일연구원 전문연구위원, 서강대 국제대학원과 연세대 국제처 강사로 일하면서 동아시아영토문제, 한국정치, 한반도안보문제의 전문가로서 국제방송 〈아리랑〉의 시사프로 사회를 맡고 있고, eTBS 등 국내외 언론매체에 출연하고 있다.

서동주(徐東周)

1972년생. 서울 출신의 서울대 일본연구소 교수. 고려대 일어일문학과에서 학사와 석사를 마치고 일본 쓰쿠바대 총합문학연구과에서 문학박사학위를 취득했다. 서울대 일본연구소 선임연구원과 HK연구교수, 이화여대 이화인문과학원 HK교수를 거쳐 2016년부터 서울대 일본연구소 조교수로 재직 중이다. 현재 동아시아일본학회 학술위원장, 한국일본사상사학회 학술이사, 한국일어일문학회 편집위원, 서울대 일본연구소 〈Seoul Journal of Japanese Studies〉 편집위원을 맡고 있다.

서석숭(徐錫崇)

1957년생. 서울 출신의 외교관 겸 경제인. 한양대 법대를 졸업하고 23회 행정고시에 합격해 상공부에서 아주, 구주, 미주, 다자과장과 통상국장을 지냈다. 주일본대사관에서 두 차례 근무하고, 주러 대사관과 캐나다 정부에서 일하는 등 15년간 해외에서 주로 국제협상분야에서 활동했다. 미국 밴더빌트대에서 경제학 석사학위를 받았다. 주 슬로바키아 대사와 부산 · 진해 경제자유구역청장을 지낸 후 2017년부터 한일경제협회 상근부회장과 한일산업기술협력재단 상근책임자로 일하고 있다. 세토포럼 회원이기도 하다.

서승원(徐承元)

1966년생. 충남 예산 출신의 고려대 교수. 고려대 일어일문학과를 졸업하고 경희대 평화복지대학원에서 정치학 석사를, 일본 게이오대에서 정치학전공으로 법학박사학위를 취득했다. 고려대 아세아문제연구소 연구교수, 일본 간토가쿠인대(關東學院大) 교수를 거쳐 2007년부터 고려대 일어일문학과 교수로 재직 중이다. 미 듀크대 방문학자, 고려대 글로벌일본연구원장을 지냈다. 현재 한일포럼 멤버, 현대일본학회 부회장, 대한일본문화학회 부회장, 한국국제정치학회 이사를 맡고 있다.

서영아(徐永娥)

1965년생. 서울 출신의 신문기자. 연세대 영어영문학과를 졸업하고 1989년 〈동아일보〉에 입사했다. 인터넷뉴스팀장, 교육복지부장 등을 거쳐 2012년부터 3년 6개월간 〈채널A〉 보도본부 부본부장으로 근무했다. 아버지가 〈동아방송〉 도쿄특파원을 지낼 때 도쿄에서 중고교를 다녔다. 2004년 게이오대 방문연구원을 지냈으며 2006년과 2016년 두 차례에 걸쳐 각 3년간 도쿄특파원과 지국장으로 일했다. 2019년 귀국해 논설위원을 거쳐 현재 콘텐츠기획본부에서 근무하고 있다. 한일미래포럼 이사와 신문윤리위원회 위원을 맡고 있다.

서의동(徐義東)

1966년생. 대전 출신의 신문기자. 서울대 동양사학과를 졸업하고 1991년 〈한국일보〉에 입사했다. 1995년 〈문화일보〉로 옮겨 정치부, 경제부, 사회부, 전국부에서 근무했으며 게이오대 방문연구원을 지냈다. 2008년 〈경향신문〉으로 옮겨 도쿄특파원, 전국부장, 경제부장, 선임기자를 거쳐 2017년부터 논설위원으로 일하고 있다. 세 차례의 북한방문 경험이 있고, 동국대 대학원에서 북한학을 공부하고 있다.

서인원(徐寅源)

1978년생. 충남 논산 출신의 학자. 일본 리쓰메이칸대에서 학사와 석사, 박사 일부 과정을 마쳤으며 2016년 한국외대 국제지역대학원에서 국제정치학 박사학위를 취득했다. 2013년부터 2015년까지 외교부 국제법률국 영토해양과 연구원으로 일하며 최서면 국제한국연구원장의 연구를 도왔다. 2016년 5월 이후 행정안전부 산하 일제강제동원피해자지원재단 기획홍보국 팀장으로 근무 중이다. 독도와 울릉도, 일본의 정치환경과 영토정책의 상관관계 등이 관심 분야이다.

서정완(徐禎完)

1961년생. 한림대 교수. 한국외대를 졸업하고 일본 쓰쿠바대 언어문예연구과에서 박사학위를 취득했다. 쓰쿠바대 외국인연구원, 릿쿄대 객원교수를 거쳐 2007년부터 한림대 일본학과 교수 겸 일본학연구소장으로 일하고 있다. 그동안 호세이대 노가쿠(能樂)연구소 객원연구원, 국제일본문화연구센터 외국인연구원도 지냈다.

서현섭(徐賢燮)
1944년생. 전남 구례 출신의 외무공무원. 건국대 정치외교학과를 졸업하고 일본 메이지대에서 석사와 박사학위(국제법)를 취득했다. 1970년 외교부에 들어가 주일본 대사관 참사관, 파푸아 뉴기니 대사, 로마교황청 대사, 후쿠오카와 요코하마 총영사 등을 역임하고 2004년 퇴임했다. 규슈대 특임교수와 나카사키현립대 교수를 지냈다. 전여옥 씨가 쓴 《일본은 없다》(1993, 1995)를 반박하는 《일본은 있다》(1997), 《지금도 일본은 있다》(2004)라는 책을 냈다.

서형원(徐炯源)
1956년생. 전남 순천 출신의 외교관. 서울대 철학과를 졸업하고, 1984년 외무고시에 합격했다. 일본 게이오대에서 연수하고, 주 일본대사관 1등서기관, 대통령비서실 행정관, 동북아1과장, 주 호주대사관 참사관, 주 일본대사관 참사관, 주 일본대사관 공사를 거쳐 크로아티아 대사를 지내고 2016년 퇴임했다. 대통령직속 정책기획위원회 위원(2017~2019)으로 활동했고, 2017년부터 순천 청암대 총장으로 있다.

석주희(石珠熙)
1982년생. 경기 수원 출신의 대전대 글로벌지역문화연구소 조교수. 세종대 일어일문학과를 졸업하고 이화여대 대학원에서 지역학 석사와 정치학 박사학위를 취득했다. 연세대 동서문제연구소 연구원, 일본 도쿄대 특별연구생, 게이오대 객원연구원, 한림대 일본학연구소 HK연구교수를 지냈다. 현대일본학회 총무이사를 맡고 있다.

선우정(鮮于鉦)
1967년생. 서울 출신의 신문기자. 연세대 사학과를 졸업하고 1991년 〈조선일보〉에 입사했다. 1997년 1년간 일본 게이오대 방문연구원을 지내고 2005년 7월부터 2010년 12월까지 5년 6개월간 도쿄특파원으로 일했다. 편집국 주말뉴스부장, 국제부장, 사회부장, 뉴스 총괄 에디터(부국장)를 거쳐 현재는 논설위원으로 있다.

성회용(成會鏞)

1963년생. 방송기자. 연세대 금속공학과를 졸업하고 1988년 〈중앙일보〉에 입사했다. 1991년 〈SBS〉로 옮겨 사회부장, 뉴미디어부장, 취재부국장, 도쿄지국장, 보도국장, 미디어사업국장을 지냈다. SBS기자협회장과 법무부 정책위원, 한국기자협회 부회장으로 활동했다.

손기섭(孫基燮)

1959년생. 경남 밀양 출신의 부산외대 교수. 서울대와 도쿄대에서 석사학위를 받은 후 도쿄대에서 국제정치학 박사학위를 취득했다. 아주대 연구교수, 서울대 국제대학원 책임연구원을 거쳐 2007년부터 부산외대 외교학과 교수로 재직하고 있다. 전공은 일본외교와 동아시아국제관계. 부산외대 인문융합대학장을 지냈고 현재는 중앙도서관장. 한반도선진화재단 창립 발기위원으로 일본팀장 및 정책위원으로 일했고, 미국 워싱턴대 방문학자와 동아시아국제정치학회장도 경험했다.

손석의(孫晳衣)

1987년생. 일본 도쿄 출생의 재일한국인 3세 학자. 교토시립 무라사키노(紫野) 고교와 미국 캘리포니아대 버클리를 졸업하고 2018년 서울대 국제대학원에서 박사학위를 취득했다. 서울대 일본연구소 HK연구교수(2020~21)를 지냈으며 현재 세종대 일어일문학과 조교수로 재직하고 있다. 정계 재편 이후의 일본의 정당정치를 연구하고 있다.

손열(孫洌)

1961년생. 연세대 국제학대학원 교수. 서울대 국어교육과를 졸업하고 시카고대에서 정치학 박사학위를 취득했다. 현재 재단법인 동아시아연구원(East Asia Institute) 원장이다. 연세대 국제학대학원장과 언더우드국제학부장, 지속발전연구원장, 국제학연구소장 등을 역임했고, 중앙대 국제대학원 교수, 도쿄대와 와세다대 특임초빙교수, 노스캐롤라이나대(채플힐)과 캘리포니아대(버클리) 객원교수도 지냈다. 한국국제정치학회장과 현대일본학회장을 지냈으며, 외교부, 국립외교원, 민주평통, 한국국제교류재단, 동북아역사재단의 자문위원, 동북아시대위원회 전문위원, 풀브라이트, 맥아더, 멜론재단 펠로우 경력도 있다. 전공은 일본외교와 정치경제, 국제정치경제, 공공외교 등이다.

송석원(宋錫源)

1964년생. 경기 이천 출신의 경희대 교수. 경희대 정치외교학과와 같은 대학 대학원을 거쳐 교토대에서 법학 석사와 법학 박사학위(정치학 전공)를 취득했다. 일본학술진흥회(JSPS) 특별연구원, 교토대 법학부 조수를 거쳐 2003년부터 경희대 정치외교학과 교수로 재직 중이다. 영국 케임브리지대 방문학자, 경희대 일본학연구소장을 역임했다. 현재 재외한인학회장으로 일하고 있다. 한국정치학회, 한국국제정치학회, 한국세계지역학회, 동아시아국제정치학회, 한국동북아학회 등의 이사도 맡고 있다.

송완범(宋浣範)

1965년생. 전남 고흥 출신의 고려대 교수. 고려대 사학과를 졸업하고 연세대 대학원을 수료한 뒤 도쿄대 대학원에서 일본고대사로 석사와 박사학위를 취득했다. 고려대 글로벌일본연구원 연구조교수, 조교수, 부교수를 거쳐 현재는 고려대 교수 및 글로벌일본연구원 부원장으로 있다. 동아시아고대학회장, 동아시아일본학회 부회장, 한국일본사상사학회 부회장도 맡고 있다. 전공 분야는 동아시아 속의 일본 역사와 문화, 특히 일본고대사. 한일관계, 동아시아 속의 전쟁과 평화, 재난과 안전 문제에 관심이 있으며, 최근에는 한국사회가 직면한 고령사회문제를 연구하는 센터도 만들었다.

송지연(宋枝燕)

서울대 국제대학원 교수. 고려대 정치외교학과를 졸업하고 같은 대학 대학원에서 비교정치학 석사를 취득했다. 2008년 미국 하버드대 정치학과에서 일본과 한국의 노동시장 개혁정책 비교연구로 박사학위를 취득한 뒤 하버드대 미일관계 프로그램 박사후연구원으로 2009년까지 근무했다. 서울대 부임 전에는 미국 오클라호마대 정치학과 · 국제학부 조교수와 서강대 국제대학원 조교수를 지냈다. 현재 동아시아 자본주의, 비교정치경제, 국제정치경제, 노동시장, 복지정책, 이민정책 등을 연구하고 있다.

송화섭(宋和燮)

1961년생, 부산 출신의 한국국방연구원 책임연구위원. 서울대 대학원 외교학과를 졸업하고, 1994년부터 5년간 도쿄대에서 공부했다. 한국국방연구원 안보전략연구센터 국제전략연구실에서 일본의 방위정책, 미일안보관계, 한일과 한미일 안보협력 문제를 연구하고 있다. 한국국방연구원과 일본방위연구소의 연구교류회의를 약 20년간 개최하면서 동아시아의 안보정세 평가, 일본과의 안보정세 인식 공유, 동북아지역의 평화를 위한 한일협력방안 등을 고민하고 있다.

신각수(申珏秀)

1955년생. 충북 옥천 출신의 외교관. 1975년 서울대 법대 재학 중 외무고시(9회)에 합격했다. 주 일본대사관 1등서기관, 동북아1과장, 유엔대표부 참사관을 거쳐 스리랑카와 이스라엘 대사를 지냈다. 그 후 외교통상부 2차관, 1차관을 거쳐 주일대사(2011.6~2013.5)를 역임했고, 국제법으로 서울대에서 박사학위를 취득했다. 퇴임 후 서울대 일본연구소 특임연구원, 국립외교원 외교안보연구소 국제법센터소장, 울산대 초빙교수 등으로 일했으며 현재 세토(서울-도쿄)포럼 이사장, 한일비전포럼 운영위원장, 법무법인 세종 고문 등으로 있다.

신상훈(申相勳)

1948년생. 전북 군산 출신의 금융인. 성균관대 경영학과와 연세대 경영대학원을 졸업했다. 산업은행에 근무하다 1982년 재일동포가 100% 출자한 우리나라 최초의 순수 민간은행인 신한은행 창립멤버로 참여했다. 오사카지점장(1989~1994), 본점 영업부장, 상무를 거쳐 2003년 신한은행장, 2006년 신한 · 조흥은행 통합은행장, 2009년 신한금융지주 사장을 지냈다. 성균관대 초빙교수를 거쳐 현재는 특임교수, 세토포럼 이사, 금융산업공익재단 이사장 등으로 일하고 있다.

신정화(辛貞和)
1962년생. 서울 출신의 동서대 교수. 가톨릭대 사회학과와 이화여대 대학원 사회학과를 졸업한 후 일본 게이오대 법학부에서 정치학 박사학위를 취득했다. 경남대 극동문제연구소 객원연구위원, 세종연구소 일본연구센터 객원연구원, 일본 미에주쿄대(三重中京大) 정책학부 준교수를 지내고 2007년부터 동서대 국제관계학전공 교수로 재직 중이다. 주전공은 북일관계를 중심으로 한 일본의 대(對)한반도정책. 한국정치학회 부회장, 현대일본학회 부회장과 편집위원장, 현대북한학회 부회장을 지냈으며, 통일부 남북경제협력위원회 민간위원, 남북교류협력특별위원회 부산 대표 등으로 활동하고 있다.

심규선(沈揆先)
1956년생. 경기 안성 출신의 신문기자. 서울대 국어교육과를 졸업하고 1983년 〈동아일보〉에 입사해 도쿄특파원, 정치부장, 편집국장, 논설실장, 대기자(상무) 등을 지내고 2017년 말 퇴직했다. 일본 게이오대 방문연구원, 서울대 언론정보학과 관훈클럽정신영기금교수, 고려대 글로벌일본연구원 초빙교수, 일제강제동원피해자지원재단 이사, 화해치유재단 이사, 세종연구소 이사 등을 지냈고, 국민대 일본학과 강사로 일하며 같은 대학 대학원 국제지역학과 박사과정(일본전공)을 수료했다. 현재 일제강제동원피해자지원재단 이사장, 서울대 일본연구소 객원연구원, 한일포럼 운영위원, 세토포럼 이사로 일하고 있다.

심윤조(沈允肇)
1954년생. 부산 출신의 외교관이자 정치인. 서울대 외교학과를 졸업하고 같은 대학 대학원 재학 중 1977년 외교부에 들어갔다. 주 일본대사관 1등서기관, 동북아1과장, 인사기획담당관, 주 미국대사관 참사관, 청와대 외교통상비서관을 거쳐 북미국장, 주 포르투갈 대사, 차관보, 주 오스트리아대사를 역임했다. 퇴임 후 2012년 제19대 국회의원(새누리당, 서울 강남갑)으로 당선해 외교통일위원회와 한일의원연맹 상임감사로 활동했다. 2016년부터 국민대 정치대학원 초빙교수로 일하고 있다.

양기웅

한림대 교수. 서울대 외교학과를 졸업하고 도쿄대에서 국제관계학으로 석사와 박사학위를 취득했다. 1995년부터 한림대 정치행정학과 교수로 재직 중이다. 연구 분야는 일본의 정치와 외교, 국제법과 국제기구, 동아시아의 분쟁, 세계정치경제론 등이다. 한림대 국제문제연구소장, 와세다대 아시아연구소 방문연구원, 한국국제정치학회와 현대일본학회 이사, 도쿄대 객원교수 등을 지냈다.

양기호(梁起豪)

1961년생. 전남 목포 출신의 성공회대 교수. 연세대 정치외교학과와 같은 대학 대학원 정치학과를 졸업하고 1994년 일본 게이오대에서 정치학 박사학위를 취득했다. 1996년부터 성공회대 인문학부 일본학전공 교수로 재직 중이며, 제2기 대통령직속 정책기획위원회 평화분과 위원으로 일하고 있다. 청와대 국가안보실 정책자문위원, 외교부 정책자문위원, 민주평화통일자문회의 상임위원, 동북아역사재단 자문위원, 민화협 정책자문위원, 세계정치학회 부회장 등을 지냈다.

양인집(楊仁集)

1957년생. 경남 진해 출신의 기업인. 한국외대 일본어과를 졸업하고 쌍용화재해상보험 사장, 진로재팬 사장, 주일한국기업협회장, 하이트진로 해외사업 총괄사장 등을 역임했다. 현재 ICT 솔루션 개발과 유통 전문기업인 어니컴㈜ 사장으로 일하며 주한 일본인을 대상으로 한 '게이트웨이 투 코리아 포럼' 회장, 한일친선협회 부회장, 한국외대 총동창회장을 맡고 있다.

엄태봉(嚴泰奉)

1981년생. 한림대 HK연구교수. 국민대 국제지역학부에서 일본학을 전공한 후 같은 대학 대학원에서 석사학위를, 일본 도호쿠대에서 법학석사와 법학박사학위(정치학 전공)를 취득했다. 국민대 일본학연구소 연구원을 거쳐 현재 한림대 HK연구교수. 한일회담의 문화재 반환 문제를 비롯한 한일 양국의 역사인식문제를 주요 연구 테마로 삼고 있다. 고려대, 국민대, 대진대 등에서 강의 중이며, 현대일본학회 편집이사, 한국정치외교사학회 총무이사, 한국국제정치학회 국제정치사 연구분과위원회 간사 등으로도 활동하고 있다.

여인만(呂寅滿)

강릉원주대 국제통상학과 교수. 서울대 경제학과를 졸업하고 도쿄대 대학원 경제학연구과에서 석사와 박사학위를 취득했다. 일본경제사 · 경영사를 전공했으며, 최근에는 일본과의 비교연구를 염두에 두면서 한국의 주요 산업사를 연구하고 있다.

염재호(廉載鎬)

1955년생. 전 고려대 총장. 고려대 행정학과를 졸업하고 미국 스탠퍼드대에서 정치학 박사학위를 취득했다. 고려대 행정학과 교수를 거쳐 2015~19년 고려대 총장을 지냈다. 총장 퇴임 후 SK그룹 이사회의장으로 일하고 있다. 일본 히토쓰바시대, 쓰쿠바대, 호주 그리피스대, 영국 브라이튼대, 중국 인민대와 북경대 등에서 연구하고 가르쳤다. 국가과학기술위원회 위원, 한국고등교육재단 이사, 한국과학재단 이사, 외교통상부 정책자문위원장, 국회 예산정책자문위원 등을 지냈다. 〈사회비평〉과 〈ASIA RESEARCH POLICY〉 등의 편집장으로 일했으며, 한국정책학회장, 현대일본학회장, 한일미래포럼 이사장, 산학연네트워크포럼 대표 등도 지냈다. 2002년 제16대 대통령 선거 당시 대통령 후보 초청 TV 합동토론의 진행자로 이름을 알렸다.

예영준(芮榮俊)

1967년생. 경남 마산 출신의 신문기자. 서울대를 졸업하고 1992년 〈중앙일보〉에 입사해 오랫동안 외교안보와 국제뉴스를 담당했다. 게이오대 방문연구원을 지내고 2004년부터 4년간 도쿄특파원으로 일했다. 정치부 외교안보팀장, 전국뉴스부장, 베이징총국장을 거쳐 2019년부터 논설위원으로 재직 중이다. 도쿄특파원과 베이징특파원을 차례로 지낸 경험을 살려 한일 관계와 한중 관계, 동북아시아 정세를 중심으로 사설과 칼럼을 집필하고 있다. 한일문화교류기금 운영위원, 외교부 자문위원 등으로도 일하고 있다.

오동룡(吳東龍)

1965년생. 경기 파주 출신의 언론인, 연세대 국문학과를 졸업하고 1994년에 〈조선일보〉에 입사해 월간조선부 차장을 거쳐 지금은 군사전문기자 겸 취재기획위원으로 일하고 있다. 2005년 시즈오카현립대 객원연구원을 지내고 2008년《일본인도 모르는 일본 자위대》(중앙M&B)를 출판하면서 한일군사문제에 관심을 가지게 됐다. 2015년 국방대학원 군사전략학과에서 일본의 군사 규범과 게이단렌(經團聯)의 역학관계를 연구한 논문으로 군사학 박사학위를 취득했으며 같은 학과에서 일본군사론을 강의했다. 현재 용인대 경찰행정학과 객원교수.

오승희(吳承熺)

1982년생. 경기도 부천 출신의 서울대 일본연구소 HK연구교수. 이화여대 정치외교학과(정치학 학사), 이화여대 동아시아학연구(문학 석사), 이화여대 정치외교학과(정치학 박사, 국제관계 전공)를 졸업했다. 가톨릭대, 고려대, 이화여대에서 강의했으며, 고려대 글로벌일본연구원 연구교수, 게이오대 방문연구원, 동아시아연구원(EAI) 수석연구원 겸 사무국장 등을 지냈다. 현재 이화사회과학원 비상임 연구원, 한국정치학회 이사, 한국국제정치학회 일본연구분과위원, 현대일본학회 총무이사 등으로도 일하고 있다.

오영환(吳榮煥)

1963년생. 경북 상주 출신의 신문기자. 서울대 외교학과를 졸업하고 1988년 〈중앙일보〉에 입사해 도쿄특파원과 도쿄총국장, 중앙SUNDAY 외교안보에디터, 외교안보부장, 국제부장, 기획조정 담당, 논설위원을 거쳐 현재 지역전문기자 겸 대구지사장으로 있다. 사내 연구직으로 통일문화연구소 북한팀장과 부소장, 군사안보연구소 부소장을, 대외직으로 하버드대 국제문제연구소(WCFIA) 방문연구원과 외교부 · 국방부 자문위원을 지냈으며, 현재 한림대 글로벌협력대학원 겸임교수도 맡고 있다.

오태규(吳泰奎)
1960년생. 충남 연기 출신의 신문기자. 서울대 정치학과를 졸업하고 1984년 〈한국일보〉에 입사했다. 1988년 〈한겨레신문〉 창간멤버로 참가해 정치부 차장, 도쿄특파원, 사회부장, 출판미디어국장, 논설위원실장 등을 지냈다. 게이오대 방문연구원과 관훈클럽 총무도 역임했다. 신문사를 퇴직한 2017년부터 국정기획위원회 사회분과 자문위원, 한일 일본군위안부 피해자문제 합의검토 태스크포스 위원장, 서울대 일본연구소 객원연구원, 공공외교위원회 민간위원을 거쳐 2018년 4월부터 3년간 일본 오사카 총영사로 일했다.

유광석(柳光錫)
1951년생. 경북 안동 출신의 외교관. 서울대 외교학과를 졸업하고 1973년 외무부에 들어갔다. 미국 조지타운대에서 외교학석사(MSFS)학위를 취득했다. 주미대사관 서기관, 주 인도대사관 참사관, 외교부 안보과장, 주 일본대사관 참사관을 거쳐 외교부 공보관, 아시아태평양국장, 주 애틀랜타 총영사, 주 일본대사관 공사, 주 싱가포르 대사, 동북아역사재단 사무총장을 지냈다. 2009년 퇴임 후 백석대, 세종대 등에서 객원교수로 국제관계를 가르쳤다.

유명환(柳明桓)
1946년생. 경기 시흥 출신의 외교관, 서울대 법대 행정학과를 졸업하고 1973년 외무부에 들어갔다. 이스라엘과 필리핀 대사를 역임했다. 그 후 외교통상부 2차관, 1차관, 일본 대사를 거쳐 이명박 대통령의 첫 외교통상부 장관(2008.2~2010.9)으로서 미국산 쇠고기협상을 지휘했다. 퇴직 후 세종대 재단인 대양학원 이사장을 지냈으며 김앤장 고문으로 일하면서 2013년부터 한일포럼의 한국 측 회장을 맡고 있다.

유신모(柳信模)
1963년생. 서울 출신의 신문기자. 조지워싱턴대 사회학과와 같은 대학원 교육행정학과를 졸업하고, 같은 대학원 국제정치학과를 수료했다. 1994년 〈경향신문〉에 입사해 사회부, 기획취재부, 체육부, 국제부, 정치부를 거쳐 2010~2013년 워싱턴특파원을 지냈다. 현재 정치부 소속 외교전문기자로 일하고 있다.

유의상(劉義相)

1958년생. 서울 출신의 외교관. 한국외국어대 영어과를 졸업하고 1981년 외무고시(15회)를 통해 외무부에 들어갔다. 주 일본대사관 1등서기관, 외교부 동북아1과장, 주 칭다오총영사관 부총영사, 주 영국대사관 공사, 행정안전부 중앙공무원교육원 국제교육협력관을 거쳐 동북아역사재단 국제표기명칭대사(외교부 파견)로 5년간 재직했다. 1988년 미 위스콘신대(메디슨)에서 정치학 석사를, 2016년 광운대에서 한일청구권협정 연구로 박사학위를 취득했다. 2018년 퇴임 후 한중문화협회 상임부회장 겸 사무총장으로 일하고 있다.

유주열(柳洲烈)

1947년생. 경남 진주 출신의 외교관. 1970년 서울대 중어중문학과를 졸업하고 미국 컬럼비아대 국제문제 대학원에서 석사학위를 받았다. 주 일본대사관 1등서기관, 주 중국대사관 총영사, 주 나고야 총영사 등을 역임했다. 퇴임 후 한국무역협회와 동북아역사재단 자문위원, 인천대 객원교수, 한국외교협회 이사, 한일협력위원회 사무총장 등을 지냈다. 현재 한반도미래재단 외교위원장.

유지아(柳芝娥)

1971년생. 전북 전주 출신의 원광대 교수. 중앙대 역사학과를 졸업하고 일본 릿쿄대(立教大) 일본현대사연구과에서 석사와 박사 학위를 취득했다. 연구 주제는 미국의 대일본 점령정책이며, 주로 자위대 창설과 관련한 군사화정책과 이후 동북아시아의 안보정책에 대해 공부하고 있다. 국민대 일본학연구소, 경희대 한국현대사연구원 전임연구원을 지냈다. 중앙국립도서관 외국도서 추천위원, 여성가족부 정책자문위원 등도 맡고 있다.

유철준(兪哲濬)

1956년생. 서울 출신의 외교관, 경제인. 외교관이었던 아버지의 권유로 1980년 일본 아오야마가쿠인대(青山學院大) 영미문학과를 졸업하고 주일 대사관 공보관으로 외무공무원의 길로 들어섰다. 공보처 외신전문위원, 주 일본대사관 1등서기관, 해외공보관 외신과장, 대통령비서실 해외언론국장 등을 거치며 15년간 일본에서 근무하거나 일본을 담당했다. 주 오스트리아 대사관 공사를 끝으로 2007년 기업가로 전신해 우림건설과 우림자원개발 사장을 거쳐 2012년부터 우림그룹 부회장으로 일하고 있다. 한일관계 발전에 기여할 민간 창구가 필요하다는 생각으로 2013년 사단법인 세토(서울-도쿄) 포럼을 만들어 상임이사 겸 사무총장으로 일하고 있다.

유흥수(柳興洙)

1937년생. 경남 합천 출신의 정치인, 외교관. 1962년 서울대 법대 졸업를 졸업하고 같은 해 제14회 고등고시 행정과에 합격했다. 치안본부장(현 경찰청장), 충남지사, 대통령비서실 정무제2수석비서관, 교통부 차관을 지냈다. 1985년 정계에 입문해 부산 남구·해운대구에서 12, 14, 15, 16대 국회의원에 당선해 국회 통일외교통상위원장, 한일의원연맹 간사장, APPF(아시아·태평양 의회포럼) 회장을 역임했다. 2014년 한일친선협회중앙회 이사장 재임 중 주일대사(2014~2016)로 일했으며, 현재 한일친선협회중앙회 회장으로 활동하고 있다.

윤대엽(尹大燁)

1973년생. 인천 출신의 대전대 교수. 연세대 정치외교학과를 졸업하고 같은 대학 대학원에서 동아시아 비교정치경제 전공으로 박사학위를 취득했다. 2016년부터 대전대 군사학과 교수로 재직 중이다. 일본 게이오대(2010), 대만국립정치대 국제관계연구소(2011), 베이징대 국제관계학원(2014~2015)의 방문학자, 한국고등교육재단 연구위원과 국제학술부장(2012~2014)을 지냈다. 현재 현대일본학회 연구이사, 연세대 중국연구원 객원연구원, 서울대 아시아연구소 방문학자로 활동하고 있다. 정치경제 시각에서 한국, 일본, 중국, 대만과 동북아의 분단체제, 군사안보, 경제레짐을 비교연구하고 있다.

윤덕민(尹德民)

1959년생. 서울 출신의 한국외대 교수, 국제정치학자. 한국외국어대 정치외교학과를 졸업하고 미국 위스콘신대 대학원을 거쳐 일본 게이오대에서 법학박사학위를 취득했다. 외교안보연구원(지금의 국립외교원) 교수로 들어가 안보통일연구부장을 거쳐 2013년 5월부터 4년간 국립외교원장을 지냈다. 국립외교원장으로 있을 때 국가안보자문단 외교분과위원으로도 일했다. 현재 한국외대 석좌교수와 공감한반도포럼 대표로 있다.

윤석정(尹錫正)

1983년생. 국립외교원 연구교수. 한국외국어대 일본학과를 졸업하고 일본 게이오대에서 정치학 박사학위를 취득했다. 게이오대 현대한국연구센터 연구원, 국민대 일본학연구소 연구원을 거쳐 현재 국립외교원 일본연구센터 연구교수로 재직 중이다. 전문 분야는 한일관계, 일본외교, 동아시아 국제관계 등이다.

윤춘호(尹春鎬)

1965년생. 전북 익산 출신의 방송기자. 서울대 서양사학과를 졸업하고 1991년 〈SBS〉에 입사했다. 정치부 차장, 도쿄특파원, 시민사회부장, 논설실장 등을 지내고 현재 논설위원으로 재직 중이다. 대법관후보 추천위원 등으로도 일했다.

이강민(李康民)

1958년생. 전북 전주 출신의 한양대 교수. 한국외국어대 일본어과를 졸업하고 1994년 일본 교토대 대학원 문학연구과에서 문학박사 학위를 취득했다. 1995년부터 한양대 일본학과 전임 교수로 재직 중이다. 규슈대와 쓰쿠바대 초빙연구원, 토론토 요크대 객원교수, 니치분켄(日文硏 · 국제일본문화연구센터)과 도쿄대 객원연구원을 지냈다. 한국일본학회장, 한국간행물윤리위원, 외국간행물심의위원회 위원장, 한일미래포럼 운영위원장으로 일했으며, 현재 한일문화교류회의와 한중일문화교류포럼 사무국장, 한양대 일본학국제비교연구소장으로 일하고 있다.

이기태(李奇泰)

1978년생. 충북 청주 출신의 통일연구원 연구위원. 연세대 정치외교학과를 졸업하고, 일본 게이오대에서 석사와 박사학위(정치학)를 취득했다. 2015년부터 통일연구원에 재직하며 현재 통일연구원 평화연구실장, 제19기 민주평화통일자문회의 상임위원(평화발전분과)으로 활동하고 있다. 연세대 북한연구원 전문연구원, 국민대 일본학연구소 전임연구원, 일본 게이오대 방문연구원, 제18기 민주평화통일자문회의 자문위원 등을 지냈다.

이나영(李娜榮)

중앙대 교수, 정의연 이사장. 연세대 영문학과를 졸업하고 미국 메릴랜드대(칼리지파크)에서 여성학으로 석사와 박사학위를 취득했다. 조지메이슨대를 거쳐 2007년부터 중앙대 사회학과 교수로 재직 중이다. 중앙대 성평등상담소장과 인권센터장을 지냈고, 한국정신대문제대책협의회, 한국여성학회, 한국문화사회학회, 한국구술사학회 등에서 활동하고 있다. 또 〈한국여성학〉 〈문화와사회〉 〈미디어, 젠더&문화〉 등의 학술지에서 편집위원장과 편집위원을 지냈다. 현재 한국여성학회 이사, 한국구술사학회 부회장(운영위원), 일본군 성노예제 문제 해결을 위한 정의기억연대(정의연) 이사장을 맡고 있다.

이낙연(李洛淵)

1952년생. 전남 영광 출신의 정치가, 언론인. 서울대 법대를 졸업하고 〈동아일보〉에 입사해 도쿄특파원, 논설위원, 국제부장을 지냈다. 2000년 제16대 국회의원선거에서 전남 함평 영광에 출마해 첫 당선 후 4선하고 21대 서울 종로구 당선으로 모두 5선. 국회의원 시절에는 민주당, 새천년민주당, 노무현 대통령 당선자, 대통합민주신당 등 4차례나 대변인을 지냈다. 민주당 제1정책조정위원장, 민주당 원내대표, 민주당 전남도당위원장, 민주당 사무총장 등도 역임했다. 2014년 전라남도 지사에 당선해 도정을 펴다 2017년 5월 문재인 정부의 첫 국무총리로 발탁돼 2020년 1월까지 재직하며 민주화 이후 최장수 총리 기록을 세웠다. 한일의원연맹에서 사회문화분과위원장, 부회장, 간사장, 수석부회장을 지냈고 현재는 고문. 2020년 8월 경선을 통해 더불어민주당 대표에 올라 2021년 3월까지 근무했다.

이대순(李大淳)

1932년생. 전남 고흥 출신의 정치가, 교육자. 서울대 법대를 졸업하고 교육과학기술부 공무원으로 일하다 1979년 전남 교육감이 됐다. 고흥-보성에서 제11, 12대 국회의원에 당선했다. 체신부 장관, 민정당 원내총무, KT이사장 등을 거쳐 정계 은퇴 후 호남대와 경원대 총장, 한국대학총장협회장 등을 역임했다. 일본 관련 활동으로는 한일의원연맹 사회문화분과위원장, 일본 국립교육정책연구소 객원연구원을 지냈으며, 현재는 한일협력위원회 회장, 한일친선협회 부회장, 한일문화교류기금 이사 등으로 일하고 있다.

이면우(李勉雨)

1960년생. 서울 출신의 세종연구소 부소장. 1983년 서울대 무역학과를 졸업하고 1994년에 미국 오하이오주립대에서 정치학 박사학위를 취득했다. 학위를 받던 해에 세종연구소 연구위원으로 들어가 현재까지 재직 중이다. 외교연구실장을 거쳐 2018년부터 연구소 부소장으로 있으며, 2020년부터 2년 임기의 현대일본학회장으로 일하고 있다.

이명찬(李明贊)

1960년생. 전 동북아역사재단 연구위원. 고려대 중어중문학과와 같은 대학 대학원 국제정치학과를 졸업하고 일본 게이오대에서 정치학 박사학위를 취득했다. 2008년부터 동북아역사재단에서 연구위원으로 근무하다 2020년 퇴직했다. 나카소네 세계평화연구소 연구원과 게이오대 방문연구원을 지냈다. 고려대, 연세대, 숙명여대 등에서 강의했으며, 국방부 자문위원과 한국국제정치학회 부회장 등으로도 일했다.

이병기(李丙琪)

1947년생. 서울 출신의 외교관, 관료. 1971년 서울대 외교학과를 졸업하고 외무부에 들어갔다. 주 제네바, 주 케냐 대사관을 거쳐 1985년 민정당 총재 보좌역을 지냈다. 노태우 대통령 시절인 1990년 청와대 의전수석비서관으로 일했다. 외교안보연구원 연구위원을 거쳐 1996년 국가안전기획부 2차장. 2005년부터 2013년까지 여의도연구소 고문과 게이오대 객원교수를 지냈다. 2013년 주일 대사, 2014년 국가정보원장, 2015년 대통령 비서실장을 지냈다.

이상덕(李相德)

1960년생. 부산 출신의 외교관. 한국외국어대를 졸업하고 1988년 외무고시에 합격해 외무부에 들어갔다. 미국 조지아주립대에서 정치학으로 석사학위를 받았다. 주 일본대사관 1등서기관, 외교부 서남아대양주과장, 동남아과장, 청와대 외교비서관실 행정관, 주 중국대사관 공사참사관, 주 일본대사관 공사참사관, 동북아국 심의관, 동북아국장을 거쳐 주 싱가포르대사, 대구광역시청 국제관계대사를 지냈다. 동북아국장 재직 때 일본군 위안부 문제 한일국장급 협의 수석대표를 지냈으며, 현재 계명대 객원교수로 일하고 있다.

이상우(李相禹)

1938년생. 신아시아연구소 이사장. 서울대 법대 행정학과를 졸업하고 1971년 하와이대에서 정치학박사 학위를 취득했다. 1976년에 서강대 정치학과 교수로 부임해 2002년까지 근무했다. 그간 서강대 동아연구소장, 공공정책대학원장, 사회과학대학장을 지냈다. 퇴직 후 한림대 총장, 한림국제대학원대 총장, 국방선진화추진위원회 위원장 등을 지냈으며 현재 한일문화교류기금 이사장, 신아시아연구소 이사장 등으로 일하고 있다.

이상훈

한국외대 교수. 한국외대 정치외교학과를 졸업하고 같은 대학에서 일본정치로 석사학위를, 일본 오사카대에서 정치학전공으로 박사학위를 취득했다. 현재 한국외대 융합일본지역학부 교수. 강릉대 일본학과 교수, 한국외대 일본연구소장, 오사카대 초빙교수, 현대일본학회 편집위원장 등을 지냈다.

이성환(李盛煥)

1957년생. 경북 성주 출신의 계명대 교수. 영남대를 졸업하고 일본 쓰쿠바대에서 법학박사학위(정치학)를 취득했다. 1991년부터 계명대 일본학전공 교수로 재직 중이며, 국경연구소장으로 있다. 동아시아일본학회장, 대한정치학회장을 역임했으며, 쓰쿠바대, 교토대, 일본국제교류재단, 중국 항저우공상대(杭州工商大) 등의 방문교수와 방문학자를 지냈다.

이수철(李洙喆)

1949년생. 경북 성주 출신의 경제인. 1973년 성균관대 무역학과를 졸업하고 삼성물산에 입사했다. 물자부장, 도쿄 주재원. 화학사업부장(이사), 삼성재팬 사장, 유통부문 전무, 화학부문장(부사장)을 끝으로 2010년 퇴사했다. 이후 켐크로스 회장을 거쳐 현재 지에치홀딩스 회장으로 재직 중이다. 한일경제인협회 상임이사, 성균관대 운영위원, 세토포럼 대외협력위원장, 대한상사중재인 등으로 활동하고 있다.

이수훈(李洙勳)

1954년생, 경남 창원 출신의 학자. 부산대 영문과와 대학원을 거쳐 미국 앨라배마대와 존스홉킨스대에서 사회학으로 각각 석사와 박사학위를 취득했다. 경남대 사회학과 교수로 재직하며 동북아시대위원장, 경남대 극동문제연구소장, 주 일본대사 등을 지냈다.

이숙종(李淑鍾)

1957년생. 성균관대 행정학과 교수. 연세대 사회학과를 졸업하고 하버드대에서 사회학박사 학위를 취득했다. 미국 브루킹스연구소 객원연구원, 미국 존스홉킨스대 국제대학원 시간제 교수(professorial lecturer), 현대일본학회장, 2008년부터 10년간 동아시아연구원의 제2대 원장을 지냈다. 관심 분야는 NGO와 NPO, 사회자본, 참여행정, 글로벌 거버넌스와 다자주의, 비교행정, 시민사회와 민주주의 등이다. 외교통상부를 비롯해 통일부, 대통령직속 미래기획위원회 등의 자문위원 등으로 일하면서, 동아시아연구원의 시니어펠로우, Trilateral Commission 아태지역 한국위원, 미국 민주주의재단 세계민주주의대회 준비위원회 위원, 성균관대 공존협력연구센터장 등으로 활동하고 있다.

이승신(李承信)

이화여대 영문과를 졸업하고 미국 조지타운대에서 사회언어학 석사를, 뉴욕 시라큐스 대에서 TV저널리즘 석사학위를 받았다. '삶과 나라에 어찌 꽃피는 봄날만이 있으랴'라는 시집으로 한일 양국에서 화제를 불렀다. 〈미국의소리〉 방송과 미국 TV에서 활약하다 귀국해 한국방송위원회 국제협력실장, 제일기획과 삼성영상사업단 고문을 지냈다. 일본 단가(短歌)의 명인이었던 어머니의 이름을 딴 '시인 손호연 단가연구소' 이사장으로 있으면서 최근 교토에 있는 도시샤(同志社) 대학을 졸업했다. '이승신의 시로 쓰는 컬쳐 에세이'를 통해 일본을 전하고 있다.

이승주

중앙대 교수. 연세대 정치외교학과를 졸업하고 같은 대학 대학원에서 석사를, 캘리포니아 버클리대(University of California at Berkeley)에서 정치학 박사학위를 취득했다. 통일연구원 연구원, 싱가포르국립대, 연세대를 거쳐 2005년부터 중앙대 정치국제학과 교수로 재직 중이다. 연구분야는 국제정치경제론, 동아시아정치경제론, 일본정치경제론, 일본과 세계화이다. 한국정치학회 이사와 부회장, 한국국제정치학회 일본분과위원장, 한국국제교류재단 심의평가위원 등을 지냈으며 현재 현대일본학회 부회장으로 있다.

이영관(李泳官)

1947년생. 대전 출신의 기업인. 홍익대 화학공학과를 졸업하고 1973년 삼성그룹 제일합섬에 입사해 대표이사 부사장을 지냈다. 1999년 일본 도레이와 합작한 도레이첨단소재 초대 대표이사 사장을 거쳐 2013년부터 회장으로 있다. 도레이그룹의 전임(專任)이사로서 한국 전반을 총괄하는 도레이 한국 대표와 한국의 과학발전을 위해 설립한 공익법인 한국도레이과학진흥재단의 이사장을 맡고 있다. 한일경제협회 상임이사, 전국경제인연합회 감사, 한국섬유산업연합회 감사로도 일하고 있다.

이요식(李堯植)

전 한일여성친선협회 회장. 이화여대를 졸업하고 국민대 행정대학원에서 복지행정을 전공했다. 한국여성단체협의회 사무처장과 감사, 한국소비자보호단체협의회 실행위원장, 한일협력위원회 이사, 한국여성개발원 부원장 등을 지냈다. 2008년부터 2021년까지 23년간 한일여성친선협회 회장으로 일했다.

이원덕(李元德)

1962년생. 대전 출신의 국민대 교수. 서울대 외교학과와 같은 대학 대학원을 졸업하고 도쿄대에서 국제관계학 박사학위 취득했다. 서울대 국제대학원 특별연구원, 세종연구소 연구위원을 거쳐 1998년부터 국민대 일본학과 교수로 재직 중이다. 국민대 일본학연구소장(2008년~2017년), 현대일본학회장(2015년), 한국정치학회 부회장, 한국국제정치학회 총무이사 등을 지냈고, 외교부, 통일부, 국방부, 민주평통, 동북아역사대단 등의 자문위원도 역임했다.

이원범(李元範)

1955년생. 전남 완도 출신의 동서대 교수. 일본 동경외국어대를 졸업하고 히토쓰바시대에서 석사를, 도쿄대에서 박사학위를 취득했다. 전공은 일본종교연구이며, 도쿄대 현대종교문화연구소 연구원을 거쳐 동서대 일본어과 교수가 됐다. 한국일본근대학회장, 한일인문학연합회장, 동아시아종교연구포럼 대표, 경제인문사회연구회 인문정책 자문위원, 한국 CAMPUS Asia 사업단협의회 회장을 역임했다. 현재 동서대 일본연구센터 소장, 한일차세대학술포럼 운영위원장을 맡고 있다.

이원우

1963년생, 경북 영천 출신의 동북아역사재단 연구위원. 부산대 행정학과와 대학원을 졸업했다. 제철장학회 장학생으로 도쿄대 총합문화연구과에서 석사와 박사학위를 취득했다. 전공은 막말유신사와 일본근대사이다. 동아대, 부산대, 한성대, 건국대, 국민대 등의 강사와 부산대 경영경제연구소 연구교수를 거쳐 현재 동북아역사재단 연구위원으로 근무하고 있다.

이유진(李惟眞)

1960년생. 서울 출신의 숙명여대 교수. 연세대 정치외교학과를 졸업하고, 캐나다 토론토대에서 석사학위를 취득했다. 동경대 연구생을 거쳐 캐나다 토론토대에서 정치학 박사학위를 취득했다. 통일연구원 책임연구원, 공보처해외공보관 전문위원을 거쳐 1994년부터 숙명여대 정치외교학과 교수로 재직 중이다. 게이오대 방문연구원, 브리티시컬럼비아대 방문교수, 한국캐나다학회장 등을 지냈다.

이은경(李垠庚)

1971년생. 전북 전주 출신의 서울대 교수. 서울대 동양사학과를 졸업하고 일본 도쿄대에서 일본지역연구로 박사학위를 취득했다. 서울대 일본연구소 연구교수(HK)를 거쳐 2014년부터 같은 연구소 조교수(HK)로 재직하고 있다. 2009년 창간 이후부터 등재학술지 〈일본비평〉의 편집간사, 일본사학회와 여성사학회의 이사로 일하고 있다. 연구분야는 일본 근현대사 중에서도 여성의 운동과 생활, 일본 그리스도교의 역사, 현대 일본 사회의 기원으로서의 근대 문화 등이다.

이이범

강릉원주대 교수. 일본 오사카대에서 국제공공정책 박사학위를 취득했다. 국민대 일본학연구소 책임연구원을 거쳐 강릉원주대 일본학과에서 일본정치를 가르치고 있다. 대학 국제교류원장, 한국선거학회 부회장 등도 맡고 있다.

이정환(李政桓)

1975년생. 충남 청양 출신의 서울대 교수. 서울대 외교학과에서 학사, 석사를 마치고 2010년 캘리포니아주립대(버클리)에서 현대일본의 분권개혁에 관한 논문으로 정치학박사 학위를 취득했다. 국민대 일본학연구소 전임연구원과 국제학부 교수를 거쳐 2017년부터 서울대 정치외교학부 교수로 재직 중이다.

이종국(李鍾國)

전 동북아역사재단 연구위원. 1960년생. 강원도 삼척(지금의 동해) 출신으로 동국대 정치외교학과를 졸업하고 도쿄대 대학원 법학정치학연구과에서 석사와 박사학위를 취득했다. 동북아역사재단 연구위원으로 재직하다 퇴직. 도쿄대 법학부 특별연구원과 게이오대 방문연구원을 지냈고 호세이대(法政大) 법학부에서 '동아시아 국제정치'를 강의했다. 귀국해 동국대 정외과 학부와 대학원에서 국제정치를 가르쳤다. 한국정치학회, 한국국제정치학회, 현대일본학회 등에서 부회장, 이사 등을 지냈다. 관심 분야는 냉전과 긴장 완화, 전후 일본의 내정과 외교, 일본의 포퓰리즘과 우경화 등이다.

이종락(李鍾洛)

1965년생. 강원 정선 출신의 신문기자. 한국외국어대 아랍어과를 졸업하고 같은 대학에서 언론학박사 학위를 취득했다. 노스캐롤라이나주립대(UNC) 저널리즘스쿨 방문연구원을 지내고 1991년 〈서울신문〉에 입사해 2010년부터 3년간 도쿄특파원으로 있으면서 동일본대지진과 후쿠시마 원전사태를 취재했다. 이후 정치부장, 사회부장, 산업부장, 국제부장을 거쳐 일본과 정치를 담당하는 논설위원으로 일하고 있다.

이주경(李柱卿)

1977년생. 부산 출신의 부산대 연구교수. 부산대 정치외교학과 졸업 후 일본 호세이대(法政大) 정치학과 석사과정을 거쳐 자민당 정책 결정 메커니즘에 관한 연구로 같은 대학 대학원에서 박사학위를 취득했다. 2015~16년 호세이대 법학부 특별초빙연구원을 거쳐, 2017년 일본국제교류기금(Japan Foundation) 초청으로 가고시마대와 호세이대 초빙연구원을 지냈다. 현재 부산대 사회과학연구원 연구교수로 재직 중이다.

이준규(李俊揆)

1954년생, 충남 공주 출신의 외교관. 서울대 법대를 졸업하고 같은 대학 대학원을 수료했다. 1978년 외무고시 12기로 외무부에 들어가 주 유엔대표부, 주 말레이시아, 일본, 중국대사관에서 근무했고, 본부에서는 통상1과장, 재외동포영사국장, 외교안보연구원장을 역임했다. 주 뉴질랜드, 인도, 일본 대사를 역임하고 2017년 퇴임했다. 외무부 재직 중 게이오대 방문연구원도 경험했다. 현재 인도포럼회장, 한일친선협회 중앙회 부회장, 한국외교협회 회장으로 일하고 있다.

이지평(李地平)

1963년생. 일본 도쿄 출신의 한국국적 재일교포, 경제전문가. 일본 호세이대(法政大) 경제학과를 졸업하고 고려대 대학원에서 경제학 석사 과정을 수료했다. 1988년 LG경제연구원에 입사해 경제연구부문 수석연구위원, 미래연구팀장, 자원에너지 담당, 산업연구부문 에너지그룹장, 격월간지 〈LG Japan Insight〉 편집장 등을 지내고 현재 상근자문으로 재직 중이다. 산업자원부 국제석유가격대책회의, 청와대 동북아시아경제중심추진위원회, 남북대외협력전문위원회, 미래부 미래성장동력 기획위원회, 한일산업 · 기술협력재단 일본기업연구센터의 위원, 전문위원, 운영위원 등으로 일했다.

이지형

숙명여대 교수. 고려대 일어일문학과에서 학사와 석사를, 와세다대 문화연구과에서 석사를, 2003년 쓰쿠바대 문예언어연구과에서 박사학위를 취득했다. 현재 숙명여대 일본학과 교수로 재직 중이다. 일본근현대문학과 문화를 연구하고 이를 강의하고 있다. 서울대 일본연구소가 발행하는 등재학술지 〈일본비평〉의 편집위원장을 맡고 있다.

이창민(李昌玟)

1978년생. 한국외국어대 융합일본지역학부 교수. 고려대 경제학과를 졸업하고, 일본 도쿄대 경제학부에서 경제학 석사와 박사학위를 취득했다. 일본 도쿄공업대 사회공학과 조교수와 후쿠오카현립대 공공사회학과 조교수를 거쳐 2014년부터 현직. 일본경제와 경영 분야를 연구하는 많지 않은 소장파 학자 중 한 명이다. 일본 히도쓰바시대 방문교수, 한국외국어대 일본학대학 부학장, 동북아외교통상전공 주임교수를 역임했다.

이하원(李河遠)

1968년생. 전남 여수 출신의 신문기자. 고려대 정치외교학과, 하버드대 케네디 행정대학원을 졸업하고 하버드대 벨퍼과학국제문제연구소(BCSIA) 리서치 펠로우를 지냈다. 1993년 〈조선일보〉에 입사한 후 한나라당 취재반장, 외교안보팀장, 워싱턴 특파원, 도쿄 특파원, 〈TV조선〉 정치부장, 조선일보 논설위원을 역임했다. 현재 조선일보 국제부장으로 일하고 있다. 2006년 '한중일 차세대 지도자포럼'의 한국 측 대표단에 선정됐으며 2014년 세계기자대회의 북핵 6자회담 참가국 대표로 참석했다.

이현주(李賢主)

1956년생. 서울 출신의 외교관. 1980년 서울대 무역학과 재학시절 외무고시(13회)에 합격했다. 주 일본대사관 2등서기관, 주 폴란드대사관 1등서기관, 외교부 경제협력1과장, 한반도에너지개발기구(KEDO) 북한금호사무소 초대 대표, 주 미국대사관 총영사와 경제참사관, 주 중국대사관 공사, 국제안보대사, 주 오사카총영사(2011.11~2015.4)를 지냈다. 퇴직 후 동북아역사재단 사무총장으로 일했다.

임병걸(林炳杰)

1962년생. 서울 출신의 방송기자. 고려대 법학과와 서강대 대학원 신방과를 졸업했다. 1987년 〈KBS〉 기자로 입사해 도쿄특파원, 경제부장, 사회부장, 해설위원, 일요진단 앵커 등을 지냈다. 이어 미래사업본부장, 전략기획실장을 거쳐 2020년 2월부터 부사장. 일본 게이오대 국제어학원을 수료하고 KBS 일본어 국제방송 〈금요토론〉을 진행했으며, 한일미래포럼 자문위원, 외교부 공공외교 민간자문위원, 국회 미래연구원 자문위원 등을 맡고 있다.

임승빈(林承彬)

1959년생. 명지대 교수. 한국외국어대와 대학원을 졸업하고 도쿄대에서 석사와 박사학위를 취득했다. 한국지방행정연구원, 한국행정연구원, 순천대를 거쳐 현재 명지대 행정학과 교수로 재직 중이다. 연구분야는 지역사회와 행정 간의 파트너십, 지방자치, 일본지역연구, 정부와 NGO 등이다. 대통령 산하 자치분권위원회 전문위원회 위원장, 감사원, 행정안전부, 통일부, 기획재정부 등의 평가위원, 경실련 지방자치위원장을 역임했다. 일본 고베학원대 객원교수, 영국 버밍햄대와 중국 흑룡강대의 방문교수도 경험했다. 한국지방자치학회장, 한국정책과학학회장, 한국거버넌스학회 부회장으로 일하기도 했다.

임은정(林恩廷)

1978년생. 서울 출신의 대학 교수. 이화여자외고(중국어 전공) 졸업 후 도쿄대에서 국제관계 전공으로 학사학위를 받았고, 서울대 외교학과 대학원 재학 중 도미해 컬럼비아대 국제관계대학원(SIPA)에서 국제안보정책 전공으로 석사학위를, 존스홉킨스대 고등국제학대학(SAIS)에서 국제관계학으로 박사학위를 취득했다. 서울대 일본연구소와 국민대 일본학연구소의 연구원, 도쿄대 현대한국연구센터의 객원연구원을 지냈다. 2013~2017년 모교인 존스홉킨스 SAIS에서 한국학 담당 전임강사로 근무하다, 교토 리쓰메이칸대 국제관계학부 조교수를 거쳐 2019년 가을부터 국립공주대 국제학부 부교수로 재직 중이다. 일본을 비롯한 동아시아 국가의 에너지 정책이 주요 연구 테마 중 하나. 원자력정책 전문가로서 2018년 5월부터 한국원자력통제기술원 비상임이사직을 맡고 있으며, 현대일본학회 편집위원과 국방정책학회 기획이사, 세토포럼 회원 등으로도 활동하고 있다.

장원재(張源宰)

1980년생. 서울 출신의 신문기자. 연세대 신문방송학과를 졸업하고 2005년 〈동아일보〉에 입사해 사회부, 경제부, 정치부, 산업부 등을 거쳐 2015년부터 3년간 도쿄특파원을 지냈다. 2014년 게이오대 방문연구원으로 있을 때 자전거로 일본열도를 종단했다. 특파원에서 돌아와 뉴센테니얼본부에서 〈동아일보〉 창간 100주년 업무를 맡았으며 현재는 〈채널A〉 정치부 차장으로 있다.

장인성(張寅性)

서울대 교수. 서울대 외교학과와 대학원을 졸업하고 도쿄대 총합연구과에서 개항기 한일 국제정치사상에 관한 비교연구로 박사학위를 취득했다. 현재 서울대 정치외교학부 교수로 재직 중이다. 연구 분야는 동아시아 국제정치사상, 한일 정치사상사, 동아시아 개념사 등이다.

장제국(張濟國)

1964년생. 부산 출신의 동서대 총장. 미국 조지워싱턴대에서 정치학 학사와 석사학위를, 시라큐스대 로스쿨에서 법학박사 학위를 취득했다. 일본 게이오대에서도 정치학박사 학위를 취득했다. 일본 이토추(伊藤忠) 종합상사, 미국 ㈜몰렉스인터내셔널 등에서 근무하다 2003년 동서대 교수로 자리를 옮겨 2011년부터 총장으로 일하고 있다. 동서대 일본연구센터 소장, 외교부 정책자문위원, 대통령소속 사회통합위원회 부산지역협의회 의장, 부산울산경남제주지역대학교 총장협의회 회장, 교육부 한중일 고등교육교류 전문가위원회 위원 등도 지냈다. 현재 한국사립대학총장협의회 회장, 주 부산 헝가리명예영사, ㈔21세기정치학회 이사장, 한일신시대포럼 회장, 부산광역시 정책고문, 세토포럼 이사, 한일포럼 운영위원 등으로 활동하고 있다.

전진호(全鎭浩)

1962년생. 경북 포항 출신의 광운대 교수. 서울대 외교학과를 졸업하고 도쿄대에서 정치학 박사학위를 취득했다. 2003년부터 광운대 국제학부 교수로 재직하며 광운대신문사 주간 교수, 입학처장 등을 역임했다. 일본 방위성 방위연구소 객원연구원, 도쿄대 방문연구원, 현대일본학회장 등을 지내고, 현재 광운대 동아시아연구소장을 맡고 있다. 주요 연구 분야는 일본정치외교, 동아시아 국제관계, 한일관계, 원자력정책 등이다.

정구종(鄭求宗)

1944년생. 충북 영동 출신의 신문기자, 대학교수. 연세대 국문학과를 졸업하고 게이오대에서 법학 박사학위를 취득했다. 1967년 〈동아일보〉에 입사해 도쿄특파원, 사회부장, 출판국장, 편집국장 등을 역임했다. 2001년 퇴임 후 동아닷컴 사장, 한국온라인신문협회 회장, 연세언론인회 회장 등을 거쳐 동서대 국제학부 석좌 교수 겸 일본연구센터 소장을 지낸 뒤 현재는 일본연구센터 고문. 2009년부터 10년간 한일포럼 한국 측 대표간사로 일했으며 2009년 이후 한일문화교류회의 위원장으로 일하고 있다.

정남구(鄭南求)

1969년생. 전북 정읍 출신의 신문기자. 연세대 정치외교학과를 졸업하고 1995년 〈한겨레신문〉에 입사해 산업팀장, 경제부장, 경영전략담당 상무를 지내고 현재 논설위원으로 일하고 있다. 라디오와 TV에서 경제해설가로 오래 일했다. 동일본대지진이 발생했을 때 도쿄특파원(2010.2~2013.9)이었다.

정미애(鄭美愛)

1968년생. 인천 출신의 학자. 이화여대 정치외교학과를 졸업하고 같은 대학 대학원에서 정치학 석사를, 일본 쓰쿠바대 국제정치경제학연구과에서 정치학으로 석사와 박사학위를 취득했다. 국민대 일본학연구소 연구교수, 주일한국대사관 선임연구원, 일본 고베대 객원교수, 템플대 재팬캠퍼스 객원연구위원 등을 거쳐 2017년 12월부터 2020년 11월까지 주 니가타 총영사를 지냈다. 2021년 1월 외교부 퇴직 후 세종연구소 동아시아협력센터 객원연구위원, 한일의원연맹 자문위원, 동아시아국제정치학회 부회장 등으로 활동하고 있다.

정병호(鄭炳浩)

고려대 교수. 고려대 일어일문학과를 졸업하고 같은 대학에서 석사학위를, 2001년 일본 쓰쿠바대에서 문학전공으로 박사학위를 취득했다. 전남대 일어일문학과 전임강사를 거쳐 2005년부터 고려대 일어일문학과 교수로 재직 중이다. 현재 고려대 문과대학장과 한국일본학회 회장을 맡고 있다.

정재정(鄭在貞)
1951년생. 서울시립대 명예교수. 서울대 역사교육과를 졸업하고 도쿄대에서 석사학위를, 서울대에서 문학박사학위를 취득했다. 한국방송통신대 교수를 거쳐 서울시립대 사학과 교수로 임용돼 박물관장, 인문대학장, 대학원장을 지냈다. 국사편찬위원회, 서울시사편찬위원회, 독립기념관, 서울역사박물관, 한성백제박물관 등의 위원으로 일했다. 동북아역사재단 이사장, 한일미래포럼과 대한민국역사박물관의 자문위원장도 지냈다. 한국과 일본, 중국, 북한, 독일, 미국 등의 역사공동연구에 참가하고, 한일 양국정부가 지원한 한일역사공동연구위원회(1, 2기)의 총간사도 역임했다. 홋카이도대, 동경대 등의 특임교수, 국제일본문화연구센터(니치분켄·日文硏), 도후쿠대, 에커트국제교과서연구소 등에서 교육과 연구를 하기도 했다. 현재 광주과학기술원 초빙석학교수, 서울시역사자문관으로 있다.

정지희(鄭知喜)
1976년생. 서울 출신의 서울대 일본연구소 교수. 서울대 동양사학과에서 학사를, 캘리포니아대(샌디에고) 사학과에서 석사와 박사학위를 취득했다. 다트머스대 사학과 방문연구원, 도쿄대 정보학환(情報学環) 박사후연구원을 거쳐 2017년부터 서울대 일본연구소 조교수로 재직 중이다. 전문 분야는 일본근현대사와 미디어사회문화사이며, 현재 서울대 일본연구소 〈Seoul Journal of Japanese Studies〉 편집위원 겸 편집간사, 일본사학회 〈일본역사연구〉 편집위원을 맡고 있다.

정진성(丁振聲)
1957년생. 방송통신대 교수. 서울대 경제학과에서 석사와 학사를 받고, 1991년 일본 쓰쿠바대에서 일본경제사로 박사학위를 취득했다. 1997년부터 한국방송통신대 일본학과 교수로 재직 중이다. 한국개발연구원(KDI) 연구위원, 배재대 일본학과 조교수, 도쿄대 객원연구원, 서울대 일본연구소 객원연구원을 지냈다.

정혜경(鄭惠瓊)

1960년생. 서울 출신의 한국사 연구자. 성신여자사범대 국사교육과를 졸업하고 한국정신문화연구원(현 한국학중앙연구원) 한국학대학원에서 「재일 한인의 노동운동사」를 주제로 석사와 박사학위를 취득했다. 전공 외에 기록학(Achival Science)을 공부했고, 구술사(Oral History)를 통해 피해자들의 목소리를 만났다. 국무총리 소속 대일항쟁기강제동원피해조사 및 국외강제동원희생자 등 지원위원회에서 11년간 조사과장을 지냈다. 현재 일제강제동원&평화연구회 대표연구위원으로 있으며, 아시아태평양전쟁유적에 관심을 가진 시민들과 현장을 찾고 있다.

조관자(趙寬子)

1964년생. 충남 서산 출신의 서울대 교수. 서울대 국문학과를 졸업하고 도쿄대 총합문화연구과 지역문화전공코스에서 일본사상사 연구로 석사와 박사학위를 취득했다. 일본의 센슈대(專修大), 아오야마학원대(青山學院大) 강사, 주부대(中部大) 준교수를 거쳐 서울대 일본연구소 부교수로 재직 중이다. 하얼빈공대 객원교수, 오사카대 초빙교수이기도 하다. 식민지 시기 일본과 조선의 지식문화 교섭, 일본의 내셔널리즘, 재일조선인의 민족주의, 혐한과 한류 등을 연구했고, 현재는 한일 양국에 필요한 교육문화콘텐츠 개발을 위해 노력 중이다.

조비연(趙琵娟)

1987년생. 경기 수원 출신의 한국국방연구원 선임연구원. 미국 로드아일랜드디자인대(RISD)에서 미술학을 공부하고 서울대 국제대학원에서 국제학 석사와 박사학위를 취득했다. 연세대 동아시아국제학부 강사, 서울대 국제학연구소 연구교수를 거쳐 2020년 9월부터 현직. 연구 분야는 한국의 국방전략, 한미동맹과 확장억제 등이며, 일본의 안보전략, 한미-일미동맹 비교, 한일 국방 비교 등에도 관심을 갖고 있다. 한국정치외교사학회 기획이사, 합참 평가위원으로도 활동하고 있다.

조성렬(趙成烈)

1958년생, 서울 출신의 국책연구기관 연구원, 오사카 총영사. 서울대 공과대학 화학공학과를 졸업하고 성균관대 대학원에서 일본정치로 정치학박사를 취득했다. 1999년 국가안보전략연구원에 들어가 수석연구위원으로 재직하며 국제안보실장, 기획실장을 역임했다. 2021년 5월부터 일본 오사카 총영사로 재직 중이다. 일본 도쿄대와 게이오대 방문학자, 중국외교학원 방문학자, 한국평화연구학회 부회장, 한국국제정치학회 부회장, 북한연구학회장을 역임했다. 청와대 국가안보실, 통일부, 국방부, 외교부에서 정책자문을 하기도 했다.

조세영(趙世映)

1961년생. 서울 출신의 외교관. 고려대 법대를 졸업하고 외무고시 18회로 공직을 시작했다. 주 일본대사관 2등, 1등 서기관을 거쳐 공사참사관을 지냈고 외교부 동북아시아국장을 역임했다. 이명박 정부 시절, 한일 정보보호협정 밀실 처리 문제로 문책을 당해 외교부를 떠났다. 동서대 특임교수, 일본연구센터 소장으로 일하다 문재인 정부 출범 후 2018년 국립외교원장에 발탁됐다. 2019년 외교부 제1차관으로 옮겨 일하다 2020년 8월 물러났다.

조양현(曺良鉉)

1967년생. 광주광역시 출신의 국립외교원 책임교수. 서울대 외교학과를 졸업하고 도쿄대에서 정치학박사 학위를 취득했다. 2006년부터 국립외교원에서 재직하며 외교안보연구소 아시아태평양연구부 교수와 일본연구센터 책임교수로 일하고 있다. 그동안 국립외교원 외교안보연구소 외교사연구센터장, 하버드대 웨더헤드센터 Academic Associate, 싱가포르 국립대 동아시아연구소 방문연구원 등을 지냈다. 주요 연구 분야는 일본정치외교, 한일관계, 동아시아 국제관계, 대한민국 외교사 등이다.

조용래(趙容來)

1957년생. 광주광역시 출신의 신문기자. 중앙대 경제학과를 졸업하고, 일본 게이오대에서 경제학 석사와 박사학위를 취득했다. 한양대 아태지역연구센터 일본연구실 책임연구원을 거쳐 국민일보 전문기자, 논설위원, 논설실장, 편집인(이사), 대기자 등을 지내고 퇴직해 광주대 기초교양학부 초빙교수로 일했다. 2021년 1월부터 한일의원연맹 사무총장으로 일하고 있다.

조윤수(趙胤修)

1973년생. 서울 출신의 동북아역사재단 연구위원. 한림대 국제대학원에서 정치학 석사, 일본 도호쿠대(東北大)에서 박사학위를 취득했다. 박사학위 논문은 「한일 어업교섭의 국제정치 – 해양질서의 탈식민지화와 '국익'의 조정」(2008년)으로, 1965년 한일 국교정상화 과정에서 어업협상 사례를 청구권 협상과 비교해 분석했다. 2009년 12월부터 동북아역사재단 연구위원으로 일하고 있다. 일본군 위안부, 동아시아 외교, 한일외교문제에 관심을 가지고 있다.

조은일(趙恩一)

1982년생. 서울 출신의 한국국방연구원 선임연구원. 일본 와세다대 정치경제학부 정치학과를 졸업하고, 연세대 국제학대학원에서 국제학 석사학위를, 연세대 일반대학원에서 정치학 박사학위를 취득했다. 박사과정 중에 한국국제교류재단 글로벌 인턴십으로 스톡홀름국제평화연구소(SIPRI)에서 핵비확산과 군축을 연구했고, 국립외교원 외교안보연구소 연구원으로 재직했다. 미 국방부 산하 아태안보연구소(APCSS)의 '경제안보모듈' 프로그램을 수료했고, 2020년부터 국방일보에 격주로 '국제이슈 돋보기'를 연재하고 있다. 국제안보의 여러 분야 중 핵 비확산, 미사일 방어, 신기술 등이 동북아 안보질서에 미치는 영향에 관심을 가지고 있고, 미일동맹을 포함한 일본의 안보군사정책 연구에 전문성이 있다.

조진구(趙眞九)

1967년생. 경기도 고양 출신의 경남대 교수. 고려대 사회학과를 졸업하고 일본 도쿄대 대학원 법학정치학연구과에서 1960년대 한미관계와 북한을 주제로 박사학위를 취득했다. 민주평화통일자문회의 사무처 정책연구위원, 고려대 글로벌일본연구원과 평화와민주주의연구소 연구교수를 지냈다. 현재 경남대 극동문제연구소 조교수로 재직하면서 통일부 정책자문위원으로 활동하고 있다.

조태영(趙泰永)

1958년생. 서울 출신의 외교관. 서울대 경제학과를 졸업하고 미국 미네소타대 휴버트 H. 험프리 센터에서 행정학 석사학위를 취득했다. 1981년 외무고시에 합격해(15회) 그해 외무부에 들어갔다. 동북아1과장, 동북아국장, 주 일본대사관 3회 근무 등 일본과 중국업무를 많이 담당했으며 외교부 대변인(2012.7~2014.5)도 역임했다. 주 파키스탄, 주 이탈리아 대사관의 참사관을 거쳐 방글라데시와 인도네시아 대사를 지냈다. 2018년 퇴임 후 그해 10월부터 동북아역사재단 사무총장으로 일하고 있다.

조태용(趙太庸)

1956년생. 외교관 출신 국회의원. 서울대 정치학과를 졸업하고 제14회 외무고시에 합격해 1980년 외무부로 들어갔다. 북미제2과장, 북미제1과장, 북미국 제2심의관을 거쳐 북핵외교기획단장, 북미국장, 주 아일랜드 대사, 주 호주 대사를 지냈다. 2013년 외교부 한반도평화교섭본부장, 2014년 외교부 제1차관, 2015년 국가안보실 제1차장 겸 국가안전보장회의 사무처장으로 일하다 2017년 5월 퇴임하고 연세대 국제학대학원 겸임교수로 재직했다. 현재 제21대 국회의원(국민의힘)이다.

조희용(曺喜庸)

1955년생. 서울 출신의 외교관. 서울대 경제학과를 졸업하고 1979년 외무부에 들어갔다. 일본 와세다대에서 수학했으며 동북아1과, 주 일본대사관 2등서기관, 동북아 2과장, 대만, 중국, 미국대사관 근무를 거쳐 외무부 대변인, 주 스웨덴 겸 라트비아 대사, 주 캐나다 대사를 지냈다. 2015년 퇴임 후 국립외교원 일본연구센터 소장, 화해치유재단 이사를 지냈으며 현재 일본 리쓰메이칸대(立命館大) 객원연구원 및 객원교수로 있다.

지명관(池明觀)

1924년생, 평북 정주 출생의 학자. 김일성대학에 제1회로 입학했으나 1947년 월남해 한국전쟁에 통역장교로 참전했다. 이후 서울대 종교학과를 졸업하고 같은 대학 대학원에서 종교철학 박사과정 수료 후 1967년부터 1968년까지 미국 뉴욕 유니온신학교에서 수학했다. 덕성여대 교수와 〈사상계〉 주간으로 반독재민주화 운동을 펼치다 1972년 일본으로 건너갔다. 1974~1993년 일본 도쿄여대 교수로 재직했다. 1973년부터 1988년까지 'TK生'이라는 필명으로 잡지 〈세카이(世界)〉에 '한국으로부터의 통신'을 연재하면서 군사독재의 실상과 민주화운동을 알렸다. 2003년 본인이 '한국으로부터의 통신'의 숨은 필자임을 밝혀 한일 양국에서 크게 주목을 받았다. 20년간의 망명생활을 마치고 1993년 귀국해 한림대 석좌교수와 일본학연구소장, 한일문화교류회의 한국 측 위원장, 한일역사연구촉진공동위원회 한국 측 위원장, 한국방송공사(KBS) 이사장 등을 지내며 국내의 일본 연구를 촉진하고, 식민 · 피식민의 대립적 한일관계를 미래지향적이고 동반자적 관계로 전환하기 위해 노력했다.

지상욱(池尚昱)

1965년생, 서울 출신의 정치인. 연세대 토목공학과를 졸업하고 미국 스탠퍼드대에서 토목공학 석사를, 도쿄대에서 건축공학 박사학위를 취득했다. 20대 국회의원으로서 새누리당(여당) 대변인, 바른정당과 바른미래당 정책위의장, 새보수당 공동대표, 한일의원연맹 상임간사를 지냈다. 국회 예결위 간사 시절(2019년) 한일 무역분쟁 대응 소위원회 위원장을 맡았다. 현재 국민의힘 싱크탱크인 여의도연구원 원장으로 일하고 있다.

진창수(陳昌洙)

1961년생. 경남 김해 출신의 세종연구소 수석연구위원. 1986년 서강대 정치외교학과를 졸업하고 1994년 도쿄대에서 정치학박사 학위를 취득했다. 2002년 세종연구소로 들어가 소장을 거쳐 현재는 일본연구센터장 겸 수석연구위원. 민주평화통일자문회의 정치분과위원이기도 하다. 그동안 대통령 외교자문위원, 통일준비위원회 외교안보분과위원, 현대일본학회장, 일본 홋카이도대 공공정책대학원 특임교수, 존스홉킨스대 국제관계대학원(SAIS) 방문연구원 등을 거쳤다.

천광암(千光巖)

1967년생. 신문기자. 서울대 경제학과를 졸업하고 1992년 〈동아일보〉에 입사해 사회부, 경제부 기자 등을 거쳐 2003년 평기자 논설위원을 지냈다. 2004년 게이오대 방문연구원을 거쳐 2005년부터 3년간 도쿄특파원으로 일했다. 경제부장, 산업부장, 〈채널A〉 전략기획본부장을 역임했다. 2018년 11월부터 2년간 동아일보 편집국장을 지낸 뒤 현재 논설위원실장으로 일하고 있다. 2013년 금융위원회 금융발전심의위원을 지냈다.

천자현(千慈賢)

1982년생. 연세대 교수. 연세대 정치외교학과를 졸업하고 같은 대학 대학원에서 정치학 박사학위를 취득했다. AICGS at Johns Hopkins University에서 박사후연구원, 고려대 국제대학원 연구교수, 서울대 통일평화원 선임연구원을 거쳐 2018년부터 연세대 미래캠퍼스 국제관계학과 부교수로 재직 중이다. 주요 연구분야는 화해, 평화, 동아시아 외교정책 등이다. 한국국제정치학회 편집위원, 한국정치학회 교육분과 이사, 동북아역사재단 '역사화해를 위한 한일포럼' 정치분과 위원, 통일교육위원 등을 맡고 있다.

최경희(崔慶嬉)

1971년생. 함북 청진 출신의 학자. 북한에서 경제학을 전공하고 한양대에서 학사를, 일본 시즈오카현립대에서 국제관계학 석사를, 도쿄대에서 정치학 박사학위를 취득했다. 사단법인 샌드연구소(SAND: South And North Development)의 소장으로 있으면서 북한과 동북아를 연구하고 있다. 통일부 정책자문위원, 대통령 직속 민주평화통일자문회의 자문위원을 거쳐 한국미래학회 이사, 한국기독교통일포럼 운영위원, 중국 톈진외국어대 객원교수로 있다.

최민경(崔珉耿)

1983년생. 서울 출신 부경대 HK교수. 서울대 언어학과를 졸업하고 2008년 같은 대학 국제대학원에서 국제학 석사학위(일본지역학 전공)를 취득했다. 이후 일본 문부성 국비 외국인 유학생으로 히도쓰바시대 박사과정에 진학해 2013년 국제 이주, 다문화 사회 연구로 사회학 박사학위를 취득했다. 학위 취득 후, 서울대 일본연구소 박사후 연수연구원, 부경대 HK연구교수를 거쳐 2019년부터 부경대 인문사회과학연구소 HK교수로 재직 중이다.

최봉태(崔鳳泰)

1962년생. 대구 출신의 변호사. 서울대 법대와 도쿄대 대학원을 졸업하고 1989년 사법시험 31회 합격에 합격했다. 대구에서 변호사로 일하며 한일 양국에서 한일회담 문서공개 소송을 벌여 승소했다(한국 2005년 8월, 일본 2012년 10월). 헌재로부터 한국 정부가 일본군 위안부 문제에 대해 한일기본조약이 정한 분쟁 해결절차에 따라 해결 노력을 하지 않는 것은 위헌이라는 소위 '부작위(不作爲) 위헌 결정'을 이끌어냈다(2011년 8월 30일). 미쓰비시 중공업을 상대로 피폭징용공 소송을 제기해 양국 사법부로부터 개인청구권은 존재한다는 판결을 받아냈다(2000년 5월). 현재 대한변호사협회 일제피해자 인권특위 위원장을 맡고 있다.

최상용(崔相龍)

1942년생. 경북 경주 출신의 국제정치학자. 서울대 외교학과를 졸업하고 도쿄대에서 석사와 박사학위를 취득했다. 전공은 정치사상. 1982년부터 2007년까지 고려대 정치외교학과 교수를 지냈다. 그간 고려대 아세아문제연구소장, 한국정치학회장, 한국평화학회장, 한일우정의해 2005 자문위원장, 통일부와 외교통상부의 정책자문위원 등으로 일했다. 김대중 정부 시절 주일대사(2000.3~2002.2)를 역임했으며 대사를 마친 뒤 호세이대(法政大)와 세이케이대(成蹊大)에서 평화사상과 중용철학 등을 강의했다.

최영호(崔永鎬)

1955년생. 전북 군산 출신의 전 영산대 교수. 성균관대 정치외교학과를 졸업하고 도쿄대에서 국제관계학 석사와 박사학위를 취득했다. 박사학위 논문은 「해방 직후 재일조선인 커뮤니티에 있어서의 민족주의운동」. 1997년부터 2020년까지 영산대 교수로 재직했다. 재직 중 국제학연구소 소장, 규슈대, 리쓰메이칸대, 니혼대 등에서 방문교수를 지냈다. 민주평통 자문위원, 울산시강제동원진상규명위원회 위원, 한일민족문제학회장, 부산시 통일교육위원, 국외강제동원희생자위원회 미수금분과 위원장, 보훈처 독립유공자심사위원, 재외한인학회장, 재외동포재단 자문위원 등도 역임했다.

최은미(崔恩美)

1982년생. 서울 출신의 아산정책연구원 연구위원. 고려대에서 정치학박사 학위를 취득하고 미국 미시간대와 일본 와세다대 방문연구원, 외교부 연구원, 세종연구소 객원연구위원, 국립외교원 외교안보연구소 연구교수를 거쳐 현재 아산정책연구원 연구위원으로 있다. 단국대, 한국외대 강의교수, 현대일본학회 편집위원으로도 일하며 세계일보와 일본 마이니치신문 등 국내외 언론에 기고하고 있다. 주요 관심 분야는 한일관계, 일본외교, 동북아다자협력 등이다.

최은봉(崔恩鳳)

1958년생. 서울 출신의 이화여대 교수. 이화여대 정치외교학과와 같은 대학 대학원에서 석사과정을 마치고 미국 오하이오주립대에서 박사학위를 취득했다. 강원대 정치외교학과 부교수를 거쳐 이화여대 정치외교학과 교수로 재직 중이다. 이화여대에서 재무처장, 사회과학대학장, 이화사회과학원장, 정책과학대학원장으로 일했으며, 일본국제교류기금의 지원으로 일본 쓰쿠바대의 방문연구교수도 지냈다. 현대일본학회장, 한국사회역사학회장, 한국정치학회 부회장, 한국국제정치학회 부회장을 지냈으며, 국무총리실 국정평가위원, 방송통신위원회 남북방송통신교류분과위원 등으로도 활동했다.

최인한(崔仁漢)

1963년생. 강원 태백 출신의 신문기자. 성균관대 신문방송학과를 졸업하고 서강대 정치학과에서 석사학위를 받았다. 1988년 〈한국경제신문〉에 입사해 도쿄특파원, 편집국 온라인 총괄부국장, 한경닷컴 뉴스국장(이사), 한경 일본경제연구소장, 일본 유통과학대 객원교수를 지냈다. 현재 경희사이버대 일본학과 강사와 시사아카데미 일본경제사회연구소장으로 있다.

최종문(崔鐘文)

1960년생. 경북 성주 출신의 경제인. 일본 와세다대 정치학과를 졸업하고 같은 대학 아시아태평양연구소에서 석사학위를 받았다. 유학과 주재원으로 20년간 일본에서 생활했다. 주식회사 파라다이스 동경사무소에서 근무했고, 주식회사 파라다이스 인터내셔널 대표와 건국대에서 운영하는 더클래식500 대표를 지냈다. 현재 세토포럼 회원과 이타미준 건축문화재단 고문으로 활동 중이다.

최희식(崔喜植)

1971년생. 광주광역시 출신의 국민대 교수. 서울대 정치학과를 졸업하고 2008년 일본 게이오대에서 「아시아 지역협력에 있어서의 한일관계」를 주제로 정치학 박사학위를 취득했다. 국민대 일본학연구소 연구교수(2008~2010)를 거쳐 2010년부터 국민대 국제학부(현 일본학과) 교수, 2019년부터 국민대 일본학연구소장으로 일하고 있다. 관심영역은 한일관계, 일본외교, 동아시아 영토문제 등이다.

추규호(秋圭昊)

1952년생. 목포 출신의 외교관. 1975년 성균관대 법학과를 졸업하고 같은 해 외무고시 9회로 외교관이 됐다. 일본 게이오대에서 수학하고, 미국 존스홉킨스대(SAIS)에서 석사학위를 취득했다. 외교부 동북아1과장, 아시아태평양국장, 대변인, 법무부 출입국 외국인정책본부장, 주일 대사관 서기관, 참사관, 공사로 일했다. 시카고총영사, 영국대사를 거쳐 현재 로마교황청 대사로 일하고 있다. 성균관대 초빙교수, 한국외교협회 부회장, 경제인문사회연구회 기획평가위원회 위원장, (사)한일미래포럼 이사장도 지냈다.

하종문(河棕文)

1964년생, 경남 진주 출신의 한신대 교수. 서울대 인류학과를 졸업하고 도쿄대에서 일본근대사 전공으로 석사와 박사학위를 취득했다. 1996년부터 한신대 일본학과에 재직 중이다. 코넬대 방문연구원, 도쿄대 특임교수, 교토대 객원교수를 지냈으며, 아시아평화와역사연대 운영위원, 동북아역사재단 자문위원을 맡고 있다.

한상일(韓相一)

1943년생. 평남 강서 출신의 학자. 고려대 행정학과를 졸업하고 1974년 미국 클레어몬트대에서 일본정치사로 박사학위를 취득했다. 국민대 정치외교학과에서 오래 교편을 잡았으며 현재 명예교수. 스탠퍼드대, 도쿄대, 도시샤대, 프린스턴대 등에서도 연구했다. 2007년 국민대 일본학연구소장으로 있을 때 〈일본공간〉을 창간했다.

한의석(韓義錫)

1971년생. 성신여대 교수. 중앙대 정치외교학과에서 학사와 석사를, 미국 올버니 뉴욕주립대에서 석사를, 서던캘리포니아대에서 정치학 박사학위를 취득했다. 도쿄대 사회과학연구소 객원연구원, 중앙대학교 정치국제학과 강의전담교수를 거쳐 현재 성신여대 정치외교학과 교수와 동아시아연구소장으로 재직 중이다. 현대일본학회 연구이사, 한국공공외교학회 편집이사로도 활동하고 있다.

한혜인(韓惠仁)

1967년생. 충남 천안 출신의 학자. 상명대 일어일문학과를 졸업하고 같은 대학 대학원과 일본 홋카이도대 대학원 역사지역문화학과에서 일본근현대사를 전공했다. 총리소속 일제강점하 강제동원진상규명위원회, 대통령소속 일제강점하 친일반민족행위진상규명위원회에서 조사관을 지냈다. 이후 일본 홋카이도대 공공정책대학원 연구원, 한국여성인권진흥원 일본군'위안부'피해자 지원 및 기념사업단 총괄팀장, 성균관대 동아시아역사연구소 공동연구원을 지냈고, 현재 한국연구재단 인문사회연구소 사업을 수행하고 있는 아시아평화와역사연구소 전임연구원으로 일하고 있다. 또 사단법인 아시아평화와역사교육연대 운영위원으로서 한중일 역사교과서, 강제동원, 위안부 문제 등 한중일 역사갈등문제와 관련해 각국의 학자 및 시민단체와 연대해 활동하고 있다.

함채원(咸采沅)

1980년생. 서울 출신 한일 국제회의 동시통역사 겸 국제행사 진행자. 한국외국어대 통번역대학원에서 석사와 박사학위(통번역학)를 취득했다. 삼성전자 기술총괄에서 일한 후 프리랜서 동시통역사로 전향해 서울가정법원과 서울고등법원, LG전자, 아모레퍼시픽 지정 통역사로 활동했다. 2011년부터 한일의원연맹 합동총회 미래분과위원회 통역을 맡고 있으며, 하토야마 유키오 일본 전 총리를 비롯한 역대 일본 총리 방한 행사, BTS, 현빈, 보아 방송 행사 등 1000회 이상의 한일 행사를 통역했다. 한국외대 통번역연구소 초빙연구원, 통번역대학원 외래교수 등으로 일했으며, 현재 사단법인 한일미래포럼 이사, 한국일본학회 산하 한국일본어통번역학회 이사 등으로 활동하고 있다.

허광무(許光茂)

1964년생. 충북 괴산군 출신의 연구자. 일본 요코하마국립대와 히토쓰바시대에서 근현대 일본사회경제사 전공으로 박사학위를 취득했다. 2005년부터 2016년까지 국무총리 소속 대일항쟁기강제동원 피해조사 및 국외강제동원 희생자 등 지원위원회에서 조사과장과 심사과장, 광운대 연구교수, 한국외국어대 일본연구소 초빙연구원, 화해치유재단 상임이사(사무처장) 등을 지냈다. 현재 일제 강제동원&평화연구회 연구위원으로 있으면서 일본지역 한인 강제동원 피해의 역사와 국내 전쟁유적 등에 대해 연구하고 있다.

현대송(玄大松)

1961년생. 부산 출신의 한국해양수산개발원 학자. 1980년 부산해양고 항해과를 졸업하고 7년간 항해사로 근무했다. 1988년 한국외대 정치외교학과에 입학해 1993년 문부성 장학생으로 도쿄대 대학원에서 국제정치를 전공하고 2004년 법학박사 학위를 취득했다. 도쿄대 준교수(2006~2009), 국민대 연구교수(2010~2014)를 지냈다. 2015년부터 한국해양수산개발원(KMI)에서 근무하며 독도 · 해양법연구센터장을 거쳐 현재는 해양아카데미업무를 총괄하고 있다.

황성기(黃性淇)

1963년생. 부산 출신의 신문기자. 성균관대 국문학과를 졸업하고 1986년 〈서울신문〉에 입사해 사회부장, 문화홍보국장, 논설위원을 지냈다. 1998년부터 2015년 사이에 세 차례 도쿄에서 근무하면서 90년대 김대중 · 오부치, 2000년대 노무현 · 고이즈미, 2010년대 박근혜 · 아베 정권을 일본 현지에서 취재했다. 2013~2015년 도쿄에서 일본어 월간지 〈테소로(テソロ)〉를 만들어 일본 전국에 배포했다. 국가위원회 조정위원 등으로 일했으며 현재 〈서울신문〉 이사대우 논설위원(외교안보담당) 겸 평화연구소장으로 재직 중이다.

황세희(黃洗姬)

1978년생. 경기 의정부 출신의 여시재 글로벌전략실장. 연세대 정치외교학 학사, 같은 대학 대학원 정치학 석사를 거쳐 게이오대 법학연구과에서 정치학 박사학위를 취득했다. 일본의 싱크탱크인 해양정책연구재단, 사사카와 평화재단에서 연구원으로 일했다. 2016년 1월 민간싱크탱크인 재단법인 여시재로 들어가 동북아협력팀장, 대외협력팀장, 미래디자인실장을 지냈다. 현재 글로벌전략실장을 맡고 있으며, 동북아협력과 미래 한반도 관련 연구를 담당하고 있다.

황영식(黃永植)

1958년생. 경북 문경 출신의 신문기자. 서울대 정치학과를 졸업하고, 세종대 경영대학원(SSMBA)과 한양대 국제학대학원 박사과정(일본학)을 수료했다. 1985년 〈한국일보〉에 입사해 2018년 퇴직할 때까지 정치부와 국제부 기자, 문화부장, 논설위원, 논설실장, 주필 겸 이사를 지냈다. 게이오대 방문연구원과 도쿄특파원으로 6년간 근무했고, 통사적 한일관계사, 일본문화, 일본기업의 기술경영을 비롯해 에너지문제 전반에 대해 관심이 많다. 2020년 서울대 언론정보학과 관훈클럽정신영기금교수로 일했다.

재팬 워처 - 누가 일본을 보고 있는가 2

초판 1쇄 발행 2021년 11월 10일
초판 2쇄 발행 2022년 12월 20일

지은이 심규선
펴낸이 박성복
펴낸곳 도서출판 월인
주소 01047 서울특별시 강북구 노해로25길 61
등록 1998년 5월 4일 제6-0364호
전화 (02) 912-5000
팩스 (02) 900-5036
홈페이지 www.worin.net
전자우편 worinnet@hanmail.net

ISBN 978-89-8477-705-7 94340 (세트)
ISBN 978-89-8477-707-1 94340

값은 뒤표지에 있습니다.

이 책은 관훈클럽정신영기금의 도움을 받아 저술 · 출판했습니다.